El Mueble Español

L. Feduchi

El Mueble Español

EDICIONES POLIGRAFA, S. A.

BIBLIOTECA DE ARTE HISPANICO

EDICIONES POLIGRAFA, S. A.

Balmes, 54 - Barcelona - 7 (España)

Director de la Colección   JUAN PERUCHO

Fotografías   KINDEL

Maqueta y compaginación   JUAN PEDRAGOSA

SUMARIO

© Ediciones Polígrafa, S. A. - Dep. Legal: B. 20.353 - 1969 - Printed in Spain
Fotocromos: Reprocolor Llovet, Barcelona (España)

CONTENTS

SOMMAIRE

INHALT

NOTA PRELIMINAR

De todas las artes industriales cuyo desarrollo tiene tanto interés en España (recordemos la cerámica, el hierro, el tejido) es sin duda el de la madera, el menos estudiado; los trabajos de investigación sobre el origen y desarrollo de los antiguos entalladores y carpinteros no existen todavía (1).

En el desenvolvimiento de este arte menor, tan íntimamente ligado, por una parte a la Arquitectura y por otra al desarrollo de la vivienda y al «modus vivendi», se han encontrado grandes dificultades para hallar una bibliografía y unos datos históricos en que apoyarse.

Se pueden contar con los dedos de la mano los libros, estudios y ensayos, sobre el mueble español. Son ya clásicos y siguen teniendo vigencia, los de Pérez Bueno y Domenech *Muebles antiguos españoles* y el de *El Mueble*, de Pérez Bueno ambos editados en Barcelona en 1920.

PRELIMINARY NOTE

Of all the industrial arts whose development is of such great interest in Spain (ceramics, for instance, or ironwork or weaving), the art of working in wood is undoubtedly the least studied; definitive works of research into the origin and evolution of the ancient carvers and carpenters have yet to be published (1).

In studying the evolution of this minor art, on the one hand so intimately connected with architecture and on the other with the development of man's habitat and «modus vivendi», we have met with great difficulties in finding bibliography or historical data on which to base this work.

There is indeed a great dearth of books, studies or essays on Spanish furniture.

Already classic, and still valid, are those by Pérez Bueno and Domenech, Muebles antiguos españoles, *and* El Mueble, *by Pérez Bueno, both published in Barcelona in 1920.*

PRÉAMBULE

Parmi toutes les industries d'art dont le développement est si intéressant en Espagne (rappelons-nous la céramique, la ferronnerie, le tissage), celle du bois est sans aucun doute la moins étudiée. Il n'existe à ce jour aucun travail de recherche sur l'origine et les progrès des anciens sculpteurs sur bois et menuisiers (1). Il a été extrêmement difficile de trouver, pour s'y référer, une bibliographie et des faits historiques concernant le déroulement de cet art mineur, si intimement lié, d'une part, à l'Architecture, et d'autre part à l'évolution de l'habitat et au «modus vivendi».

On peut compter sur les doigts d'une main les livres, les études et les essais concernant le meuble espagnol. Ceux de Pérez Bueno et Domenech, *Meubles espagnols anciens*, et de Pérez Bueno, *le Meuble*, tous deux édités à Barcelone en 1920, sont maintenant classiques et toujours valables.

EINLEITUNG

Von sämtlichen Kunstgewerben, deren Entwicklung in Spanien mit grossem Interesse gefördert wird (siehe die Keramik, das Eisen, die Webwaren), ist wohl das Holzgewerbe dasjenige, welches am wenigsten erforscht wurde. Die Forschungsarbeiten über den Ursprung und die Entwicklung des ehemaligen Schnitz- und Schreinerhandwerks fehlen noch gänzlich (1). Über die Entwicklung dieser kleineren Kunst, die einerseits so eng mit der Baukunst und andrerseits auch mit der Wohnungsentwicklung und dem «Modus vivendi» verbunden ist, war es sehr schwer Literatur und historische Daten zu finden, auf die man sich stützen könnte.

An den Fingern einer Hand kann man die Bücher, Studien und Essays zählen, die sich mit dem spanischen Möbel befassen. Klassische Werke, die heute noch Gültigkeit haben, sind die von Pérez Bueno und Doménech herausgegebenen Bücher Muebles antiguos españoles *und*

En la obra de S. Albornoz *España, enigma histórico*, tan apasionante, se citan los oficios de sastre, tapicero, lanero, zapatero, armero, recuero, etc., y raras veces el de carpintero (2); el mueble como objeto no se cita específicamente aunque se le suponga incluido en las mercaderías importadas por toda la periferia desde todos los centros industriales de Europa.

En las descripciones antiguas y modernas de los palacios y en las guías de edificios civiles y religiosos, el mueble se cita sólo en conjunto. Y en cambio a los tapices, relojes, joyas, porcelanas, se les da gran importancia; solamente en los testamentos y en los inventarios de herencias nos llegan relaciones de muebles; pero estos datos no bastan, puesto que las descripciones son muy defectuosas y sólo sirven para conocer nuevos nombres de muebles que hoy están en desuso (3).

Es lástima que estos trabajos de investigación no hayan interesado y por tanto

That extremely interesting work by S. Albornoz, Spain, an historical enigma, mentions such tradesmen as tailors, tapestry workers, staplers, cobblers, armourers, muleteers, etc., but hardly ever speaks of carpenters (2); furniture as objects is not specifically mentioned, though it may be supposed to be included among the goods imported into every part of the Peninsula from all the industrial centres of Europe.

In either ancient or modern descriptions of palaces, and in the guides to civic and religious buildings, furniture is mentioned only in the ensemble. The greatest importance, however, is given to such things as tapestries, clocks, jewels and porcelains; it is only in wills and in the inventories of inheritances that we find any reference to furniture; but these data are not enough, for the descriptions are faulty in the extreme and their only value is in letting us know new names for pieces of furniture which have by now fallen into disuse (3).

It is indeed a pity that such research should not have proved of more general

Dans l'œuvre passionnante de S. Albornoz: *L'Espagne, énigme historique*, on cite les métiers de tailleur, de tapissier, de lainier, de bottier, d'armurier, de muletier, etc., mais rarement celui de menuisier (2). On ne mentionne pas spécialement le meuble comme un objet, même si on le suppose compris dans les marchandises importées, dans toute la périphérie depuis tous les centres industriels d'Europe.

Dans les descriptions anciennes et modernes des palais et dans les guides des édifices publics et religieux, on ne parle du meuble qu'en bloc. Par contre, on donne une grande importance aux tapisseries, aux horloges, aux bijoux, aux porcelaines; c'est seulement dans les testaments et dans les inventaires d'héritage que nous parviennent des catalogues de meubles; mais ces renseignements ne suffisent pas, car les descriptions sont très mauvaises et servent seulement à connaître de nouveaux noms de meubles aujourd'hui démodés (3).

El Mueble *von Pérez Bueno, die beide im Jahre 1920 in Barcelona erschienen. In dem Buch von S. Albornoz* España, enigma histórico *(Spanien, ein geschichtliches Rätsel), das so spannend ist, werden die Handwerke des Schneiders, Tapezierers, Wollhändlers, Schumachers, Waffenschmieds, Fuhrmanns usw. geschildert, aber ganz selten wird der Schreiner erwähnt (2); das Möbel als Gegenstand wird nicht spezifisch erwähnt, obwohl ganz selbstverständlich angenommen wird, dass es sich unter den aus allen Industriegebieten Europas importierten Waren befindet.*

In den alten und modernen Beschreibungen der Schlösser, sowie in den Führern durch die bürgerlichen Gebäude und die Klöster, werden die Möbel nur in ihrer Gesamtheit erwähnt. Dagegen misst man den Wandteppichen, den Uhren, den Juwelen und dem Porzellan die grösste Bedeutung bei. Nur in Testamenten und Nachlassinventaren findet man die Aufzählung von Möbeln, aber diese Daten genügen nicht, weil die Beschreibungen

las fuentes consultadas para este estudio son muy limitadas. En los libros de literatura clásica las observaciones sobre el mueble son ciertamente muy escasas, y las descripciones de exteriores e interiores, tienen para nosotros un interés muy relativo (4).

El estudio se ha hecho sobre los propios ejemplares existentes, eliminando muchos de ellos que se tenían por genuinamente españoles.

Como la parte gráfica ha de tener gran importancia, se ha realizado con el mayor cuidado la elección de las láminas, de modo que en ellas vayan representados los especímenes más interesantes tanto desde el punto de vista nacional, como desde el de su originalidad y composición.

España es una unidad geográfica situada en el extremo occidental de Europa; bañada por el Mediterráneo, mar interior en cuyo alrededor se desarrolla la llamada civilización occidental en que

interest, the result being that the sources consulted for the present study are very limited. The observations regarding furniture in classical literature are certainly few in number, while the descriptions of exteriors and interiors are only of very relative importance for our purposes (4). The present study, therefore, has been based on existing specimens, in which process we have been forced to eliminate many of those which were considered genuinely Spanish.

Since the illustrations in this book are of prime importance, we have taken the greatest possible care in our choice of plates, our intention being to present the most interesting specimens, both from the point of view of their «Spanishness» and from that of their originality and composition.

Spain is a geographical unit situated at the western-most limits of Europe, its coasts bathed by the Mediterranean, that inland sea round which what we call «Occidental civilization» has developed.

1

2. Sillas representadas en el Código Emilianense, del siglo X, conservado en la Biblioteca de El Escorial. Madrid.

2. *Chairs represented in the «Emilianense» Codex of the 10th century, kept in the Library of the Escorial. Madrid.*

2. *Chaises représentées dans le Code Emilien, du xe siècle, conservé à la Bibliothèque de l'Escurial. Madrid.*

2. *Stühle, die im Código Emilianense des 10. Jahrhunderts dargestellt sind und der in der Bibliothek in El Escorial aufbewahrt wird. Madrid.*

2

vivimos, España acusa un fenómeno de absorción de las culturas artísticas alcanzando por este carácter poroso todas las novedades que vienen de fuera.

En cuanto al mueble, arte menor de poca trascendencia, se aprecian claramente, de una parte, las influencias europeas a través de las culturas que han dominado Europa en cada momento, de otra las de Oriente que nos llegan con el Mediterráneo y África y por último las de los pueblos árabes que dominaron más de setecientos años la Península.

Los rasgos de originalidad que sin duda existen en los muebles españoles, se refieren más bien a la interpretación nacional de los modelos que nos llegan de fuera y bien podemos afirmar, que en cambio los nuestros, muchas veces verdaderos prototipos creados en la Península, no ejercen la menor influencia en el exterior.

Por otra parte la mano nacional es siempre más basta que la del exterior

xiii

xii

xiii

xiiii

xx

xxi

xxii

xxiii

xxiiii

ONCILIVM AVRASICVM XIII

3. Silla de época indeterminada. Alta Edad Media, arte bárbaro. Museo de Arte de Cataluña. Barcelona.

4. Banco de tres plazas con dosel soportado por columnas de madera de pino con restos de policromía y detalles visigóticos. Procede de San Clemente de Taüll (Pirineos). Museo de Arte de Cataluña. Barcelona.

3. *Chair of undetermined period. Barbaric art, early Middle Ages. Museum of Catalan Art. Barcelona.*

4. *Three-seat bench with canopy supported by pine columns, remains of polychrome painting and Visigothic details. From San Clemente de Taüll, in the Pyrenees. Museum of Catalan Art. Barcelona.*

3

The country can be seen to have absorbed different artistic cultures, its porous character permitting it to assimilate all the new movements from abroad. As regards furniture, a minor art of scant importance, we can see clearly on the one hand the European influences through the cultures which have prevailed in Europe in different periods, on the other those of the east, which have come to us through the Mediterranean and Africa and, finally, those of the Arab peoples which dominated the Peninsula for over seven hundred years.

Those characteristics of originality which undoubtedly exist in Spanish furniture are more the result of a national interpretation of the models which have come to us from abroad, and we can safely affirm that, on the other hand, our own pieces, frequently genuine prototypes created in the Peninsula, have not had the slightest influence on the furniture of other countries.

The Spanish workman's hand, moreover, has always been clumsier than that of the

3. Chaise d'époque indéterminée. Haut Moyen Âge, art barbare. Musée d'Art de Catalogne. Barcelone.

4. Banc à trois places avec dais supporté par des colonnes de bois de pin et montrant des restes de polychromie et des détails wisigothiques. Vient de San Clemente de Taüll (Pyrénées). Musée d'Art de Catalogne. Barcelone.

3. Sessel aus einer umbestimmbaren Epoche. Hohes Mittelalter. Kunst der Barbaren. Museo de Arte de Cataluña. Barcelona.

4. Dreisitzige Bank mit Himmel, der von Säulen aus Fichtenholz getragen wird. Man erkennt noch Reste von mehrfarbiger Malerei und westgotischen Einzelheiten. Die Bank stammt aus San Clemente de Taüll (Pyrenäen). Museo de Arte de Cataluña. Barcelona.

Il est regrettable que ces travaux de recherche n'aient pas éveillé d'intérêt et que, de ce fait, les sources consultées pour notre étude soient très limitées. Dans les livres de littérature classique les remarques sur le meuble n'abondent vraiment pas et les descriptions d'extérieurs ou d'intérieurs y ont un intérêt très relatif pour nous (4). Cette étude a été faite d'après les spécimens existants, beaucoup qui ne sont pas proprement espagnols ayant été éliminés.

La partie graphique ayant une grande importance, les gravures ont été choisies avec le plus grand soin afin qu'elles représentent les spécimens les plus intéressants, aussi bien du point de vue national que de leur originalité et de leur montage.

L'Espagne est une unité géographique située à l'extrémité occidentale de l'Europe. Baignée par la Méditerranée, mer intérieure autour de laquelle se développe la civilisation occidentale dans laquelle nous vivons, l'Espagne pré-

sehr lückenhaft sind und nur dazu dienen uns neue Namen von Möbeln bekannt zu geben, die heute nicht mehr im Gebrauch sind (3).

Es ist schade, dass diese Forschungsarbeit kein Interesse fand und daher auch die befragten Quellen hierfür sehr begrenzt sind. In den Büchern der klassischen Literatur findet man nur sehr wenige Hinweise auf die Möbel, wogegen die Beschreibungen über das äussere und innere Aussehen der Gebäude für uns nur ein relatives Interesse hat (4). Das Studium wurde anhand der noch vorhandenen Möbelstücke vorgenommen und dabei viele ausgeschieden, die man bisher als rein spanische Möbel angesehen hatte.

Da der graphische Teil von grösster Wichtigkeit ist, hat man besondere Sorgfalt an die Auswahl der Bilder gewendet, so dass in diesen die interessantesten Stücke dargestellt werden, nicht nur vom nationalen Standpunkt aus, sondern auch was ihre Originalität und Zusammensetzung betrifft.

sente un phénomène marqué d'absorption des cultures artistiques et capte en raison de ce caractère perméable toutes les nouveautés qui viennent du dehors. Pour ce qui est du meuble, art mineur de peu d'importance, on constate clairement, d'une part, les influences européennes à travers les cultures qui ont dominé l'Europe du moment, d'autre part les influences de l'Orient qui nous arrivent par la Méditerranée et l'Afrique, et enfin celles des peuples arabes qui dominèrent la Péninsule pendant plus de sept cents ans.

Les traits originaux qui existent sans doute dans les meubles espagnols relèvent plutôt de l'interprétation nationale des modèles qui nous viennent du dehors, et nous pouvons assurer qu'en revanche les nôtres, souvent véritables prototypes créés dans la péninsule, n'exercent pas la moindre influence à l'étranger.

D'autre part le tour de main national est toujours plus gauche que celui de l'é-

Spanien ist eine geographische Einheit, die am westlichsten Ende von Europa gelegen ist. Vom Mittelmeer umspült —einem Binnenmeer, in dessen unmittelbarer Umgebung sich unsere heutige sogenannte westliche Zivilisation entwickelte— weist Spanien eine Aufnahmefähigkeit für sämtliche künstlerische Kulturen auf und gelangt durch diesen durchlässigen Charakter zu allen Neuheiten, die von Aussen kommen. Was nun die Möbel betrifft, eine belanglose nicht weitgreifende Kunst, erkennt man einerseits ganz eindeutig den europäischen Einfluss infolge der Kulturen, die zeitweilig in Europa geherrscht haben und auf der anderen Seite merkt man den Einfluss des Orients, der über das Mittelmeer und von Afrika zu uns gelangte. Schliesslich macht sich auch noch der Einfluss bemerkbar, den die arabischen Völker während ihrer mehr als siebenhundertjährigen Herrschaft auf der spanischen Halbinsel ausgeübt haben.

Die eigentümlichen Merkmale, die zweifellos an den spanischen Möbeln vorhanden sind, beziehen sich eher auf die volks-

y el carácter más rudo del artesano se refleja claramente en las obras hispánicas.

Como resultado de estas leves características, es decir, la interpretación indígena de los tipos importados, los rasgos fuertes y toscos en la decoración y la influencia de una cultura que ha perdurado siglos en la Península (el mudejarismo, no deja de aparecer en las obras a lo largo de la dominación árabe e incluso en pleno Renacimiento), se llega a numerosos especímenes muy acusados de expresionismo y cuyo desarrollo vamos a seguir en este libro.

foreigner, and this less refined character of the artisan is clearly reflected in the Spanish pieces.

As a result of these slight characteristics, i.e., the native interpretation of imported types, the strong, rough features in decoration and the influence of a culture which lasted for centuries in the Peninsula (Mudejar art does not cease to appear throughout the Arab domination and even at the height of the Renaissance), we now possess numerous specimens of a clearly expressionistic type, the development of which we are now going to study.

tranger et le caractère plus rude de l'artisan clairement est reflété dans les œuvres hispaniques.

Comme conclusion de ces brèves indications, c'est-à-dire de l'interprétation indigène des modèles importés, les traits accusés et grossiers de la décoration et l'influence d'une culture qui a duré des siècles dans la Péninsule (le style «mudéjare» ne cesse d'apparaître dans les œuvres tout au long de la domination arabe et même en pleine Renaissance) on obtient de nombreux spécimens d'un expressionnisme très affirmé et dont nous allons suivre le développement dans ce livre.

tümliche Interpretation der von aussen zu uns gelangenden Modelle, wogegen man mit Sicherheit sagen kann, dass unsere hier gebauten Möbel, die wirklich oft als Vorbild gelten können, keinerlei Einfluss auf das Ausland ausüben.

Andrerseits ist die einheimische Werkhand viel grober als im Ausland und so spiegelt sich auch der ungeschlachtere Charakter des Kunsthandwerkers ganz eindeutig in den spanischen Werkstücken wieder.

Als Ergebnis dieser unbedeutenden Merkmale, das heisst, der einheimischen Interpretation der aus dem Ausland eingeführten Modelle, des starken und groben Zuges in der Dekoration sowie der Einfluss, den eine jahrhundertelange Kultur auf der Halbinsel ausgeübt hat (der Mudejarismus, die arabische Ornamentik, erscheint immer wieder an den Werkstükken bis weit in die Remaissance hinein), erhält man zahlreiche Probestücke, die einen starken Expressionismus aufweisen und dessen Entwicklung wir im Laufe dieses Buches verfolgen wollen.

EL MUEBLE IBÉRICO Y ROMANO

IBERIAN AND ROMAN FURNITURE

De los primeros pueblos que habitan en España y cuyas huellas han quedado sin perderse nunca, es natural que no queden restos de mobiliario, que por su carácter móvil y su material destructible no son fáciles de conservar. Además, es sin duda posible presumir, que en los primeros tiempos no existen muebles con el concepto que hoy tenemos en que a su utilización se une un cierto valor artístico de obra *bella*.

La mesa, la silla, la cama no es lógico que existiesen; quizá el arca fuera el único mueble necesario, pero también es natural que no queden restos de ellos.

Si examinamos en Europa otras civilizaciones contemporáneas, sólo podemos encontrar unos restos de grandes maderas a modo de bancos que rodean las habitaciones lacustres de la Suiza prehistórica (5).

Pero es bueno recordar que en estos primeros tiempos de los pueblos iberos ya existen civilizaciones en Oriente con un desarrollo muy completo y que el mueble como objeto de arte es un hecho.

En las tierras manchegas, al Oeste de Albacete, es donde encontramos la primera representación gráfica de un mueble ibérico.

Entre las esculturas femeninas descubiertas en el llamado Cerro de los Santos, en la segunda mitad del siglo XIX, hay una serie de ellas en actitud sedente y precisamente en ellas se pueden apreciar con claridad los costados de los sillones en que van sentadas. Son de rasgos muy simples pero con una silueta bien definida; los brazos rectos y horizontales, van rematados en una iniciación de voluta; la ménsula en que apoya el brazo hasta el asiento, es recta como continuación del pie del sillón o suavemente curva en forma de pecho de paloma.

Si en las estatuas se ha determinado su relación con un arte romano de la época imperial y de influencias orientales, cabe presumir las mismas relaciones con los muebles representados en relieves de los Museos de la Acrópolis de Atenas y los de Italia (6).

Of the first peoples who inhabited Spain, certain traces of whom have never been lost, it is only natural that no remains of their furniture should have survived, for on account of its moveable character and the destructibility of its material furniture is not easily preserved. Moreover, it is undoubtedly possible to presume that in the earliest times furniture did not exist in the sense in which we now understand the term: a utilitarian function in combination with a certain artistic value as a work of beauty.

It is not logical to suppose that tables, chairs or beds existed; the chest was perhaps the only necessary piece of furniture, but it is also natural that no remains of any chests now exist.

If we examine other civilizations of the same time in Europe, we can only find remains of great pieces of wood in the form of benches surrounding the lake dwellings of prehistoric Switzerland (5).

But it is as well to remember that in these primitive times of the Iberian peoples, there already existed in the east very highly developed civilizations, in which furniture considered as works of art already had its place.

It is in the Mancha, to the east of Albacete, that we find the first graphic representation of a piece of Iberian furniture.

Among the sculptures of female figures discovered in what is known as the Cerro de los Santos (Hill of the Saints) in the second half of the 19th century, there is a series of these figures in a sitting position, and in these figures we can see quite clearly the sides of the armchairs in which they are seated. They have very simple characteristics but are well-defined in outline; the arms, straight and horizontal, come to an end in the initiation of a volute; the bracket which supports the arm on the seat is either straight, like a continuation of the foot of the chair, or slightly curved, in the shape of a pigeon's breast. If it has been determined that the statues are related to Roman art of the imperial period and with eastern influence, we may suppose the same relationship with the furniture represented in reliefs in the museums of the Acropolis of Athens and in those of Italy (6).

LE MEUBLE IBÈRE ET ROMAIN

IBERISCHE UND RÖMISCHE MÖBEL

Il est naturel qu'il ne reste rien du mobilier des premiers habitants de l'Espagne dont l'empreinte a subsisté sans jamais disparaître, sa conservation en étant difficile en raison de son caractère mobile et de la destructibilité de ses matériaux. Il est à présumer, en outre, que les meubles d'alors n'étaient pas conçus comme à l'heure actuelle, où l'usage s'allie à une certaine valeur artistique d'œuvre «belle».

La table, la chaise, le lit n'avaient pas de raison d'être; peut-être le coffre était-il le seul meuble indispensable, mais il est normal aussi qu'il n'en reste rien.

Si nous considérons en Europe d'autres civilisations contemporaines, nous ne trouvons que des restes de grandes pièces de bois en guise de bancs autour des habitations lacustres de la Suisse préhistorique (5).

Mais il est bon de se souvenir qu'en ces temps primitifs des peuples ibères il existe déjà en Orient des civilisations très développées très completes et que le meuble comme objet d'art est un fait.

C'est dans la région de la Manche, à l'est d'Albacete, que nous trouvons la première représentation graphique d'un meuble ibérique.

Parmi les statues de femme découvertes dans le lieu dit «Mont des Saints» dans la seconde moitié du XIX.e siècle, il y en a une série où l'on peut voir distinctement les côtés des fauteuils sur lesquels elles sont assises. Leurs lignes sont très simples, mais leur tracé est bien défini. Les bras droits et horizontaux s'achèvent en une amorce de volute. Le support du bras qui rejoint le siège est droit comme s'il prolongeait le pied du fauteuil ou doucement incurvé en forme de gorge de pigeon.

Si, en ce qui concerne les statues, l'on a établi leur relation avec un art romain de l'époque impériale influé par l'Orient, il y a lieu de supposer que les mêmes rapports existent pour les meubles représentés sur les reliefs des Musées de l'Acropole d'Athènes et d'Italie (6).

Von den ersten Völkern, die Spanien bewohnten und deren Spuren nie ganz verlorengingen, besteht natürlich kein Mobiliar mehr, weil es infolge seiner Beweglichkeit und des verwendeten vergänglichen Materials nicht leicht zu erhalten war. Es kann ausserdem angenommen werden, dass in den ersten Zeiten der Besiedlung gar keine Möbel in unserem heutigen Sinne vorhanden waren, in denen man neben der Nützlichkeit des Gegenstands, auch den gewissen künstlerischen Wert eines schönen Stückes suchte.

Logischerweise dürfte es damals noch keinen Tisch, Stuhl oder Bett gegeben haben; vielleicht war die Truhe der einzige notwendige Gegenstand jener Zeit, aber es ist auch ebenso selbstverständlich, dass davon heute auch keine Überreste mehr vorhanden sind.

Wenn man in Europa anderen zeitgenössischen Kulturen nachgeht, so findet man nur Teile grosser Bretter in Form von Bänken, die in den Wohnräumen der Pfahlbauten in der vorgeschichtlichen Schweiz, an den Wänden entlangstanden (5).

Es darf aber nicht vergessen werden, dass es in den ersten Zeiten der iberischen Bevölkerung bereits im Orient hochentwickelte Kulturen gab, bei denen die Möbel schon als Kunstwerk galten.

In der Gegend der Mancha, östlich von Albacete, finden wir die erste bildliche Darstellung eines iberischen Möbelstücks.

Unter den weiblichen Figürchen, die im sogenannten Cerro de los Santos in der zweiten Hälfte des XIX. Jahrhunderts entdeckt wurden, befindet sich eine Reihe, die in sitzender Stellung dargestellt sind und an diesen kann man ganz deutlich die Seiten der Sessel feststellen, auf denen sie sitzen. Diese Sessel sind von einfacher Linienführung, haben jedoch ein gut definiertes Profil. Dic geraden, waagrechten Arme enden in der Andeutung einer Volute; der Kragträger, auf den sich der Sesselarm bis zum Sitz herunter stützt, verläuft geradlinig als Fortsetzung des Sesselbeines, oder auch leicht geschwungen in Form einer Taubenbrust. Wenn man diesen Figuren ihre Verbindung zur römischen Kunst der Kaiserzeit und dem orientalischen Einfluss zuschrieb, so muss

7. Estela de Lara de los Infantes, Ibero-romana con representación de una silla y un trípode. Museo Arqueológico de Burgos.

8. Sillón de barro cocido modelo o exvoto de 10 cm. de altura. Ibero-romano. Museo Arqueológico Nacional. Madrid.

9. Sillón con estructuras muy fuertes; ornamentación de tallas y tracerías góticas; en madera de roble. Alfabia (Palma de Mallorca).

10. Silla episcopal de madera policromada, siglo XIII. Catedral de Roda de Isábena (Huesca).

7. Stele from Lara de los Infantes, Ibero-Roman with the representation of a chair and a tripod. Archaeological Museum of Burgos.

8. Armchair in fired clay, a model or a votive offering, 10 cm. high. Ibero-Roman. National Archaeological Museum. Madrid.

9. Armchair with very strong structures; ornamented with Gothic carvings and traceries; in oak. Alfabia (Palma).

10. Bishop's chair in polychrome wood, 13th century. Cathedral of Roda de Isábena (Huesca).

7

8

Sin embargo se supone, no sin fundamento, que en algunas existen falsificaciones y retoques en la labra de algunas estatuas. Tal puede ser el caso de las que hemos elegido como más claras en la representación de los sillones; es muy extraña la semejanza que los brazos y pies tienen con el costado de los sillones fraileros españoles de los siglos XVI y XVII y de los primeros barrocos del siglo XVII enigma que no queremos dejar de señalar (7). En las tierras célticas de Lara de los Infantes, ya romanizadas, se encuentran una serie de estelas con relieves muy planos con representaciones de sillas y mesas en el banquete fúnebre. Aquéllas son de forma de tijera con el alto respaldo cóncavo; nuevas versiones de esta silla las volveremos a encontrar en el siglo XIX, al interpretar los creadores del estilo *Imperio* los modelos de la antigüedad (8); las mesas son trípodes con patas en forma de animales fabulosos muy estilizadas, como sus semejantes romanas (9). El grafismo de estas patas es tan simple que llega a tener la silueta de las típicas patas cabriolé europeas y sobre todo inglesas, del siglo XVIII. La fecha de dichas estelas puede situarse en el siglo II (10), a. de C.

En el Museo Arqueológico de Madrid existe un pequeño sillón de terracota; su altura no es mayor de 10 cms., sin fecha ni lugar de procedencia, puede ser un exvoto o haber sido encontrado en algún ajuar funerario; su forma es semejante a

It is supposed, however, and not without foundation, that in some there exist falsifications and retouching in the carving of some of the statues. Such may be the case with those we have chosen as being the clearest in the representation of the armchairs; there is certainly a very strange similarity between these arms and feet and the sides of Spanish friar's stalls of the 16th and 17th centuries and those of the first baroque chairs of the 17th century, an enigma which we cannot let pass unnoticed (7). In the Celtic territory of Lara de los Infantes, already Romanized, we find a series of steles which have very low reliefs with representations of chairs and tables at a funeral banquet. The chairs are in scissors form, with high concave backs; we shall once more find new versions of this chair in the 19th century, in the interpretations of the models of antiquity by the creators of the Empire style (8); the tables are tripods, with very stylized feet in the shape of fabulous animals, just like their Roman counterparts (9). The fashioning of these feet is so simple that they have practically the same silhouette as the typical European (especially English) cabriole feet of the 18th century. The date of these steles may be placed somewhere within the 2nd century (10).

In the Archaeological Museum of Madrid there is a small armchair made of terracotta; in height it is no more than 10 centimetres, and its date and place of origin are both unknown; it may have

7. Stèle de Lara de los Infantes. Ibéro-romaine, avec représentation d'une chaise et d'un trépied. Musée Archéologique de Burgos.

8. Fauteuil de terre cuite, modèle ou ex-voto de 10 cm de haut. Ibéro-romain. Musée Archéologique National. Madrid.

9. Fauteuil à très fortes structures; ornementation à tailles et figures géométriques gothiques; en chêne. Alfabia (Palma de Majorque).

10. Chaise épiscopale en bois polychrome, XIIIe siècle. Cathédrale de Roda de Isábena (Huesca).

7. Iberorömische Stele von Lara de los Infantes, mit Darstellung eines Stuhls und eines Dreifuss. Museo Arqueológico. Burgos.

8. 10 cm hoher iberorömischer Sessel aus Terrakotta, Modell oder Votivgabe. Museo Arqueológico Nacional. Madrid.

9. Sessel mit starken Strukturen; gotischer Schnitz- und Linienschmuck. Eichenholz. Alfabia (Palma de Mallorca).

10. Bischofsthron aus buntbemaltem Holz, 13. Jahrhundert. Kathedrale von Roda de Isábena (Huesca).

9

10

11 y 12. Sillón de tipo de cajón con ornamentación de tracería y el escudo de la familia Enríquez. Madera de nogal. Instituto Valencia de Don Juan. Madrid.

11 and 12. Armchair of the drawer type, ornamented with tracery and the coat of arms of the Enríquez family. Walnut. Institute of Valencia de Don Juan. Madrid.

otros sillones romanos y etruscos, como el del Museo de la Villa Julia de Roma o los representados en relieves del Museo de Treveris (11).

Se puede apreciar muy claramente el almohadón sobre el asiento con el respaldo muy alto que va unido a los brazos; estos sillones están representados como si fuesen de mimbre y su uso se ha perpetuado hasta nuestros días. El ejemplar es como una maqueta de un modelo típicamente romano de época muy avanzada (12).

been a votive offering or have been found in the furnishings of some funeral chamber. In form it is similar to other Roman and Etruscan chairs, such as that in the Museum of the Villa Julia in Rome or those represented in relief in the Museum of Trèves (11).

We can see quite clearly the hassock on the seat and the very high back which is joined to the arms; these chairs are represented as if they were made of wicker and their use has lasted down to our own times. This example is like a mock-up of a typically Roman model of a very late period (12).

12

11

11 et 12. Fauteuil du genre caisson, avec ornementation à figures géométriques et les armes de la famille Enríquez. Bois de noyer. Institut Valencia de Don Juan. Madrid.

11 u. 12. Kastenförmiger Sessel mit geometrischer Verzierung und dem Wappen der Familie Enríquez. Nussbaumholz. Instituto Valencia de Don Juan. Madrid.

On suppose toutefois, non sans fondement, qu'il y a quelques falsifications et retouches dans la sculpture de certaines statues. Tel peut être le cas de celles que nous avons choisies comme les plus claires représentations des fauteuils. Il existe une très bizarre ressemblance des bras et des pieds avec le côté des fauteuils conventuels espagnols des XVI.ᵉ et XVII.ᵉ siècles et des premiers sièges baroques du XVII.ᵉ siècle. C'est une énigme que nous ne voulons pas passer sous silence (7). Dans la région celtique de «Lara de los Infantes», déjà romanisée, on trouve une série de stèles aux reliefs très plats où sont représentées chaises et tables du banquet funèbre. Les premières ont la forme curule avec un haut dossier concave. Nous trouverons encore de nouvelles versions de cette chaise au XIX.ᵉ siècle lorsque les créateurs du style «Empire» interpréteront les modèles de l'Antiquité (8). Les tables sont tripodes aux pieds en forme d'animaux fabuleux, très stylisés, comme leurs jumelles romaines (9). La ligne de ces pieds est si simple qu'on arrive à avoir la silhouette typique des pieds cabriolé européens et surtout anglais du XVIII.ᵉ siècle. On peut fixer la date des stèles en question au II.ᵉ siècle (10) avant J.-C.

Il y a au Musée Archéologique de Madrid un petit fauteuil de terre cuite. Il n'a pas 10 cm de haut et, n'a ni date ni lieu d'origine. Ce peut être un ex-voto ou quelque trouvaille provenant d'un mobilier funéraire. Sa forme est semblable à celle d'autres fauteuils romains et étrusques, tel celui du Musée de la Villa Julia de Rome ou ceux des bas-reliefs du Musée de Trèves (11).

On peut apercevoir très nettement le gros coussin sur le siège ainsi que le dossier très haut uni aux bras. Ces fauteuils ont l'air d'être en osier et leur usage s'est perpétué jusqu'à nos jours. Cet exemplaire est comme une maquette d'un modèle typiquement romain d'une époque très avancée (12).

man für die Möbel, die in den Reliefs der Museen der Akropolis von Athen und in den italienischen dargestellt sind, die gleichen Beziehungen voraussetzen (6).

Dennoch wird, nicht ohne Grund, angenommen, dass an einigen der dargestellten Möbel Fälschungen und Ausbesserungen an der Schnitzerei einiger Figuren vorhanden sind. Dies kann zum Beispiel der Fall sein bei den ausgewählten Figuren, an denen die Darstellung der Sessel ganz eindeutig hervortritt; die Ähnlichkeit, die die Sesselarme und Beine mit den Seitenteilen der spanischen Armsessel des XVI. und XVII. Jahrhunderts sowie mit den ersten Barocksesseln des XVII. Jh. aufweisen, ist sehr eigenartig und wir können nicht umhin auf dieses Rätsel hinzuweisen. (7). Im keltischen Land von Lara de los Infantes, das bereits romanisiert ist, findet man eine ganze Reihe von Stelen mit sehr flachen Reliefs, in denen das Totenmahl an Tischen und Stühlen dargestellt wird. Die scherenförmigen Stühle haben eine hohe konkave Rückenlehne; neuere Darstellungen dieser Stuhlform finden wir im XIX. Jahrhundert wieder, als die Schöpfer des Empire-Stiles die Vorbilder der Antike interpretierten (8). Die Tische sind dreibeinig, mit Füssen oder Tischbeinen, die sehr stilisierte Fabeltiere darstellen, ähnlich der römischen Tische (9). Die Linienführung dieser Tischfüsse ist so einfach, dass sie fast das gleiche Profil der europäischen Kabriolettfüsse, vor allem der englischen des XVIII. Jahrhunderts, haben. Die genannten Stelen können aus dem II. Jahrhundert v.Chr. stammen. (10).

Im Archäologischen Museum in Madrid wird ein kleiner Terrakottasessel aufbewahrt; er ist nicht grösser als 10 cm, weist weder ein Datum noch seine Herkunft auf. Es kann sich um eine Votivgabe handeln oder er wurde in einem Grab gefunden. Die Form dieses Sessels gleicht den römischen und etruskischen Sesseln, wie sie im Museum der Villa Julia in Rom oder auch im Relief im Museum von Trier dargestellt sind (11).

Ganz deutlich kann man das auf dem Sitz liegende Kissen erkennen und die hohe Rückenlehne, die mit den Sesselarmen verbunden ist. Die Sessel sind so dargestellt als wären sie aus Weidengeflecht und ihr Gebrauch hat sich bis in unsere Tage erhalten. Das genannte Exemplar scheint ein typisches Modell der römischen Spätzeit zu sein (12).

EL MUEBLE PRERROMÁNICO Y EL MOZÁRABE

La Alta Edad Media es la de las grandes invasiones; los bárbaros en oleadas sucesivas van destruyendo la obra que ha dejado Roma en la Península, pero la descomposición del Imperio es lenta y en la vivienda y en los objetos de uso diario, perduran las modas impuestas por los romanos. Las destrucciones y conquistas se suceden incesantemente y nuevos pueblos ocupan los restos humeantes abandonados poco antes.

Estos pueblos invasores poco a poco van constituyendo una sociedad organizada sobre la base unitaria del pueblo ibero que nunca desaparece. Cuando ésta es ya una realidad, nuevas invasiones relámpago de los pueblos árabes del Sur, ocupan, puede decirse, toda la Península.

Es natural que en las artes menores la destrucción sea total y no queden restos de ningún mobiliario civil y religioso. Por otra parte, estos siglos en Europa no son apropiados para el desarrollo del mueble; sólo en Bizancio donde existe un Imperio organizado quedan restos y sobre todo representaciones gráficas de un mobiliario con una cierta ordenación.

Probablemente de esta época indeterminada de las invasiones, es la silla que se conserva en el Museo de Arte de Cataluña en Barcelona, semejante a otros ejemplares muy raros de civilizaciones nórdicas.

El asiento es un simple tronco de árbol con un respaldo, que en la prolongación del mismo tronco está rematado por una pieza arqueada apoyada en unos pequeños balaustres.

Esta coronación y la estrella tallada y calada —tema común a todo el arte popular de Europa— que un artesano desconocido talló en el respaldo, da cierta esbeltez y gracia a la silla.

Con la Reconquista, el ambiente de la vida nómada que necesariamente lleva la nueva monarquía creada en Asturias, no es propicio para el desarrollo del mueble.

La llegada a estos pequeños reinos de familias cristianas que huyen de los centros islamitas y la convivencia con arte-

PRE-ROMANESQUE AND MOZARABIC FURNITURE

The early Middle Ages were the period of the great invasions; the barbarians, in successive waves, gradually destroyed the work bequeathed to the Peninsula by Rome, but the decomposition of the Empire was slow and in both dwellings and objects of everyday use the fashions first introduced by the Romans lasted a long time. These destructions and conquests followed one another almost incessantly, and new peoples were constantly occupying the smoking ruins abandoned a very short time before.

These invading tribes little by little began to constitute an organized society on the unitary basis of the Iberian people, which never quite disappeared. But when this society was already a reality, new lightning invasions by the Arab peoples of the south occupied, we may say, practically the whole Peninsula.

In the minor arts, naturally, the destruction was complete and there are no remains of any furniture, civil or religious. These centuries in Europe, moreover, were hardly suitable times for the development of furniture; it was only in Byzantium, where there was an organized Empire, that any remains existed, above all graphic representations of furniture arranged in a certain order.

Probably from this indeterminate period of the invasions is the chair which is preserved in the Museum of Catalan Art in Barcelona, similar to other very rare specimens of Nordic civilizations.

The seat is a simple trunk of wood, with a back which is the prolongation of the same trunk, and is finished by an arched piece supported on little balusters.

This crowning at the top and the carved and pierced star —a common motif in all Spanish popular art— which some unknown artisan carved on the back give a certain lightness and grace to the chair.

At the beginning of the Reconquest, the nomadic form of life necessarily led by the new monarchy created in Asturias was hardly suitable to the development of furniture, but the arrival in these

LE MEUBLE PRÉROMAN, LE MEUBLE MOZARABE

VORROMANISCHE UND MOZARABISCHE MÖBEL

Le Haut Moyen Âge est l'époque des grandes invasions. Les barbares, en vagues successives, vont détruire l'œuvre qu'a laissée Rome dans la Péninsule, mais le démembrement de l'Empire est lent et les modes imposées par les romains persistent dans l'habitat comme dans les objets d'usage courant. Les destructions et les conquêtes se succèdent continuellement et de nouveaux peuples occupent les restes encore chauds abandonnés peu de temps auparavant.

Ces envahisseurs vont créer peu à peu une société organisée sur le fond unitaire du peuple ibère qui ne disparaît jamais. Au moment où ce fait est acquis, de nouvelles invasions-éclairs des peuples arabes du sud occupent pour ainsi dire toute la Péninsule.

Il est normal que la destruction soit totale dans les arts mineurs et qu'il ne reste rien du mobilier civil et religieux. D'autre part, ces siècles, en Europe, ne se prêtent pas au développement du meuble; c'est seulement à Byzance, où il existe un Empire organisé, qu'il y a des restes et surtout des représentations graphiques de mobilier où règne un certain ordre. La chaise conservée au Musée d'Art de Catalogne, à Barcelone, semblable à d'autres exemplaires très rares des civilisations nordiques, date probablement de cette époque incertaine des invasions.

Le siège est un simple tronc d'arbre avec un dossier qui prolonge le tronc et s'achève par une pièce courbée posée sur de petits barreaux.

Ce couronnement et l'étoile sculptée et ajourée —motif commun à tout l'art populaire d'Europe— qu'un artisan inconnu sculpta sur le dossier, donnent une certaine grâce svelte à la chaise.

Avec la Reconquête, l'atmosphère de la vie nomade que mène par force la nouvelle monarchie née aux Asturies n'est pas favorable au développement du meuble.

Das Hochmittelalter ist die Zeit der grossen Invasionen. Die aufeinanderfolgenden Einbrüche der Vandalen zerstören auf der Halbinsel das von Rom hinterlassene Werk, aber der Zerfall des Kaiserreiches geht nur sehr langsam vor sich und in den Wohnungen und an den täglichen Gebrauchsgegenständen bleiben die von den Römern eingeführten Moden erhalten. Die Zerstörungen und Eroberungen lösen sich in ununterbrochener Kette ab und neue Völker lassen sich auf den kurz zuvor verlassenen rauchenden Stätten nieder.

Die einfallenden Völker bilden nach und nach, auf der einheitlichen Grundlage des iberischen Volkes, eine organisierte Gesellschaft, die niemals vergehen wird. Als diese Gesellschaft schon eine Realität war, wird die gesamte Halbinsel von neuen Blitzeinfällen der arabischen Völker aus dem Süden in Atem gehalten.

Es versteht sich von selbst, dass die Kleinkunst vollständig zerstört wird und dadurch auch keine Überbleibsel von bürgerlichem oder kirchlichem Mobiliar vorhanden sind. Auf der anderen Seite eignen sich diese Jahrhunderte in Europa aber ebensowenig, die Entwicklung der Möbel zu fördern. Nur in Byzanz, wo noch ein organisiertes Reich besteht, sind noch Reste und vor allem bildliche Darstellungen eines Mobiliars in gewisser Ordnung vorhanden.

Wahrscheinlich stammt der im Katalonischen Kunstmuseum von Barcelona bewahrte Stuhl aus dieser unruhigen Zeit der Invasionen, der anderen seltenen Exemplaren der nordischen Zivilisation sehr ähnlich ist.

Der Sitz wird von einem einfachen Baumstamm mit einer Rückenlehne gebildet, die in der Verlängerung des Stammes von einem gebogenen Teil gekrönt wird. Dieser Teil stützt sich auf kleine Säulchen.

Diese Krönung sowie der geschnitzte, durchbrochene Stern —der ein allgemeines Motiv der europäischen Volkskunst ist—

13. Silla abacial con restos de policromía procedente de Sigena. Principios del siglo XIV. Museo Diocesano de Lérida.

14. Sitial con ornamentación de tracerías góticas en los tableros. Procede del monasterio de Uclés. Museo Arqueológico Nacional. Madrid.

13. *Abbot's chair with polychrome remains, from Sigena. Early 14th century. Diocesan Museum of Lérida.*

14. *Seat ornamented with Gothic traceries on the panels. From the monastery of Uclés. National Archaeological Museum. Madrid.*

13. Chaise abbatiale avec restes de polychromie, provenant de Sigena. Début du XIVe 31 siècle. Musée Diocésain de Lérida.

14. Fauteuil de cérémonie avec ornementation de figures géométriques gothiques sur les panneaux. Provient du Monastère d'Uclés. Musée Archéologique National. Madrid.

13. *Abtstuhl aus Sigena, mit Resten von Buntmalerei. Anfang des XIV. Jahrhunderts. Museo Diocesano. Lérida.*

14. *Chorstuhl mit gotischen Verzierungen an den Platten. Stammt aus dem Kloster von Uclés. Museo Arqueológico Nacional. Madrid.*

14

von einem unbekannten Kunsthandwerker angefertigt, geben dem Stuhl eine gewisse Zierlichkeit und Grazie.

Die Zeit der Rückeroberungen und das Wanderleben, das die in Austurien gegründete neue Monarchie gezwungen ist zu führen, ist wenig dazu geeignet Möbel zu entwickeln.

Der Zuzug christlicher Familien in diese kleinen Königreiche, die aus den islamischen Zentren fliehen müssen und das zusammenleben mit arabischen Kunsthandwerkern, die in den eroberten Städten zurückblieben, bedingt den Beitrag der künstlerischen Techniken und Kenntnisse dieser Völker (13).

Die allmähliche und sprunghafte Einordnung der mozarabischen Familien, sowie das Zurückbleiben der Mauren unter den Christen, in den soeben zurückeroberten und bereits christlichen Städten, bedingt das Entstehen des Mozarabismus einerseits, einer wenig einflussreichen und dauerhaften Kunst und andrerseits die Entwicklung des Mudéjar-Stiles, der bis zum XVI. Jahrhundert fortbesteht.

Die Möbel aus dieser Zeit, die als Vorromanik bezeichnet wird, beschränken sich auf sehr einfache Fassungen und Strukturen, die mit mehr oder weniger wertvollen Stoffen und Tapisserien bespannt wurden. Der Stuhl, meistens zusammenklappbar zur leichteren Beförderung, ist aus Metall oder Holz mit gedrechselten Verzierungen, mit Stoff bespannt und mit Kissen ausgelegt. Einen Tisch als solchen kannte man nicht. Man begnügte sich mit Brettern, die auf provisorische Ständer als Tischbeine, aufgelegt wurden und leicht wieder auseinandergenommen werden konnten. Das Bett war ein einfaches Lager oder Matratze, die auf ein Gestell mit vier Füssen, aus Holz oder Metall in sehr primitiver Ausführung, aufgelegt wurde.

Nur in den bildlichen Darstellungen der Kodize und Manuskripte jener Zeit finden wir herrliche Zeichnungen von Möbeln mit diesen Merkmalen. In den mozarabischen Kodizes, «Beatos» genannt, wiederholen sich diese Throne, Stühle und Betten, die denen gleichen, die in dem Emilianischen Kodize des X. Jahrhunderts, das im El Escorial aufbewahrt wird (14) und in der mozarabischen Bibel von León, dargestellt sind.

15. Sillón de cajón de estructura gótica y molduración renacentista en roble y nogal. Museo de Santa Cruz. Toledo.

16. Cofre del Cid, de madera con refuerzos de hierro. Museo de la catedral de Burgos.

17. Sitial de una sillería de coro en nogal con tallas góticas y renacentistas. Museo Lázaro Galdiano. Madrid.

15. Armchair of the drawer type, Gothic in structure, with Renaissance moulding in oak and walnut. Santa Cruz Museum. Toledo.

16. The Cid's Chest, wooden with iron reinforcements. Museum of the cathedral of Burgos.

17. Seat in a set of choir stalls, in walnut with Gothic and Renaissance carvings. Lázaro Galdiano Museum. Madrid.

sanos árabes que quedan en las ciudades reconquistadas, suponen una aportación de las técnicas y conocimientos artísticos de estos pueblos (13).

La incorporación paulatina y esporádica de los primeros —los mozárabes— y la permanencia de los segundos —mudéjares— en las ciudades recién conquistadas ya cristianas, marca el nacimiento por una parte del mozarabismo, arte de poca duración e influencia y por otra del mudéjar que perdura hasta el siglo XVI.

El mueble en esta época, que llamamos prerrománico, se reduce a armaduras y estructuras muy sencillas ocultas por telas y tapicerías más o menos ricas. La silla, muchas veces

little kingdoms of Christian families fleeing from the Islamite territories and the later coexistence with Arab artisans who stayed on in the reconquered cities implied a great contribution of artistic knowledge and techniques from these latter peoples (13).

The gradual and sporadic incorporation of the first —the Mozarabs— and the permanence of the second —the Mudejars— in the recently conquered and already Christian cities marked the birth, on the one hand, of Mozarabism, which did not last long and had not much influence, and, on the other, of Mudejar art, which was to last down to the 16th century.

The furniture of this time, which we call the pre-Romanesque period, was reduced to very simple frameworks and structures, covered with fabrics and tapestries of greater or lesser richness. Chairs, frequently of the folding variety for ease of transport, were made of metal or wood, with turned elements, and were covered and enriched with cushions and cloths. Tables as such did not exist, consisting simply of boards set upon provisional legs which were easily taken apart, while the bed was no more than a simple straw mattress upon a framework with four feet at the corners, also made of metal or wood and very elementary in technique.

It is only in the illustrations to the Codices and Manuscripts of the period that we find beautifully drawn furniture with these characteristics. In the Mozarabic codices, known in Spanish as the Beatos, *we see the repetition of these types of thrones, chairs and beds, similar to those which appear in the 10th-century «Códice Emilianense» which is preserved in the Escorial (14) and in the Mozarabic Bible of Leon.*

15

15. Fauteuil à caisson de structure gothique et à moulures Renaissance, en chêne et noyer. Musée de Santa Cruz. Tolède.

16. Coffre du Cid, en bois et avec renforts de fer. Musée de la cathédrale de Burgos.

17. Fauteuil de cérémonie de stalles de chœur, en noyer, avec tailles gothiques et Renaissance. Musée Lázaro Galdiano. Madrid.

15. Kastenförmiger Sitz in gotischer Struktur und Renaissanceumrahmung aus Eiche und Nussbaum. Museo de Santa Cruz. Toledo.

16. Holztruhe des Cid mit Eisenverstärkungen. Museum der Kathedrale von Burgos.

17. Sitz eines Chorgestühls aus Eichenholz mit Schnitzereien im gotischen und Renaissancestil. Museo Lázaro Galdiano. Madrid.

L'arrivée dans ces petits royaumes de familles chrétiennes fuyant les centres islamiques et le voisinage des artisans arabes demeurés dans les villes reconquises impliquent un apport des techniques et des connaissances artistiques de ces peuples (13).

L'incorporation lente et sporadique des premiers —les mozarabes— et la permanence des seconds —les mudéjares— dans les villes récemment conquises et déjà chrétiennes marque la naissance, d'une part, du «mozarabisme», art de peu de durée et de peu d'influence, et, d'autre part, du «mudéjare» qui subsistera jusqu'au XVI.e siècle.

Le meuble de cette époque, que nous appelons pré-roman, est réduit à des armatures et des structures très simples cachées par du tissu et de la tapisserie plus ou moins riches. La chaise, très souvent pliante pour son transport facile, est en métal ou en bois, avec des éléments tournés. Elle est recouverte et enrichie de gros coussins et d'étoffe. La table n'existe pas; elle est reduite à des panneaux montés sur des pieds provisoires facilement démontables. Le lit est une simple paillasse ou un matelas sur un bâti dont les extrémités reposent sur quatre pieds. Egalement fait en métal ou en bois, el est d'une technique très élémentaire.

C'est seulement sur les représentations graphiques des livres en parchemin et des Manuscrits de l'époque que nous trouvons des meubles joliment dessinés offrant ces caractéristiques. Dans les recueils mozarabes, appelés «Beatos», on retrouve ces types de trônes, de chaises et de lits, semblables à ceux qu'on voit dans le Recueil Emilien du X.e siècle conservé à l'Escurial (14) et dans la Bible Mozarabe de León.

16

17

34

18. Table composée d'un panneau sur chevalets et grand coffre décoré de figures géométriques d'ascendance arabe, représenté dans les Chansons (CLIX). Codex de la Bibliothèque de l'Escurial. Madrid.
19. Fauteuil du Roi Martin l'Humain. Cathédrale de Barcelone.
20. Coffre polychrome avec composition d'arcatures sur la face; dessus en forme de petit toit. Musée Episcopal d'Astorga (Léon).

18. Tisch aus einer Tischplatte auf Sägeböcken aufgelegt bestehend und Truhe mit arabischen Verzierungen. Dargestellt in den «Cantigas» (CLIX). Kodex in der Bibliothek von El Escorial. Madrid.
19. Thronsessel des Königs Martin der Menschliche. Kathedrale von Barcelona.
20. Buntbemalte Truhe mit einer Bogenwerkkomposition am Frontteil; dachförmiger Deckel. Museo Episcopal. Astorga (León).

de tijera para su fácil traslado, es de metal o de madera, con elementos torneados y va cubierta y enriquecida con almohadones y telas. La mesa no existe y se reduce a tableros armados sobre pies provisionales fácilmente desmontables y el lecho es un simple jergón o colchón sobre una armadura con cuatro pies en sus extremos, también metálica o de madera y con una técnica muy elemental.

Sólo en las representaciones gráficas de los Códices y Manuscritos de la época encontramos muebles bellamente dibujados con estas características. En los códices mozárabes, llamados *Beatos*, se repiten estos tipos de tronos, sillas y lechos semejantes a los que aparecen en el Códice Emilianense del siglo x conservado en El Escorial (14) y a la Biblia Mozárabe de León.

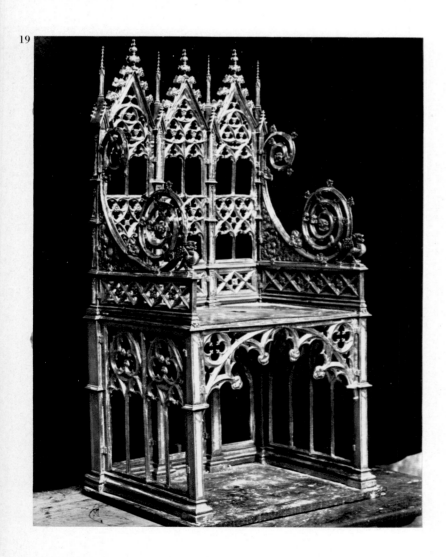

19

20

LA ALTA EDAD MEDIA

En la Arquitectura, después de los años de transición, con el paso de los estilos o escuelas longobarda, visigoda, merovingia, etc., se desemboca a un arte que se desarrolla en toda Europa desde el siglo XI con características definidas y que se conoce con el nombre de Románico.

Es preciso llegar a los años ya muy avanzados de la Reconquista con el programa ya claro y vital de la vuelta a la unidad nacional, para encontrar los primeros y escasos ejemplares del mueble español de esta época.

Se trata de muebles fuertes y pesados, con formas macizas y cúbicas y con los elementos sustentantes muy gruesos y verticales; la decoración es a base de estilizaciones de la flora y la fauna, con figuras fantásticas y fabulosas.

La ornamentación también se hace con pinturas y formas escultóricas tomadas de la Arquitectura o con aplicaciones de hierro forjado y placas de marfil.

Las pinturas de los códices y de interiores, han permitido reconstruir algunos muebles y por los que subsisten sabemos que, como consecuencia del espíritu nómada de la época, se construían desarmables para facilitar su transporte. En los siglos XII y XIII, ya al final del estilo, venciendo la rudeza de las épocas anteriores, el mueble en sus motivos de ornamentación, tiende al lujo, sin duda por una clara influencia de Oriente.

En plena Reconquista se hace además patente una importante y original influencia —el mudéjar— preponderancia y ascendencia difícil de desarraigar en lo sucesivo de nuestro suelo y cuyo estudio lo dejamos para el capítulo siguiente, donde adquiere su máxima importancia y desarrollo.

Los muebles son de pino, generalmente policromados o recubiertos de cuero y con grandes refuerzos de hierro forjado.

La construcción es muy elemental; los ensambles son generalmente a tope y caja y espiga, con clavazón y grandes refuerzos de hierro que a su vez tienen un gran valor artístico.

Con el tiempo en cuanto a los ensambles son más perfectos y por tanto la construcción es mejor, estos refuerzos se reducen (15).

THE EARLY MIDDLE AGES

In architecture, after the years of transition which saw the passing of the various styles or schools known as Longobard, Visigothic, Merovingian, etc., an art finally emerged which developed throughout Europe from the 11th century on with clearly defined characteristics, and which we know by the name of Romanesque.

But it is not until we come to a much later period in the Reconquest, with the programme of a return to national unity already clear and vital, that we encounter the first scanty specimens of Spanish furniture of this period.

This furniture is strong and heavy in line, with massive, cubical forms and with the supporting members very thick and vertical; it is usually decorated on the basis of stylized flora and fauna, with fantastic and fabulous figures.

The ornamentation, too, is executed with paintings and sculptural forms taken from architecture, or with applications of wrought iron and ivory plaques.

The paintings from the codices and those of interiors have made it possible to reconstruct some pieces of furniture and from those which still survive we know that, as a consequence of the nomadic spirit of the period, they were built to be easily dismounted in order to facilitate their transport. In the 12th and 13th centuries, when the style is already nearing its end, the ornamental motifs of the furniture, overcoming the crudeness of earlier ages, show a certain tendency to luxury, undobtedly due to clearly oriental influence.

At the height of the Reconquest another important and original influence —Mudejar— also becomes evident, a preponderant ascendancy which was to remain firmly lodged in our country thereafter and the study of which we shall leave for the following chapter, in speaking of the time when it acquired its greatest importance and development.

The wood used for furniture was pine, generally with polychrome painting or covered with leather and heavily reinforced with wrought iron. The construction was very elementary; it used mortise-and-tenon jointing with nails and large iron reinforcements, which in themselves are of great artistic value. With time, however, as the

LE HAUT MOYEN ÂGE

En Architecture, après les années de transition et avec le passage des styles ou écoles lombards, visigoths, mérovingiens, etc. on aboutit à un art qui gagne toute l'Europe à partir du XI.e siècle avec des caractéristiques bien définies et que l'on connaît sous le nom de Roman.

Il faut arriver à l'époque très avancée de la Reconquête, avec son plan désormais clair et vital de retour à l'unité nationale, pour trouver les premiers rares spécimens du meuble espagnol de cette époque.

Il s'agit de meubles robustes et lourds, aux formes massives et cubiques, dont les supports sont très volumineux et verticaux. La décoration est à base de fleurs et de faune stylisées, avec des figures fantastiques et fabuleuses.

La décoration utilise aussi des peintures et des motifs sculptés empruntés à l'Architecture ou des applications de fer forgé et de lamelles d'ivoire.

Les peintures des manuscrits anciens et d'intérieurs ont permis de refabriquer quelques meubles et grâce à ceux qui restent nous savons qu'en raison de l'esprit nomade de l'époque on les construisait démontables pour faciliter leur transport. Aux XII.e et XIII.e siècles, à la fin déjà de ce style, rejetant la rudesse des époques antérieures, le meuble tend au luxe dans ses motifs ornementaux, sans doute sous l'influence marqué de l'Orient.

Une autre influence importante et originale apparaît clairement en pleine Reconquête, celle du «mudéjare» dont il a été difficile de bannir chez nous par la suite la souveraine importance et dont nous laissons l'étude pour le chapitre suivant, où il atteint son maximum de développement et d'importance.

Les meubles sont en pin, généralement polychromes ou recouverts de cuir et solidement renforcés de fer forgé.

Le montage est très élémentaire. Les assemblages sont généralement emboîtés et avec des clous et de grosses ferrures qui ont à leur tour une grande valeur artistique.

Avec le temps, à mesure que les assemblages sont plus par-

DAS HOCHMITTELALTER

Nach den Übergangsjahren mündet die Architektur von den langobardischen, westgotischen, merowingischen und anderen Stilen oder Schulen in eine Kunstrichtung ein, die sich vom XI. Jahrhundert an in ganz Europa mit ganz bestimmten Merkmalen entwickelt und dann unter der Bezeichnung «Romanik» bekannt wurde.

Man muss schon sehr weit in die Zeit der Rückeroberungen mit dem klaren und lebensfähigen Programm der Rückkehr zur nationalen Einheit vordringen, um die ersten wenigen Exemplare des spanischen Möbelstils jener Zeit zu finden.

Es handelt sich hier um schwere und kräftige Möbel von massiger, kubischer Form, deren Halterungselemente sehr dick sind und senkrecht verlaufen. Die Dekoration bildet sich aus einer stilisierten Flora und Fauna, mit Ungeheuern und Fabelwesen.

Die Ornamentik wird aus Malereien und plastischen Formen gebildet, die man der Architektur entnimmt oder aus Schmiedeeisen und Elfenbeinplättchen anbringt.

Nach den Malereien in den Kodizes und den Innenräumen, konnten einige Möbel nachgebildet werden und aus den noch vorhandenen ersieht man, dass diese infolge des Wandertriebes jener Zeit, so gebaut wurden, dass man sie auseinandernehmen konnte um sie leichter mitnehmen zu können. Im XII. und XIII. Jahrhundert, also gegen Ende des Stiles, erkennt man, dass die Ornamentik der Möbel die Plumpheit der früheren Zeiten überwindet und luxuriöser wird, was zweifellos auf den eindeutigen Einfluss des Orients zurückzuführen ist.

Inmitten der Rückeroberungszeit macht sich noch ein sehr wichtiger und origineller Einfluss bemerkbar — der Mudéjarstil, dessen Abkunft und Vorherrschaft künftig nicht mehr aus unserem Boden gerissen werden kann. Das Studium dieses Stils wollen wir im nächsten Kapitel vornehmen, wo er zur vollsten Entwicklung und Bedeutung gelangt.

Die Möbel sind aus Fichtenholz, meistens mehrfarbig bemalt oder mit Leder bespannt und mit schmiedeeisernen Beschlägen verstärkt.

Der Bau selbst ist sehr primitiv; das Gefüge wird meistens verzapft und verschachtelt, genagelt und mit grossen Eisenbe-

Los ejemplares que vamos a citar son, como ya hemos dicho, escasos. El trono y el faldistorio tienen en general, un carácter religioso y en otros casos es el sitial del Rey o señor feudal. La silla de tijera o faldistorio de la Catedral de Roda de Isábena es plegable y está en perfecto estado de conservación, excepto el asiento, sin duda de cuero, que ha desaparecido; es uno de los ejemplares del románico más importantes que se conservan.

Las patas y montantes están bella y ricamente tallados, con temas y técnica que nada recuerdan las de las labores del románico español y que nos hacen pensar en un artista nórdico; no puede extrañar esta hipótesis si se tiene en cuenta que la entrada de mercancías del Norte por las aduanas de San Sebastián y los puertos del Norte, fue impresionante en estos siglos (16).

Otros muebles religiosos fueron los sitiales y bancos de las iglesias, origen de las importantes sillerías de coro que nos legó el gótico en toda Europa.

En la iglesia de Tahull del Pirineo Catalán (hoy en el Museo de Arte de Cataluña de Barcelona), existía en el presbiterio un banco con decoración románica; el banco es de tres plazas o sitiales y va cubierto con un alto dosel; su composición es completamente arquitectónica; el frente va decorado con una arquería románica sobre columnillas redondas, quizás torneadas a azuela pues el torno en esta época es casi desconocido.

Los detalles de la decoración son de gran interés, sobre todo por el empleo de elementos mozárabes, como el arco de herradura y la composición del dosel, tan semejante a los dibujos de los «Beatos» (17). Los temas de tableros, dibujos calados y arquerías, así como los restos de policromía, son detalles del arte románico. El conjunto constituye una bella obra de arquitectura menor, de gran interés por ser un ejemplar único. El trono o silla episcopal, que se conserva también en *Roda de Isábena*, es de estructura muy simple, con columnas en los cuatro extremos que se prolongan en un baldaquino; es de líneas románicas y la ornamentación se reducía a la policromía, de la que sólo quedan vestigios. Las arcas y los armarios, además de rematarse o coronarse horizontalmente, se terminaban también en forma apuntada de tejado a dos aguas o cilíndrica en forma de teja.

El llamado cofre del Cid, conservado en el Museo Catedralicio de Burgos, tiene la cubierta curvada en forma de teja, con grandes refuerzos de hierro y el arca-sacófago del Infante D. Alfonso, muerto en 1296, conservado en el Museo Arqueológico de Valladolid, está realizada en madera y tiene la cubierta a dos aguas.

jointing became more perfect and the construction therefore better, these reinforcements were reduced (15).

The specimens we are about to mention are, as we have said, very few in number. Thrones and faldstools are generally of a religious character, or in some cases the seats of kings or feudal magnates. The «scissors-chair» or faldstool from the Cathedral of Roda de Isábena is a folding piece and is in a perfect state of preservation, except for the seat, doubtless of leather, which has disappeared; it is one of the most important pieces of Romanesque furniture still in existence.

The feet and struts are richly and beautifully carved, with technique and motifs not in the least reminiscent of the works of Spanish Romanesque, but suggesting rather the hand of a Nordic artist; nor should this hypothesis surprise us, bearing in mind that the entrance of goods from northern Europe through San Sebastián and other northern Spanish ports was of great importance during these centuries (16).

Other religious furniture included the seats and benches of churches, the origin of the important choir stalls which Gothic art has bequeathed to us all over Europe.

In the church of Tahull, in the Catalan Pyrenees (today in the Museum of Catalan Art in Barcelona), there was a bench in the presbytery with Romanesque decoration; this bench is composed of three places or seats and is covered with a high canopy; its composition is completely architectural, the front being decorated with Romanesque arcading upon small round columns, probably turned with an adz, since the lathe at this time was practically unknown. The details of the decoration are of great interest, above all on account of its use of Mozarabic elements, as in the horseshoe arch and the composition of the canopy, so similar to the designs to be seen in the «Beatos» or Mozarabic codices (17).

The motifs of panels, pierced designs and arcading, as well as the remains of polychrome painting, are all details of Romanesque art. The whole piece constitutes a beautiful work of minor architecture. The episcopal throne or seat, which is also preserved in Roda de Isábena, is very simple in structure, with columns at the four corners which are prolonged into a baldachin; it is Romanesque in line and the ornamentation was polychrome, but only vestiges of this now remain.

The chests and coffers, apart from being finished off or crowned horizontally, had also sometimes pointed lids like a double-gabled roof, or cylindrical ones in the form of a roof-tile.

faits et que, par conséquent, la construction est meilleure, ces ferrures diminuent (13).

Les spécimens que nous allons citer sont rares, comme nous l'avons déjà dit. Le trône et le siège pontifical ont, en général, un caractère religieux et d'autres fois c'est le siège du Roi ou du seigneur féodal qui l'a. La chaise en X ou siège pontifical de la Cathédrale de Roda d'Isábena est pliable et en parfait état, excepté le siège, sans doute en cuir, qui a disparu. C'est un des exemplaires les plus importants de la période romane que l'on ait conservés.

Les pieds et les montants sont admirablement et richement sculptés, avec des motifs et une technique qui ne rappellent en rien les ouvrages du Roman espagnol et nous font penser à un artiste nordique. Cette hypothèse n'a rien d'étonnant si l'on considère que l'entrée de marchandises du Nord par la douane de Saint Sébastien et les ports du Nord, fut impressionnante à cette époque (14).

Autres meubles religieux: les sièges d'honneur et les bancs des Églises. Ils ont été à l'origine des importants ensembles de stalles de chœur que l'époque gothique légua à toute l'Europe.

Il y avait dans le chœur de l'église de Tahull, des Pyrénées Catalanes (aujourd'hui au Musée d'Art de Catalogne, à Barcelone), un banc à décoration romane. Ce banc, à trois places ou sièges, est couvert d'un grand dais, sa conception est complètement architecturale. Le devant est décoré d'une arcature romane reposant sur des colonnettes rondes, tournées peut-être au moyen d'une herminette car à l'époque le tour était pratiquement inconnu.

Les détails de la décoration sont très intéressants, surtout à cause de l'emploi d'éléments mozarabes, comme l'arc en fer à cheval et la composition du dais, si semblable aux dessins des «Beatos» (17).

Les motifs des panneaux, des dessins ajourés et des arcatures, tout comme les restes de polychromie, sont des détails propres à l'art roman. L'ensemble constitue une belle œuvre d'architecture mineure, d'un grand intérêt puisqu'il s'agit d'un exemplaire unique. Le trône ou chaise épiscopale que l'on conserve aussi à Roda d'Isábena est d'une structure très simple, avec des colonnes aux quatre extrémités prolongées en un baldaquin. Il est de style roman et sa décoration se réduisait à la polychromie dont il ne subsiste que des vestiges.

Les coffres et les armoires étaient terminés ou couron-

schlägen verstärkt, die gleichzeitig von künstlerischem Wert sind.

Mit der Zeit verbessert sich auch das Gefüge und die Konstruktion ist infolgedessen auch besser. Somit kann man auch die Verstärkungen mehr vernachlässigen (15).

Wie schon gesagt, sind die zu nennenden Exemplare sehr gering. Der Thron und der lehnenfreie Stuhl werden meistens als kirchliche Gegenstände betrachtet, in manchen Fällen dienen sie aber auch als Sitz für den König oder für den Feudalherrn. Der Klappstuhl in der Kathedrale von Roda de Isábena kann zusammengelegt werden und ist noch gut erhalten, bis auf den Sitz, der wahrscheinlich aus Leder war und zerstört wurde. Dieser Stuhl gehört zu den wichtigsten romanischen Exemplaren, die noch erhalten sind.

Die Beine und Träger haben wunderbare Schnitzereien, die mit einer Technik und Motiven ausgeführt sind, die nicht an die Arbeiten der spanischen Romanik erinnern, woraus zu schliessen ist, dass sie von einem nordischen Künstler gefertigt wurden. Diese Hypothese ist gar nicht so abwegig, wenn man bedenkt, dass über das Zollamt von San Sebastián und anderen Ortschaften Nordspaniens, in jenen Jahrhunderten bedeutende Mengen von Waren aus dem Norden eingeführt wurden. (16)

Weitere kirchliche Möbel waren die Bänke und Chorstühle, die ihren Ursprung in den bedeutenden Chorgestühlen fanden, die in ganz Europa vom gotischen Zeitalter überliefert wurden.

In der Kirche von Tahull, in den katalonischen Pyrenäen, befand sich im Altarraum eine Bank mit romanischer Dekoration, die man heute im Katalonischen Kunstmuseum von Barcelona, bewundern kann. Es handelt sich um eine dreisitzige Bank, die von einem hohen Thronhimmel überdeckt ist. Sie ist ganz architektonisch zusammengesetzt. Die Front wird von einem romanischen Bogenwerk geziert, das auf runden Säulchen ruht, die wahrscheinlich mit einer Dexelhacke gefertigt wurden, da man zu jener Zeit die Drehbank noch nicht oder kaum kannte.

Die Einzelheiten der Dekoration sind sehr interessant, vor allem weil viel mozarabische Elemente hineingearbeitet wurden, wie der Hufeisenbogen und die Komposition des Thronhimmels erkennen lassen, die so sehr den Zeichnungen in den «Beatos» gleichen (17).

Die Motive der Platten, die Durchbrucharbeiten und das Bogenwerk, sowie die noch vorhandenen Reste der Malerei, sind Einzelheiten der romanischen Kunst. Das Gesamtstück stellt ein schönes, sehr interessantes Kleinbauwerk dar, weil es sich um ein Ein-

Estos dos ejemplares nos permiten imaginar cómo podrían ser las arcas y arcones de la época. Además el segundo, bellamente decorado y policromado, nos señala con sus arcos lobulados, de origen califal, su ascendencia islámica.

El arca-armario del Museo Episcopal de Astorga, de gran tamaño, tiene un claro destino religioso; su ornamentación policromada, nos trae el recuerdo de las pinturas de San Isidoro de León. Los refuerzos de hierro, los pies como prolongación de los montantes, la cubierta en forma de tejadillo a cuatro aguas y la arquería del frente del arca, bellamente policromada, hace quizás de este mueble el más bello ejemplar del románico español. De la misma estructura con cubierta de tejadillo, es la arqueta de San Isidoro de León, decorado en sus frentes con arcos ligeramente de herradura, que encierran unas tablas de marfil tallado. Para tener un conocimiento elemental de los muebles románicos, es indispensable completar su estudio en los códices miniados, afortunadamente bastante numerosos; y de éstos es el de las Cantigas en loor de Santa María, de Alfonso X el Sabio, el más importante.

El Códice de El Escorial —el más interesante para nuestro estudio del mueble— de los cuatro que se conservan, puede fecharse a mediados del siglo XIII; tiene 1.262 miniaturas conservadas en 210 láminas. El códice es una verdadera enciclopedia y en él podemos estudiar las armas, la industria, las costumbres religiosas, la arquitectura civil y militar, la arquitectura naval, el vidrio, la cerámica, las tiendas, etc., y lo que es más importante para nosotros, el mueble; más de 100 ejemplares de camas, 40 tronos, escaños, mesas, atriles, y hasta armarios podemos encontrar en las miniaturas de este Códice (18).

Por él sabemos que las camas estaban hechas de una estructura rectangular sobre cuatro pies fuertes y robustos, torneados con elementos esféricos como única ornamentación; en la quinta miniatura de la cantiga LVI, se advierte el sistema constructivo que se reduce a los ensambles a caja y espiga entre los frentes y los costados, muchas veces reforzados con cuñas, lo que las hace fácilmente desarmables; otras veces —como en la miniatura sexta de la cantiga quinta— se dibuja la cama con un alto dosel (19).

En los sillones también con elementos torneados y con el respaldo generalmente más elevado que los costados con los que van unidos en una línea inclinada continua, se acusan las espigas y las cuñas de sujeción (20).

21

The so-called coffer of the Cid, which is preserved in the Cathedral Museum of Burgos, has a curved lid in the form of such a tile, with heavy iron reinforcing, while the chest-sarcophagus of the Infante Don Alfonso, who died in 1296, now kept in the Archaeological Museum of Valladolid, is carried out in wood and has a double-gabled lid. These two specimens permit us to imagine what the chests and coffers of the period may have been like. The second of the two, moreover, beautifully decorated and polychromed, clearly shows us its Islamic heritage with its foliated arches, of caliphal origin.

The very large coffer-chest in the Episcopal Museum of Astorga was evidently intended for religious purposes; its polychrome ornamentation brings to mind the paintings in the church of San Isidoro in Leon. The iron clasps, the feet which are prolongations of the uprights, the lid in the form of a little four-gabled roof and the arcading of the front of the chest, so splendidly polychromed, make this piece perhaps the most beautiful example of all Spanish Romanesque. Of the same type of construction, with its lid in the form of a little roof, is the chest of San Isidoro in Leon, its fronts being decorated with slightly horseshoe-type arches, which enclose slabs of carved ivory. In order to have an elementary knowledge of Romanesque furniture, it is essential to complete its study by reference to the illuminated codices, which are fortunately numerous enough, and of these the most important is that of the Canticles in

21. Banc avec structure et ornementation de parchemin; siège-coffre. Musée d'Arts Décoratifs. Madrid.

21. Bank mit Truhensitz und Pergamentornamentation. Museo de Artes Decorativas. Madrid.

nés horizontalement, et achevés en forme de toit à deux versants, ou cylindrique en forme de tuile.

Le coffre dit du Cid, conservé au Musée de la Cathédrale de Burgos, a un couvercle bombé en forme de tuile, avec de grandes ferrures, et le sarcophage de l'Infant D. Alfonso, mort en 1296, conservé au Musée Archéologique de Valladolid, est en bois avec un couvercle à deux pans.

Ces deux exemples nous permettent d'imaginer comment pouvaient être les cóffres et les bahuts de cette époque. De plus, le second, joliment décoré et polychromé, nous révèle, avec ses arcs lobés, d'origine califale, son ascendance islamique.

Le coffre-armoire du Musée Episcopal d'Astorga, de grandes dimensions, a une nette utilisation religieuse. Sa décoration polychrome nous rappelle les peintures de San Isidoro de León. Les ferrures, les pieds dans le prolongement des montants, le couvercle en forme de petit toit à quatre pans et l'arcature du devant de ce coffre, joliment polychromée, font peut-être de ce meuble le plus bel exemple du roman espagnol.

Le petit coffre de San Isidoro de León, décoré par devant d'arcs légèrement en fer à cheval contenant des plaques de marbre sculpté a une structure identique, avec son couvercle en forme de petit toit. Pour avoir une connaissance élémentaire des meubles romans, il est indispensable de compléter leur étude dans les miniatures, heureusement assez nombreuses. Parmi celles-ci, la plus importante est celle des Cantiques en l'honneur de Sainte Marie, d'Alphonse X le Savant.

Le Manuscrit de l'Escurial —le plus intéressant des quatre qui s'en conservent pour notre étude du meuble—, peut être daté du milieu du XIII.ᵉ siècle. Ses 210 planches contiennent 1.262 miniatures. Le manuscrit est une véritable encyclopédie dans laquelle nous pouvons étudier les armes, l'industrie, les coutumes religieuses, l'architecture civile et militaire, la construction navale, le verre, la céramique, les boutiques, etc., et, ce qui est plus important pour nous, le meuble. Nous pouvons trouver dans les miniatures exceptionnelles de ce Manuscrit (18) plus de 100 spécimens de lits, 40 trônes, bancs à dossier, tables, lutrins, et même des armoires.

Grâce à lui, nous savons que les lits étaient faits d'un bâti rectangulaire monté sur quatre pieds forts et robustes, avec des renflements tournés comme seul ornement. Sur la cinquième miniature du cantique LVI, on aperçoit, le montage,

zelstück handelt. Der Thronsessel oder Bischofsstuhl, der ebenfalls in Roda de Isábena bewahrt wird, ist von einfacher Bauart, mit vier Ecksäulen, die in ein Baldachin auslaufen; sein Profil ist im romanischen Stil gehalten und die Ornamentik war in Buntmalerei gefertigt, von der nur noch Spuren zu sehen sind.

Die Truhen und Schränke, die meistens in waagerechter Form abschlossen, wurden teilweise auch mit einem spitzauslaufenden Doppeldach oder mit einer runden Ziegelform abgedeckt.

Die sogenannte Truhe des «Cid», die im Kathedrale-Museum in Burgos aufbewahrt wird, hat einen ziegelförmigen, gebogenen Deckel mit starken Eisenbeschlägen und die Grabtruhe des Infanten D. Alfonso, 1296 gestorben, die im Archäologischen Museum in Valladolid bewahrt wird, ist aus Holz gefertigt und hat einen Doppeldachförmigen Deckel.

Aus diesen beiden Exemplaren kann man schliessen, wie die grossen und kleinen Truhen jener Zeit ausgesehen haben. Das zweite Exemplar mit der schönen mehrfarbigen Verzierung und den gelappten Bogen, deutet auf die islamische Herkunft hin.

Die grosse Schranktruhe im Episkopalmuseum von Astorga, weist eindeutig auf ihre religiöse Bestimmung hin. Die mehrfarbige Ausschmückung erinnert uns an die Malereien in San Isidoro de León. Die Eisenbeschläge, die Füsse als Verlängerung der Träger, die Decke in Form eines vierfachen Daches und das Bogenwerk an der Frontseite der buntbemalten schönen Truhe, machen wohl aus ihr eines der schönsten Stücke der spanischen Romanik. Die gleiche Bauart mit dachförmiger Decke, hat auch die kleine Truhe in San Isidoro de León, deren Frontseiten mit leicht hufeisenförmigen Bögen verziert sind und geschnitzte Elfenbeintafeln einfassen. Um in etwa eine Grundkenntnis der romanischen Möbel zu erlangen, muss man sie unweigerlich in den, zum Glück, sehr zahlreich vorhandenen Miniaturkodizes studieren. Unter diesen Kodizes ist der der «Cantigas» (Lobgesänge für die Jungfrau María) von Alphons X. dem Weisen, das wichtigste.

Der Kodex von El Escorial — für unser Studium der Möbel der interessanteste unter den vier noch erhaltenen Kodizes — datiert aus der Mitte des XIII. Jahrhunderts. Er enthält 1262 gut erhaltene Miniaturen, die auf 210 Bildtafeln verteilt sind. Dieser Kodex ist eine richtige Enzyklopädie und in ihm kann man die Waffen, die Industrie, die religiösen Sitten, das bürgerliche und militärische Bauwesen, den Schiffbau, die Glasherstellung, der Keramik, Läden usw, studieren und was für uns noch wichtiger ist, auch ein Möbelstudium machen. Über 100 Betten, 40 Thron-

22. Banco de pino y fondos de nogal, con ornamentación de talla y tracerías; asiento-arca. Detalle. Procede de la catedral de Cuenca. Museo Lázaro Galdiano. Madrid.

22. *Bench in pine with walnut back panels, ornamented with carvings and traceries; chest-seat. Detail. From the cathedral of Cuenca. Lázaro Galdiano Museum. Madrid.*

Para nosotros tiene un singular interés el escritorio representado en la miniatura primera de la cantiga CXXXVIII.

En ella aparece el monje (Juhan Bouca d'Ovro) en su *scriptorium* sentado delante de un atril y éste inclinado sobre un pedestal; en el fondo aparece un armario de dos cuerpos con una cornisa de coronación tallada y con dos puertas pequeñas en cada cuerpo. El pedestal está decorado con un arco de herradura que señala las influencias islámicas (21).

El sillón dibujado de perfil, permite apreciar la altura del respaldo, el brazo, la construcción con cajas y espigas y la ornamentación con elementos esféricos.

praise of the Virgin Mary, by Alfonso X, «Alfonso the Wise».

The Codex of the Escorial —which is the most interesting for our study of furniture of the four still preserved— can be dated around the middle of the 13th century and contains 1,262 miniatures preserved in 210 folios. This codex is a veritable encyclopedia and in it we can make a study of arms, industry, religious customs, civil and military architecture, shipbuilding, glass, ceramics, shops, etc. and, which is of greater importance for us, of furniture; over 100 specimens of beds, 40 thrones, settles, tables, lecterns and even closets are to be found in the exceptional miniatures of this codex (18).

22. Banc de pin et fonds de noyer, avec ornementation à taille et figures géométriques: siège-coffre. Détail. Provient de la cathédrale de Cuenca. Musée Lázaro Galdiano. Madrid.

22. Banc de pin et fonds de noyer, avec ornementation à taille et figures géométriques: siège-coffre. Détail. Provient de la cathédrale de Cuenca. Musée Lázaro Galdiano. Madrid.

22. Bank aus Fichtenholz mit eichenem Hintergrund, Schnitzwerk und geometrischen Verzierungen; Truhensitz. Detail. Stammt aus der Kathedrale von Cuenca. Museo Lázaro Galdiano. Madrid.

22

réduit à des assemblages à mortaise et tenon entre les faces et les côtés, très souvent renforcés par des coins, ce qui les rend facilement démontables. Ailleurs —comme sur la sixième miniature du cinquième cantique— le lit est dessiné avec un haut ciel de lit (19).

On distingue aussi les tenons et les coins d'attache sur les fauteuils en bois tourné, au dossier généralement plus élevé que les côtés, auxquels il est uni suivant une ligne oblique continue (20).

Le secrétaire représenté sur la première miniature du cantique CXXXVIII offre un grand intérêt.

sitze, Bänke, Tische, Pulte und sogar Schränke kann man in den aussergewöhnlichen Miniaturen dieses Kodex finden (18).

Durch diesen Kodex wissen wir, dass die damaligen Betten rechteckig gebaut waren, auf vier starken kräftigen Beinen standen, an denen als einzige Verzierung rundgeformte Schnitzerein angebracht waren. In der fünften Miniatur der «Cantiga» LVI, kann man die Bauweise erkennen, die sich auf die einfache Zusammenfügung mittels Falz und Zapfen der Front- und Seitenwände beschränkte, die oft noch durch Keile verstärkt wurden. Auf diese Weise konnte man sie leicht wieder auseinandernehmen. Dann wieder —wie aus der 6. Miniatur der 5. «Cantiga» ersichtlich—

23

Through it we know that the beds consisted of a rectangular structure on four strong, sturdy feet, turned with spherical elements as their only decoration; in the fifth miniature of canticle LVI we can see the system of construction, which was reduced to mortise-and-tenon jointing, frequently reinforced with wedges, which made the beds easy to dismount, while at other times —as in the sixth miniature of the fifth canticle— the bed is drawn with a high canopy (19).

In the chairs, which have also turned elements and the back generally higher than the sides, to which it is joined by a continuous sloping line, we can see the fastening mortise-and-tenon joints (20).

Of singular interest for us is the writing desk which appears in the first miniature of canticle CXXXVIII. In it appears the monk (Juhan Bouca D'Ovro) sitting in front of a lectern which is inclined over a pedestal; in the background we can see a cupboard in two parts, crowned with a carved cornice and with two small doors in each of the two parts. The pedestal is decorated with a horseshoe arch, showing its Islamic influence (21).

The monk's chair, which is shown in profile, permits us to appreciate the height of the back, the arm, the mortise-and-tenon construction and the ornamentation with spherical motifs.

23. Fauteuil de cérémonie abbatial avec figures géométriques gothiques ajourées, en chêne. Cellule de Chopin. Chartreuse de Valldemosa (Palma de Majorque).

24. Banc avec figures géométriques gothiques, siège-coffre, en chêne, xve siècle. Musée Diocésain de Barcelone.

25. Banc décoré de figures géométriques, siège-coffre, chêne et noyer. Palais de Perelada (Gérone).

23. Abtthron mit gotischer geometrischer Durchbrucharbeit in Eichenholz. Chopin-Zelle. Cartuja de Valldemosa (Palma de Mallorca).

24. Banktruhe mit geometrischer gotischer Verzierung. Eichenholz. XV. Jahrhundert. Museo Diocesano. Barcelona.

25. Banktruhe mit geometrischer Verzierung, aus Eiche und Nussbaum. Schloss Perelada (Gerona).

On y voit le moine (Juhan Bouca D'Ouro) dans son scriptorium, assis devant un pupitre incliné sur un piédestal. Au fond, une armoire à deux corps avec une corniche en forme de couronne sculptée et deux petites portes à chaque corps. Le piédestal est décoré d'un arc en fer forgé qui indique les influences islamiques.

Le fauteuil représenté de profil permet d'apprécier la hauteur du dossier, le bras, la construction à tenon et mortaise et la décoration avec des éléments sphériques.

hat man das Bett mit einem hohen Betthimmel gezeichnet (19.)

An den Sesseln, die ebenfalls gedrechselte Verzierungen und eine über die Seiten hinausragende Rückenlehne haben, kann man auch diese Haltezapfen- und Keile feststellen (20).

Von besonderem Interesse für uns ist der in der ersten Miniatur der «Cantiga» CXXXVIII dargestellte Schreibraum.

Auf dieser Miniatur kann man den Mönch (Juhan Bouca D'ovro) in seinem Scriptorium an einem Pult sitzend sehen, das leicht geneigt auf einem Sockel oder Fuss steht; im Hintergrund erkennt man einen zweiteiligen Schrank, der von einem geschnitzten Sims gekrönt wird und an jedem Schrankteil zwei kleine Türen hat. Der Sockel des Pultes wird von einem Hufeisenbogen geziert, der auf den islamischen Einfluss hindeutet (21).

Der im Profil gezeichnete Sessel lässt die Höhe der Rückenlehne, den Arm, das mit Falz und Zapfen gehaltene Gefüge und die Ornamentik mit runden Elementen erkennen.

24

25

LA BAJA EDAD MEDIA: EL GÓTICO

THE LATE MIDDLE AGES: GOTHIC

En la Baja Edad Media se desarrolla por completo el ciclo del estilo llamado Gótico.

Se inicia éste en Francia y en la Europa Germánica, en el siglo XII; se propaga y alcanza su apogeo en el siglo XIII con máximo esplendor en el Centro de Francia y llega la decadencia del estilo con un barroquismo que denominamos Flamígero (22) o perpendicular a finales del siglo XV, años decisivos en la historia de Europa, en la que el Renacimiento aparece y se propaga por toda Italia.

Las causas y esencias del estilo y su difusión se estudian en la Teoría y en la Historia del Arte; aquí sólo nos interesa hacer notar que las características —sobre todo decorativas— de la Arquitectura, tienen una constante influencia y relación con el mueble.

Si desde un punto de vista elemental y popular quisiéramos señalar el rasgo más singular del estilo, éste estaría determinado indudablemente por el empleo del arco ojival o apuntado (23).

Y desde un punto de vista más técnico, por el problema de cubrición de un edificio por medio de la bóveda de crucería, en vez de la bóveda de cañón del Románico (24); ésta es la diferencia estructural más importante, unida a los problemas que lleva consigo, como los empujes de las bóvedas, el relleno de los muros entre los pilares, la mayor altura de las naves de las iglesias, etc. (25). En España, cuando todavía se continúa levantando iglesias románicas en las zonas reconquistadas a los árabes, comienzan los primeros edificios en los que se inician las nuevas técnicas que nos llegan de Francia.

En cuanto al mueble continúan las macizas y prismáticas estructuras del románico y se acentúa aún más la rigidez y la verticalidad de los ejemplares; éstos adquieren su carácter por la ornamentación, es decir, por la obra de los entalladores y escultores principalmente.

Conforme avanza la Edad Media se va apreciando el progreso en la técnica de la construcción y los ajustes entre las distintas piezas son más perfectos; desde el siglo XIV empiezan

We now come to the late Middle Ages, which saw the birth and the whole evolution of the style we know as Gothic.

This style began in France and in Germanic Europe, in the 12th century; it soon spread and reached its zenith in the 13th century, its greatest splendour being attained in the central parts of France; the decadence of this style came with a kind of baroque which is called the Flamboyant (22) or perpendicular style, towards the end of the 15th century, decisive years for the history of Europe, for they were years in which the Renaissance made its appearance and soon spread all over Italy.

The causes and essential characteristics of this style and its diffusion have already been studied in the Theory and History of Art; but here our only interest is in pointing out how the characteristics —above all the decorative characteristics— of architecture had a constant influence on, and connection with, the lesser art of furniture.

If we were to define, from the elementary, popular point of view, the most singular feature of this style, we should undoubtedly have to give pride of place to the use of the ogival or pointed arch (23).

But if we are to use more technical terms, the difference consists in the covering of a building by means of a boss-vault, instead of the barrel-vaulting of Romanesque architecture (24); this is the most important structural difference, together with the problems it involves, such as the thrusts of the vaults, the filling of the walls between the pillars, the greater height of the naves of the churches, etc. (25). In Spain, while Romanesque churches were still being erected in the regions reconquered from the Arabs, there also began the building of the first edifices in which the new techniques from France were introduced.

As far as furniture is concerned, the massive, prismatic structures of the Romanesque style continued, with even greater accentuation of the rigidity and verticality of the pieces, any character they possessed being acquired by means of their ornamentation, i.e., principally thanks to the works of carvers and sculptors.

With the advance of the Middle Ages, one can appreciate the

LE BAS MOYEN ÂGE: LE GOTHIQUE

DAS SPATMITTELALTER: GOTIK

Le cycle du style appelé gothique se développe complètement durant le Bas Moyen Age.

Il commence en France et en Europe Germanique au XII.ᵉ siècle. Il se répand et atteint son apogée au XIII.ᵉ siècle, avec le maximum d'éclat dans le centre de la France. Puis vient la décadence de ce style avec un genre baroque qualifié par nous de «Flamboyant» (22) ou «perpendiculaire» à la fin du XV.ᵉ siècle, époque décisive dans l'histoire de l'Europe, pendant laquelle la Renaissance apparaît et se propage dans toute l'Italie.

On étudie dans la Théorie et dans l'Histoire de l'Art les causes, l'esprit de ce style et sa diffusion. Nous nous bornons ici à faire remarquer que les caractéristiques —surtout décoratives— de l'Architecture ont une influence et un rapport constants avec le meuble.

Si d'un point de vue élémentaire et populaire nous voulions indiquer le trait le plus particulier à ce style, ce serait sans aucun doute l'emploi de l'arc ogival (23).

D'un point de vue plus technique, ce serait le problème de la couverture des édifices au moyen de la voûte en ogive au lieu de la voûte en berceau du Roman (24). Telle est la plus importante différence de structure, outre les problèmes qu'elle entraîne comme la poussée des voûtes, le remplissage des murs entre les piliers, la hauteur supérieure des nefs des églises, etc. (25). En Espagne, on continue à construire des églises romanes dans les zones reconquises aux Arabes, mais on commence les premiers édifices dans lesquels sont inaugurées les nouvelles techniques qui nous arrivent de France.

Pour ce qui est du meuble, les structures massives et prismatiques du Roman persistent et l'on accentue encore plus la rigidité et la verticalité des modèles. Ceux-ci acquièrent leur caractère grâce à la décoration et surtout au travail des ciseleurs et des sculpteurs.

À mesure qu'avance le Moyen Âge on voit les progrès que fait la technique de la construction et l'assemblage des diffé-

Im Spätmittelalter entwickelt sich dann vollständig der Zyklus des sogenannten gotischen Stils.

Dieser nimmt im XII. Jahrhundert in Frankreich und im germanischen Teil Europas seinen Anfang, gelangt im XIII. Jahrhundert in Mittelfrankreich zu vollster Blüte um dann gegen Ende des XV. Jahrhunderts in einen sogenannten «sprühenden» oder «senkrechten» (22) Barockismus auszuarten. Diese Jahre waren entscheidend für die Geschichte Europas, weil die Renaissance beginnt und sich über ganz Italien erstreckt.

Die Ursachen und das Wesen dieses Stiles sowie seine Verbreitung, werden in der Theorie und in der Kunstgeschichte durchgenommen; uns genügt es an dieser Stelle nur darauf hinzuweisen, dass die Merkmale der Architektur —vor allem die Dekorativen— einen ständigen Einfluss auf die Möbel haben, und mit diesen in Beziehung stehen.

Wenn vom allgemeinen und volkstümlichen Standpunkt aus gesehen der besondere Wesenszug dieses Stiles hervorgehoben werden sollte, dann würde dieser unweigerlich in der Anwendung des Spitzbogens zu suchen sein (23).

Vom technischen Standpunkt aus würde dieser Zug in der Abdeckung eines Gebäudes mittels eines Kreuzgewölbes statt des Tonnengewölbes der Romanik (24) zu suchen sein; dies ist der wichtigste strukturelle Unterschied, zu dem noch andere Fragen hinzukommen wie der Schwung der Gewölbe, die Mauerfüllungen zwischen den Pilastern, die grössere Höhe der Kirchenschiffe usw. (25). Als man in Spanien in den zurückeroberten Gebieten weiterhin romanische Kirchen baut, beginnt man an anderen Orten bereits mit dem Bau der ersten Gebäude, in den aus Frankreich kommenden neuen Techniken. Die Möbel werden noch weiter in den massigen, prismatischen Strukturen der Romanik gebaut und die Strenge und Geradheit der Formen verstärkt betont; sie erhalten ihr Kennzeichen durch die Ornamentik, das heisst vor allem durch das Werk der Schnitzer und Bildhauer.

Im Verlauf des Mittelalters macht sich der Fortschritt in der Bautechnik bemerkbar und die Passung der verschiedenen Gegen-

26. Arcón enyesado y pintado con ornamentación gótica. Museo de Vich (Barcelona).
27. Arca de roble y nogal con tracerías flamígeras en el frente y costados. Museo Lázaro Galdiano. Madrid.
28. Arca con ornamentación flamígera y montantes laterales con tallas de animales fabulosos. Procede del Patrimonio Real de Mallorca. Museo «Cau Ferrat» de Sitges (Barcelona).

26. *Chest plastered and painted with Gothic ornamentation. Museum of Vich (Barcelona).*
27. *Chest in oak and walnut, with flamboyant traceries on the front and sides. Lázaro Galdiano Museum. Madrid.*
28. *Chest with flamboyant ornamentation and lateral uprights with carvings of fabulous animals. From the Royal Patrimony of Majorca. «Cau Ferrat» Museum. Sitges (Barcelona).*

26. Coffre plâtré et peint avec ornementation gothique. Musée de Vich (Barcelone).
27. Coffre de chêne et de noyer avec figures géométriques flamboyantes sur la face et les côtés. Musée Lázaro Galdiano. Madrid.
28. Coffre avec ornementation flamboyante et montants taillés d'animaux fabuleux. Provient du Patrimoine Royal de Majorque. Musée «Cau Ferrat» de Sitges (Barcelone).

26. Grosse Truhe mit Stuckarbeit und gotischer Verzierung bemalt. Museo de Vich (Barcelona).
27. Truhe aus Eiche und Nussbaum mit flammenförmigen geometrischen Verzierungen an Front und Seitenteilen. Museo Lázaro Galdiano. Madrid.
28. Truhe mit flammenförmigen Verzierungen und seitlichen Trägern an denen Fabelwesen eingeschnitzt sind. Stammt aus dem Patrimonio Real von Mallorca. Museum «Cau Ferrat» in Sitges (Barcelona).

27

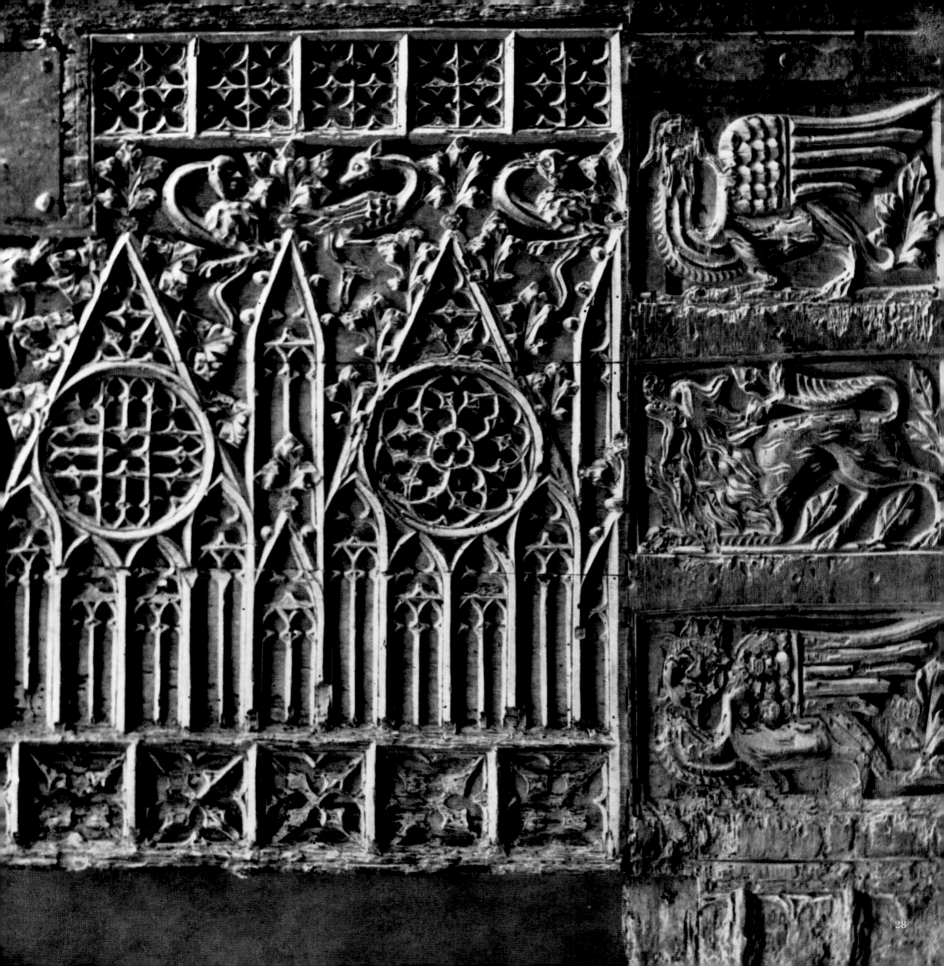

29. Arca forrada con terciopelo rojo y herrajes calados. Museo Lázaro Galdiano. Madrid.

30. Sitial gótico con ornamentación de tracería en el respaldo y pergamino en el frente del asiento; de madera de roble. Palacio de Perelada (Gerona).

29. *Chest with pierced ironwork, lined with red velvet. Lázaro Galdiano Museum. Madrid.*

30. *Gothic seat, ornamented with traceries on the back and linenfold work on the front of the seat; in oak. Palace of Perelada (Gerona)*

29. Coffre doublé de velours rouge et à ferrures ajourées. Musée Lázaro Galdiano. Madrid.

30. Fauteuil de cérémonie avec ornementation de figures géométriques sur le dossier et de parchemin sur la face du siège; en chêne. Palais de Perelada (Gérone).

29. *Mit rotem Samt bezogene Truhe und mit durchbrochenen Eisenbeschlägen verziert. Museo Lázaro Galdiano. Madrid.*

30. *Gotischer Chorstuhl mit geometrischer Verzierung an der Rückenlehne und Pergament an der Frontseite des Sitzes. Aus Eichenholz. Schloss Perelada (Gerona).*

29

31. Arqueta de madera tallada y decorada con tracerías góticas doradas en los cajones. Museo Episcopal de Vich (Barcelona).

32. Frente de cajonería con ornamentación de tracerías y figuras en el frente de los cajones. Museo Lázaro Galdiano. Madrid.

31. *Small chest in carved wood, decorated with gilded Gothic traceries on the drawers. Episcopal Museum of Vich (Barcelona).*

32. *Front of a set of drawers, ornamented with traceries and figures on the fronts of the drawers. Lázaro Galdiano Museum. Madrid.*

31

a usarse las sierras hidráulicas, que permiten aprovechar las maderas en tablones en vez de hender los troncos y desbastarlos con el hacha y la azuela; pero la característica más importante del estilo nace cuando se verifica la verdadera transformación de la técnica constructiva, al sustituir las anchas tablas embarrotadas que formaban las caras de los muebles en la época románica, por armazones o marcos rectangulares rellenos con paneles de madera encajados o engargolados en aquéllas (26).

Es indudable que existe un paralelismo de este «relleno», con el que aparece en las mismas Arquitectura Gótica, ya que las nervaduras de las bóvedas y los pilares son por completo independientes (como las armaduras en el mueble) de las plementerias de las bóvedas y de los muros laterales, aligerados con vidrieras que constituyen el «relleno».

Todas estas innovaciones, encuentran el apoyo para su expansión en las organizaciones gremiales de entalladores y ebanistas de la vieja Europa, que sustituyeron a los antiguos talleres románicos y en las que exigían reglas y leyes para ejercer la ebanistería, obtener el grado de maestro, etc. (27) y alcanzan su máxima importancia al ordenarse la vida civil que comienza en este período, acabando con el poder feudal y el monástico (28).

En la decoración de los toscos muebles del siglo XIII, empiezan a introducirse elementos de la nueva Arquitectura, tan peculiares como las arquerías, los haces de columnillas, las cresterías y los apuntados gabletes.

Los monstruosos animales románicos, se sustituyen por tallas más naturalistas, estilizaciones de la flora y de la fauna, como cardos, hojas de parra, animales domésticos y una espléndida y original decoración geométrica o abstracta que da origen a la adopción de muchos motivos del arte popular; pero sobre todo, se inventa ahora un tema peculiar que es la decoración llamada de pergamino, servilletas o paños plegados (29) motivo eminentemente ebanístico, sin tradición anterior, seguramente derivado del avance de la técnica del cepillo con cuchillas de siluetas curvas, tema que se repite en todos los muebles europeos como principal decoración de los tableros o paneles de fondo y que continúa bien entrado el Renacimiento, como supervivencia del Gótico.

La talla es otro elemento de decoración y responde a estos tres tipos: la de gran relieve, que interpreta adornos vegetales

progress made in the techniques of construction and the greater perfection attained in the fitting together of the different pieces; as from the 14th century hydraulic saws began to be used, which made it possible for the workers to use the wood already cut into planks, instead of having to cleave the trunks and gradually smooth them down with axe and adz; but the most important characteristic of the style was born when the real transformation of the technique of construction took place, and this was when the broad boards, fastened with bars, which formed the faces of the furniture in the Romanesque period were replaced by rectangular frames or frameworks filled in with wooden panels inserted or grooved into the faces (26).

There is an evident parallelism between this «filling» and that to be found in Gothic architecture, since the ribbings of the vaults and the pillars are completely independent (like the framework of the furniture) of the vault bases and of the side walls, these latter being lightened with glass surfaces which constitute the «filling».

All of these innovations found support for their expansion with the organization of the carvers' and cabinetmarkers' guilds of medieval Europe; these guilds took the place of the old Romanesque

31. Coffret de bois taillé et décoré de figures géométriques gothiques dorées sur les tiroirs. Musée Episcopal de Vich (Barcelone).

32. Face de tiroirs avec ornementation de figures géométriques et de figures. Musée Lázaro Galdiano. Madrid.

31. Geschnitzte kleine Holztruhe mit vergoldeten gotischen Verzierungen an den Schubfächern. Museo Episcopal in Vich (Barcelona).

32. Front eines Kastenregals mit geometrischen Verzierungen und Figuren an den Kastenfronten. Museo Lázaro Galdiano. Madrid.

33. Detalle de arca de roble con tracerías góticas. Museo Arqueológico Nacional. Madrid.

33. *Detail of oak chest with Gothic traceries. National Archaeological Museum. Madrid.*

de pámpanos y cardinas; la talla plana, como un grabado con modelado muy suave y la de dibujos geométricos y arquitectónicos formando como un encaje (30).

En los últimos muebles del estilo, a fines del siglo xv, se yuxtaponen arabescos, grutescos y temas grecorromanos que señalan el momento de transición al Renacimiento, por lo que son más fáciles de conocer las obras de este período. Quizá el mueble de asiento más antiguo que se conserva en España sea el sillón de Alfabia (Mallorca). Su estructura es muy elemental y robusta; las tallas del respaldo (anverso y reverso) son de tipo naturalista de factura muy arcaica y los costados están decorados con temas geométricos; es un bello ejemplar de roble.

De una estructura semejante es el sillón del Convento de Uclés, con decoración geométrica de tracerías en el tableraje; un sillón decorado con *pergamino o servilleta* es un tercer ejemplo. Los tres son de tipo de cajón con alto respaldo, costados macizos y esqueleto muy robusto.

Un sitial del antiguo coro de la Catedral de Salamanca, es también muy recio de estructura, con una decoración ya flamígera; pero el ejemplar de más bellas proporciones dentro de su volumen cúbico, llamado de cajón, es el de la familia «Enríquez» con el respaldo bajo —como el anterior— y de planta semicircular.

La ornamentación general de sus tableros es de tracerías góticas y en el frente, bajo el asiento, va tallado el escudo de la familia.

El sillón conservado en la Catedral de Barcelona, de principios de siglo xv, de la época del rey D. Martín el Humano, es de estructura metálica de plata dorada, completamente calada, ornamentado como una obra de orfebrería, para la que tanto se presta el metal.

El sillón abacial conservado en la Cartuja de Valldemosa de Mallorca, de roble tallado totalmente, con tracerías geométricas caladas, pertenece al final del estilo; es muy puro de líneas, sin duda de influencia francesa.

Un sitial con alto dosel del Museo Lázaro Galdiano, pertenece a la última época del gótico y en él se repiten los mismos detalles decorativos de los anteriores.

Los cuatro bancos de esta selección tienen un lógico aprovechamiento del asiento como arcón. Como en los sitiales, casi todos los ejemplares tienen un origen y destino religioso.

workshops and imposed rules and regulations governing the practice of cabinetmaking, the obtaining of the rank of master worker, etc. (27).

They attained their greatest importance with the gradual establishment of civil life which was beginning in this period, putting an end to feudal and monastic power (28).

In the decoration of the rough furniture of the 13th century we can see the gradual introduction of such characteristic elements of the new architecture as the arcadings, the clusters of little columns, the openwork cornices and the pointed gables.

The monstrous animals of Romanesque art were replaced by more naturalistic carving, stylized treatments of flora and fauna, such as thistles, fig leaves, domestic animals, as well as a splendidly original geometric or abstract decoration which gave rise to the adoption of many motifs of popular art; but the principal invention of the period in this respect was that of that peculiar work known as parchment or linenfold panelling (29), a kind of work peculiar to cabinetmakers and without any previous tradition, surely deriving from the advances made in the technique of the brush with curved blades. This motif is repeated in all European furniture as the principal decoration of back boards or panels and was to continue well into the Renaissance as a survival of the Gothic style.

Carving was another element of decoration and can be divided into three types: that in high relief, with plant motifs of vine leaves and thistle leaves; that in low relief, like an engraving with very smooth modelling, and finally the carving of geometric and architectural designs, forming a kind of lacework (30).

In the latest furniture of this style, that produced towards the end of the 15th century, we can see a mingling of arabesques, grotesques and Greco-Roman motifs which shows us the moment of transition to the Renaissance, so that the works of this period are easier to recognize. Perhaps the oldest real seat still preserved in Spain is the armchair of Alfabia (Majorca). In construction it is very elementary and robust; the carvings on the back (both obverse and reverse) are of the naturalistic type and the workmanship is quite archaic, while the sides are decorated with geometric motifs; it is a very fine piece, made of oak.

Similar in structure is the chair from the Convent of Uclés, which is decorated with geometric tracery in the panelling; a chair decorated with linenfold panelling is a third example. All three are of the box or case type, with high backs, massive sides and very sturdy construction.

rentes pièces est plus parfait. À partir du XIV.ᵉ siècle on commence à employer les scies hydrauliques qui permettent d'utiliser le bois en grosses planches au lieu de fendre les troncs et de les équarrir avec la hache et l'herminette. Mais la caractéristique la plus importante de ce style apparaît avec la véritable transformation de la technique de la construction: le remplacement des larges planches pourvues de barreaux qui formaient le devant des meubles à l'époque romane, par des charpentes ou des cadres rectangulaires garnis de panneaux de bois encastrés ou assemblés (26).

Il existe saus aucun doute un parallélisme entre ce «remplissage» et celui qui naît dans l'Architecture Gothique, puisque les nervures des voûtes et les piliers sont complètement indépendants (comme les bâtis dans le meuble) des additions des voûtes et des murs latéraux, allégés par des vitraux qui forment le «remplissage».

Toutes ces nouveautés trouvent pour leur expansion l'appui des organisations corporatives de sculpteurs et ébénistes de la vieille Europe qui ont remplacé les anciens ateliers romans et imposé des règles et des lois pour l'exercice de l'ébénisterie, l'obtention du titre de maître, etc. (27). Elles atteignent leur plus grande importance au moment où la vie urbaine qui commence alors s'organise et met fin aux pouvoirs féodal et monastique (28).

Dans la décoration des meubles grossiers du XIII.ᵉ siècle, on commence à introduire des éléments de la nouvelle Architecture aussi caractéristiques que les arcatures, les faisceaux de colonnes, les crêtes et les gables en ogive.

Les monstrueux animaux romans sont remplacés par des sculptures plus naturalistes, stylisation de la flore et de la faune, tels que chardons, feuilles de vigne, animaux domestiques, et par une splendide et originale décoration géométrique ou abstraite qui entraîne l'adoption de beaucoup de motifs de l'art populaire. Mais, surtout, on invente maintenant un thème caractéristique qui est la décoration dite à parchemin, serviettes ou étoffes pliées (29), motif d'ébénisterie s'il en est, sans tradition antérieure, sûrement dû aux progrès de la technique du rabot à lames courbes, que l'on retrouve dans tous les meubles européens comme principale décoration des ais ou panneaux de fond et qui persiste même en pleine Renaissance comme une survivance du Gothique.

La sculpture sur bois est un autre élément de décoration

stände wird vollkommener. Vom XIV. Jahrhundert ab werden hydraulische Sägen eingesetzt, mit denen man das Holz in Bretter zerlegt verarbeitet, statt die ganzen Baumstämme mit der Axt und mit der Dexelhacke bearbeiten zu müssen. Doch das wichtigste stilistische Merkmal erscheint mit der grundlegenden Umwandlung der Bautechnik, als die grossen breiten, mit Eisen beschlagenen Bretter, die die Vorderfront der Möbel im romanischen Zeitalter bilden, durch rechteckige Rahmen ersetzt, die mit eingefassten Holzfüllungen versehen waren (26).

Zweifellos besteht hier eine Parallele zwischen dieser «Füllung» und derjenigen, die in der gotischen Architektur erscheint, da das Rippenwerk der Gewölbe und die Pfeiler (wie die Beschläge an den Möbeln) völlig unabhängig von den Gewölbefüllungen und der durch Glasfenster erleichterten Seitenwände sind, die die «Füllung» ersetzen.

Die Verbreitung dieser Neuerungen wird von den Schnitzer- und Möbeltischlerinnungen des alten Europa unterstützt, die an die Stelle der romanischen Werkstätten traten. Die Ausübung der Möbelschreinerei war ganz strengen Regeln und Gesetzen unterworfen, insofern als der Ausübende seinen Meisterbrief usw. vorweisen musste (27). Die grösste Bedeutung gewann dieser Beruf aber erst als sich das bürgerliche Leben zu ordnen begann und der Feudalherrschaft und der klösterlichen und kirchlichen Macht ein Ende bereitete (28).

In die Dekoration der grob gebauten Möbel des XIII. Jahrhunderts beginnt man Elemente der neuen Bauweise einzuführen, die so eigenartig sind wie die Bogenwerke, die kleinen Säulengruppen, das Schnörkelwerk und die zugespitzten, dreieckigen Aufsätze.

Die unförmigen romanischen Tierfiguren werden durch naturalistische Schnitzwerke ersetzt; Flora und Fauna wirken stilisiert, wie die Disteln, die Rebenblätter und die Haustiere; es tritt auch eine grossartige, originelle geometrische oder abstrakte Dekoration auf, die der Ursprung vieler Motive der Volkskunst wird. Vor allem wird aber nun ein besonderes Thema oder Motiv erfunden, das unter dem Begriff der sogenannten Pergament-, Servietten oder Tuchfaltungen bekannt wird (29). Dieses Motiv gehört ausschliesslich in die Kunsttischlerei; es hat vorher nichts derartiges gegeben und entspringt wahrscheinlich einer fortgeschrittenen Hobeltechnik mit besonderen Hobelmessern, die einen abgerundeten Schliff haben. Dieses Thema wiederholt sich an allen europäischen Möbeln als hauptsächlichste Dekoration der Füllungen bis weit in die Renaissance hinein, als Überbleibsel der Gotik.

33

34. Arca de roble y nogal. Museo Lázaro Galdiano. Madrid.

34. Chest in oak and walnut. Lázaro Galdiano Museum. Madrid.

34. Coffre de chêne et de noyer. Musée Lázaro Galdiano. Madrid.

34. Truhe aus Eiche und Nussbaum. Museo Lázaro Galdiano. Madrid.

se rapportant à trois types: le haut relief qui représente des ornements végétaux de pampres et de feuilles de chardons; la sculpture plate, sorte de gravure au modelé très doux, et les dessins géométriques et architecturaux formant une espèce de dentelle (30).

Dans les derniers meubles de ce style, à la fin du xv.ᵉ siècle, se juxtaposent des arabesques, des grotesques et des thèmes grécoromains qui marquent le moment de la transition vers la Renaissance, grâce à quoi il est plus facile de connaître les œuvres de cette période. Le siège le plus ancien conservé en Espagne est peut-être le fauteuil d'Alfabia (Majorque). Sa structure est très élémentaire et robuste; les sculptures du dossier (face et dos) sont d'un type naturaliste d'une facture très archaïque, et les côtés sont décorés de motifs géométriques; c'est un bel exemplaire en chêne.

Le fauteuil du Couvent d'Uclés, pourvu d'une décoration géométrique sur les panneaux, est d'une structure semblable; un fauteuil à la décoration en parchemin ou serviette pliée fournit un troisième modèle. Les trois sont du type à grande caisse et haut dossier, côtés massifs et bâti très solide.

Un siège d'honneur de l'ancien chœur de la Cathédrale de Salamanque est aussi d'une structure très robuste, avec une décoration déjà flamboyante; mais l'exemplaire qui offre les plus belles proportions dans sa masse cubique, dite à grande caisse, est celui de la famille «Enríquez». Son dossier est bas —comme le précédent— et semicirculaire.

L'ornementation générale de ses panneaux est à décoration géométrique gothique et le devant porte, sous le siège, les armes de la famille.

Le fauteuil conservé à la Cathédrale de Barcelone, du début du xv.ᵉ siècle, époque du roi Martin l'Humain, est d'un bâti métallique en argent doré, complètement ajouré, orné comme une œuvre d'orfèvrerie, ce à quoi le métal s'adapte si bien.

Le fauteuil abbatial conservé à la Chartreuse de Valldemosa de Majorque, en chêne complètement sculpté et à décoration géométrique ajourée, appartient à la fin de ce style; il a des lignes très pures, certainement d'influence française.

Un siège d'honneur à dais élevé du Musée Lázaro Galdiano, appartient à la dernière époque du gothique et reproduit les mêmes détails de décoration que les précédents.

Les quatre bancs que nous avons choisis; permettent l'em-

Das Schnitzwerk bildet ein weiteres Dekorationselement und entspricht den folgenden drei Arten: das grosse Relief, dargestellt durch Pflanzenverzierung in Form von Weinranken und Distelblätter; die Flachschnitzerei, die wie ein zartmodellierter Stich wirkt und die geometrische und architektonische Schnitzerei, deren Muster wie Spitzen wirken (30).

In den letzten Stilmöbeln zu Ende des XV. Jahrhunderts, sieht man nebeneinander Arabesken, willkürliche Höhlenmalereien und griechischrömische Themen, die den Übergang zur Renaissance ankünden, wodurch sich die Werke dieser Zeit sehr leicht erkennen lassen. Wahrscheinlich ist das älteste Sitzmöbel, das in Spanien erhalten ist, der Sessel von Alfabia (Mallorca). Er ist von primitiver und schwerfälliger Bauart; das Schnitzwerk der Vorder- und Rückseite der Lehne ist ein naturalistisches Motiv in sehr archaischer Ausführung. Die Seitenlehnen bezw. Armlehnen sind mit geometrischen Themen verziert. Es handelt sich um ein schönes, aus Eichenholz gefertigtes Exemplar.

Von ähnlicher Form ist der Sessel im Kloster von Uclés, der an den Füllungen eine geometrische Umrissdekoration hat. Ein drittes Beispiel haben wir in einem Sessel, der mit gefalteten Pergament dekoriert ist. Alle drei Sessel sind kastenförmig gebaut, mit hoher Rückenlehne, massigen Seiten und einem starken Gefüge.

Ein Chorstuhl des ehemaligen Chores der Kathedrale von Salamanca ist auch von kräftigem Bau und besitzt bereits die «flammende» Verzierung. Das schönste, wohlproportionierte Gestühl, innerhalb der kubischen Form, Kasten genannt, ist aber sicherlich das der Familie «Enríquez». Die Rückenlehne dieses Gestühls ist, wie bei den vorgenannten, niedrig gehalten und hat einen halbrunden Grundriss.

Die ganze Verzierung der Platten entspricht den gotischen geometrischen Formen und an der Frontseite unterhalb des Sitzes ist das Wappen der Familie eingeschnitzt.

Der in der Kathedrale von Barcelona bewahrte Sessel aus dem Anfang des XV. Jahrhunderts, zur Zeit König Martins des Menschlichen, ist aus vergoldetem Silber gebaut und in feinster Filigranarbeit ausgeführt. Da das Metall sich dazu sehr gut eignet, ist er wie ein Goldschmiedewerk verziert.

Der Abtstuhl in der Karthäuserklause von Valldemosa (Mallorca) ist aus Eiche geschnitzt und mit durchbrochenen geometrischen Formen verziert. Dieser Stuhl stammt aus der Endperiode dieses Stils. Er ist von sehr klassischen Linien und wahrcheinlich von Frankreich beeinflusst.

35. Cama y colgaduras representadas en una tabla pintada por Pedro García Benabarre, del siglo xv, representando a San Sebastián y San Policarpo destruyendo los ídolos. Museo del Prado. Madrid.

35. *Bed and hangings represented on a panel painted by Pedro García Benabarre, 15th century, representing St. Sebastian and St. Polycarp destroying the idols. The Prado. Madrid.*

35. Lit et tentures représentés sur un panneau peint par Pedro García Benaberre, du xve siècle, montrant Saint Sébastien et Saint Policarpe détruisant les idoles. Musée du Prado. Madrid.

35. *Bett und von der Decke herabhängende Vorhänge, dargestellt auf einem Tafelgemälde von Pedro García Benaberre. XV. Jahrhundert. Es stellt die Heiligen Sebastian und Polykarp dar Götzenbilder zerstörend. Prado-Museum. Madrid.*

El primero tiene el respaldo con pergamino plegado; el segundo, con tallas naturalistas y geométricas; el tercero, con la ornamentación concentrada en la parte superior del alto respaldo y en el asiento; su verticalidad se acusa con las esbeltas columnillas del respaldo; y el cuarto está decorado con tracerías de la última época.

Los arcones son ya muy numerosos y no sólo tienen un destino religioso sino civil y siguen las formas prismáticas con una cubierta plana, curva o ligeramente inclinada a dos aguas.

Los temas de la decoración externa son muy variados; es decir, que pueden ser con refuerzos de hierro sobre estructuras aún arcaizantes o tallados, pintados, dorados, forrados de cuero o de tela, etc. (31).

De los tres del Museo de Lázaro Galdiano, el primero está forrado con terciopelo con refuerzos metálicos y los otros dos son de roble con frente de tallas geométricas. Puede decirse que es excepcional el del Museo de Sitges, procedente del Real Patrimonio de Mallorca. La decoración flamígera del frente está contenida entre dos montantes muy anchos, decorados con tallas fabulosas de una gran semejanza en su composición y ornamentación con el de Chevington (Inglaterra), que no queremos dejar de señalar (32). Los arcones que hemos seleccionado del Museo de Vich, van pintados, con refuerzos de hierro y con tallas góticas plenamente doradas.

En estos ejemplares se notan ciertas semejanzas con los franceses, ingleses o italianos, pero las llamadas *arcas de novia* son genuinamente catalanas y levantinas y existen de ellas numerosos ejemplares.

El frente de estos arcones, ya de finales del siglo xv, va subdividido en recuadros ricamente guarnecidos con una molduración con perfiles góticos, sobre fondos pintados o dorados, con temas diversos, algunos de ellos renacentistas; en cambio, en el ancho montante que separa los tableros o recuadros, se desarrollan siempre temas con tracerías góticas talladas; el recuadro de la derecha suele disimular una puertecilla que cierra un cuerpo de cajones donde la novia guarda sus joyas y su dote. La tapa del arcón se levanta y generalmente está decorada interiormente con una composición pictórica.

Este tipo de arcones, siempre de bellas proporciones, y con una decoración muy ponderada, perdura todo el Renacimiento hasta el siglo xviii, observándose en ellos las naturales varia-

One of the stalls from the old choir of the Cathedral of Salamanca is also very solidly constructed, its decoration already belonging to the flamboyant style; but the most beautifully proportioned of all those made in what we have called the box type is that known as the seat of the Enríquez family, with a low back —like the previous one— and semicircular in plan.

Its panels are principally decorated with Gothic traceries and in the front, under the seat, the shield of the family is carved.

The stall preserved in the Cathedral of Barcelona, which dates from the beginning of the 15th century (the time of King Martin the Humane), is a metal structure in silver gilt, pierced all over and ornamented as if it were by a goldsmith, to which treatment the metal lends itself so well.

The abbot's chair preserved in the Charterhouse of Valldemosa in Majorca, carved entirely in oak, with pierced geometric traceries, belongs to the end of this style; it is very pure in its lines and is undoubtedly of French influence.

A seat with a high canopy in the Lázaro Galdiano Museum belongs to the final period of Gothic art and in it are repeated the same decorative details as in the previous ones mentioned.

The four benches we have chosen as illustrations make logical use of their seats as chests. As is the case with the stalls or seats, nearly all these specimens are clerical in origin and intended for religious purposes.

The first has a back with linenfold panelling; in the second the back is decorated with naturalistic and geometric carvings; in the third the ornamentation is concentrated on the upper part of the high back and on the seat, while its vertical character is accentuated by the slender columns of the back; the fourth is decorated with traceries of the last period.

Chests of this period are very numerous, whether intended for religious or lay purposes, and they follow the prismatic forms, with lids that can be flat, curved or slightly sloping in the form of a double gable. The motifs of their exterior decoration are extremely varied; i.e., they may have iron clasps on frameworks which are still in the old mode, or they may be carved, painted, gilded, lined with leather or cloth, etc. (31).

Of the three in the Lázaro Galdiano Museum, the first is lined with velvet and has metal reinforcements, while the other two are of oak with geometric carving on the front. A piece we may call really exceptional is that in the Museum of Sitges, which comes from the Patrimony of the Royal House of Majorca. The flamboyant

36. Arca de roble con estructura muy tosca y tableros con tallas de pergaminos. Palacio de Perelada (Gerona).

37. Arca de estructura muy tosca, tableros decorados con tracerías góticas, restos de policromía. Museo Arqueológico Nacional. Madrid.

36. *Oak chest of very crude construction, panels decorated with linenfold carving. Palace of Perelada (Gerona).*

37. *Chest of very crude construction, panels decorated with Gothic traceries, polychrome remains. National Archaeological Museum. Madrid.*

36

ciones con la evolución de los estilos (33). Otras arcas responden a las condiciones generales indicadas al principio, es decir, están formadas por tableros con tallas de pergaminos, entre una estructura muy fuerte; son de estructura de forma de baúl, de gruesos tablones con una ornamentación de refuerzos de hierro forjado con bellas siluetas góticas. Los armarios y credencias, son muebles poco frecuentes en España; se conservan

decoration of the front is contained between two very broad uprights, decorated with fabulous carvings, and is strikingly similar in composition and ornamentation to that of Chevington (England), a fact we should not wish to leave unmentioned (32).

The chests we have selected from the Museum of Vich are painted, with iron reinforcements and with Gothic carvings entirely gilded.

36. Coffre de chêne avec structure très grossière et panneaux à tailles de parchemins. Palais de Perelada (Gérone).

37. Coffre de structure très grossière, panneaux décorés de figures géométriques gothiques, traces de polychromie. Musée Archéologique National. Madrid.

36. Eichentruhe in grober Struktur und Platten mit Pergamentschnitzereien. Schloss Perelada (Gerona).

37. Truhe in grober Ausführung. Platten mit gotischer geometrischer Verzierung und Resten von Buntmalerei. Museo Arqueológico Nacional. Madrid.

37

ploi logique de leur siège en guise de grand coffre. Comme pour les sièges d'honneur, presque tous les exemplaires ont une origine et une utilisation religieuses.

Le premier a un dossier à parchemin plissé; le second, des sculptures naturalistes et géométriques; le troisième, une ornementation localisée à la partie supérieure du haut dossier et sur le siège; sa verticalité est accusée par les fines petites co-

Der Thronsitz mit hohem Thronhimmel im Museum Lázaro Galdiano, stammt aus der gotischen Endperiode und an ihm wiederholen sich die gleichen dekorativen Elemente der vorerwähnten Sessel.

Bei den vier auserwählten Bänken wird der Sitz gleichzeitig als Truhe verwendet. Wie die Thronsessel und Chorstühle, so haben auch diese Bänke einen religiösen Zweck.

38. Arca con puertas en su frente y cajonería interior. Toda ella pintada y decorada. Tapa levantada pintada interiormente. Época de Transición. Museo Episcopal de Vich (Barcelona).

38. Chest with doors on its front and set of drawers inside. The whole painted and decorated. Lifted lid painted on the inside. Transition period. Episcopal Museum of Vich (Barcelona).

38. Coffre avec portes sur le devant et tiroirs intérieurs. Le tout peint et décoré. Couvercle levé peint intérieurement. Epoque de Transition. Musée Episcopal de Vich (Barcelone).

38. Truhe mit Türen an der Frontseite und Fächern an der Innenseite. Sie ist vollständig bemalt und verziert. Auch die Innenseite des Deckels ist bemalt. Übergangs-Epoche. Museo Episcopal in Vich (Barcelona).

lonnes du dossier; et le quatrième est décoré de dessins géométriques de la dernière époque.

Les gros coffres sont déjà très nombreux et ont une destination non seulement religieuse mais encore profane. Ils prennent des formes prismatiques, avec un couvercle plat, courbe ou légèrement divisé en deux versants.

Les motifs de la décoration extérieure sont très variés; ils peuvent être à renforts de fer sur des structures encore archaïques, ou bien sculptés, peints, dorés, doublés de cuir ou d'étoffe, etc. (31).

Des trois gros coffres du Musée de Lázaro Galdiano, le premier est doublé de velours, avec des ferrures; les deux autres sont en chêne, le devant montrant des sculptures géométriques. On peut dire que celui du Musée de Sitges est exceptionnel. Il vient du Patrimoine royal de Majorque. La décoration flamboyante du devant est inscrite entre deux montants très larges, décorés de sculptures fabuleuses, d'une grande ressemblance dans la composition et l'ornementation avec celui de Chevington (Angleterre), que nous ne voulons pas oublier de signaler (32). Les gros coffres du Musée de Vich que nous avons choisis sont peints, à ferrures, et ont des sculptures gothiques complètement dorées.

On remarque dans ces exemplaires certaines ressemblances avec les coffres français, anglais ou italiens, mais ceux que l'on appelle «coffres de mariée» sont authentiquement catalans et levantins. Il en existe de nombreux spécimens.

Le devant de ces coffres de la fin du xv.e siècle, est divisé en carrés richement garnis d'une moulure à enjolivures gothiques, sur des fonds peints ou dorés, avec divers motifs, quelques-uns de la Renaissance. Par contre, sur le large montant qui sépare les panneaux ou encadrements courent toujours des motifs gothiques à dessins géométriques. L'encadrement de droite dissimule d'ordinaire une petite porte qui ferme un ensemble de tiroirs où la mariée garde ses bijoux et sa dot. Le couvercle du coffre s'ouvre et il est généralement décoré intérieurement d'une peinture.

Ce type de coffres, toujours de belles proportions et d'une décoration très discrète, subsiste pendant toute la Renaissance, jusqu'au xviii.e siècle. On y remarque les variations naturelles dues à l'évolution des styles (33). D'autres coffres répondent aux conditions générales indiquées au début; c'est-à-dire qu'ils sont formés de panneaux à parchemin inscrits dans un bâti

Die Rückenlehne der ersten Bank wird aus gefaltetem Pergament gebildet. Die zweite Bank ist mit naturalistischen und geometrischen Schnitzereien versehen. An der dritten Bank sammelt sich die Ornamentik im oberen Teil der hohen Rückenlehne sowie am Sitz; ihre Geraldlinigkeit wird noch durch die schlanken Säulchen an der Lehne betont und die Verzierung der letzten Bank setzt sich aus verschiedenen geometrischen Formen der letzten Epoche zusammen.

Die Truhen treten immer mehr in Erscheinung und sie haben nicht nur eine religiöse sondern auch eine bürgerliche Bestimmung. Sie sind von prismatischer Form und haben einen flachen, runden oder leicht geneigten Doppeldeckel.

Die äusseren Dekorationsmotive sind verschiedenartig; teils werden sie von Eisenbeschlägen über archaisierenden Strukturen oder Schnitzwerken gebildet, oder es handelt sich um Malereien, Vergoldungen, Leder- oder Stoffbespannungen usw. (31).

Von den drei, im Museum Lázaro Galdiano befindlichen Truhen, hat die erste einen Samtbezug mit Metallverstärkungen, die beiden anderen sind aus Eichenholz mit geometrischem Schnitzwerk an der Frontseite. Die Truhe, die im Museum von Sitges und aus den Krongütern von Mallorca stammt, gilt als aussergewöhnliches Stück. Die flammenförmige Dekoration an der Frontseite befindet sich zwischen zwei breiten Pfosten, die mit phantastischen Schnitzereien verziert sind. Die Komposition und Ornamentik dieser Truhe ähnelt der von Chevington (England), auf die hinzuweisen wir nicht versäumen möchten (32). Die Truhen, die wir im Museum von Vich ausgewählt haben, sind bemalt, mit Eisenbeschlägen versehen und haben vergoldete gotische Schnitzereien.

Diese Exemplare weisen eine gewisse Ähnlichkeit mit den französischen, englischen oder italienischen Truhen auf, aber die sogenannten Brauttruhen gibt es nur in Katalonien und in der Levante. Es ist noch eine grosse Anzahl von ihnen vorhanden.

Die Frontseite der gegen Ende des XV. Jahrhunderts stammenden Truhen, ist in reichverzierte Vierecke aufgeteilt, die von einer im gotischen Stil angefertigten Umrandung auf bemaltem oder vergoldetem Grund umgeben sind. Die Motive sind sehr verschiedenartig und einige gehören bereits in die Renaissance. Die Träger dagegen, die die viereckigen Platten trennen, sind mit gotischem Schnitzwerk in geometrischen Formen versehen. Das rechte Viereck verdeckt meistens eine kleine Tür die zu einem Kastenteil führt, in dem die Braut ihren Schmuck und die Mitgift aufbewahrt.

39. Dressoir de roble de origen francés con tallas de tracerías flamígeras. Palacio de Perelada (Gerona).

39. *Oak dresser of French origin with carvings of flamboyant traceries. Palace of Perelada (Gerona).*

39

In these examples certain similarities may be observed to those of France, England or Italy, but the ones which are known as bride's chests are genuinely native to Catalonia and the east coast of Spain and of these there are many examples in existence.

The fronts of these chests, the earliest examples of which are from the end of the 15th century, are divided into panels richly edged with mouldings which are Gothic in line, on backgrounds painted or gilded, with various motifs, some of them in the Renaissance manner; on the other hand, in the broad uprights which separate these panels the motifs are always executed in carved Gothic tracery; the right-hand panel usually hides a little door which conceals a nest of drawers in which the bride kept her jewels and her dowry. The lid of the chest, when lifted, is generally decorated inside with some pictorial composition.

This type of chest, always very beautifully proportioned and with very discreet decoration, lasted all through the Renaissance and into the 18th century, though we can observe the natural variations caused by the evolution of styles (33). Other chests correspond to the general conditions indicated at the beginning, i.e., they are formed by boards with linenfold carving and are very strongly constructed; they are made in the shape of a trunk, thick boards ornamented with reinforcements of wrought iron which have very beautiful Gothic lines. Wardrobes and sideboards are very infrequent in Spanish furniture of this period; very few specimens have been preserved and all of them much restored, always with the same characteristics, which we know principally through the French and Flemish examples.

No Gothic beds have survived, nor even any vestiges of their structure, but there are very many graphic representations of them; in a miniature in a choir book from the Monastery of Guadalupe, for instance, we can see an interior with shelves and a bed, in a corner, with a great canopy and the curtains gathered together at the top; similar in form is the bed shown in the panel of Martín Besabarre in the Prado, as also those in a multitude of miniatures from books of hours, as in the Psalter of the Escorial (34), and in the Gothic panels of many Spanish museums. All of these paintings can give us an idea of what an interior, still Gothic, was like at the beginning of the 16th century, a much clearer idea, moreover, than any of the literary descriptions of the period.

We may say, therefore, that Gothic is an international style, though with national features in many details; but it is really with the Mudejar specimens which we are now going to describe that

muy pocos ejemplares y éstos muy restaurados, siempre con las mismas características, que conocemos por los ejemplares franceses y flamencos principalmente.

No queda ninguna cama gótica ni restos de su estructura, pero sí multitud de representaciones gráficas; por ejemplo, en una miniatura de un libro de Coro del Monasterio de Guadalupe, podemos ver en un ambiente, una estantería, la cama, en un ángulo, con un gran dosel y las cortinas recogidas en lo alto; de forma parecida se repite la cama en la tabla del Museo del Prado de Martín Besabarre y en multitud de miniaturas de los libros de horas, como en el *Psalterio de El Escorial* (34) y en las tablas góticas de muchos Museos españoles. Todas estas pinturas, pueden darnos una idea de lo que era un interior, todavía gótico, al comienzo del siglo XVI, bastante más clara que las descripciones literarias de la época.

très robuste. Ils ont la forme d'une malle formée de grosses planches. L'ornementation est constituée par des renforts en fer forgé à jolies silhouettes gothiques. Les armoires et les crédences sont des meubles peu courants en Espagne. On en conserve très peu d'exemplaires, d'ailleurs très restaurés. Elles ont toujours les mêmes caractéristiques que nous connaissons à travers les spécimens français et flamands principalement.

Il ne subsiste aucun lit gothique ni de restes de son bâti; mais l'on en a énormément de représentations graphiques. Par exemple, sur une miniature d'un livre de Chœur du Monastère de Guadalupe nous pouvons voir sur un fond un rayonnage, le lit dans un angle, avec un grand ciel de lit et les rideaux rassemblés en haut. Un lit semblable est reproduit sur le tableau du Musée du Padro de Martin Besabarre, sur beaucoup de miniatures des livres d'heures, comme le Psautier de l'Escurial (34), et sur les panneaux gothiques de nombreux Musées espagnols. Toutes ces peintures peuvent nous donner une idée de ce qu'était un intérieur, encore gothique, au commencement du XVI.e siècle, beaucoup plus clairement que les descriptions littéraires de l'époque.

En conclusion, l'on peut dire que le gothique est un style international, bien que pourvu de traits nationaux dans bien des détails. Mais c'est réellement dans les exemplaires mudéjares que nous allons décrire que nous trouvons un meuble vraiment espagnol, aux caractéristiques propres. L'influence des Arabes est gravée dans ces meubles à la faveur de leur coexistence avec les chrétiens dans les villes reconquises, coexistence de plus de sept siècles et qui, dans le meuble, laissa l'empreinte de ses artisans, surtout dans les travaux d'ornementation et dans la technique d'élaboration des ornements géométriques développés sur des structures gothiques simples et élémentaires.

Der Truhendeckel kann ebenfalls geöffnet werden und ist an der Innenseite mit Malereien ausgestattet.

Diese schöngeformten Truhen, die mit einer wohlausgewogenen Verzierung ausgestattet sind, überdauern die ganze Renaissance bis in das XVIII. Jahrhundert hinein und man bemerkt auch an ihnen die natürlichen Wandlungen, die mit der Stilentwicklung zusammenhängen. (33). Andere Truhen aus dieser Zeit entsprechen wieder den Anfangs geschilderten Prinzipien. Sie sind aus starkem und kräftigem Holz gebaut; an den Brettern sind Schnitzerein im Pergamentfaltenwurf angebracht; die Form ist kofferförmig und mit schöngeformten Eisenbeschlägen im gotischen Stil verziert. Schränke und Kredenzen sind in Spanien wenig bekannte Möbelstücke, weshalb auch sehr wenig Exemplare davon vorhanden sind. Die wenigen, die bewahrt werden, sind auch noch stark restauriert. Sie haben alle die gleichen Merkmale und sind hauptsächlich als französische und flämische Stücke bekannt.

Richtige gotische Betten sind keine mehr vorhanden, aber man verfügt über eine ganze Menge graphischer Darstellungen. In einer Miniatur des Chorbuches vom Kloster von Guadalupe kann man zum Beispiel einen Raum sehen, in dem in einer Ecke das Bett mit einem grossen Betthimmel steht, dann ist ein Regal vorhanden und die nach oben zusammengerafften Vorhänge. Auf einer Tafel von Martín Besabarre im Prado Museum, sowie in vielen Miniaturen der Stundenbücher, wie das Psalterbuch in El Escorial (34) und auf vielen der in den spanischen Museen vorhandenen gotischen Bildtafeln, kehrt die Darstellung des Bettes immer wieder. Diese Bilder vermitteln uns was zu Anfang des XVI. Jahrhunderts noch ein gotischer Innenraum war, viel deutlicher durch die Anschauung als jegliche Beschreibung aus jener Zeit.

Man kann also sagen, dass die Gotik ein internationaler Stil war, aber in vielen Einzelheiten mit einheimischen Kennzeichen durchsetzt. Erst anhand der Mudéjar-Beispiele, auf die wir nachstehend zu sprechen kommen, erkennt man was die eigentlichen spanischen Möbel mit ihren ureigensten Kennzeichen darstellen. An ihnen macht sich ganz besonders der arabische Einfluss bemerkbar, dank der Anwesenheit der Christen in den von den Arabern zurückeroberten Städten. Dieses Zusammenleben erstreckte sich über sieben Jahrhunderte und hinterliess natürlich in den Möbeln die Spuren der Kunsthandwerker, vor allem was die Ornamentkunst und die Bautechnik betrifft, die auf Grund der einfachen und primitiven gotischen Strukturen weiterentwickelt wurden.

40. Armario con armadura de roble muy robusta. Tableros con tallas de pergamino y herrajes calados con tracerías. Museo de Artes Decorativas. Madrid.

41. Arca de roble con tapa curvada; refuerzos de hierro y dos cerraduras con aldabillas de ornamentación gótica. Museo Arqueológico Nacional. Madrid.

42. Arca-credencia con puertas. Palacio de Perelada (Gerona).

40. Cupboard with very sturdy oak framework. Panels with linenfold carving and ironwork pierced with traceries. Museum of Decorative Arts. Madrid.

41. Oak chest with curved lid; iron clasps and two locks with Gothic decoration on the catches. National Archaeological Museum. Madrid.

42. Credence-chest with doors. Palace of Perelada (Gerona).

Puede decirse en consecuencia, que el gótico es un estilo *internacional*, aunque con rasgos nacionales en muchos detalles; pero es realmente con los ejemplos mudéjares, que vamos a describir, cuando nos encontramos con un mueble verdaderamente español, con unas características propias. En ellos ha quedado grabada la influencia de los árabes, merced a su convivencia con los cristianos en las ciudades reconquistadas, convivencia que se desarrolló a lo largo de más de siete siglos y que en el mueble dejó la huella de sus artesanos, principalmente en las labores de ornamentación y técnica constructiva de sus lacerías, desarrolladas sobre unas simples y elementales estructuras góticas.

we find truly Spanish furniture with characteristics of its own. In it the influence of the Arabs is clearly marked, thanks to their coexistence with the Christians in the reconquered cities, a coexistence which lasted over seven centuries and which, in furniture, left the mark of their craftsmen, principally in the ornamental work and the structural technique of their interlacery, carried out on simple and elementary Gothic structures.

40

41

40. Armoire à charpente de chêne très robuste. Panneaux à tailles de parchemin et ferrures ajourées à figures géométriques. Musée d'Arts Décoratifs. Madrid.

41. Coffre de chêne à couvercle incurvé; renforts de fer et deux serrures à gâches d'ornementation gothique. Musée Archéologique National. Madrid.

42. Coffre-crédence avec portes. Palais de Perelada (Gérone).

40. *Schrank aus kräftigem Eichenholzgerüst. Die Füllungen sind mit Pergamentschnitzerei verziert und mit geometrisch durchbrochenen Eisenbeschlägen versehen. Museo de Artes Decorativas. Madrid.*

41. *Eichentruhe mit gebogenem Deckel. Eisenverstärkungen und zwei Schliesshaken in gotischer Verzierung. Museo Arqueológico Nacional. Madrid.*

42. *Kredenz-Truhe mit Türen. Schloss Perelada (Gerona).*

42

EL MUDÉJAR: PRIMER MUEBLE NACIONAL

MUDEJAR: THE FIRST NATIONAL FURNITURE

En la Baja Edad Media es cuando aparece un mueble verdaderamente español. En general, los pocos que conocemos y conservamos, son de estructura románica o gótica, con una decoración superpuesta, en la que se nota el trabajo del artesano árabe que los ejecutó.

El sillón de cadera, de origen italiano, es de los primeros ejemplares que encontramos (35).

En realidad es una silla de tijera, con el eje del giro debajo del asiento y con los cuatro elementos de madera en cuarto de círculo, que forman los brazos y las patas que se apoyan sobre una zapata. Los brazos se elevan en su parte posterior hasta lograr la altura superior del respaldo y en su parte anterior se rematan en una forma circular que a veces inicia una voluta.

Todos los frentes de la madera están taraceados con pequeñas piezas de hueso, boj y ébano, en forma de polígonos estrellados, típicamente árabes.

Los sillones de cadera más antiguos, tienen unos pequeños relieves o apófisis en la parte superior de las patas, con una silueta gótica (36); el asiento y el respaldo son de cuero repujado, guadamecíes o terciopelo y son fácilmente plegables. Estos sillones se denominan vulgarmente *«jamugas»*, indudablemente por su forma y estructura de tijera que permitía adaptarlos como sillas de montar en las caballerías.

Son obras de fines del siglo XIV y llegan hasta principio del siglo XVI, encuadradas en un gótico tardío, por su silueta y por su decoración mudéjar, muy abundantes, sobre todo en la región granadina; de estos talleres provienen los sillones que se conservan en la Catedral de Toledo y que hoy están en depósito en el Museo de Santa Cruz (37).

Se conservan restos de tres importantes sillerías de Coro, obras mudéjares muy elementales.

En el Museo Arqueológico Nacional, se guardan tres sitiales del Coro del Monasterio de Gradefes de León. Los asientos están separados por unos brazales frenteados por columnas con bellos capiteles.

It was in the late Middle Ages that the first truly Spanish furniture appeared. In general, the few pieces that are known and preserved are of Romanesque or Gothic construction, with decoration superimposed in which one can detect the hand of the Arab craftsman who made them.

The sillón de cadera, *or «hip chair», of Italian origin, is one of the first specimens we find of this period (35).*

In reality this piece is of the «scissors» folding type of chair, with the folding axis under the seat and the four wooden elements in a quarter-circle forming the arms and the feet, which latter rest on a base. The arms rise towards the rear until they reach the greater height of the back and in their front part they are finished off in a circular form which is sometimes the beginning of a scroll.

All the wooden surfaces are inlaid with little pieces of bone, boxwood and ebony, worked in the form of star-shaped polygons, typically Arabic in style.

The oldest examples of this type of chair have some small reliefs or protuberances on the upper part of the legs which are Gothic in line (36); the seats and the backs are of embossed leather, gilded leather or velvet, and are easily folded. These chairs were commonly known as «jamugas» (sidesaddles), doubtless because of their folding form and structure, which made them easily adaptable to such a purpose.

These specimens were made towards the end of the 14th century and they continued until the beginning of the 16th, so they may be classified as late Gothic; they are quite numerous, particularly in the region of Granada, and it was the workshops of this region which produced the stalls preserved in the Cathedral of Toledo and those which are now kept in the Santa Cruz Museum (37).

Still preserved, too, are the remains of three important choir stalls, very elementary Mudejar pieces.

In the National Archæological Museum there are three stalls from the choir of the Monastery of Gradefes, near Leon. The seats are separated by arms fronted by columns with beautiful capitals.

LE MUDÉJAR:
PREMIER MEUBLE NATIONAL

MUDÉJAR: ERSTE
VOLKSTÜMLICHE MÖBEL

C'est à l'époque du Bas Moyen Âge qu'un meuble vraiment espagnol fait son apparition. En général, ceux, très rares, que nous connaissons et qui s'en conservent, allient à une structure romane ou gothique une décoration superposée où l'on remarque le travail de l'artisan arabe qui les a exécutés.

Le fauteuil en X d'origine italienne est l'un des premiers spécimens que nous trouvons (35).

En réalité, c'est une chaise pliante; l'axe de rotation est au-dessous du siège et les autre éléments de bois en quart de cercle qui forment les bras et les pieds s'appuient sur un support. L'arrière des bras s'élève jusqu'au niveau supérieur du dossier, tandis que leur devant se termine en un arc de cercle qui amorce parfois une volute.

Toutes les faces du bois sont marquetées de petits morceaux d'os, de buis et d'ébène, en forme de polygones étoilés, typiquement arabes.

Les fauteuils en X les plus anciens ont de petits reliefs ou apophyses en haut des pieds, de ligne gothique (36). Le siège et le dossier sont en cuir repoussé, en maroquin ou en velours, et peuvent être facilement pliés. On nomme vulgairement ces fauteuils: «Cacolets» sans doute à cause de leur forme et de leur structure qui permettaient de s'en servir comme selles pour monter à cheval.

Ce sont des œuvres qui vont de la fin du XIV.e siècle jusqu'au début du XVI.e siècle et qui relèvent d'un gothique tardif par leur silhouette et leur décoration maure. Elles abondent principalement dans la région de Grenade. De ces ateliers proviennent les fauteuils conservés à la Cathédrale de Tolède et qui sont aujourd'hui en dépôt au Musée de Santa Cruz (37).

On possède des restes d'importantes stalles de Chœur, œuvres maures très élémentaires.

On garde au Musée Archéologique National trois stalles de Chœur du Monastère de Gradefes de Léon. Leurs sièges sont séparés par des accoudoirs dont le devant est fait de colonnes aux beaux chapiteaux.

Im Spätmittelalter tritt erstmalig der eigentliche spanische Möbelstil zutage. Die im allgemeinen bekannten und noch vorhandenen Exemplare entsprechen eigentlich noch der romanischen oder gotischen Form mit einer aufgesetzten Verzierung, an der man die Arbeit des ausführenden arabischen Kunsthandwerkers erkennt.

Der aus Italien stammende sogenannte Hüftsessel, gehört zu den ersten Stücken die gefunden wurden (35).

In Wirklichkeit handelt es sich hier um einen Klappstuhl, dessen Drehachse unter dem Sitz angebracht ist. Die anderen viertelkreisförmigen Teile, die die Arme und Beine des Sessels bilden sind aus Holz und stehen auf einer Unterlage. Die Sesselarme gehen an der Rückseite bis zum oberen Rand der Rückenlehne hoch und laufen an der Vorderseite meistens kreisförmig, eine leichte Volute andeutend, aus.

Sämtliche Holzfronten sind mit kleinen Stückchen aus Bein, Buchsbaum und Ebenholz ausgelegt und haben die typische arabische polygonale Sternchenform.

Die ältesten dieser Sessel haben am oberen Teil der Stuhlbeine kleine Fortsätze in gotischer Linienführung (36); Sitz und Rückenlehne sind meistens aus gepunztem oder verbrämten Leder oder auch aus Samt, wodurch sie sich leicht zusammenklappen lassen. Im Volksmund heissen diese Sessel «jamugas» (=Frauensattel), wahrscheinlich ihrer Scherenform wegen, durch die man sie auch leicht auf den Pferderücken legen konnte.

Sie wurden Ende des XIV. Jahrhunderts eingeführt und hielten sich bis Anfang des XVI. Jahrhunderts. Wegen ihrer Form und der reichhaltigen Verzierung im Mudéjar-Stil, besonders in der Gegend von Granada, wurden sie in den Spätgotischen Stil eingereiht. Aus den Werkstätten von Granada stammen die Sessel aus der Kathedrale von Toledo, die heute im Museum von Santa Cruz (37) aufbewahrt werden.

Es sind noch Reste von drei bedeutenden Chorgestühlen im primitiven Mudéjar-Stil erhalten.

Im Staatlichen Archöologischen Museum sind drei Chorstühle aus dem Kloster von Gradefes in León vorhanden. Die Sitze sind

76

43. Sillón de cadera con taraceas y cuero repujado en el asiento y respaldo. Instituto Valencia de Don Juan. Madrid.

44. Silla de cadera de la catedral de Toledo con taraceas de tipo granadino. Museo de Santa Cruz. Toledo.

45. Restos de la sillería de Santa María de Gradefes. Tres sitiales con ornamentación arábiga en las columnas, basamentos, capiteles y brazales, con residuos de policromía. Museo Arqueológico Nacional. Madrid.

43. *«Hip» armchair, with marquetry and repoussé leather on the seat and back. Institute of Valencia de Don Juan. Madrid.*

44. *«Hip» chair from the cathedral of Toledo, with marquetry of the Granada type. Santa Cruz Museum. Toledo.*

45. *Remains of the choir stalls of Santa María, Gradefes. Three seats with Arabic ornamentation on the columns, bases, capitals and arms; polychrome remains. National Archaeological Museum. Madrid.*

43
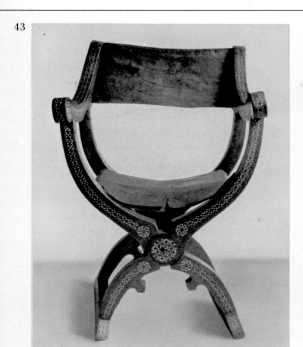
44

Toda la ornamentación del frente y costados es de atauriques y los asientos están separados por arcos de silueta muy quebrada, de tipo estalactítico. El respaldo, continuo, tiene la misma altura que los brazos y conserva restos de policromía; es obra que puede situarse en el siglo XIII; los ensambles, muy simples, están reforzados por clavazón de hierro.

En el mismo Museo están depositados cuatro sitiales del coro del Monasterio de Santa Clara de Astudillos (Palencia), obra del siglo XIV. Las sillas conservan sus altos respaldos; el frente compuesto con columnillas ochavadas y arcos trilobulados, soporta un tejaroz o dosel. La sillería conserva su policromía de ornamentación mudéjar, repitiendo el tema de los escudos de la fundadora, doña María de Padilla. La técnica constructiva se puede seguir muy bien, acusándose la estructura del tejaroz, en los canes y las tablillas que van entre ellos; los ensambles son elementales de caja y espiga y clavazón de hierro que refuerzan las sobinas y la técnica de azuela es muy expresiva, aunque la mano de obra sea muy imperfecta.

La tercera sillería es la del Convento de Santa Clara de Moguer (Huelva), restaurada hace unos años; se conserva en su totalidad y en el lugar de origen, ocupando tres lados del

The whole decoration of the front and sides consists of Arabic carved foliage, the seats being separated by arches of very broken outline, almost like stalactites. The back, which is continuous, is of the same height as the arms and retains some vestiges of polychrome work; this work may be dated some time during the 13th century; the joining, which is very simple, is reinforced by iron nails.

In the same museum there are also four stalls from the choir of the Monastery of Santa Clara in Astudillo (province of Palencia), a 14th-century work. The seats still retain their high backs; the front, which is composed of octagonal columns and trifoliate arches, supports a kind of eaves or canopy. These stalls have preserved their polychrome Mudejar decoration, the repeated motif of which is the coat of arms of the founder, Doña María de Padilla. The structural technique can be followed very clearly, noticeably in the canopy, the corbels and the slats between them; the joining is of an elementary mortise-and-tenon type with iron nails reinforcing the wooden pegs, while the adz technique is very expressive, although the craftsmanship in general is far from perfect.

The third set of choir stalls is that in the Convent of Santa Clara in Moguer (province of Huelva), which was restored some years

43. Fauteuil avec marqueterie et cuir repoussé sur le siège et le dossier. Institut Valencia de Don Juan. Madrid.

44. Chaise de la cathédrale de Tolède avec marqueterie du type grenadin. Musée de Santa Cruz. Tolède.

45. Restes des stalles de Santa María de Gradefes. Trois fauteuils de cérémonie avec ornementation arabe sur les colonnes, les soubassements, les chapiteaux et les bras, avec résidus de polychromie. Musée Archéologique National. Madrid.

43. *Hüfthoher Sessel mit Einlegearbeit verziert. Sitz und Rückenlehne aus gepunztem Leder. Instituto Valencia de Don Juan. Madrid.*

44. *Hüfthoher Stuhl aus der Kathedrale von Toledo mit Einlegearbeit im granadiner Stil. Museo de Santa Cruz. Toledo.*

45. *Reste des Chorgestühls aus Santa María de Gradefes. Drei Sitze mit arabischen Ornamenten an den Säulen, Sockeln, Kapitellen und Armlehnen, sowie Resten von Buntmalerei. Museo Arqueológico Nacional. Madrid.*

45

Toute l'ornementation du devant et des côtés est faite d'arabesques et les sièges sont séparés par des arcs au dessin très brisé du type à stalactites. Le dossier, continu, a la même hauteur que les bras et conserve des restes de polychromie. C'est une œuvre qui peut être attribuée au XIII.ᵉ siècle. Les assemblages, très simples, sont renforcés par des clous de fer.

Au même Musée sont déposées quatre stalles de Chœur du Monastère de Santa Clara de Astudillos (Palencia), œuvre du XIV.ᵉ siècle. Les chaises conservent leur haut dossier. Le devant, composé de colonnes octogonales et d'arcs trilobés, supporte un auvent ou dais. Les stalles conservent leur polychromie d'ornementation mudéjare et répètent le thème des armes de la fondatrice, Doña María de Padilla. On peut très bien suivre la technique constructive, car la structure du dais ressort dans les modillons et les éclisses qu'ils enserrent.

Les assemblages sont élementaires: emboîture et tenon, clous de fer qui renforcent les chevilles, et la technique de l'herminette est très expressive, même si la main d'œuvre est très imparfaite.

Le troisième ensemble de stalles de Chœur est celui du Couvent de Santa Clara de Moguer (Huelva), restauré il y a

voneinander durch Armlehnen getrennt, die an ihrem Frontteil von Säulen mit schönen Kapitellen geschmückt sind.

Die ganze Front- und Seitenornamentik ist geschnitzt und die Sitze durch Bögen in gebrochner, stalaktitenförmiger Linienführung getrennt. Die durchgehende Rückenlehne hat die gleiche Höhe wie die Armlehnen und weist noch Reste von Buntmalerei auf. Dieses Werk kann aus dem XIII. Jahrhundert stammen. Das sehr einfache Gefüge dieser Bank ist mit Eisennägeln verstärkt.

Im gleichen Museum stehen vier Chorstühle aus dem Kloster von Santa Clara de Astudillos (Palencia), die ein Werk aus dem XIV. Jahrhundert sind. An den Stühlen sind die hohen Lehnen erhalten; die Front setzt sich aus achteckigen Säulchen und aus dreilappigen Bögen zusammen, die einen Dachvorsprung oder einen Thronhimmel halten. An dem Gestühl ist die bunte Ornamentik im Mudéjar-Stil erhalten, in der sich das Wappenmotiv der Gründerin, Donna María de Padilla, wiederholt. Man kann an diesem Gestühl gut die Bautechnik verfolgen, die sich durch die Struktur des Dachvorsprungs mit den Sparrenköpfen und Brettchen hervorhebt, die zwischen denselben angebracht sind. Das Stuhlgefüge selbst ist einfach verfalzt und verzapft und zur Verstärkung der Holzpinnen noch mit Eisennägeln genagelt.

46. Arqueta con taraceas granadinas. Museo de Artes Decorativas. Madrid.
47. Arqueta hispano-morisca taraceada. Museo Arqueológico Nacional. Madrid.
48. Cuatro sitiales con dosel, con residuos de policromía, del convento de Santa Clara de Astudillo (Palencia). Museo Arqueológico Nacional. Madrid.

46. Small chest with Granada-type marquetry. Museum of Decorative Arts. Madrid.
47. Small chests with Hispano-Mauresque marquetry. National Archaeological Museum. Madrid.
48. Four seats with canopy, polychrome remains, from the convent of Santa Clara de Astudillo (Palencia). National Archaeological Museum. Madrid.

46

47

coro. Los sitiales son de brazos bajos y respaldos muy altos; con la restauración la sillería adquiere un gran valor decorativo, al destacar su ornamentación gótico-heráldica en los fondos de los tableros y sitiales. Las columnillas de los frentes de los costados de cada asiento llevan capiteles de tipo árabe-granadino, con caracteres cúficos.

Una arquilla conservada en el Museo Arqueológico Nacional es obra islámica de la Baja Edad Media, completamente cubierta en todas sus partes por menudas taraceas de hueso, ébano y boj, de tipo granadino. La tapa del frente es abatible y su cubierta también se eleva; el interior tiene ocho cajones de diversos tamaños, completamente taraceados y en los costados lleva asas de hierro forjado, para su fácil transporte.

Una arquilla de roble del Museo de Artes Decorativas está completamente cubierta de tallas geométricas y círculos estrellados en bisel, de tipo mudéjar; son muy interesantes y origi-

ago; it has been preserved in its entirety and in its original place, occupying three sides of the choir. The seats have low arms and very high backs; with its restoration this set of stalls has acquired great decorative value, accentuating the heraldic Gothic ornamentation on the backgrounds of the boards and seats. The little columns on the fronts of the sides of each seat have capitals of the Granada Arabic type, with Cufic characters.

There is a little chest in the National Archaeological Museum which is Islamic work of the late Middle Ages, all its parts being completely covered with meticulous inlays of bone, ebony and boxwood, typical of Granada work. The cover of the front can be let down and the lid, too, can be raised; the interior contains eight drawers of different sizes, all completely inlaid, while the sides of the chest have wrought-iron handles for ease of transport.

A small oak chest in the Museum of Decorative Arts is completely covered with geometric carvings and bevelled starred circles, Mude-

46. Coffret avec marqueterie grenadine. Musée des Arts Décoratifs. Madrid.
47. Coffret hispano-mauresque marqueté. Musée Archéologique National. Madrid.
48. Quatre fauteuils de cérémonie à dais, avec résidus de polychromie, du couvent de Santa Clara de Astudillo (Palencia). Musée Archéologique National. Madrid.

46. Kleine Truhe mit granadiner Einlegearbeit. Museo de Artes Decorativas. Madrid.
47. Hispanomoreske kleine Truhe mit Einlegearbeit. Museo Arqueológico Nacional. Madrid.
48. Vier Chorstühle mit Thronhimmel und Resten von Buntmalerei, aus dem Kloster von Santa Clara de Astudillo (Palencia). Museo Arqueológico Nacional. Madrid.

quelques années. On le conserve dans sa totalité et à l'endroit primitif, sur trois côtés du chœur. Les sièges ont des accoudoirs bas et des dossiers très hauts. Du fait de leur restauration, ces stalles acquièrent une grande valeur décorative, car leur ornementation gothico-héraldique se détache sur les fonds des panneaux et des sièges. Les colonnes des faces latérales de chaque siège ont des chapiteaux de type arabo-grenadin à caractères coufiques.

Un coffret conservé au Musée Archéologique National est une œuvre islamique du Bas Moyen Âge, entièrement couverte de très petites marqueteries d'os, d'ébène et de buis, de type grenadin. Le pan du devant peut être rabattu et son couvercle aussi se lève. L'intérieur a huit tiroirs de différentes tailles, complètement marquetés, et sur les côtés il y a des anses en fer forgé, pour faciliter son transport.

Un coffret conservé au Musée Archéologique National est complètement recouvert de sculptures géométriques et de cercles étoilés en biseau, de type mudéjare. Les assemblages en queue-d'aronde avec une belle silhouette devant sont très intéressants et originaux (38).

L'armoire en provenance de Perpignan et conservé au Musée de Barcelone a un corps à deux battants dressé sur deux pieds qui sont le prolongement des deux montants ou jambettes latérales de l'armoire.

Les portes sont décorées d'entrelacs étoilés superposés, de caractère mudéjare. C'est une œuvre complètement polychrome, à peintures gothiques à l'intérieur. Comme presque toutes les œuvres de cette époque, elle a un caractère religieux.

Il existe trois armoires placards qui viennent du Couvent de Sainte Ursule de Tolède. L'une est au Musée Archéologique, l'autre au Musée des Arts Décoratifs et la troisième à l'Institut de Valencia de Don Juan. Elles se ressemblent toutes, avec leur devant divisé en trois corps et deux petites portes à chacun d'eux. Les traverses verticales et horizontales sont très larges et les extrémités des premières se prolongent jusqu'au sol. Elles représentent le développement normal de l'armoire romane, que nous avons déjà vue représentée dans les «Cántigas».

La grande valeur de ces armoires vient de la marqueterie qui couvre tous les devants d'ornements polygonaux et d'étoiles mudéjares, portant des restes de polychromie. L'intérieur de certaines conserve aussi des restes d'une belle décoration arabe polychrome.

Die Dexelhackentechnik ist sehr ausdrucksvoll, obwohl die Handarbeit sehr unvollkommen ist.

Das dritte Gestühl stammt aus dem Kloster von Santa Clara in Moguer (Huelva) und wurde vor einigen Jahren restauriert. Es ist vollständig erhalten geblieben und steht noch an der ursprünglichen Stelle, wo es drei Seiten des Chores einnimmt. Die Chorstühle sind hochlehnig und haben niedere Armlehnen; nach der Restauration hat das Gestühl einen grossen dekorativen Wert erreicht, da sich die gotische Wappenornamentik auf dem Grund der Wände und der Sitze abhebt. Die Säulchen an den Seitenfronten der Sitze tragen arabisch-granadinische Kapitelle mit arabischen Schriftzeichen.

Im Staatlichen Archäologischen Museum wird eine kleine islamische Truhe aufbewahrt, die aus dem Spätmittelalter stammt. Diese Truhe ist vollständig mit einer feinen Einlegearbeit aus Bein, Ebenholz und Buchsbaum im granadinischen Stil verziert. Der Frontaldeckel kann herabgelassen werden und der Oberdeckel wird aufgeklappt. Im Innern der Truhe befinden sich acht Kästen verschiedener Grösse, die ebenfalls mit Intarsien geschmückt sind. An den beiden Seiten der Truhe sind schmiedeeiserne Griffe angebracht, damit sie leichter befördert werden kann.

Im Museum für Ausstattungskunst befindet sich ein kleiner Schrein aus Eichenholz, der vollständig mit geometrischen Schnitzverzierungen und Kreisen in sternförmigem Schrägschnitt des Mudéjar-Stils versehen ist. Sehr originell und interessant wirkt das Gefüge in Schwalbenschwanzspundung, das der Frontseite ein schönes Profil vermittelt (38).

Der aus Perpignan stammende Schrank, der im Museum von Barcelona aufbewahrt wird, ist zweiteilig und steht auf zwei Füssen, die von der Verlängerung der beiden Seitenpfosten des Schrankes gebildet werden.

Die Türen sind im Mudéjarstil mit aufgesetzten Sternchenbändern und Verschnörkelungen verziert. Die Innenseite des Schrankes ist mit bunter Malerei, im gotischen Stil, versehen. Wie alle Stücke aus jener Zeit diente auch dieser Schrank religiösen Zwecken.

Weiter sind noch drei Wandschränke erhalten, die aus dem Kloster von Santa Úrsula in Toledo stammen. Einer davon steht im Archäologischen Museum, der andere im Museum für Ausstattungskunst und der dritte im Institut von Valencia de D. Juan. Die drei Schränke sind im gleichen Baustil hergestellt, mit dreigeteilter Front und zwei kleinen Türen an jedem Schrankteil. Die

49. Arqueta con taraceas de tipo granadino de hueso y boj. Instituto Valencia de Don Juan. Madrid.

50. Arcón de composición renacentista con una profusa ornamentación de taraceas de carácter granadino. Museo de Artes Decorativas. Madrid.

49. *Small chest with marquetry of the Granada type in bone and boxwood. Institute of Valencia de Don Juan. Madrid.*

50. *Chest of Renaissance composition, profusely ornamented with inlays of the Granada type. Museum of Decorative Arts. Madrid.*

49. Coffret avec marqueterie de type grenadin d'os et de buis. Institut Valencia de Don Juan. Madrid.

50. Coffret de composition Renaissance avec abondante ornementation de marqueterie de caractère grenadin. Musée des Arts Décoratifs. Madrid.

49. *Kleine Truhe mit Einlegearbeit aus Bein und Buchsbaum im granadiner Stil. Instituto Valencia de Don Juan. Madrid.*

50. *Renaissance-Truhe mit reicher Einlegearbeit im granadiner Stil. Museo de Artes Decorativas. Madrid.*

49

50

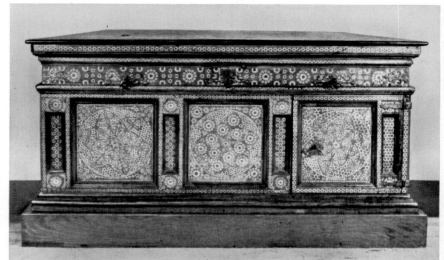

Le meuble le plus important de ce groupe est, sans aucun doute, la grande armoire du Musée de la Cathédrale de Léon. Elle a de grandes proportions —plus de 12 mètres carrés pour la face, divisée par de petites portes carrées— entre d'énormes montants et les jambettes du bâti. Elle est recouverte d'une ornementation originale, très belle et variée à traits géométriques juxtaposés, et est renforcée par des ferrures et des clous forgés de ligne romane.

L'armoire est couronnée d'une sorte de toit à quatre versants, avec une succession de sculptures en forme de «crochet» à chaque arête et au faîte du couronnement.

L'ouvrage est en pin, cyprès et autres bois; il conserve des restes de polychromie (39).

On peut voir à l'Académie Royale d'Histoire une armoire-tryptique provenant du Monastère de Piedra et datant de 1390 (40). Elle est très peu profonde parce que destinée à servir de reliquaire. Tout le couronnement, y compris la corniche de couronnement, est travaillé d'entrelacs mozarabes, d'arcs polylobés et d'arabesques. Elle est en excellent état, avec de beaux panneaux gothiques sur les portes.

Tous ces exemplaires, presque uniques, sont les plus intéressants que l'on possède du style mudéjare de l'époque Médiévale.

Mais le style mudéjare ne s'éteint pas, malgré le changement profond que suppose la Renaissance, et même en plein baroque nous verrons des modèles de meubles dans lesquels subsistent son caractère et son esprit.

Längs- und Querträger sind sehr breit und gehen bis zum Boden herunter. Diese Schränke stellen die normale Entwicklung des romanischen Schrankes dar, den wir in den «Cantigas» dargestellt finden.

Der grosse Wert dieser Schränke liegt in der Einlege- oder Mosaikarbeit, die die ganze Front derselben mit polygonalen Streifen und Sternen im Mudéjar-Stil sowie in Buntmalerei verzieren. Im Innern einiger dieser Schränke, sind noch Reste von einer schönen bunten arabischen Dekoration erhalten.

Eines der schönsten Stücke dieser Gruppe ist zweifellos der grosse Schrank im Museum der Kathedrale von León. Er ist von sehr grossen Ausmassen —seine Front über 12 qm, die durch kleine viereckige Türchen aufgeteilt ist— zwischen grossen Längs- und Querpfosten des Gerüstes. Der ganze Schrank ist mit einer herrlichen, originellen und verschiedenartigen Mosaikarbeit, die nebeneinander aufgebracht ist, verziert und mit schmiedeeisernen Beschlägen und Nägeln romanischen Profils verstärkt.

Der Schrank wird von einem vierfachen Dach gekrönt, das an jeder Seite und am Krönungsträger eine Reihe «Crochet»-Schnitzereien aufweist.

Der Schrank ist aus Fichten-, Zypressen- und anderen Hölzern hergestellt und weist noch einige bunte Verzierungen auf (39).

In der Real Academia de la Historia steht ein dreiteiliger Schrank, der aus dem Monasterio de Piedra stammt; er wird in das Jahr 1390 verwiesen (40). Der Schrank ist nicht sehr tief, weil er als Reliquienschrein dient. Die gesamte Krönung des Schrankes

51. Detalle de los lazos de la misma arqueta.

52. Arqueta con tallas a bisel geométricas. Interesante los lazos de las colas de milano de los ángulos diédricos. Museo de Artes Decorativas. Madrid.

51. *Detail of the bows on the same chest.*

52. *Small chest with geometrical bevel carvings. Interesting bows on the dovetailing of the dihedral angles. Museum of Decorative Arts. Madrid.*

51. Détail des entrelacs du même coffret.

52. Coffret avec tailles géométriques à biseau. Les entrelacs des queues-d'aronde des angles dièdres sont intéressants. Musée des Arts Décoratifs. Madrid.

51. *Detail der Schleifen an der gleichen Truhe Fig. 52.*

52. *Kleine Truhe mit geometrischer Schrägschnitzerei. Interessant die Schleifen der Schwalbenschwänze in den von den Flächen gebildeten Winkeln. Museo de Artes Decorativas. Madrid.*

51

52

jar in type; of great interest and originality are the dovetailed joinings, with a beautiful outline on the front (38).

The chest preserved in the Museum of Barcelona, which originally came from Perpignan, has a body of two leaves standing upon two feet which are the prolongation of the two uprights or side stringers of the chest. The doors are decorated with superimposed starred interlacery of Mudejar character; it is a completely polychrome work, with Gothic paintings in the interior; like practically all such works of this period, it was intended for religious purposes.

There are three cupboard-chests in existence which came originally from the Convent of Santa Ursula in Toledo; one is in the Archaeological Museum, another in the Museum of Decorative Arts and the third in the Institute of Valencia de Don Juan, in Madrid. They are all three similar, with the front divided into three sections, each of which has two little doors; the supports, both vertical and horizontal, are very broad and their ends are prolonged to the floor; they represent the normal development of the Romanesque chest, as we have already seen in the Canticles.

These chests are of particular importance on account of the inlaid work which covers their entire fronts with Mudejar interlacery, polygonal and star-shaped, as also the remains of polychrome work. The interiors of some of them also contain vestiges of beautiful Arab polychrome decoration.

nales los ensambles de cola de milano, con una bella silueta en el frente (38).

El armario conservado en el Museo de Barcelona, procedente de Perpignan, tiene un cuerpo de dos hojas, elevado sobre dos patas que son la prolongación de los dos montantes o largueros laterales del armario.

Las puertas están decorados con lacerías estrelladas superpuestas, de carácter mudéjar; es obra completamente policromada, con pinturas góticas en su interior; como casi todas las obras de ésta época, es de carácter religioso.

Existen tres alacenas-armarios que proceden del Convento de Santa Úrsula de Toledo; una en el Arqueológico, otra en el Museo de Artes Decorativas y la tercera en el Instituto de Valencia de Don Juan. Son todas semejantes, con su frente dividido en tres cuerpos y dos pequeñas puertas en cada uno; las armaduras verticales y horizontales son muy anchas y los extremos de aquéllas se prolongan hasta el suelo; representan el desarrollo normal del armario románico, que ya vimos representado en las Cantigas.

El gran valor de estos armarios son las taraceas que cubren todos los frentes con lacerías poligonales y estrelladas mudéjares, con restos de policromía. El interior de algunos de ellos, también conserva restos de una bella decoración árabe policromada.

El mueble más importante de este grupo es, sin duda alguna, el gran armario del Museo Catedralicio de León; tiene grandes proporciones —más de doce metros cuadrados de frente, subdividido con puertecillas cuadradas— entre enormes montantes y largueros de la armadura; todo él va cubierto con una original, bellísima y variada ornamentación de tracería yuxtapuesta y reforzada con herrajes y clavos forjados de línea románica.

El armario está coronado en forma de tejado a cuatro aguas, con una sucesión de tallas en forma de *crochet* en cada arista y en el caballete de coronación.

La obra es de pino, ciprés y otras maderas y conserva algún resto de la policromía (39).

En la Real Academia de la Historia se puede ver un tríptico-armario procedente del Monasterio de Piedra; tiene fecha de 1390 (40), es de muy poco fondo, por estar dedicado a relicario; toda la coronación, incluso su cornisa de coronación, es de labores de lacerías, mozárabes, arcos lobulados y atauriques;

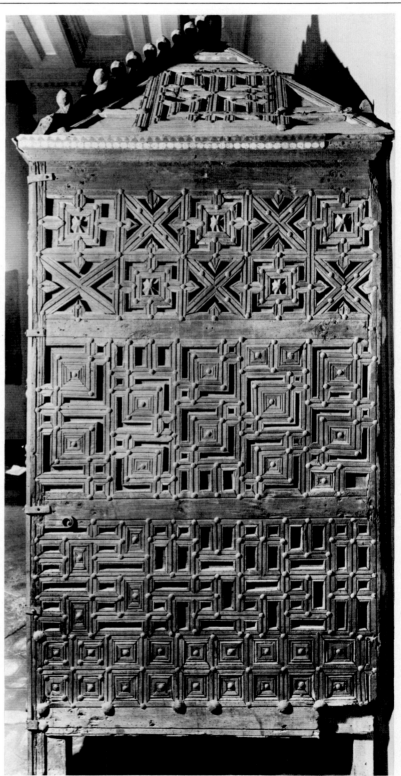

55

57. Detalle de la arqueta de la figura 58. Propiedad particular.

58. Arqueta en madera de cedro, ornamentación renacentista, herrajes góticos. Propiedad particular.

59. Armario del convento de Santa Úrsula de Toledo. Puertas y montantes decorados con lacerías de tipo mudéjar. Restos de policromía. Museo Arqueológico Nacional. Madrid.

60. Armario relicario procedente del Monasterio de Piedra, regalado por el abad Ponce de León en 1390. Academia de la Historia. Madrid.

57. *Detail of the chest in fig. 58. Private collection.*

58. *Small chest in cedar wood, with Renaissance decoration and Gothic ironwork. Private collection.*

59. *Cupboard from the convent of Santa Úrsula in Toledo. Doors and uprights decorated with interlacery of Mudejar type. Polychrome remains. National Archaeological Museum. Madrid.*

60. *Cupboard for holding relics, from the Monastery of Stone, presented by Abbot Ponce de León in 1390. Academy of History. Madrid.*

---

se conserva en excelente estado, con bellas tablas góticas en sus puertas.

Todos estos ejemplares son los más interesantes y casi únicos que se conservan del mudéjar en el Medievo.

Pero el mudéjar no termina, a pesar del cambio profundo que supone el Renacimiento e incluso, en pleno barroquismo, hemos de ver ejemplos de muebles en que perdura su carácter y su espíritu.

The most important piece of furniture in all this group is, beyond all doubt, the great chest in the Cathedral Museum of Leon; it is of huge proportions —its front being over twelve metres square, subdivided by little square doors— between the enormous uprights and stringers of the framework; the whole is covered with a most varied, original and beautiful ornamentation of traceries in juxtaposition with, and reinforced by, forged ironwork and nails in the Romanesque line.

The whole chest is crowned with a kind of hip roof, with a succession of carvings in the form of crochet at each arris and on the top ridge. This work was carried out in pine, cypress and other woods, and it still retains some vestiges of polychrome (39).

In the Royal Academy of History we may see a triptych-chest which is from the Monastery of Stone; it is dated 1390 (40) and is very shallow, as it was intended for a reliquary; the whole top, including the crowning cornice, consists of interlacery, spirals, foliate arches and carved foliage; it has been preserved in excellent condition, and has beautiful Gothic panels on its doors.

All of these are the most interesting, and almost the only, specimens of Mudejar work in the Middle Ages that are still preserved.

But Mudejar art did not die, in spite of the profound changes brought by the Renaissance, and even in the heyday of baroque we shall see examples of furniture in which its character and spirit still survive.

57

58

57. Détail du coffret de la figure 58. Propriété privée.

58. Coffret de bois de cèdre, ornementation Renaissance, ferrures gothiques. Propriété privée.

59. Armoire du couvent de Santa Úrsula de Tolède. Portes et montants décorés d'entrelacs de type mudéjare. Restes de polychromie. Musée Archéologique National. Madrid.

60. Armoine reliquaire provenant du Monastère de Pierre, donné par l'Abbé Ponce de León en 1390. Académie de l'Histoire. Madrid.

57. *Detail der kleinen Truhe aus Zedernholz der Fig. 58. Privatbesitz.*

58. *Kleine Truhe aus Zedernholz mit Renaissanceornamenten und gotischen Eisenbeschlägen. Privatbesitz.*

59. *Schrank aus dem Kloster von Santa Úrsula in Toledo. Türen und Träger sind mit Schleifen im Mudéjar-Stil verziert. Reste von Buntmalerei. Museo Arqueológico Nacional. Madrid.*

60. *Reliquienschrank aus dem Monasterio de Piedra. Ein Geschenk des Abtes Ponce de León im Jahr 1390. Academia de la Historia. Madrid.*

59

einschliesslich des Simses ist mit bänderartigen Arbeiten, verlappten Bögen und mit mozarabischen Schnitzerein verziert. Er ist noch in sehr gutem Zustand und an seinen Türen prangen wunderbare gotische Tafeln.

Die genannten Exemplare sind die interessantesten und fast einzigen, die noch vom Mudéjar-Stil des Mittelalters erhalten sind.

Aber trotz der tiefen Wandlung, die die Renaissance mit sich bringt, ist das Ende des Mudéjar-Stiles nicht gekommen und noch tief im Barock werden wir noch Möbelstücke finden, an denen sich der Geist und die Merkmale des Mudéjar fortsetzen.

RENACIMIENTO: EL MUEBLE ESTILO ESPAÑOL

Hemos señalado en los últimos muebles góticos la yuxtaposición de elementos ornamentales con temas tomados de la antigüedad clásica. Son las primeras manifestaciones de una verdadera revolución, que en las artes conocemos con el nombre de Renacimiento, y que desde el siglo XVI se impone en toda Europa. Claro es que este Renacimiento no es un cambio radical en las artes, sino una evolución que en el mueble se puede seguir precisamente por una lenta imposición de las nuevas formas y de la decoración con elementos clásicos grecorromanos.

Son muy difíciles de determinar el comienzo y las causas del nuevo estilo; si por una parte Vasari concibe el Renacimiento como una vuelta a las formas antiguas (en la época que sigue inmediatamente al estilo gótico, es decir, el paso de los siglos XV-XVI), por otra parte Hauser, que tan certeramente ha estudiado la Historia Social del Arte (41), anticipa el concepto de Renacimiento a la plena Edad Media, cuando nace la economía y el espíritu ciudadano de las nuevas ciudades, se crea el concepto de las nacionalidades y se desarrolla la burguesía con perfiles más personales. Es indudable que Italia fue un lugar propicio para el nacimiento y la expansión del Renacimiento. País que no llegó a asimilar las formas góticas con el concepto europeo y que nunca llegó a perder la tradición de lo clásico, se prestaba por el desarrollo y la preponderancia de las ciudades del Medievo a resucitar las modas antiguas.

Coincide este movimiento con la decadencia del estilo gótico, cuyo ciclo, que comenzó en la transición del Románico, termina con el flamígero en un barroquismo que no encuentra otra salida.

Con el Renacimiento triunfa plenamente el naturalismo y la personalidad que había aparecido en el gótico, con un carácter más rígido y simbólico y la decoración se traduce en obras más naturales y paganas.

En España, el Renacimiento del mueble coincide con la

RENAISSANCE: SPANISH-STYLE FURNITURE

We have already mentioned, in speaking of the latest Gothic furniture, the juxtaposition of ornamental elements with themes taken from classical antiquity. Here we have the first manifestations of a real revolution, a revolution which in art we know by the name of Renaissance, and which dominated the whole of Europe from the 16th century on. This Renaissance, of course, was not a sudden, radical change in the arts, but an evolution which, in furniture, can be followed precisely through the gradual domination of the new forms and of the decoration with classical Greco-Roman elements.

It is very difficult to determine the beginnings and the causes of the new style; on the one hand we have Vasari, who considers the Renaissance as a return to the antique forms (in the period immediately following that of the Gothic style, i.e., during the 15th and 16th centuries); Hauser, on the other hand, who has made such a well-informed study of the Social History of Art (41), places the concept of Renaissance right back at the height of the Middle Ages, when the economy and spirit of citizenship of the new cities were born, the concept of nationalities was created and the bourgeoisie began to develop more personal characteristics. It cannot be doubted that Italy was a most suitable place for the birth and expansion of the Renaissance. A country which had not assimilated the Gothic forms in their European concept and which had never wholly lost the classical tradition, it lent itself admirably, through the development and growing importance of its medieval cities, to the revival of the antique forms.

This movement coincided with the decadence of the Gothic style, the cycle of which, beginning in the transition from Romanesque, ended with the Flamboyant style in a kind of baroque which led nowhere.

With the Renaissance came the total triumph of naturalism and personality, which had already made their appearance in Gothic art, though with a more rigid and symbolic character, while decoration expressed itself in more natural and pagan works.

In Spain the Renaissance in furniture coincided with the period

RENAISSANCE: LE MEUBLE DE STYLE ESPAGNOL

Nous avons signalé, dans les derniers meubles gothiques, la juxtaposition d'ornements à motifs empruntés de l'antiquité classique. Ce sont les premières manifestations d'une véritable révolution que nous connaissons sous le nom de Renaissance dans le domaine des arts et qui s'impose dans l'Europe entière à partir du XVI.ᵉ siècle. Bien sûr, cette Renaissance n'est pas un changement radical dans les arts mais une évolution qu'on peut suivre précisément dans le meuble à travers une lente domination des nouvelles formes et de la décoration à l'aide d'éléments classiques gréco-romains.

Il est très difficile de déterminer le début et les raisons du nouveau style. Vasari conçoit la Renaissance comme un retour aux anciennes formes (à l'époque qui succède immédiatement au style gothique, c'est-à-dire au cours des XV.ᵉ et XVI. siècles) Hauser, qui a si bien mené son étude sur l'Histoire Sociale de l'Art (41) remonte l'idée de Renaissance jusqu'en plein Moyen Âge, quand naissent l'économie et l'esprit urbains des nouvelles villes, lorsque se crée la notion des nationalités et que la bourgeoisie prend des aspects plus personnels. Il est certain que l'Italie fut un lieu propice à l'apparition et à l'expansion de la Renaissance. Ce pays qui n'arriva pas à assimiler les formes gothiques à la conception européenne ni à perdre la tradition du classicisme, se prêtait, en raison du développement et de la prépondérance des villes de l'époque médiévale, à ressusciter les modes antiques.

Ce mouvement coïncide avec la décadence du style gothique dont le cycle commence à la transition du Roman et aboutit, avec le style flamboyant, à un baroque sans autre issue.

Avec la Renaissance triomphent pleinement le naturalisme et la personnalité qui étaient apparus dans le style gothique, avec un caractère plus rigide et symbolique. La décoration se traduit par des œuvres plus naturelle et païennes.

En Espagne, la Renaissance du meuble coïncide avec l'époque des grandes découvertes, de l'unité nationale, avec la conquête de Grenade, l'expulsion des morisques et la dévolu-

RENAISSANCE: SPANISCHE STILMÖBEL

Bei den letzten Möbeln der Gotik haben wir auf die Nebeneinanderstellung von ornamentalen Elementen mit Themen aus dem klassischen Altertum hingewiesen. Es handelt sich hierbei um die ersten Erscheinungen einer Revolution im wahrsten Sinne des Wortes, die in der Kunst unter dem Namen Renaissance bekannt geworden ist und die sich seit dem XVI. Jahrhundert über ganz Europa erstreckt. Diese Renaissance ändert natürlich nicht die ganze Kunstrichtung von Grund auf, sondern sie ist nur ein Entwicklungsgang, der sich an den Möbeln durch die langsame Einführung von neuen Formen und Dekorationen mit klassischen griechischrömischen Motiven bemerkbar macht.

Der Anfang und die Ursachen dieses neuen Stiles sind sehr schwer zu bestimmen, denn wenn Vasari einerseits die Renaissance als Rückkehr zu den antiken Formen (also anschliessend an die Epoche der Gotik, d. h. der Übergang von XV. zum XVI. Jahrhundert) ansieht, so betrachtet Hauser, der sich eingehend mit der Sozialgeschichte der Kunst befasst hat (41), den Begriff Renaissance als mit dem Hochmittelalter verbunden, das heisst also, als die Wirtschaft und der bügerliche Geist in den neuen Städten im entstehen war, der Begriff der Nationalitäten sich entwickelte und das Bügertum ein persönlicheres Wesen annahm. Es steht ausser Zweifel, dass Italien der gegebene Ort für die Geburt und die Expansion der Renaissance war. Ein Land, das die gotischen Formen nie wirklich im europäischen Sinne zu eigen nahm und das nie die Tradition der Klassik völlig ablegte, entschliesst sich nun, wegen der Entwicklung und der Vorrangstellung der mittelalterlichen Städte, die alten Moden neu erstehen zu lassen.

Diese Bewegung fällt in die Verfallszeit des gotischen Stiles, dessen Zyklus mit dem Übergang der Romanik begann um in einem flammenden Barockismus zu enden, weil sich kein anderer Ausweg fand.

Mit der Renaissance siegt der Naturalismus und die Persönlichkeit, die in der Gotik strenger und symbolischer waren, und die Dekoratión wendet sich natürlicheren und heidnischeren Formen zu.

61. Frailero del arzobispo Sandoval con tallas en hueco decoradas con cristales pintados imitando piedras duras; rica tapicería bordada. Convento de las Bernardas. Alcalá de Henares (Madrid).

61. *Friar's chair of Archbishop Sandoval, with hollow-work carvings decorated with crystals painted in imitation of precious stones; richly embroidered upholstery. Convent of the Bernardas. Alcalá de Henares (Madrid).*

61. «Frailero» de l'Archevêque Sandoval, avec tailles en creux décorées de morceaux de verre peints imitant des pierres dures; riche tapisserie brodée. Couvent des Bernardas. Alcalá de Henares (Madrid).

61. *Armsessel des Erzbischofs Sandóval mit Hohlschnitzerei und Buntglasverzierungen, harte Steine imitierend. Herrlich gestickte Tapisserie. Kloster der Bernardas. Alcalá de Henares (Madrid).*

61

época de los grandes descubrimientos, de la unidad nacional, con la conquista de Granada y la expulsión de los moriscos y con la circunstancia de ceñir la corona Imperial, el nieto de los Reyes Católicos.

El momento es excepcional. Los artistas de toda Europa, franceses, italianos, flamencos, alemanes, son llamados por la Corte, la Nobleza y la Iglesia, para realizar toda clase de obras de arte y dan a conocer el cambio que han sufrido las artes y las mudanzas en sus técnicas y su decoración.

Los artistas indígenas asimilan bien pronto los nuevos elementos, principalmente italianos, hasta que el estilo, al enlazarse o entremezclarse con el gótico y el mudéjar, adquiere caracteres más propios y nacionales.

La casa evoluciona en las ciudades conquistadas a los árabes (42), sin olvidar los antecedentes romanos y desarrolla un programa de necesidades más amplio; nacen nuevos muebles para estas nuevas necesidades, pero como es lógico, la estructura y la forma de los primeros tiempos conservan aún la rigidez del gótico.

Todas las estructuras de los esqueletos son macizas, con secciones muy fuertes, las puertas y los grandes paneles se subdividen en pequeños tableros, dando lugar a las puertas de cuarterones, cuya relación con las lacerías estrelladas y poligonales árabes, es evidente.

El mueble, que al principio es macizo, más tarde se elabora con maderas de calidad inferior, poco variable a los cambios atmosféricos, pero van cubiertas y reengruesadas por otras más ricas y decorativas, con las que se ocultan los tableros, que constituyen el alma y armazón del mueble. Estos reengruesos de maderas finas, significan un adelanto en la técnica, pues evitan los movimientos naturales de las maderas con los cambios de temperaturas y humedad; el empleo de estos tableros y armaduras en la construcción, llega a España como al resto de Europa, por Flandes; pero en realidad este procedimiento había sido utilizado por los árabes. Ya veremos que en muchos casos la técnica no es perfecta y se siguen empleando los clavos, en lugar de hacer un limpio ensamblado como lucen los ejemplares europeos.

Así llegamos a un tipo de muebles cuya especial y tosca mano de obra, su fuerte estructura, la clase de material empleado y el sistema de decoración, crean y después repiten con múltiples variantes, una serie de prototipos que constituyen el llamado

of the great discoveries and the achievement of national unity; with the conquest of Granada and the expulsion of the Moors and with the placing of the imperial crown on the head of the grandson of Ferdinand and Isabella.

This was a really exceptional time. The artists of all Europe, French, Italian, Flemish, German, were summoned to Spain by the Court, the Nobility and the Church to create all kinds of works of art and to make known to the Spaniards the great change undergone by the arts and the variations in their techniques and decoration.

The Spanish artists themselves quickly assimilated the new elements, principally Italian, until the style gradually combined or mixed with Gothic and Mudejar, acquiring a more national character of its own.

Houses, too, developed in the cities reconquered from the Arabs (42) and, without forgetting their Roman antecedents, evolved a broader sense of necessities, new furniture being created for these new needs, though logically enough the structure and form of the earliest examples still keep the rigidity of Gothic.

The frameworks are all of massive construction, with very strong sections, while the doors and the great boards are subdivided into small panels, thus giving rise to the panelled doors which are so evidently related to the starred interlaceries and polygons of Arabic work.

The furniture of this period, which was at first massive, was later fashioned in woods of inferior quality, not easily susceptible to atmospheric changes, but which were covered and bound with others of more decorative species, these latter serving to hide the crude boards which were the heart and framework of the furniture. These strengthenings of fine woods meant an advance in technique, for they prevented the natural movements of such woods with changes in temperature and humidity; the use of these boards and frameworks in the construction of furniture came to Spain, as to the rest of Europe, through Flanders; but in reality this procedure had already been employed by the Arabs. As we shall see, the technique was not yet perfect in many cases and nails continued to be used, instead of the clean joining to be seen in European pieces.

Thus we come to a type of furniture in which the special and rather crude craftsmanship, the strong construction, the class of material used and the system of decoration created and afterwards repeated, with multiple variations, a series of prototypes which constitute what is known as «Spanish-style furniture», a style which

62. «Faldistorio» de Charles-Quint ou chaise pliante à tailles Renaissance d'origine
    probablement bourguignonne. Coussin de velours de soie brodé de l'emblème des
    Rois Catholiques. Palais de Philippe II. Escurial. Madrid.
63. «Frailero» marqueté avec de l'ivoire et de l'ébène sur noyer, tapissé de velours
    brodé. Influence italienne. Institut Valencia de Don Juan. Madrid.

62. Klappstuhl Karls V. mit Schnitzereien im Renaissancestil, wahrscheinlich burgundi-
    schen Ursprungs. Gesticktes Seidensamtkissen mit dem Emblem der Katholischen
    Könige. Schloss Philipps II. El Escorial. Madrid.
63. Armsessel mit Einlegearbeit aus Elfenbein und Ebenholz auf Nussbaum und mit
    gesticktem Samt bezogen. Italienischer Einfluss. Instituto Valencia de Don Juan.
    Madrid.

tion de la couronne impériale au petit-fils des Rois Catholiques.

Ce moment est exceptionnel. Les artistes de toute l'Europe,
français, italiens, flamands, allemands, sont appelés par la
Cour, la Noblesse et l'Église, pour réaliser toutes sortes d'œuvres
d'art. Ils font connaître ainsi le changement qu'ont connu les
arts et les mutations dans leur technique et leur décoration.

Les artistes indigènes assimilent bien vite les nouveautés,
surtout italiennes, jusqu'à ce que le style, se mêlant au gothique
et au style mudéjare, acquiert des caractères plus particulièrement nationaux.

La maison évolue dans les villes conquises sur les arabes (42),
sans oublier les antécédents romains, et elle étale une gamme
plus vaste de besoins. On fabrique de nouveaux meubles pour
ces nouveaux besoins, mais, logiquement, la structure et la
forme gardent encore au début la rigidité gothique.

Toutes les structures des bâtis sont massives, avec des di-
visions très solides. Les portes et les grands panneaux sont
divisés en petits panneaux pour former les portes à panneaux
dont la relation avec les entrelacs étoilés et polygonaux arabes
est évidente.

Le meuble, qui au début est massif, est fabriqué plus tard
avec des bois d'une qualité inférieure, peu sensibles aux variations atmosphériques, mais ils sont recouverts et renforcés
par d'autres bois plus riches et plus décoratifs, avec lesquels
l'on cache les planches qui constituent la charpente et le bâti
du meuble. Ces renforcements en bois fin signifient un progrès
dans la technique. Ils évitent en effet les mouvements naturels
des bois soumis aux variations de température et l'humidité.
L'emploi de ces planches et de ces charpentes dans la construction arrive en Espagne comme dans le reste de l'Europe par
la Flandre. Mais en réalité ce procédé avait été utilisé par les
Arabes.

Nous verrons que dans bien des cas la technique n'est pas
parfaite et qu'on continue à employer les clous, au lieu de faire
un assemblage net à l'instar des modèles européens.

Nous arrivons ainsi à un type de meubles dont l'exécution
typique et grossière, la forte structure, le genre de matériaux
employés et le système de décoration créent puis reproduisent
avec de multiples variantes une série de prototypes constituant
ce qu'on appelle «Le meuble de style espagnol», arrivé à son
plein développement sous la Renaissance.

*Die Renaissance der Möbel fällt in Spanien in die Zeit der
grossen Entdeckungen; der nationalen Einheit, der Eroberung
Granadas und der Vertreibung der Mauren aus dem Land. Zur
selben Zeit setzt sich der Enkel der katholischen Könige die Kaiser-
krone aufs Haupt.*

*Es ist eine aussergewöhnliche Zeit. Europas Künstler, Franzo-
sen, Italiener, Flamen, Deutsche werden an den Hof gerufen, die
Aristokratie und die Kirchenfürsten suchen sie ebenfalls um aller-
lei Kunstwerke anfertigen zu lassen. Auf diese Weise geben sie
die Wandlungen bekannt, die sich in der Kunst, was Technik und
Dekoration betrifft, vollzogen hat.*

*Die einheimischen Künstler nehmen bald die neuen einge-
führten Elemente auf, vor allem die aus Italien stammenden, bis
dann der Stil, durch die Vermischung des Gotischen mit dem Mudéjar, eine eigene, einheimische Prägung erhält.*

*In den von den Arabern zurückeroberten Städten verändern
sich die Wohnungen (42), ohne die römischen Kennzeichen zu
vernachlässigen und es wird ein zweckdienlicheres Programm
entwickelt. Für die neuen Bedürfnisse entstehen neue Möbel,
aber logischerweise bewahrt die Struktur und die Form der ersten
Zeit noch die Strenge und Steifheit der Gotik.*

*Die Strukturen der Gerippe sind massiv, mit starken Quer-
schnitten; die Türen und die grossen Flächen werden in kleinere
Flächen unterteilt, wodurch die geviertelten Türen entstehen, deren
Beziehung zu den gesternten und polygonalen arabischen Verschnörkelungen offensichtlich ist.*

*Die im Anfang sehr massiven Möbel, werden später aus min-
derwertigerem Holz hergestellt, das den atmosphärischen Einflüs-
sen nicht so sehr unterliegt. Aber dieses Holz wird mit edleren und
dekorativeren Hölzern abgedeckt und verstärkt. Die Verstärkung
mit diesen Edelhölzern ist schon ein technischer Fortschritt insofern
als sie das natürliche Werfen des Holzes bei Temperatur- und
Feuchtigkeitsschwankungen verhütet. Die Anwendung dieser
Bretter und Gerippe im Möbelbau kommt von Flandern nach
Spanien und dem restlichen Europa; in Wirklichkeit hatten aber
die Araber schon diese Technik angewandt. Wir werden noch sehen
dass diese Technik vielfach noch nicht vollkommen ist und dass
noch weiterhin Nägel verwendet werden, statt eine saubere
Verfalzung zu machen, wie dies bei den europäischen Möbeln
schon der Fall ist.*

*Auf diese Weise gelangen wir zu einem besonderen Möbelstil,
dessen grobe Handarbeit, das starke Gefüge, das verarbeitete Ma-*

«mueble de estilo español», desarrollado plenamente en el Renacimiento.

Dos rasgos nacionales hemos de señalar en estos muebles, el mudejarismo, que nunca se ha perdido y la decoración plateresca, inspirada en la obra de los plateros y orfebres, con una interpretación muy española; pero además, el mueble español, responde a una serie de condiciones específicas y técnicas, cuyo conjunto determina precisamente sus características y que vamos a enumerar.

Generalmente la madera empleada en el mueble del Renacimiento es de nogal, madera nacional, noble y representativa, de bella calidad, de veta larga y apretada, de un color caliente y tostado que se conserva bien al natural o con una ligera mano de aceite, que le preserva de la humedad.

La mayoría de nuestros muebles renacentistas son de nogal macizo y éste se usa en las tapas de las grandes mesas conventuales, en tablones de hasta 6 y 8 cms. de espesor, en los pies de los sillones y en el tableraje de toda clase de muebles. Pero en España, país rico en maderas, existe además una notable variedad de especies y el roble y el castaño se siguen utilizando en muchos ejemplares (43) y el pino pintado y al natural, se utiliza también en Levante y en las zonas de los grandes bosques y pinadas.

La decoración renacentista utiliza y repite siempre los mismos elementos ornamentales, que son los siguientes: los torneados, las tallas, las aplicaciones de hierro, las taraceas, los terciopelos y los cueros o guadameciles. El uso de los torneados es constante en los montantes y patas, desde el más simple perfil al más complicado; como tales se utilizan los elementos esféricos continuos, las columnas corolíticas, estriadas, de forma abalaustrada, anilladas o simplemente gallonadas, pero siempre con siluetas violentas.

Las tallas siempre repiten los temas naturalistas y paganos del Renacimiento, las arquerías, las cabezas de guerreros y personajes históricos y mitológicos, las coronas con elementos vegetales, los grifos y monstruos, mascarones y alegorías y las tallas geométricas de rosarios, ovas, gallones y estrías, todas ellas más bastas y expresivas que las italianas. La ornamentación de taracea, casi siempre, es del tipo llamado granadino, donde el elemento árabe es más perdurable; se hace con menudas labores de hueso, marfil, ébano y boj, sobre el fondo del nogal; pero no siempre la decoración es del tipo geomé-

reached the highest point in its development during the Renaissance.

There are two national features which should be noticed in this type of furniture; the Mudejar influence, which had never been lost, and the plateresque decoration, which drew its inspiration from the work of the silversmiths (plateros) and other workers in precious metals, but interpreted in a very Spanish way; besides these, however, Spanish furniture was subject to a series of specific technical conditions, which together determined its characteristics very precisely and which we are now about to speak of.

The wood most generally employed in Renaissance furniture is walnut, a noble representative of the national timber, of fine quality, with a long, close grain and a warm brown colour, which is easily preserved if left as it is, or else with a light coating of oil, which helps to preserve it from humidity.

By far the greater part of our Renaissance furniture is made of solid walnut, which is used in the tops of the great monastery tables, in boards of up to 6 or 8 centimetres thick, in the feet of armchairs and in the woodwork of all kinds of furniture. But in Spain, which is a country very rich in woods, there is also a great variety of species, so that oak and chestnut were still used in many pieces (43), while pine, whether painted or natural, was also used along the east coast and in all the regions in which there were extensive forests of pines.

Spanish Renaissance decoration made almost endless use of the same ornamental elements, which were the following: turnings, carvings, applications of iron, inlaid work, velvets and embossed or gilded leather. The use of turnings was constant, in both uprights and feet, from the simplest of outlines to the most complicated; such turnings were in the form of continuous spherical elements or else little columns, corolithic, fluted, balustered, ringed or simply beaded, but always forceful in outline.

The carvings always repeat the naturalistic, pagan themes of the Renaissance, the arcadings, the heads of warriors and historical or mythological personages, the crowns with plant motifs, the griffins and monsters, masks and allegories, as well as the geometric carvings of rosaries, ovae, echini and flutings, all of them more crudely fashioned, but more expressive, than their Italian counterparts. The ornamentation of inlaid work is almost always of the type known as «Granada work», in which the Arab element lasted longest; it was executed in meticulous working of bone, ivory, ebony and boxwood, on a base of walnut; but this decoration is not always geometrical; it may also be very fine work in bone on walnut,

Nous devons signaler deux traits nationaux dans ces meubles : l'inspiration mudéjare qui ne s'est jamais perdue, et la décoration plateresque, inspirée des œuvres des orfèvres sur or et argent, suivant une interprétation très espagnole. Mais, de plus, le meuble espagnol répond à une série de conditions locales et techniques dont l'ensemble détermine justement ses caractéristiques, et que nous allons énumérer :

Le bois généralement employé pour le meuble de la Renaissance est le noyer, bois national, noble et représentatif, d'une belle qualité, d'une veine longue et serrée, d'une couleur chaude et foncée qui se conserve bien au naturel ou avec une légère couche d'huile qui le préserve de l'humidité.

La plupart de nos meubles Renaissance sont en noyer massif. Il est employé pour les plateaux des grandes tables de couvent en grosses planches atteignant six à huit centimètres d'épaisseur, pour les pieds des fauteuils et pour les panneaux de toutes sortes de meubles. Mais en Espagne, pays riche en bois, il existe aussi un important choix d'espèces et l'on continue à utiliser pour beaucoup d'exemplaires le chêne et le châtaignier (43) tandis qu'on emploie aussi le pin au naturel ou teinté dans le Levant et dans les régions des grandes forêts et des pinèdes.

La décoration Renaissance emploie et répète toujours les mêmes éléments ornementaux, qui sont les suivants : les pièces tournées, les sculptures, les appliques en fer, les marqueteries, les velours et les cuirs ou maroquins ornés. L'emploi des pièces tournées est constant pour les montants et les pieds, du profil le plus simple jusqu'au plus compliqué. On utilise les éléments continus sphériques, les colonnes à corolles, cannelées, en forme de balustre, annelées ou simplement ogivales mais toujours à reliefs accusés.

Les sculptures répètent toujours les sujets naturalistes et païens de la Renaissance, les arcatures, les têtes de guerriers et de personnages historiques et mythologiques, les couronnes faites d'éléments végétaux, les griffons et les monstres, les mascarons et les allégories, les sculptures géométriques à chapelets, algues, ulves et stries. Toutes ces sculptures sont plus grossières et plus expressives que les italiennes. L'ornementation de marqueterie est presque toujours du genre dit grenadin, où l'élément arabe est plus vivace. Elle est exécutée en fins ouvrages d'os, d'ivoire, d'ébène et de buis, sur le fond de noyer. Cependant, la décoration n'est pas toujours géométri-

terial und die Dekorationstechnik erlauben eine Reihe Modelle herzustellen, die sich in verschiedenen Varianten immer wiederholen. Es handelt sich um die sogenannten «Spanischen Stilmöbel», die in der Renaissance zu voller Entwicklung gelangten.

Zwei einheimische Merkmale weisen diese Möbel auf: der Mudejarismus, der nie verloren ging und der spanische Stil der Frührenaissance mit seinen Verschnörkelungen, der durch die Kunstwerke der Gold- und Silberschmiede angeregt wurde und dadurch eine rein spanische Interpretation erfuhr. Die spanischen Stilmöbel entsprechen aber auch noch einer Reihe spezifischer und technischer Bedingungen, die zusammen gerade deren besondere Merkmale bedingen und die wir im Folgenden erörtern wollen.

Im allgemeinen wird für die Renaissancemöbel Nussbaumholz verarbeitet, das ein einheimisches, edles und sehr repräsentatives Holz ist. Von guter Qualität, mit einer schönen gedrungenen Längsmaserung und schöner, warmer brauner Farbe. Dieses Holz in Natura verarbeitet oder mit einer leichten Ölbehandlung versehen, um es vor Feuchtigkeit zu schützen, ist sehr haltbar.

Die meisten unserer Renaissancemöbel sind aus massivem Nussbaumholz gearbeitet und dieses dient auch als Platte für die grossen Refektoriumstische in den Klöstern, in Form von 6 bis 8 cm dicken Platten. Es wird auch für die Chorgestühlbeine- und Füsse, sowie für andere Möbelstücke verarbeitet. Aber in Spanien, das reich an Hölzern ist, gibt es noch andere verschiedene Holzsorten und auch Eichen- und Kastanienholz wird für viele Stücke verarbeitet (43). In der Levante und in den grossen Nadelwaldgebieten wird das Fichtenholz natürlich oder gebeizt verarbeitet.

In der Renaissance werden immer die gleichen dekorativen Elemente verwendet und wiederholt, die sich wie folgt zusammensetzen: Drechslerarbeiten, Schnitzereien, Eisenbeschläge, Mosaikarbeiten, Samt- und Lederauskleidungen. Die Drechslerarbeiten werden viel für Füsse und Längsträger verwendet und zwar vom einfachen bis zum kompliziertesten Profil. Man findet die durchgehenden Rundmuster, spiralförmige Säulen mit Blumengirlanden und wie die Verzierungen alle heissen mögen, stets aber in gewaltiger Wirkung.

In den Schnitzereien wiederholen sich die naturalistischen und heidnischen Motive der Renaissance, das Bogenwerk, die Köpfe der Krieger sowie der historischen oder mythologischen Menschen; die Girlanden mit Pflanzenmotiven, der Greif und andere Monster und Ungetüme sowie Masken und Allegorien. Ausserdem gibt es auch noch das geometrische Schnitzwerk in Form von Rosen-

trico, sino una labor menuda de hueso sobre el nogal, llamada entonces grano de trigo; se utiliza una taracea menuda de haya y nogal, en los cofres de Gerona, o la menuda taracea de hueso sobre el nogal, que toma el nombre de «pinyonet» en Cataluña y en toda la región levantina; cuando la taracea reviste un sentido naturalista de arabescos y grutescos, está directamente influida por las *tarsias* italianas (44). En el acabado del mueble, se utilizan los terciopelos de seda, brochados, las vaquetas labradas y los cueros policromados y estofados o acolchados y basteados; sobre todo la variedad de cuero llamado cordobán o guadamecil (45), no sólo se emplea en asientos y respaldos, sino que cubre armarios y bargueños y los propios muros y pavimentos, con un carácter muy original. El producto se exporta a toda Europa y es fácil encontrar muebles franceses y flamencos, con los cordobanes españoles.

Las aplicaciones de hierro o bronce calados, usadas en bargueños y cabeceros de cama, son también muy interesantes y originales, genuinamente españolas las primeras y de origen portugués las segundas.

Éstos son los determinantes decorativos del mueble español del Renacimiento y cuya moda, en el primer cuarto del siglo XX, dio origen, al ser mal interpretado, a un nefasto renacimiento español que inundó las casas de la pequeña burguesía española.

Antes de describir los prototipos y sus variantes, no queremos dejar de señalar que, el llamado estilo herreriano, es decir, la obra de Herrera, que tanta importancia tuvo en la arquitectura española del Renacimiento, con un sello absolutamente nacional, dejó también su impronta en un grupo de muebles excepcionales; se trata de los muebles del Monasterio de El Escorial; la cajonería de la Sacristía, la sillería del coro y sobre todo la Biblioteca, que están dibujados y proyectados por el propio Herrera; todos ellos de líneas austeras y bien proporcionadas, son de una gran belleza sin necesidad de una ornamentación más o menos recargada, y consiguen un mueble con una gran calidad técnica y estética.

Los primeros ejemplos renacentistas de muebles de asiento, repiten los sillones de cadera, que aparecieron en los últimos tiempos del gótico, derivados del sillón italiano llamado «a la dantesca». Son plegables, con el asiento y el respaldo de terciopelo o cuero al aire, fijo a la madera con clavos de bronce de distintas formas. Las taraceas de los frentes en los anteriores

and then it is known as «wheat-grain»; another type of fine inlaid work, in beech and walnut, is used in the coffers of Gerona, while we also have the fine inlay of bone on walnut which is called «pinyonet» in Catalonia and all along the east coast; when the inlay work consists of a naturalistic pattern of arabesques and grotesques, it reveals the direct influence of the Italian intarsio *(44). In the finish of the furniture, use is made of silk velvets, brocades, worked leathers and other leathers, either polychrome and sized or padded and tacked; above all, that variety of leather which is known as Cordovan or gilded leather (45) is not only used on seats and their backs but also to cover chests and* bargueños *(an early form of chest-of-drawers) and even for the very walls and floorings, giving these a strikingly original character. These products were exported all over Europe and it is easy to find French and Flemish furniture finished with Cordovan leathers.*

The appliqués of pierced iron or bronze, used both on bargueños and the headboards of beds, are also very interesting and original, the former use being genuinely Spanish while the latter is of Portuguese origin.

Such were the decorative determinants of the Spanish furniture of the Renaissance and the vogue for them which appeared in the first quarter of the 20th century, being mistakenly interpreted, gave rise to the hideous «Spanish Renaissance» style which flooded the houses of the Spanish petite bourgeoisie of the time.

Before describing the prototypes and their variants, we must not forget to point out that the so-called «Herreran» style, i.e., that which takes its name from the work of Herrera, who was of such great importance in Spanish architecture of the Renaissance, absolutely national in character, also left its mark upon a group of exceptional pieces of furniture; we refer to the furniture in the Monastery of the Escorial; the set of drawers in the Sacristy, the stalls of the choir and, above all, the Library, all of which were designed and projected by Herrera himself; they are all austere in line and well-proportioned, with no necessity for any kind of ornamentation, light or heavy, and the result is furniture of a very high quality, both technical and aesthetic.

The first Renaissance specimens of seats are repetitions of the «hip chair», which appeared in the last period of the Gothic style, deriving from that type of Italian armchair known as «Dantesque». They were of the same folding type, with the seats and backs of velvet or leather, simply fixed to the wooden parts with bronze nails of different forms. The marquetry which adorned the fronts

que; elle constitue un fin ouvrage en os sur noyer appelé alors en grain de blé. On utilise une petite marqueterie de hêtre et de noyer pour les coffres de Gérone, ou bien la petite marqueterie d'os sur noyer, qui prend le nom de «pinyonet» en Catalogne et dans toute la région du Levant. Quand la marqueterie adopte un sens naturaliste d'arabesques et de grotesques, elle est directement influencée par les «tarsias» italiennes (44). Pour la finition du meuble, on utilise du velours de soie, du broché, de la vachette ouvragée, des cuirs polychromes, repoussés, capitonnés ou piqués. Et, surtout, la variété de cuir appelée cordouan ou maroquin (45) sert non seulement pour les sièges et les dossiers, mais recouvre encore les armoires et les secrétaires ainsi que les murs eux-mêmes et le sol dans un style très original. Cet article est exporté à toute l'Europe et il est courant de trouver des meubles français et flamands agrémentés de cordouan espagnol.

Les appliques en fer ou bronze ajourés, employées pour les secrétaires et les têtes de lit, sont aussi très intéressantes et originales, les premières étant authentiquement espagnoles et les secondes d'origine portugaise.

Telles sont les caractéristiques qu'offre, dans sa décoration, le meuble espagnol de la Renaissance. Leur mode provoqua dans le premier quart du xx.e siècle, à la suite d'une fausse interprétation, une malencontreuse renaissance espagnole qui envahit les maisons de la petite bourgeoisie espagnole.

Avant de décrire les prototypes et leurs variantes, nous ne voulons pas passer sous silence le fait que le style dit herrérien, c'est-à-dire l'œuvre d'Herrera, qui eut tant d'importance dans l'architecture espagnole de la Renaissance, avec sa marque tout à fait nationale, laissa aussi son empreinte dans un groupe de meubles exceptionnels. Il s'agit des meubles du Monastère de l'Escurial, les boiseries de la Sacristie, l'ensemble des stalles du Chœur et surtout la Bibliothèque, faites sur dessins et plans d'Herrera lui-même. Tous, de lignes austères et bien proportionnées, sont d'une grande beauté sans qu'il leur faille une ornementation plus ou moins surchargée. Cela donne un meuble d'une haute qualité technique et esthétique.

Les premiers modèles de sièges Renaissance reproduisent les fauteuils des dernières années du gothique, dérivés du fauteuil italien appelé «à la dantesque». Ils sont pliables, avec le siège et le dossier en velours ou en cuir séché fixé au bois par des clous en bronze de formes variées. Les marqueteries des de-

kränzen, Ovalen, Kreisen und Riefen, die grober gearbeitet dafür aber ausdrucksvoller sind wie die italienischen.

Die Einlegeverzierungen entsprechen fast ausschliesslich dem granadinischen Stil, in welchem sich der arabische Einfluss fortsetzt. Auf dem Nussbaumholz werden kleine Stückchen aus Knochen, Elfenbein, Ebenholz und Buchsbaum eingelegt. Die Verzierung besteht aber nicht immer aus geometrischen Formen, sondern auch aus kleinen in das Holz eingelassene Knochensplitter, die man mit der Bezeichnung «Weizenkorn» kennt. An den Truhen aus Gerona sieht man eine Verzierung in Einlegearbeit aus Buche oder Nussbaumsplittern oder eine Mosaikarbeit aus Knochen auf Nussbaum, die man in Katalonien und in der Levante unter dem Namen «pinyonet» (= Pinienkernchen) kennt. Weist die Einlegearbeit einen naturalistischen Sinn in Form von Arabesken oder Grotesken auf, dann ist sie von der italienischen Intarsienarbeit (44) beeinflusst. Seidensamt, Brokat, Juchtenleder und sonstige bemalte, bestickte, gesteppte und verbrämte Leder werden für die Möbelfertigung verarbeitet. Vor allem verwendet man auch das sogenannte Korduanleder dazu (45). Dieses Leder wird nicht nur für die Sitze und Lehnen verwendet, sondern es wird auch in origineller Weise an Schränken und «Bargueños» (eine Art Klappkommode) angebracht und als Wandbekleidung und Bodenbelag verarbeitet. Ganz Europa kauft das spanische Korduanleder und leicht findet man französische und flämische Möbel damit ausgestattet.

Die durchbrochenen Bronze- oder Eisenbeschläge, die vielfach an den «Bargueños» und an den Kopfenden der Betten angebracht sind, sind auch interessant und originell. Die Eisenbeschläge sind eine rein spanische Erfindung, während die Bronzebeschläge aus Portugal kommen.

Das sind nun die hauptsächlichsten dekorativen Merkmale der spanischen Renaissancestilmöbel. Als sie im ersten Viertel des XX. Jahrhunderts in Mode kamen, wurden sie infolge einer falschen Interpretierung von schamlosen Händlern dazu ausgenützt, die Wohnungen des spanischen Kleinbürgertums mit groben Nachahmungen zu überschwemmen.

Bevor nun die verschiedenen Urmodelle und deren Abwandlungen beschrieben werden, muss darauf hingewiesen werden, dass der sogenannte «Herrera»-Stil auch einigen aussergewöhnlichen Möbelstücken seine Prägung gab. Das Werk Herreras war für die spanische Baukunst der Renaissance von grosser Wichtigkeit und hinterliess demzufolge auch in den Möbeln einen tiefen Ein-

modelos mudéjares, van desapareciendo paulatinamente y en el cruce de las dos piezas de madera que forman los brazos y los pies, encontramos ahora un relieve renacentista; también las zapatas están rematadas por una talla simulando unas garras de león o cualquier motivo con una intención y valor semejante; naturalmente las orejas y salientes que sobresalían en las patas de los modelos góticos, también se eliminan. Pero estos sillones «a la dantesca» son al fin y al cabo interpretaciones de modelos italianizantes.

El sillón más expresivo y español, es desde luego, el llamado frailero, conocido en América con el nombre de «misión» o misional; aunque su origen también sea italiano, tienen los modelos españoles tal personalidad en todos los detalles que puede darse como uno de los arquetipos del mueble español.

El frailero se ha perpetuado no sólo en el siglo XVII, sino que en pleno siglo XVIII sigue con la misma estructura invariable, con detalles abarrocados superpuestos graciosamente.

Los diferentes elementos que componen el sillón responden a determinados rasgos que vamos a señalar y subrayar con los ejemplos gráficos.

La estructura, siempre de nogal, es rígida y vertical, pero ya avanzado el siglo XVI, la barra posterior del respaldo se quiebra a la altura del asiento, con el fin de que el ángulo que forma el respaldo y el asiento, no sea recto sino obtuso y con esta pequeña caída tenga una mayor comodidad.

Todas las barras, generalmente de un grueso de 4 a 4,5 cms., son prismáticas y lisas con la sola ornamentación en algunos casos de unas estrías o acanaladuras a lo largo de la barra o pata delantera, o de unos bizcochos o «cabujones» salientes en los frentes de las patas.

Esta pata se prolonga sobre el asiento en casi todos los ejemplares y sirve de ménsula a los brazos. A veces las patas descansan, o se apoyan, sobre una zapata que se remata en sus frentes anterior y posterior, con unos carretes como canecillos invertidos.

Los brazos son completamente horizontales en la primera época y ya en el siglo XVII suelen iniciar una curva muy suave que enlaza con la voluta del remate. Hay modelos con los brazos muy anchos y amplios, rematados en una pequeña voluta y otros con los brazos más estrechos y rematados en forma circular o recta. Los brazos de los tipos monacales son planos y anchos; otros en cambio son más estrechos y gruesos

of the earlier Mudejar models gradually began to disappear and at the crossing of the two pieces of wood which form the arms and the feet we now find Renaissance reliefs; the bases, moreover, are finished off with carvings in the form of a lion's claws or some other motif of similar fashion and intention, while naturally the flanges and other forms of projection on the feet of the Gothic models were also eliminated. These «Dantesque» armchairs, however, were no more than interpretations of Italianizing models.

The most expressive and truly Spanish armchair, of course, is the one called the «friar's» chair, also known in America as the «mission» or «missionary» chair; through it is also of Italian origin, the Spanish models have such a personality of their own in every detail that this chair may be considered one of the archetypes of Spanish furniture.

Not only did the friar's chair continue throughout the 17th century, but even right into the middle of the 18th century it survived with the same unvarying structure, though with more or less baroque motifs charmingly superimposed. The different elements which go to make up this chair correspond to certain definite features which we shall now enumerate and point out with the help of the illustrations.

The structure, which is always of walnut, is rigid and vertical, but in the latter half of the 16th century the rear bar of the back is bent at the height of the seat, in order to make the joining of the back and the seat obtuse rather than right-angled, this slight fall making the chair more comfortable. All the bars, generally from 4 to 4½ centimetres thick, are prismatic and smooth, only in some cases being ornamented with flutings or groovings along the front bar or leg, or with cabuchon-shaped projections on the fronts of the feet.

The legs are prolonged beyond the seat in almost all the specimens and serve as supports to the arms. Sometimes the feet rest on a pedestal which is finished off, at the front and rear, with bobbins rather like inverted corbels. The arms are completely horizontal in the earlier period, while later on, in the 17th century, they begin to have a slight curve which connects with the scroll of the finial. There are some models with very wide, ample arms, finishing in a small scroll, and others with narrower arms finishing in a circular or straight shape. The arms of the monastery types are flat and broad; others, on the contrary, are broader and thicker and are always finished with a more or less elaborate scroll, as if twisting the arm towards its end.

64. Fauteuil de voyage de Philippe II avec poignées pour le transport et bâche. Le dossier peut être incliné; cuir rembourré sur le siège et le dossier.

65. Dessin de la «chaise pour la goutte» de Philippe II, projetée par son majordome J. Lhermite, avec divers mouvements pour la rendre plus commode, du livre *Le passetemps*, par Lhermite.

66. Fauteuil de noyer avec «guardamecíes» sur le siège et le dossier. Musée Lázaro Galdiano. Madrid.

64. *Reisesänfte Philipps II. mit Traggriffen und Baldachin. Die Lehne kann zurückgelegt werden. Sitz und Lehne aus gepolstertem Leder.*

65. *Skizze des «Gichtstuhles» Philipps II., von seinem Haushofmeister J. Lhermite entworfen. Der Stuhl hat verschiedene Bewegungsmöglichkeiten um ihn bequemer zu machen. Aus dem Buch* Le passetemps *von Lhermite.*

66. *Sessel aus Nussbaum mit Sitz und Lehne aus gegerbtem und gepunztem Leder. Museo Lázaro Galdiano. „Madrid.*

---

vants des modèles mudéjares précédents disparaissent peu à peu et au croisement des deux pièces de bois qui forment les bras et les pieds nous trouvons maintenant un relief Renaissance. Les semelles sont également terminées par une sculpture représentant des griffes de lion ou tout autre motif d'inspiration ou de valeur équivalente. Naturellement, on élimine aussi les oreilles et les saillies qui ressortaient des pieds des modèles gothiques. Mais ces fauteuils «à la dantesque» sont somme toute des interprétations de modèles italianisés.

Le fauteuil le plus expressif et le plus espagnol est, bien entendu, celui dit «de moine», connu en Amérique sous le nom de «mission» ou missionnaire. Même si son origine est également italienne, les modèles espagnols ont tant de personnalité dans tous leurs détails qu'on peut le proposer comme un des archétypes du meuble espagnol.

Le fauteuil de moine persiste non seulement au XVII.e siècle mais subsiste encore en plein XVIII.e siècle avec la même structure invariable et des détails baroques accumulés avec grâce.

Les différents éléments qui composent ce fauteuil répondent à des caractéristiques bien définies que nous allons indiquer et souligner par les exemples représentés.

Le bâti, toujours en noyer, est droit et vertical, mais en plein XVI.e siècle la barre postérieure du dossier se courbe à la hauteur du siège, afin que l'angle formé par le dossier et le siège ne soit pas droit mais obtus et que cette petite pente assure un plus grand confort.

Toutes les barres, généralement d'une épaisseur de 4 à 4,5 centimètres, ont la forme d'un prisme et sont unies, seulement ornées parfois soit de stries ou cannelures le long des barres ou pieds de devant, soit de «biscuits» ou «cabochons» saillants sur les faces des pieds.

Ce pied se prolonge au-dessus du siège dans presque tous les exemplaires et sert de support aux bras. Quelquefois, les pieds reposent ou s'appuient sur une semelle terminée sur ses faces antérieure et postérieure par des rouleaux ressemblant à des modillons inversés.

Les bras sont complètement horizontaux dans la première période mais au XVII.e siècle ils amorcent, d'ordinaire, une courbe très douce qui les relie à la volute terminale. Il y a des modèles aux bras très larges et très amples finissant en une petite volute et d'autres aux bras plus étroits et finissant en arc de cercle ou en ligne droite. Les bras des types monacaux

druck von absolut nationalem Merkmal, das auch in einer bestimmten Möbelgruppe zum Ausdruck kam.

Es handelt sich hierbei um die Möbel des Klosters von El Escorial, im besonderen um die Schränke und Regale der Sakristei, das Chorgestühl und die Bibliothek, die eingenhändig von Herrera gezeichnet und entworfen wurden. Sie alle zeichnen sich durch eine schlichte und wohlproportionierte Linienführung aus; sie sind sehr schön und ohne übermässige Verzierung. Den Möbeln sieht man eine technische und aesthetische Gediegenheit an.

Die ersten Sitzmöbel der Renaissance erschienen in der letzten Epoche der Gotik und entstammen dem italienischen sogenannten «Dante»-Sessel. Diese Sessel sind zusammenklappbar und Sitz und Lehne sind frei, mit Samt oder Leder bespannt, das mit bronzenen Nägeln in verschiedener Form an das Stuhlgerippe festgenagelt wird. Nach und nach verschwinden an der Front der früheren Mudéjar-Stilmöbel die Einlegearbeiten und an dem Kreuzpunkt der beiden Holzteile, die die Armlehnen und den Sitz bilden, finden wir von nun an ein Reliefmuster im Renaissancestil.

Auch die Fussleisten werden von einem Schnitzwerk in Form einer Löwentatze oder einem anderen Motiv gebildet. Von den Stühlen im gotischen Stil verschwinden nun auch die überflüssigen Ohrenklappen und Überhänge an den Stuhlbeinen. Doch die Nachbildungen der «Danteschen»- Sessel bleiben nach wie vor als Interpretierung der italienisierenden Modelle.

Der ausdrucksvollste spanische Stilsessel ist wohl der sogenannte Mönchs-oder Grossvaterstuhl, der in Amerika als «Missionsstuhl» bekannt ist. Obwohl der Ursprung dieses Sessels ebenfalls Italien ist, sind die spanischen Modelle in ihren Einzelheiten so stark ausgeprägt, dass man sie gut als Urtyp der spanischen Stilmöbel bezeichnen kann.

Dieser Armsessel hat sich nicht nur das ganze XVII. Jahrhundert hindurch gehalten, sondern noch weit im XVIII. Jahrhundert wird er unverändert weitergebaut und zierlich mit aufgesetzten Barockteilen geschmückt.

Anhand von Bildern sollen die verschiedenen Teile, aus denen sich dieser Sessel zusammensetzt, erläutert und hevorgehoben werden.

Das Stuhlgefüge ist aus Nussbaum und wirkt steif und gerade, aber schon weit im XVI. Jahrhundert unterbricht sich die rückwärtige Querleiste der Rücklehne in Sitzhöhe so, dass der Winkel, den Sitz und Lehne bilden, nicht mehr steif und gerade ist, sondern

67. Prototipo de frailero con brazos ligeramente curvados. Bella tapicería con bordados, flecos y clavos de bronce. Palacio de Perelada (Gerona).
68. Silla derivada del frailero con tapicería de cuero fijada con clavos de disco, de bronce. Hospital de Afuera. Toledo.
69. Frailero con estrías en las patas delanteras; cuero repujado y gofrado. Museo de Artes Decorativas. Madrid.
70. Variación de frailero con zapatas laterales uniendo las patas. Museo de Artes Decorativas. Madrid.

67. *Prototype of a friar's chair with slightly curved arms. Beautiful upholstery with embroidery, fringes and bronze nails. Palace of Perelada (Gerona).*
68. *Chair deriving from the friar's chair with leather upholstery fixed with disk nails in bronze. Hospital de Afuera. Toledo.*
69. *Friar's chair with fluting on the front legs; repoussé and figured leather. Museum of Decorative Arts. Madrid.*
70. *Variation of a friar's chair, with side bases joining the legs. Museum of Decorative Arts. Madrid.*

y siempre se rematan con una voluta más o menos desarrollada, como si enroscase el brazo a su determinación.

En general, los ejemplares no pasan de un metro de altura (46); también el remate de las barras posteriores es muy elemental, con silueta de voluta o simplemente redondeado y en cambio en los italianos, los remates son de gran importancia, con copas y jarrones de bronce y grandes borlas.

Tanto el respaldo como el asiento son flexibles y quedan al aire, es decir, sin armadura posterior; ambos se guarnecen y tapizan con cuero, vaqueta o terciopelo; en los tres casos las variaciones de las labores de ornamentación son importantes y en algunas de ellas, como en los pespunteados estrellados, se aprecia la nota mudéjar.

Todos los respaldos son rectos y horizontales, tanto en su parte superior como en la inferior y la fijación del cuero y terciopelo a la madera se hace por medio de grandes clavos de bronce dorado y cincelado con multitud de formas, desde las más simples de casquete esférico —llamados de gota de sebo— de gran tamaño (unos 30 mm.) hasta los de forma de culebrillas, escudetes, estrellas, gallones, etc.

En este breve análisis del frailero, hemos dejado para el final la parte más decorativa y ornamental; nos referimos a la chambrana, que es una pieza de madera de unos 10 ó 12 cms. de anchura y que une las patas delanteras, por debajo del asiento, con unas siluetas y tallas variadísimas. Casi siempre son caladas con unos dibujos muy originales, en las que no faltan los temas mudéjares. El frailero —como es corriente en los muebles de la época— se hace también desarmable —más bien plegable— y entonces un sistema de bisagras pliegan las chambranas o doblan por el centro las patas y permiten su más fácil traslado. En otros ejemplares es preciso, para plegarlos, quitar los pasadores de hierro que arman las chambranas anteriores y posteriores e incluso llevan una pieza de hierro que por detrás del terciopelo del respaldo, arma y fija como una aldabilla las dos barras o patas posteriores; en los ejemplares del Museo de Vich del Hospital de Tavera de Toledo y otros, se advierten perfectamente los mecanismos elementales que permiten su fácil plegado (47).

Hemos de subrayar el sillón o silla de manos de Felipe II, en la que hizo su último desplazamiento a El Escorial; tiene varias particularidades, como por ejemplo el mecanismo de su respaldo, el cual, merced a un cuadrante de hierro, puede

In general, these specimens are no more than one metre in height (46); the finishing of the bars at the back, moreover, is very rudimentary, with a scroll outline or simply rounded, while in the Italian models, on the other hand, these finials are of great importance, with bronze vases and urns and large tassels.

Both the back and the seat are flexible and are left, as it were, «in the air», i.e., without any support behind or under them; both are adorned and upholstered in hide, leather or velvet; in all three cases the variations in the ornamental work are important, while in some of them, as in those worked in star-shaped backstitch, one can see the Mudejar influence.

All the backs are straight and horizontal, in both the upper and the lower parts, and the fixing of the leather or velvet to the wood is effected by means of large bronze nails, gilded and chiselled into a multitude of forms, from the simplest ones with spherical caps —known as tallow drops— which are quite large (about 30 millimetres), to those in the shape of snakes, escutcheons, stars, echini, etc.

In this brief analysis of the friar's chair, we have left for the end the most decorative and ornamental part; we refer to the «chambrana», or crosspiece, which is a piece of wood of about 10 or 12 centimetres wide and which joins the front legs, just under the seat, and is adorned with extremely varied outlines and carvings. These chambranas are almost always pierced, with very original designs in which Mudejar motifs are often present. The friar's chair, as was usual in the furniture of the period, was also made to be dismounted —or rather folded— and then a system of hinges either folds the chambrana or causes the legs to fold at the centre, thus permitting the chair to be more easily carried. In other specimens, however, in order to fold them it is necessary to remove the iron bolts which join the front and rear chambranas and which even have a piece of iron behind the velvet of the back to hold the two rear bars or legs together, like a crossbar; in the specimens in the Museum of Vich or in the Hospital of Tavera, in Toledo, and some others, one can appreciate perfectly the rudimentary mechanism which permitted them to be easily folded (47).

Special mention must be made of Philip II's very early forerunner of the sedan chair, in which he made his final journey to the Escorial; it has several special features: among them are the mechanism of the back, which by means of an iron angle brace can be made to incline at will, the padded upholstery of the arms, the shafts at the sides for carrying it and the pieces for placing an awning overhead to make it a little more comfortable (48).

67. Prototype de «frailero» avec bras légèrement incurvés. Belle tapisserie à broderies, franges et clous de bronze. Palais de Perelada (Gérone).

68. Chaise dérivée du «frailero» avec tapisserie de cuir fixée à l'aide de clous de disque en bronze. Hôpital de Afuera. Tolède.

69. «Frailero» à stries aux pieds antérieurs; cuir repoussé et gaufré. Musée des Arts Décoratifs. Madrid.

70. Variation de «frailero» avec supports latéraux joignant les pieds. Musée des Arts Décoratifs. Madrid.

67. Prototyp eines Armsessels mit leicht gebogenen Armlehnen. Herrlich gestickte Tapisserie mit Fransen und Nägeln aus Bronze. Schloss Perelada (Gerona).

68. Vom Armsessel abgeleiteter Sitz mit Lederbezug, der mit scheibenförmigen Nägeln aus Bronze festgemacht ist. Hospital de Afuera. Toledo.

69. Armsessel mit Riefen an den vorderen Beinen; gepunztes und geprägtes Leder. Museo de Artes Decorativas. Madrid.

70. Abwandlung eines Armsessels mit seitlichen Kragleisten, welche die Beine miteinander verbinden. Museo de Artes Decorativas. Madrid

sont plats et larges; d'autres, au contraire, sont plus étroits et gros et se terminent toujours par une volute plus ou moins développée, comme si le bras était enroulé d'après sa courbe.

En général, les modèles ne dépassent pas un mètre de hauteur (46). La terminaison des barres de derrière est très élémentaire, en forme de volute ou simplement arrondie. Chez les Italiques, au contraire, les terminaisons revêtent une grande ampleur, avec des coupes et des vases de bronze et de grands pompons.

Le dossier et le siège sont flexibles et restent nus, c'est-à-dire sans armature postérieure. Ils sont garnis et tendus de cuir, de vachette ou de velours. Dans les trois cas, les variations du travail ornemental sont importantes, et quelques-unes, comme les coutures en étoile, permettent d'apprécier la note mudéjare.

Tous les dossiers sont droits et horizontaux, aussi bien en haut qu'en bas, et la fixation du cuir et du velours au bois est faite au moyen de grands clous en bronze doré et ciselé aux formes multiples, depuis les plus simples à tête sphérique —appelés en goutte de suif— et à la grande taille (environ 30 mm) jusqu'à ceux en forme de couleuvres, d'écussons, d'étoiles, d'oves, etc.

Dans cette brève analyse du fauteuil de moine, nous avons laissé pour la fin la partie la plus décorative et ornementale. Nous nous réferons à la traverse, pièce de bois de 10 à 12 cm de large unissant les pieds de devant, sous le siège, aux lignes et sculptures très variées. Elles sont presque toujours ajourées suivant des dessins très originaux parmi lesquels ne manquent pas les motifs mudéjares. Le fauteuil de moine —comme il c'est courant pour les meubles de cette époque— se fait aussi en version démontable —plus exactement, pliante—. Un système de charnières rabattent alors les traverses ou plient en deux les pieds en leur milieu et facilitent le transport. Dans d'autres exemplaires, il est nécessaire, pour les plier, d'enlever les clavettes de fer qui font tenir les traverses antérieures et postérieures et même portent une pièce en fer qui, derrière le velours du dossier, soutient et fixe comme une petite gâche les deux barres ou pieds postérieurs. Dans les exemplaires du Musée de Vich, de l'hôpital de Tavera de Tolède et d'autres, on se rend parfaitement compte du mécanisme élémentaire qui facilite leur pliage (47).

Nous devons signaler le fauteuil ou chaise à porteurs de Philippe II, sur lequel il fit son dernier déplacement à l'Es-

stumpf wird und dieses kleine Gefälle bietet eine bequemere Sitzweise.

Die Leisten, die gewöhnlich 4-4,5 cm dick sind, sind prismatisch und glatt.

Als einzigen Schmuck haben sie zuweilen am Stuhlbein Riefen und an den Vorderseiten der Füsse eine konvexe Schnitzverzierung.

Die Stuhl- oder Sesselbeine setzen sich bis über den Sitz hinaus fort und dienen gleichzeitig als Stütze für die Armlehne. Die Stuhlbeine stehen manchmal auf einer Art Kufen, die an der Vorder- und Rückseite mit kleinen Spiralen oder Rollen in Form von umgekehrten Sparrenköpfchen verziert sind.

Die Armlehnen der ersten Zeit sind waagerecht, aber schon im XVII. Jahrhundert deuten sie einen leichten Schwung an, der sich mit der Schlussvolute verbindet. Es gibt einige Exemplare, die sehr grosszügige breite Armlehnen haben, deren Ende in einer kleinen Volute ausläuft; andere wieder haben schmale abgerundete oder gerade auslaufende Armlehnen. Die Armlehnen der sogenannten Kloster- oder Chorstühle sind flach und breit; es gibt aber auch andere, die schmal und dick sind, aber immer enden sie in einer mehr oder wenig ausgearbeiteten Volute, als ob diese die Lehne festschrauben wollte.

Im allgemeinen sind diese Sessel nie höher als ein Meter (46). Der Abschluss der rückwärtigen Leisten ist sehr primitiv; er deutet entweder eine Volute an oder ist einfach nur abgerundet. An den aus Italien stammenden Exemplaren dagegen, ist gerade dieser Abschluss das wichtigste und endet meistens in Kelchen oder Vasen aus Bronze oder mit grossen Troddeln.

Sowohl die Lehne als der Sitz sind geschmeidig und freihängend angebracht, sind also rückwärts nicht versteift. Beide werden aus Leder, Juchten oder Samt gefertigt. In den drei Fällen sind gerade die Verzierungen von grosser Bedeutung und in einigen davon, wie die Stepperei in Sternchenform, tritt besonders die Mudéjar-Note hervor.

Die Rückenlehnen sind gerade und waagerecht, sowohl im oberen wie im unteren Teil derselben. Das Leder und der Samt werden an dem Holzrahmen mittels grosser vergoldeter und ziselierter Bronzenägel, in verschiedenen Formen und Grössen, befestigt. Die Form der Nägel variiert vom Hütchenkopf —Talgtropfen genannt— (der etwa 30 mm gross ist) bis zu den geschlängelten, schildartigen, sternchenförmigen und ausgehöhlten Nägeln.

71. Otra variación de frailero con estrías y acanaladuras en las patas delanteras con chambranas laterales. Museo de Artes Decorativas. Madrid.

72. Sillón frailero plegable. Las chambranas delantera y posterior tienen charnelas y una barra de hierro para dar rigidez al respaldo.

73. El mismo sillón frailero. Tapicería y flecos de seda; clavos calados de bronce dorado. Museo de Artes Decorativas. Madrid.

74. Frailero típico con chambrana delantera de línea mudéjar. Museo Lázaro Galdiano. Madrid.

71. *Another variation of the friar's chair, with fluting and grooves on the front legs and side crosspieces. Museum of Decorative Arts. Madrid.*

72. *Folding friar's armchair. The front and rear crosspieces are hinged and there is an iron bar to give rigidity to the back.*

73. *The same friar's armchair. Silk upholstery and fringes; pierced nails of gilded bronze. Museum of Decorative Arts. Madrid.*

74. *Typical friar's chair with the front crosspiece in the Mudejar line. Lázaro Galdiano Museum. Madrid.*

64

65

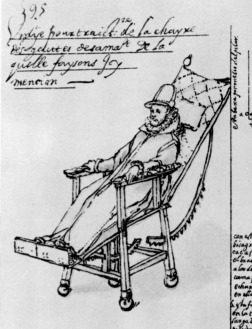

71. Autre variation de «frailero» avec stries et cannelures aux pieds de devant et avec chambranles latéraux. Musée des Arts Décoratifs. Madrid.

72. Fauteuil «frailero» pliant. Les chambranles antérieur et postérieur ont des charnières et une barre de fer pour donner de la rigidité au dossier.

73. Le même fauteuil «frailero». Tapisserie et franges de soie; clous ajourés de bronze doré. Musée des Arts Décoratifs. Madrid.

74. «Frailero» typique avec chambranle antérieur de ligne mudéjare. Musée Lázaro Galdiano. Madrid.

71. Eine andere Abwandlung des Armsessels mit Riefen und Hohlrippen an den Vorderbeinen und seitlichen geschnitzten Zierbrettern. Museo de Artes Decorativas. Madrid.

72. Klappbarer Armsessel. Die vordere und rückwärtige Umrahmung ist mit Scharnieren und einer Eisenstange versehen um die Lehne zu versteifen.

73. Der gleiche Armsessel. Bezug und Fransen aus Seide; durchbrochene Nägel aus vergoldeter Bronze. Museo de Artes Decorativas. Madrid.

74. Typischer Armsessel mit vorderer Umrahmung in Mudéjarlinie. Museo Lázaro Galdiano. Madrid.

66

67

68

69

70

71

75. Banco de nogal, fiadores de hierro entre las patas inclinadas con silueta contra-serrada. Escudo de bronce y bisagras de hierro para plegar el respaldo. Hospital de Afuera. Toledo.

76. Banco tapizado con cuero bullonado sobre patas de silueta recortada de nogal y fiadores de hierro. Museo Arqueológico Nacional. Madrid.

77. Otro tipo de banco semejante al anterior. Museo Arqueológico Nacional. Madrid.

78. Tipo de mesa de un renacimiento tardío muy tallada. Museo Lázaro Galdiano. Madrid.

75. *Walnut bench, iron fasteners between the sloping legs with countersawn outline. Bronze shield and iron hinges for folding the back. Hospital de Afuera. Toledo.*

76. *Bench upholstered in studded leather, on walnut legs with a cut-away outline and iron fasteners. National Archaeological Museum. Madrid.*

77. *Another type of bench, similar to the preceding one. National Archaeological Museum. Madrid.*

78. *Lavishly carved table of a late Renaissance type. Lázaro Galdiano Museum. Madrid.*

72

73

inclinarse a voluntad, la tapicería acolchada de los brazos, las asas laterales para su traslado, con varales y las piezas para aplicarle un toldo que le hiciese un poco más cómodo (48).

Uno de los fraileros más suntuosos es el del Museo de Valencia de Don Juan, taraceado con marfil y ébano; tiene los brazos muy anchos, ligeramente curvados y la tapicería de terciopelo bordado, va rematada con grandes flecos de seda.

Variaciones de estos sillones son, las sillas con las mismas características, entre las que señalamos las de respaldo con arquerías de ascendencia italiana. Siempre dentro de las líneas rígidas del Renacimiento español, los bancos más interesantes

One of the most sumptuous of all friar's chairs is that in the Institute of Valencia de Don Juan, in Madrid, inlaid with ivory and ebony; it has very broad arms, slightly curved, and the upholstery, which is of embroidered velvet, is trimmed with long silk fringes.

Variations of these armchairs are the simple chairs with the same characteristics, among which we should mention those with arcaded backs, which are of Italian origin. Always within the rigid lines of the Spanish Renaissance, the most interesting benches or settles are those of religious character, those of the council chambers or the ones from private palaces; many of them can be dismounted

75. Banc de noyer, verrous de fer entre les pieds inclinés à silhouette en dents de scie. Écusson de bronze et charnières de fer pour plier le dossier. Hôpital d'Afuera. Tolède.

76. Banc tapissé de cuir fleuronné sur pieds à silhouette découpée, en noyer et verrous de fer. Musée Archéologique National. Madrid.

77. Autre type de banc semblable au précédent. Musée Archéologique National. Madrid.

78. Type de table d'un genre Renaissance tardif, très taillée. Musée Lázaro Galdiano. Madrid.

75. *Bank aus Nussbaum mit Eisenverstrebung zwischen den schräggestellten ausgezackten Beinen. Wappen aus Bronze. Eisenscharniere an der Rückenlehne, um diese herunterklappen zu können. Hospital de Afuera. Toledo.*

76. *Bank mit knopfförmig verziertem Lederbezug auf ausgezackten Beinen aus Nussbaum und Eisenverstrebungen. Museo Arqueológico Nacional. Madrid.*

77. *Eine andere Bankform, der vorhergehenden ähnlich. Museo Arqueológico Nacional. Madrid.*

78. *Reichgeschnitzter Tisch im Spätrenaissancestil. Museo Lázaro Galdiano. Madrid.*

74

curial. Il présente différentes particularités, tels, par exemple, le mécanisme du dossier qui, grâce à une pièce de fer, peut s'incliner à volonté, la tapisserie capitonnée des bras, les poignées latérales permettant son transport à l'aide de perches, et les pièces destinées à la pose d'un tendelet qui en augmentait un peu le confort (48).

Parmi les fauteuils monocaux les plus somptueux figure celui du Musée de Valencia de Don Juan, marqueté d'ivoire et d'ébène. Il a des bras très larges, légèrement courbés, et sa garniture en velours brodé est terminée par de grandes franges de soie.

Bei der Analyse dieses Klosterstuhls haben wir den dekorativsten, ornamentalsten Teil bis zum Schluss aufgehoben. Hiermit ist das Zierbrett von etwa 10 - 12 cm Breite gemeint, das unter dem Sitz die beiden vorderen Stuhlbeine miteinander verbindet. Dieses Brett ist reich mit verschiedenartigen Schnitzereien verziert. Meistens handelt es sich um ein originell durchbrochenes Muster, bei dem auch das Mudéjarmotiv nicht fehlt. Der Klosterstuhl wurde auch —wie es bei jenen Stilmöbeln üblich war— als Klappstuhl gearbeitet, wobei ein Scharniersystem erlaubte das Zierbrett zusammenzulegen oder nach innen, zwischen die Stuhlbeine zu klappen. Auf diese Weise konnte der Stuhl transportiert werden. An anderen Stühlen müssen erst die an dem Vorder und Rückbrett angebrachten Riegel zurückgeschoben werden. Oft haben sie auch noch hinter dem Samt der Rückenlehne eine Eisenstrebe, die die beiden hinteren Stuhlbeine miteinander verbindet. An den Stühlen, die im Museum von Vich, im Hospital von Tavera de Toledo und an anderen Orten aufbewahrt werden, kann man gut diese primitiven Mechanismen sehen, vermittels derer die Stühle leicht zusammengeklappt werden könen (47).

Wir wollen besonders auf den Tragstuhl oder Sänfte Phillips II. aufmerksam machen, in welchem dieser zum letzten Mal nach El Escorial gebracht wurde. Diese Sänfte weist einige ganz besondere Merkmale auf. Zum Beispiel, hat sie eine Vorrichtung an der Rückenlehne, die erlaubt diese Lehne mittels einer Eisenschiene nach gutdünken zurückzulegen. Die Polsterung der Armlehnen; die seitlichen Griffe, an denen Tragestangen befestigt werden, sowie die Träger, an denen ein Verdeck angebracht werden konnte um die Sänfte noch bequemer zu machen (48), sind andere Merkmale. Im Museum von Valencia de D. Juan steht einer der schönsten Armstühle, der eine Einlegearbeit aus Elfenbein und Ebenholz als Verzierung hat. Er hat breite, leicht gebogene Sesselarme und die aus gesticktem Samt bestehende Tapisserie ist ausserdem mit grossen Silberfransen verziert.

Abwandlungen dieser Armsessel sind die Stühle, die ähnliche Merkmale besitzen, unter denen besonders auf die hingewiesen wird, die an den Rückenlehnen mit einem Bogenwerk im italienischen Stil ausgestattet sind. Innerhalb der strengen Linien der spanischen Renaissance, befinden sich interessante Bänke, wie die der Kirchen, der Ratssäle sowie der Privatpaläste. Viele von diesen Bänken können auseinandergenommen oder zusammengeklappt werden und die Rückenlehne kann ebenfalls auf den Sitz heruntergeklappt werden. Die Rückenlehne ist meistens aus Nussbaum

75

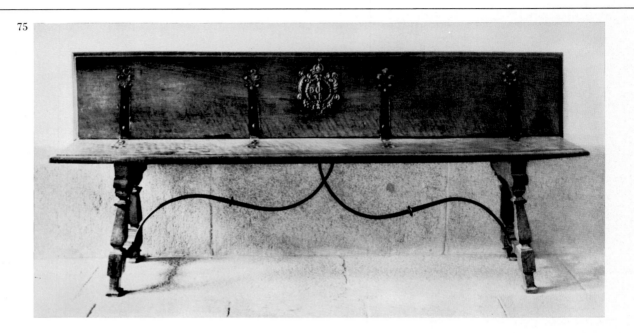

son los de carácter religioso, los de los concejos y los de los palacios particulares; muchos de ellos son desmontables o plegables y su respaldo se abate sobre el asiento; el respaldo de forma rectangular, suele ser de nogal, con aplicaciones de bronce fundido y cincelado o hierro repujado o bien tapizado y almohadillado en forma de concha, rombos, entrelazados, etc.

Es indudable que en pleno siglo XVI se siguen utilizando mesas de caballete, es decir, tableros que se apoyan sobre borriquetes y se levantan una vez utilizados. Pero es también cierto que ya el uso de la mesa se extiende no sólo para comer, sino como mesa de trabajo y por tanto los modelos se multiplican dentro de unos prototipos que siguen unas normas muy parecidas, y que pueden reducirse a cuatro: las llamadas de refectorio, las de amplio faldón con cajonería, las de las patas inclinadas con fiadores y las vestidas.

El modelo más generalizado de las primeras es aquél cuya tapa es un gran tablero de nogal, estrecho y largo; en los modelos más importantes es de una sola pieza y de un grueso superior a los 5 ó 6 centímetros; la tapa vuela muy poco en los frentes y por el contrario mucho lateralmente; son muy frecuentes estas mesas sobre un ancho faldón con cajones, decorados con tallas renacentistas o subdivididos con cuarterones; las patas, en número de 4 ó 6 según la longitud de la

or folded, the back folding down over the seat; the back, rectangular in shape, is usually of walnut, with appliqués of cast and chiselled bronze or repoussé ironwork, when they are not upholstered and padded in the forms of shells, rhomboids, interlaceries, etc.

It is certainly true that even in the middle of the 16th century the trestle table was still the form mainly used, that is to say, a board resting on trestles, from which it was removed once the meal was over. But it is also true that the use of tables had by then become widespread, not only as surfaces to eat off but also for working at, which explains why the models became more varied, though always limited to certain prototypes, which followed very similar methods and which may be reduced to four in number: those we know as refectory tables, those with under-surfaces containing drawers, those with their inclined feet fastened and what we may-call «skirted» tables.

Of the first class the model most generally known is that covered with a great board of walnut, long and narrow; in the most important specimens this top is composed of a single piece and is at least 5 or 6 centimetres thick; the top projects very little at each end, but quite a lot at the sides; this type of table is frequently found on a deep under-surface containing sets of drawers, decorated with Renaissance carvings or divided into panels; the legs, which may be 4 or 6, depending on the length of the table, are always lathe-

77

Les chaises présentant les mêmes caractéristiques sont des variantes de ces fauteuils. Signalons celles pourvues d'un dossier à arcatures d'inspiration italienne. Toujours dans l'optique des lignes rigides de la Renaissance espagnole, les bancs les plus intéressants sont ceux à caractère religieux, ceux des conseils et ceux des hôtels particuliers. Beaucoup sont démontables ou pliants et leur dossier se rabat sur le siège. Le dossier, rectangulaire, est d'ordinaire en noyer, soit à appliques en bronze fondu et ciselé ou en fer repoussé, soit tapissé et matelassé sur un dessin en coquilles, en losanges, en entrelacs, etc...

Il est sûr qu'en plein XVI.e siècle on continue à utiliser des tréteaux c'est-à-dire des planches posées sur des chevalets qu'on relève après usage. Il est vrai aussi que la table sert déjà non seulement pour les repas mais encore comme table de travail. Aussi, les modèles se multiplient dans une série de prototypes suivant des normes très semblables et qui peuvent se réduire à quatre: celles dites de réfectoire, celles à large caisse garnie de tiroirs, celles à pieds inclinés avec des entretoises et celles qui sont recouvertes.

Le modèle le plus courant chez les premières est celui dont le dessus est un grand plateau de noyer, étroit et long. Dans les modèles les plus importants il est d'une seule pièce et d'une épaisseur supérieure à 5 ou 6 cm. Le dessus dépasse très peu

mit Beschlägen aus Gussbronze oder getriebenem Eisen; auch wurden sie des öfteren muschelförmig, in Rhomben oder auch verschnörkelt tapeziert und gepolstert.

Zweifellos wurden noch im XVI. Jahrhundert die Bocktische weiterverwendet, dass heisst, die Tischplatten die auf Böcke aufgelegt und nach dem Essen oder sonstigem Gebrauch wieder auseinandergenommen wurden. Sicher ist aber auch, dass der Gebrauch des Tisches sich nicht nur auf das Essen daran beschränkte, sondern sich als Arbeitstisch immer mehr verbreitete. Aus diesem Grunde wurden mehr Modelle entwickelt, die innerhalb bestimmter Normen als Prototypen gelten. Diese Normen können auf vier Typen beschränkt werden und zwar sind dies die sogenannten Refektoriumstafeln, die Tische mit breitem Fachwerkunterbau, die Tische mit leicht geneigten und mit Sicherungen versehenen Beine und die bekleideten oder überzogenen Tische.

Der üblichste von allen Tischen, ist der zuerstgenannte oder grosse Tafel, die aus einem langen und schmalen Nussbaumbrett besteht. Bei den wichtigsten dieser Art, besteht die Tischplatte aus einem Stück von 5-6 cm dicke; an der Frontseite überragt die Platte nur sehr wenig, dagegen aber umsomehr an den beiden Seiten. Viele dieser Tische liegen über einem breiten Unterbau aus Fachwerk mit Kästen, die mit einer reichhaltigen Schnitzerei im Renaissancestil versehen sind. Je nach der Tafellänge, sind

112

83. Mesa española de nogal con patas salomónicas y fiadores de hierro. Principios del siglo XVIII. «The Art Institute». Chicago.

84. Mesa llamada de refectorio de ancho faldón y tapa de nogal con mucho vuelo lateral, patas torneadas. Palacio de Benamejí. Santillana del Mar (Santander).

85. Mesa en roble con ancho faldón con cajones tallados; patas contraserradas. Convento de los jesuitas de Villagarcía de Campos (Valladolid).

86. Mesa de nogal de tipo refectorio con fiadores de hierro tipo de horquilla con patas en forma de lira. Convento de Villagarcía de Campos (Valladolid).

83. Spanish walnut table with Solomonic legs and iron fasteners. Early 18th century. The Art Institute. Chicago.

84. Table of the refectory type, deep underskirt and walnut top projecting considerably at the sides; lathe-turned legs. Palace of Benamejí. Santillana del Mar (Santander).

85. Oak table, deep underside with carved drawers; countersawn legs. Jesuit monastery of Villagarcía de Campos (Valladolid).

86. Walnut refectory table, with hairpin-shaped iron fasteners and lyre-shaped legs. Monastery of Villagarcía de Campos (Valladolid).

78

79

80

81

82

83

84

85

83. Table espagnole de noyer avec pieds tors et verrous de fer. Début du XVIIIe siècle. «The Art Institute». Chicago.

84. Table appelée de réfectoire, à large bord et panneau de noyer avec grande saillie latérale, pieds tournés. Palais de Benamejí. Santillana del Mar (Santander).

85. Table de chêne à large bord et tiroirs taillés; pieds en dents de scie. Couvent des jésuites de Villagarcía de Campos (Valladolid).

86. Table de noyer du type réfectoire, avec verrous de fer du type à fourchette et panneau en forme de lyre. Couvent de Villagarcía de Campos (Valladolid).

83. Spanischer Tisch aus Nussbaum mit säulenförmigen Tischbeinen und Eisenverstrebungen. Anfang des XVIII. Jahrhunderts. «The Art Institute». Chicago.

84. Sogenannter Refektoriumstisch mit breiter Umrandung. Nussbaumplatte seitlich weit ausladend. Gedrechselte Tischbeine. Schloss Benamejí. Santillana del Mar (Santander).

85. Eichentisch mit breiter Umrandung in der geschnitzte Schubfächer eingelassen sind. Ausgesägte Tischbeine. Jesuitenkloster in Villagarcía de Campos (Valladolid).

86. Tisch aus Nussbaum im Refektoriumstil mit Eisenverstrebungen in Haarnadelform und lyraförmigen Beinen. Kloster von Villagarcía de Campos (Valladolid).

86

87. Mesa de refectorio en nogal. Palacio de Perelada (Gerona).

88. Mesa de nogal con tapa lateral, muy volada, ancho faldón con cajones tallados; patas torneadas. Palacio de Liria. Duques de Alba. Madrid.

89. Pequeña mesa de campaña, de nogal con ancho galón; grandes asas de hierro en los cajones y laterales para el transporte. Patas plegables. Magníficas tallas de cabeza de león entre columnas abalaustradas. Colección Díaz del Corral. Madrid.

87. Refectory table in walnut. Palace of Perelada (Gerona).

88. Walnut table with top projecting widely at the sides, deep underside with carved drawers; lathe-turned legs. Palace of Liria, Duke and Duchess of Alba. Madrid.

89. Small «campaign» table, in walnut with broad chevron; large iron handles on the drawers and on the sides for carrying. Folding legs. Magnificent lion's-head carvings between balustered columns. Díaz del Corral Collection. Madrid.

87

mesa, son siempre torneadas, muy fuertes, con siluetas abalaustradas o columnas estriadas y torsas; casi siempre esta mesa castizamente española, es de nogal, aunque también se utiliza el roble y hasta el pino, según la región de donde procedan.

Las mesas del segundo grupo son de proporciones regulares, más normales; se componen de un grueso tablero, casi siempre sin molduración en el canto, sobre un amplio faldón, con cuarterones o tallas en los cajones, que va sobre unas recias patas torneadas y talladas, unidas entre sí por una chambrana corrida o en forma de H; estas mesas son las llamadas bufetes, para escribir u otros usos.

Variaciones de estas mesas son las vestidas, de origen romano, cubiertas totalmente con terciopelo de seda que cae desde la tapa cubriendo todo el frente y los costados; estos colgantes van ajustados entre sí con una guarnición de cordoncillos dorados y piezas galonadas y entrelazadas que se cierran con unos broches o presillas muy complicadas.

turned and very strong, in the form of balusters or of fluted and twisted columns; this very typically Spanish table is almost always in walnut, though oak, and even pine, are also used, depending on the region they come from.

The tables of the second group are of regular, more normal proportions; they consist of a thick board, almost always without moulding at the edges, placed over a deep under-surface with panels or carvings on the drawers, the whole supported by sturdy lathe-turned or carved legs, joined together by a straight or H-shaped chambrana; these tables are called «bufetes» and were used for writing or other purposes.

Among the variations of these models were what we have called «skirted» tables, of Roman origin, completely covered with silk velvet which falls from the surface covering both ends and sides; these hangings are joined to one another by means of a trimming of gold braid and interlacing galloons, which are fixed by very complicated brooches or fasteners.

A very few of these tables, doubtless much restored, still survive;

88

89

devant mais beaucoup latéralement. Très fréquemment ces tables reposent sur une large caisse à tiroirs décorés de sculptures Renaissance ou compartimentés. Les pieds, au nombre de 4 ou 6 suivant la longueur de la table, sont toujours tournés, très forts, à profil de balustre ou en forme de colonnes striées et torses. Presque toujours, cette table typiquement espagnole est en noyer, bien qu'on utilise aussi le chêne et même le pin, suivant la région d'où elles proviennent. Les tables du second groupe ont des proportions moyennes, plus normales. Elles se composent d'un gros plateau, presque toujours sans moulure sur le bord, sur une large caisse à compartiments ou tiroirs sculptés posée sur de solides pieds tournés et sculptés, unis entre eux par un chambranle continu ou en forme d'H. On donne à ces tables le nom de bureaux, qu'elles servent à écrire ou à d'autres usages.

Comme variantes de ces dernières, nous avons les tables habillées, d'origine romaine, couvertes entièrement de velours de soie qui retombe du dessus en couvrant tout le devant et

4 bis 6 Tischbeine vorgesehen, die sehr kräftig und in Form von Balaustraden gedrechselt sind oder auch geriefte Säulen darstellen. Dieser typisch spanische Tisch wird meistens aus Nussbaum gefertigt, obwohl auch gelegentlich Eiche und Fichte dazu verwendet wird, je nachdem wo er hergestellt wurde. Die Tische der zweiten Gruppe haben schon normalere Ausmasse; sie bestehen aus einer dicken Platte, meistens ohne Randverzierung, über einem breiten Leistenwerk mit geschnitzten Kästen. Der Tisch steht auf kräftigen, gedrehten und geschnitzten Füssen, die untereinander mit H-förmigen oder durchgehenden Leisten verbunden sind. Diese Tische sind die sogenannten Arbeitspulte oder Schreibtische.

Abwandlungen hiervon sind die sogenannten bekleideten oder bezogenen Tische, die römischen Ursprungs sind. Diese Tische werden vollständig mit Seidensamt bedeckt, der von der Tischplatte herabfällt und Front und Seiten deckt. Diese Gehänge sind untereinander mittels Goldschnüren und Tressen verbunden, die mit komplizierten Schnallen und Haken geschlossen werden.

90. Mesa de refectorio popular. Marqués de Santo Domingo. Madrid.

91. Mesa vestida, librería y frailero en el despacho reconstruido de la Casa de Lope de Vega. Ambiente de la época. Madrid.

92. Mesa de refectorio con ancho faldón y cajones tallados. Marqués de Santo Domingo. Madrid.

90. *Refectory table of a popular type. Marquis of Santo Domingo. Madrid.*

91. *Draped table, bookcase and friar's chair, in the reconstructed study in the house of Lope de Vega. Period setting. Madrid.*

92. *Refectory table with deep underside and carved drawers. Marquis of Santo Domingo. Madrid.*

90

91

92

90. Table de réfectoire populaire. Marquis de Santo Domingo. Madrid.

91. Table habillée, bibliothèque et «frailero» du bureau reconstitué de la Maison de Lope de Vega. Ambiance de l'époque. Madrid.

92. Table de réfectoire à large bord et tiroirs taillés. Marquis de Santo Domingo. Madrid.

90. *Volkstümlicher Refektoriumstisch. Marqués de Santo Domingo. Madrid.*

91. *Bezogener Tisch, Bücherregal und Armsessel im rekonstruirten Arbeitszimmer im Haus Lope de Vegas. Zeitgemässes Milieu. Madrid.*

92. *Refektoriumstisch mit breiter Umrandung und geschnitzten Schubfächern. Marqués de Santo Domingo. Madrid.*

93. Arca encorada con refuerzos de hierro en clavos y chapas y tapa curvada. Palacio de Felipe II. Monasterio de El Escorial. Madrid.

94. Arcón-armario de nogal renacentista con tallas castellanas del siglo XVI. Capilla del Condestable. Catedral de Burgos.

95. Arcón con talla de alto relieve en nichos, separados por semibalaustres. Obra de influencia francesa. Museo de Santa Cruz. Toledo.

96. Arcón de la región catalana de transición gótica con ornamentación renacentista totalmente policromado y dorado. Museo Episcopal de Vich (Barcelona).

93. *Leather-covered chest, with iron reinforcing in nails and plates, and with a curved lid. Palace of Philip II. Monastery of the Escorial. Madrid.*

91. *Renaissance walnut chest-cupboard with Castilian carvings. 16th century. Chapel of the High Constable. Cathedral of Burgos.*

95. *Chest with high-relief carving in niches separated by semi-balusters. A work of French influence. Santa Cruz Museum. Toledo.*

96. *Chest from Catalonia, in the Gothic transitional style with Renaissance ornamentation, totally polychromed and gilded. Episcopal Museum of Vich (Barcelona).*

93

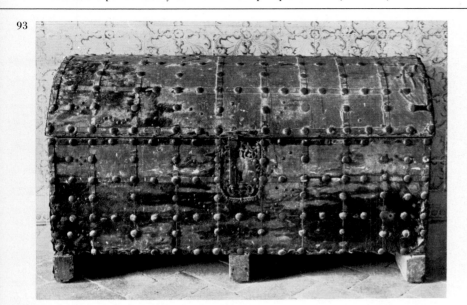

94

95

96

93. Coffre couvert de cuir avec renforts de fer sur les clous et les plaques et couvercle incurvé. Palais de Philippe II. Monastère de l'Escurial. Madrid.

94. Coffre-armoire de noyer Renaissance avec tailles castillanes du XVIe siècle. Chapelle du Connétable. Cathédrale de Burgos.

95. Coffre avec taille de haut relief en niches séparées par des semi-balustres. Ouvrage d'influence française. Musée de Santa Cruz. Tolède.

96. Coffre de la région catalane, de transition gothique, avec ornementation Renaissance totalement polychrome et dorée. Musée Épiscopal de Vich (Barcelone).

93. *Mit Leder bezogene Truhe und Verstärkungen aus eisernen Nägeln und Beschlägen. Bogenförmiger Deckel. Schloss Philipps II. Kloster von El Escorial. Madrid.*

94. *Schranktruhe im Renaissancestil aus Nussbaum, mit kastilianischen Schnitzereien aus dem XVI. Jahrhundert. Kapelle des Condestable. Kathedrale von Burgos.*

95. *Grosse Truhe mit nischenförmiger Hochreliefschnitzerei, durch Halbsäulengeländer unterteilt. Französisch beeinflusstes Kunstwerk. Museo de Santa Cruz. Toledo.*

96. *Grosse Truhe aus der katalanischen Gegend, gotische Übergangszeit mit Renaissance-ornamenten, vollständig bunt bemalt und vergoldet. Museo Episcopal in Vich (Barcelona).*

98

99

Alguna de estas mesas, sin duda muy restaurada, subsiste; pero su forma y su belleza se aprecia más claramente en los lienzos de nuestros pintores renacentistas (49).

Quizá el espécimen más español es la mesa de grueso tablero de nogal embarrotado casi en sus extremos, sobre unas patas inclinadas y unidas entre sí por dos piezas de hierro forjado, que se cruzan en forma de X, rematadas inferiormente en forma de voluta y superiormente atornilladas a la tapa; estas dos piezas de hierro se llaman fiadores.

Las patas pueden ser torneadas y entonces van unidas por una chambrana; así son las típicas mallorquinas, que en algunos casos llevan además una tercera pata intermedia; otras veces las patas van con un recorte muy movido, con tallas de hojas y roleos rematadas en forma de voluta; de la chambrana que une cada dos patas arrancan los fiadores; naturalmente estas mesas son fácilmente desarmables y por tanto muy útiles y numerosas, pues el mueble se sigue trasladando o transportando muy a menudo y por consiguiente el volúmen que debe ocupar ha de ser mínimo. Derivadas de estas mesas de fiadores, pueden considerarse las llamadas de campo o de campaña, mesas que lógicamente sólo eran utilizadas por personajes muy importantes. Son muy escasos los ejemplares, pero por fortuna ha quedado uno de valor excepcional y que vamos a describir.

La tapa de la mesa es una gruesa tabla de nogal, estrecha y larga, cabeceada en sus costados; la tapa va sobre un sólo cajón muy alto, rematado en sus costados por dos balaustres

but their true form and beauty can be more clearly appreciated in the canvasses of our Renaissance painters (49).

Perhaps the most truly Spanish specimen is the table with a thick slab of walnut fastened with bars almost at the ends, on sloping legs joined together by two pieces of wrought iron which cross in the form of an X and are finished at the bottom with a scroll, being screwed to the top of the table at their upper ends; these pieces of iron are known as «fiadores» or fasteners.

The feet may be turned and if so they are joined by a chambrana; *this is the case of the typical Majorcan tables, which in some cases also have a third, intermediate, foot; in other cases the feet are very elaborately shaped, with carvings of leaves and circles, finishing in scrolls; the fasteners spring from the* chambrana *which joins each pair of feet; naturally these tables are easy to dismount and therefore very useful and numerous, for they can continue to be moved or transported very often, which is why the volume they are to take up must be minimal. As derivations from these tables with fasteners we may consider the so-called field or campaign tables, tables which, logically enough, were only used by very important personages. These specimens are very scarce, but fortunately there has survived one which is of exceptional importance and this we will now describe.*

The top of the table is a thick slab of walnut, long and narrow and sloping slightly at the sides; this slab is mounted upon a single, very high drawer, finished at the sides with two balusters turned in the form of Tuscan columns, with an annular acanthus-leaf

les côtés. Ces étoffes qui pendent sont unies par une garniture de cordonnets dorés et des pattes galonnées et entrelacées qui se ferment avec des agrafes ou des ganses très compliquées.

Certaines de ces tables, à coup sûr très restaurées, subsistent. Mais on apprécie mieux leur forme et leur beauté sur les toiles de nos peintres de la Renaissance (49).

Il se peut que le spécimen le plus espagnol soit la table à gros plateau de noyer pourvu de fortes traverses presque aux extrémités, posé sur des pieds inclinés que réunissent deux pièces en fer forgé se croisant en forme d'X, terminées en volute en bas et vissées à la planche en haut. Ces deux pièces de fer s'appellent entretoises.

Les pieds peuvent être tournés et ils sont alors unis par une traverse. C'est ainsi que sont faites les tables typiques de Majorque, qui ont aussi quelquefois un troisième pied intermédiaire. D'autres fois, les pieds ont un découpage très compliqué avec des sculptures de feuilles et d'enroulements s'achevant en volutes. Les entretoises partent de la traverse qui unit les pieds deux à deux. Naturellement, ces tables sont facilement démontables, donc utiles et nombreuses; car ce meuble est déplacé ou transporté très souvent, et, par conséquent, le volume qu'il doit occuper doit être minime. On peut considérer comme dérivées de ces tables à entretoises les tables dites de campagne, tables qui, logiquement, n'étaient utilisées que par des personnages très importants. Les spécimens en sont très rares, mais heureusement il en est resté un, d'une valeur exceptionnelle, que nous allons décrire.

Le dessus de la table est un gros plateau en noyer, étroit et long, renforcé sur les côtés. Ce plateau est sur une caisse unique très haute, aux côtés terminés par deux balustres tournés en forme de colonne toscane, portant au milieu une décoration annulaire de feuilles d'acanthe. Les quatre pieds rectangulaires et un peu obliques se plient sur la partie inférieure de la caisse, à l'aide de charnières, après démontage des entretoises en fer qui font tenir les côtés.

En réalité, la table est prévue pour être fermée, c'est-à-dire avec les pieds cachés. Elle prend alors l'aspect d'une table-coffre très élégante.

La vraie valeur de ce meuble consiste dans la décoration des côtés, composés en haut relief d'une tête de lion, dont la crinière, joliment disposée et sculptée, occupe complètement le côté tandis que les griffes terminent la partie inférieure.

Es sind noch einige dieser Tische, ziemlich restauriert, erhalten. Aber die Form und Schönheit derselben lässt sich besser an den Bildern unserer Renaissancemaler erkennen (49).

Das vielleicht gediegenste spanische Stück ist der Tisch, der aus einer dicken Nussbaumplatte besteht, die an den Enden auf schrägen Füssen festgemacht ist, welche miteinander durch zwei schmiedeeiserne X-förmige Stücke verbunden sind. Diese Teile enden in Voluten und werden am oberen Ende an die Tischplatte angeschraubt. Diese beiden Eisenteile nennt man Sicherheitsstreben.

Die Tischbeine selbst können gedrechselt sein, in welchem Falle sie mit einem geschnitzten Querbalken verbunden werden. Diese Form haben die typischen mallorkinischen Tische, die oft noch in der Mitte ein drittes Tischbein haben. Ein andermal sind die Tischbeine sehr geschwungen und mit reicher Schnitzerei in Blatt- und Volutenmuster verziert, die in einer Volute auslaufen. Von den Querbalken, die jeweils zwei Beine miteinander verbinden, gehen dann die Sicherheitsstreben ab. Diese Tische sind natürlich leicht auseinanderzunehmen, weshalb sie in grosser Zahl vorhanden und sehr nützlich sind weil die Möbel ja oft umgestellt oder befördert werden; deswegen ist auch ihr Umfang möglichst klein gehalten. Als von diesen Tischen mit Sicherheitsstreben abgeleitet, kann man die sogenannten Feldtische betrachten, die zu damaliger Zeit selbstverständlich nur von hochgestellten Persönlichkeiten verwendet wurden. Es gab davon nur wenige Exemplare, doch ist glücklicherweise noch eines von aussergewöhnlichem Wert vorhanden und wird im folgenden beschrieben.

Die Tischplatte besteht aus einem dicken, langen und schmalen Nussbaumbrett, das an beiden Enden verschalt ist. Die Platte liegt auf einem einzigen hohen Kasten auf, der an beiden Seiten ein gedrehtes Geländer in der Form toskanischer Säulen hat, in deren Mitte eine ringförmige Blattverzierung angebracht wurde. Die vier rechteckigen, etwas abgeschrägten Tischbeine werden mittels Scharnieren in den unteren Teil des Kastens hineingeklappt, nachdem man die Sicherungen aus Eisen, die die Seiten verstärken, entfernt hat. In Wirklichkeit wurde dieser Tisch entworfen um geschlossen zu bleiben, das heisst, dass die Beine verdeckt blieben, wodurch er dann eher einer eleganten Tischtruhe gleicht.

Der eigentliche Wert dieses Möbels liegt in den Seitenornamenten, die ein Hochrelief in Form eines Löwenkopfes darstellen, dessen schöngelegte, geschnitzte Mähne die ganze Tischseite einnimmt und dessen Tatzen am unteren Teil des Tisches auslaufen.

100. Bargueño de nogal con talla plateresca. Ha perdido la tapa del frente y de la parte superior. Museo Lázaro Galdiano. Madrid.

101. Parte superior de un bargueño con la tapa abatida. Decoración en hueso italofrancesa, sobre nogal.

102. Bella tapa de bargueño de seda claveteada. Museo de Santa Cruz. Toledo.

103. Frente de bargueño o papelera, proyectada sin tapa. Los cajones con tallas completamente doradas. Museo de Artes Decorativas. Madrid.

100. Walnut bargueño with plateresque carving. The front and top flaps have been lost. Lázaro Galdiano Museum. Madrid.

101. Upper part of a bargueño with the flap let down. Franco-Italian decoration in bone on walnut.

102. Beautiful bargueño flap in studded silk. Santa Cruz Museum. Toledo.

103. Front of a bargueño or writing desk, designed without a flap. The drawers with completely gilded carvings. Museum of Decorative Arts. Madrid.

100
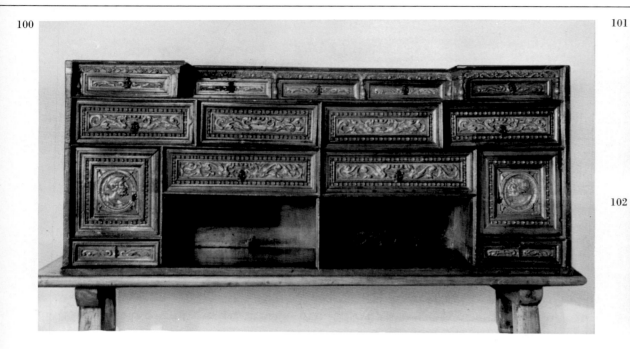

101

102

103

104

105

100. «Bargueño» de noyer à taille plateresque. La couverture de la face et celle de la partie supérieure ont disparu. Musée Lázaro Galdiano. Madrid.

101. Partie supérieure d'un «bargueño» à couvercle rabattu. Décoration en os franco-italienne, sur noyer.

102. Beau couvercle de «bargueño» de soie cloutée. Musée de Santa Cruz. Tolède.

103. Partie frontale de «bargueño» ou cartonnier, projeté sans couvercle. Les tiroirs sont à tailles complètement dorées. Musée des Arts Décoratifs. Madrid.

100. «Bargueño» aus Nussbaum mit plateresken Schnitzereien. Der Frontdeckel und der Deckel des Oberteiles sind verlorengegangen. Museo Lázaro Galdiano. Madrid.

101. Oberteil eines «Bargueño» mit aufgeklapptem Deckel. Beindekoration auf Nussbaum in italo-französischem Stil.

102. Schöner Deckel eines «Bargueño» mit aufgenageltem Seidenbezug. Museo de Santa Cruz. Toledo.

103. Frontansicht eines «Bargueño» oder Schreibtisches, ohne Deckel entworfen. Kästen mit vergoldeten Schnitzereien. Museo de Artes Decorativas. Madrid.

106

107

104. Parte superior de bargueño sin tapa, con tallas en los frentes de la cajonería. Museo de Artes Decorativas. Madrid.

105. Interior de bargueño de la fotografía superior. Cajonería con tracerías góticas caladas sobre seda amarilla. Museo de Santa Cruz. Toledo.

106. Tipo de bargueño de taquillón o frailero. La parte superior (sin tapa) permite ver las subdivisiones en gavetillas y puertecillas. La parte inferior con cuatro grandes cajones. Todo el frente con tallas populares aplicaciones y embutidos de hueso, policromado y dorado. Museo Arqueológico Nacional. Madrid.

104. Upper part of a bargueño without a flap, with carvings on the front of the set of drawers. Museum of Decorative Arts. Madrid.

105. Interior of bargueño in the upper photograph. Set of drawers with pierced Gothic traceries on yellow silk. Santa Cruz Museum. Toledo.

106. Bargueño of the writing-desk or friar's type. The upper part (without o flap) reveals the subdivisions into little drawers and doors. The lower part with four large drawers. The whole front with popular carvings, appliqués and inlays in bone; polychromed and gilded. National Archaeological Museum. Madrid.

108

104. Partie supérieure de «bargueño» sans couverture, avec tailles sur les faces de l'ensemble de tiroirs. Musée des Arts Décoratifs. Madrid.

105. Intérieur du «bargueño» de la photographie précédente. Tiroirs à figures géométriques gothiques ajourées sur soie jaune. Musée de Santa Cruz. Tolède.

106. Type de «bargueño» à casiers ou «frailero». La partie supérieure (sans couvercle) permet de voir les subdivisions en tiroirs et petites portes. La partie inférieure comprend quatre grands tiroirs. Toute la partie frontale montre des tailles populaires, des applications et une marqueterie en os, polychrome et dorée. Musée Archéologique National. Madrid.

104. Oberteil eines «Bargueño» ohne Deckel, mit Schnitzereien an der Kastenfront. Museo de Artes Decorativas. Madrid.

105. Inneres eines «Bargueño», des oberen Bildes. Schubfächer mit Durchbrucharbeit im gotischen Stil auf gelber Seide. Museo de Santa Cruz. Toledo.

106. Schrankförmiger «Bargueño». Am Oberteil (ohne Deckel) kann man die Aufteilung in Fächer und Türchen sehen. Das Unterteil hat vier grosse Schubläden. Die ganze Front ist mit volkstümlichen Schnitzereien und Einlagen aus Bein versehen, buntbemalt und vergoldet. Museo Arqueológico Nacional. Madrid.

111

112

Der grosse schmiedeeiserne Griff kommt aus dem Löwenmaul heraus.

Da an diesem Möbel als Hauptmerkmal der Löwenkopf prangt, der wie der Adler ein Reichsabzeichen ist und die beiden paarigen Säulchen an jeder Seite darauf hindeuten, dass sie die Herkulessäulen darstellen, wird angenommen, dass der Tisch Teil des königlichen Gepäcks war. Wir geben hier aber nur einer blossen Vermutung Raum.

Dieses zwar grobe Probestück, das sich nur durch die aussergewöhnlich schöne Schnitzarbeit des Löwenkopfes auszeichnet, der stark und unproportioniert zwischen den anderen Elementen, den grossen Griffen, dem breiten Fachwerk, den schlichten und kleinen Tischbeinen hervortritt, entspricht voll und ganz den Merkmalen der spanischen Renaissancestilmöbel.

Der Löwe ist ein Dekorationselement, das man in ganz Europa findet, obwohl die Ausführungstechnik des uns beschäftigenden Löwenkopfes wahrscheinlich germanischen Ursprungs ist oder von einem germanischen Kunsthandwerker ausgeführt wurde, der nach Spanien kam.

Es gibt noch andere Tischmodelle mit massiven Seitenteilen, deren Zusammenstellung jedoch ganz anders ist, als die des soeben beschriebenen. Obwohl in Spanien hergestellt, sind sie aber nichts anderes als mehr oder weniger glückliche Nachahmungen der französischen Tische von Ducerceau oder der üblichen florentinischen oder toskanischen, die jedoch nicht die Persönlichkeit dieser Stücke haben.

Die Truhen, die in den romanischen und später in den gotischen Haushalten vorhanden waren, wurden weiterentwickelt und gaben Anlass zu anderen Möbeln, deren Entwicklung sich gerade in der Renaissance vollzog.

Das soll jedoch nicht heissen, dass die Truhe verschwand, aber ihre Verwendung und Aufstellung beschränkte sich nunmehr auf die Dielen und Flure und allenfalls noch auf die Schlafkammern.

Es gibt Truhen an denen die prismatische Struktur in Platten aufgeteilt wurde, die dann mit wundervollen Schnitzereien im Renaissancestil der verschiedensten kastillianischen Schulen verziert wurden. Andere sind mit Samt bespannt, der mit vergoldeten Nägeln in Talgtropfenform beschlagen ist. Diese Truhen stammen aus Italien und die wichtigsten Exemplare davon findet man in der Levantegegend, vor allem auf den Balearen inseln. Der Samt ist in rot und grün gewebt; der Truhendeckel ist ziegelförmig und

107. Barguño con tapa taraceada, cerrado, tipo granadino y mesa de pie de puente.

108. Ejemplar prototipo de barguño. Caja superior con tapa exterior con taraceas e interior con tallas, todas ellas platerescas, en nogal. Sobre mesa llamada «de pie de puente» con arquería central con cuatro patas abalaustradas.

107. *Closed bargueño of the Granada type with inlaid flap, on a bridge-foot table.*

108. *Prototype specimen of bargueño. Upper case in walnut, with marquetry on the outside of the flap and carvings on the inside, all plateresque. On what is called a «bridge-foot» table, which has central arcading with four balustered legs.*

113

114

115

La poignée en fer forgé, de grande taille, sort de la gueule du lion.

Il y a tout lieu de croire que ce meuble, exemplaire qu'utilisaient seulement les grands personnages, put faire partie du bagage impérial, à en juger par l'importance donnée à la tête de lion, symbole comme l'aigle de la royauté et de l'empire, et par les colonnettes géminées de chacune des faces suggérant les colonnes d'Hercule. Ce commentaire n'est toutefois qu'une supposition ou conjecture.

Par sa rusticité, sauf dans la sculpture de la tête de lion, d'une singulière beauté, sa vigueur, sa robustesse et la disproportion entre ses éléments —grandes poignées, large caisse, simplicité et petitesse des pieds— ainsi que par son expressivité, ce spécimen incarne les traits caractéristiques du meuble espagnol de la Renaissance.

Le lion est un élément décoratif que l'on retrouve dans toute l'Europe, bien que la technique de celui qui nous occupe soit peut-être germanique ou porte la marque d'un artisan allemand qui serait venu en Espagne.

Il y a d'autres modèles de tables aux côtés massifs et un type de composition complètement différent des modèles antérieurs. Mais même si elles ont été faites en Espagne, ce sont de simples copies, plus ou moins heureuses, des françaises de Ducerceau ou des florentines et toscanes les plus en vogue, mais il leur manque la personnalité de ces modèles.

Le coffre, qui remplissait les maisons romanes et plus tard les maisons gothiques, a évolué et a été à l'origine d'autres meubles, dont le développement a lieu précisément à la Renaissance.

Le coffre ne disparaît pas pour autant, mais son usage change et il se place maintenant dans les vestibules, les entrées, les salons d'accès ou de transit, parfois dans les chambres à coucher.

Il existe de grands coffres dont les structures prismatiques ont été partagées en panneaux décorés de sculptures Renaissance des diverses écoles espagnoles, d'une grande beauté. D'autres sont recouvertes de velours décorés de clous dorés en goutte de suif. Ces coffres sont d'origine italienne; les modèles les plus importants sont conservés dans la région du Levant et surtout aux Baléares. Le velours est rouge et vert. Le couvercle a la forme d'une tuile et le coffre repose sur des griffes en bois sculpté et doré qui le séparent du sol.

die Truhe selbste ruht auf geschnitzten Pfoten aus vergoldetem Holz.

Die Reihe der sogenannten «Brauttruhen», mit Beschlägen an der Frontseite und deren Platten im Mudéjarstil mit Elfenbein und Buchsbaum ausgelegt sind, leiten sich von den gotischen Truhen des XV. Jahrhunderts ab, an denen bereits Malereien im Renaissancestil angebracht sind. Wie schon weiter oben erwähnt, findet man diese Truhen ausschliesslich in Katalonien und Aragonien und halten sich mit der gleichen gotischen und mudéjar Verzierung bis in das XVII. Jahrhundert hinein; sie nehmen den wichtigsten Platz im Schlafzimmer ein.

An diesen Truhen öffnet sich meistens ganz unabhängig von der Truhe selbst, die rechte Füllung in Form eines Türchens, das eine Reihe Kästen und Fächer freilegt, in denen die Braut, wie ebenfalls schon erwähnt, ihren Schmuck und die Mitgift aufbewahrt.

Das interessanteste an dieser Truhe ist jedoch, dass sie der Anlass bezw. der Ursprung eines Möbels war —dem «Bargueño» (einer Art Kommode)— das zusammen mit dem Armsessel und dem Klapptisch, die typischsten Möbelstücke der spanischen Renaissance bildeten.

Der «Bargueño», auch «Vargueño», es ist nicht gelungen den wahren Ursprung dieses Namens richtig festzustellen (50), ist ein zweiteiliges Möbelstück, das bestimmten Prinzipien der Zusammenstellung und der Ornamentik entspricht, die wir nacheinander analysieren wollen.

Im Zusammenhang mit den zeitgenössischen europäischen Möbeln, entspricht es dem französischen «cabinet», dem italienischen «stipo» und dem englischen «drawer», aber in einer ureigensten Interpretierung.

Das obere Teil entspricht einer absolut prismatischen Truhe, mit seitlichen Griffen und aufklappbarem Deckel an der Frontseite.

Dieser Deckel ist die einzige Aussenseite des «Bargueño», die mit ausgeschnittenem Stahlblech auf rotem Samtgrund verziert ist; obwohl die Zahl und Form dieser Eisenbleche verschieden ist, setzt sich der Deckel wie folgt zusammen:

Ein an der Mittelachse und am oberen Teil des Deckels angebrachtes Blech ist der wichtigste Punkt, da es als Schloss dient und mit einem oder mehreren Riegeln, die vom oberen Deckelteil herunterkommen, verschlossen wird. Auf jeder Seite sind weitere zwei Bleche mit Riegelchen angebracht, die den Deckel an den Seiten festmachen. An den beiden oberen Ecken des Deckels be-

109. Armario de cuatro puertas con tallas planas de dobles arquerías. Composición italiana y germánica, muy arquitectónico. Hospital de Afuera. Toledo.

109. Four-door cupboard with flat carvings in double arcadings. Italian and Germanic composition, very architectural in style. Hospital de Afuera. Toledo.

109. Armoire à quatre portes, tailles planes à doubles arcatures. Composition italienne et germanique, très architecturale. Hôpital de Afuera. Tolède.

109. Schrank mit vier Türen, die mit flacher Schnitzerei im Doppelbogenwerk verziert sind. Italienische und germanische, sehr architektonische Komposition. Hospital de Afuera. Toledo.

---

torneados con silueta de columna toscana, con una ornamentación anular de acanto en el centro. Las cuatro patas rectangulares y un poco oblicuas se plegan con unas chanelas, una vez desmontados los fiadores de hierro que arman los costados, a la parte inferior del cajón.

En realidad la mesa está proyectada para estar cerrada, es decir, con las patas ocultas y entonces toma un aspecto de mesa-arcón muy elegante.

El verdadero valor del mueble consiste en la ornamentación de los costados, compuestos por un alto relieve de una cabeza de león, cuya melena, bellamente compuesta y tallada, ocupa totalmente el costado y cuyas garras lo rematan en la parte inferior.

El asa, de hierro forjado, de gran tamaño, sale de la boca del león.

Cabe pensar que el mueble, por ser un ejemplar que sólo utilizaban grandes personajes, por la presencia con la máxima importancia de la cabeza de león, que como el águila son símbolo de realeza e imperio, y por las columnillas pareadas en cada frente, que pueden sugerirnos sean las de Hércules, fuese parte del bagaje imperial; pero este comentario no pasa de ser una suposición o conjetura.

El espécimen por su tosquedad, excepto en la talla de la cabeza de león, de una singular belleza, vigor, robustez y desproporción entre sus elementos, grandes asas, ancho faldón, sencillez y pequeñez de patas y su expresividad, cumplen los rasgos característicos del mueble español del Renacimiento.

El león es un elemento decorativo que se encuentra en toda Europa, aunque quizá la técnica del que nos ocupa sea germánica o realizada por un artesano alemán que viniera a España.

Hay otros modelos de mesas con los costados macizos y con un tipo de composición completamente distinto a las anteriores; pero aunque quizá estén ejecutados en España, son simples copias más o menos afortunadas de las francesas de Ducerceau o las florentinas y toscanas más en boga, pero sin la personalidad de estos modelos.

El arca, que llenaba las casas románicas y más tarde las góticas, ha ido evolucionando y dando origen a otros muebles, cuyo desarrollo se realiza precisamente en el Renacimiento.

No quiere esto decir que el arca desaparezca, pero su uso y colocación queda desplazada a los vestíbulos y zaguanes, a los

decoration in the centre. The four rectangular, and rather sloping, legs are folded by means of hinges, after dismounting the iron fasteners which hold the sides together on the underside of the drawer.

Truth to tell, this table is really designed to be seen when closed, that is to say, with the feet concealed, which is when it takes on the appearance of a very elegant chest-table.

But the real importance of this piece consists in the ornamentation of the sides, composed of the head of a lion in high relief, with his mane, beautifully designed and carved, occupying the whole side, while his claws finish it off in the lower part. The wrought-iron handle, which is very large, projects from the lion's mouth.

It might even be thought that this piece, considering the fact that it was the kind of furniture only used by really important people, apart from the great prominence given to the head of the lion —which was, like the eagle, a symbol of royalty and empire— and the paired columns on each front, which may be meant to suggest the Pillars of Hercules, formed part of the imperial equipage; but such a suggestion, of course, cannot be more than a simple supposition or conjecture.

The rather uncouth character of this specimen, except for the fine carving of the lion's head, and its singularly vigorous beauty, robustness and lack of proportion among its elements, together with the great handles and deep under-surface, the smallness and simplicity of the feet and the expressive quality of the whole— all of these are the characteristic features of Spanish furniture during the Renaissance.

The lion, of course, is a decorative element which can be found all over Europe, though perhaps the technique of the piece we have just been speaking of is Germanic or else the work of one of the German craftsmen who came to Spain.

There are other models of tables with solid sides and with a type of composition completely different from that of the preceding specimens; but though they may have been made in Spain, they are simply more or less felicitous copies of the French models of Ducerceau or of whatever Tuscan or Florentine examples were then most fashionable, but without the personality of any of these.

The chest, with which Romanesque, and later Gothic, houses were filled, had also been evolving and giving rise to other pieces of furniture, the development of which took place mainly during the Renaissance.

This does not mean that the chest itself disappeared, but simply

119

salones de entrada y de paso y en algún caso a los dormitorios.

Existen arcones en las que las estructuras prismáticas se han subdividido en tableros que van decorados con tallas renacentistas, de las diversas escuelas castellanas y que son de gran belleza. Otras van cubiertas con terciopelos decorados con clavos dorados de gota de sebo; estas arcas son de origen italiano y los ejemplos más importantes se conservan en la región levantina y sobre todo en las Baleares; los terciopelos son rojos y verdes, la cubierta en forma de teja y el arcón va sobre unas garras de madera tallada y dorada que los separa del suelo.

La serie de arcones llamados de «novia», con el frente de las armaduras y los tableros de taraceas mudéjares de hueso y boj, derivados de las góticas del siglo XV, ya con una ornamentación pictórica plenamente renacentista, son, como ya dijimos, característicos de la región catalana y aragonesa y perduran hasta el pleno siglo XVII, todavía con temas góticos y mudéjares; naturalmente ocupan un lugar importante en el dormitorio principal.

En estos arcones, generalmente el panel o tablero de la derecha, se abre independientemente del arca con una puertecilla que descubre una serie de cajones donde, ya dijimos, las novias guardaban sus joyas y su dote.

Pero el interés del arca es, sobre todo, por ser el origen y dar paso a un mueble —el bargueño— que con el frailero y la mesa de fiadores, son los especímenes o arquetipos más castizos y genuinos del mueble español del Renacimiento.

El bargueño o vargueño, nombre cuyo origen no ha sido posible averiguar (50), es un mueble de dos cuerpos que responde a ciertos principios de composición y ornamentación que iremos analizando.

En relación con el mueble europeo contemporáneo, es el equivalente al *cabinet* francés, al *stipo* italiano y al *drawer* inglés, pero con una interpretación absolutamente original.

El cuerpo superior es una especie de cofre perfectamente prismático, con asas laterales y con el frente o tapa abatible.

Esta tapa es la única parte exterior del bargueño, decorada con chapas de acero recortadas y caladas sobre un fondo de terciopelo rojo; aunque el número y forma de las chapas de hierro es variable, la composición de la tapa suele ser la siguiente:

Una chapa en el eje central y en la parte superior es la parte más importante y sirve de cerradura, con una o más aldabas

110. Crédence de noyer, à tiroirs entre consoles finement marquetées d'étoiles mudéjares. Belles poignées en forme de coquille. Musée Lázaro Galdiano. Madrid.

111. Ensemble de tiroirs de noyer, avec partie frontale entièrement couverte de tailles plateresques.

112. Crédence avec tiroirs entre modillons et pieds tournés, de grandes proportions. Étroit filet de buis dans la décoration marquetée. Hôpital de Afuera. Tolède.

110. *Kredenze aus Nussbaum mit Schubläden zwischen Kragträgern, die fein mit Mudéjarsternen ausgelegt sind. Schöne muschelförmige Griffe. Museo Lázaro Galdiano. Madrid.*

111. *Regal aus Nussbaum. Die Frontseite vollständig mit plateresken Schnitzereien bedeckt.*

112. *Kredenze mit Fächern zwischen Sparrenköpfen und starken, gedrechselten Beinen. Feiner Zierstreifen aus Buchsbaum in der Mosaikverzierung. Hospital de Afuera. Toledo.*

que bajan de la tapa superior del mueble, otras dos chapas a cada lado, con cerrojillos que fijan la tapa a los costados; dos aldabillas en los ángulos superiores y otras dos o tres chapas recortadas colocadas en forma de rombos y que decoran la parte central de la tapa.

También al borde de los costados del cofre, que sólo tiene dos o tres centímetros de ancho como máximo, lleva unas chapas angulares caladas, que además sirven de refuerzo en la construcción de los ángulos del cofre.

La tapa, que siempre es un tablero de nogal macizo, tiene un gran valor decorativo, destacando los brillos del hierro bruñido y el rojo carmesí del terciopelo, sobre el color caliente del nogal.

Una particularidad de la tapa es que no sobresale del cofre, sino que encaja en la armadura exterior de los costados y de ahí su fácil fijación con los cerrojillos y aldabillas.

La construcción del mueble es bastante elemental; todos los tableros que forman las caras del cofre son macizos, de nogal y van ensamblados con lazos que en el frente se acusan y se resuelven a inglete, reforzados, como ya dijimos, con las escuadras de hierro; la única decoración de los costados son las asas, único recuerdo del arca, que ha podido ser su origen.

La parte interior, una vez abatida la tapa, ofrece una original y brillante composición de cajoncitos, gavetas y puertecillas, de colorido deslumbrante (51). Todo el frente va tallado, policromado y dorado; y subdividido en cajones y en puertecillas simulando portadas, que van ornamentadas con columnillas corolíticas o abalaustradas y coronadas con frontones partidos; casi todas las tallas son a bisel y las columnillas de hueso y todo ello guarnecido con molduraciones renacentistas, toscas y simples, con pequeños tiradores de hierro dorado de forma diversa.

Otros interiores de bargueños tienen tallados todos los frentes de los cuerpos con tallas de guerreros, grutescos, guirnaldas, grifos y animales monstruosos, con ciertas partes doradas. En estas tallas se inspiraron, sin duda, los mueblistas de principio de siglo xx, como una fuente de imitación, que pronto degeneró en un mueble barato, de madera pintada de nogalina, que inundó los mercados españoles del primer cuarto de siglo y que llegó a producir una repulsa sobre el propio estilo original.

that in use and placing it was gradually relegated to vestibules and halls, to antechambers and corridors, and in some cases to bedrooms.

There are chests in existence in which the prismatic structures have been divided into panels which are decorated with Renaissance carvings of the various schools of Castile, some of them very beautiful. Others are covered with velvets decorated with gilded nails in the «tallow drop» pattern; these chests are of Italian origin and the most important specimens are preserved along the east coast of Spain or, especially, in the Balearics; the velvet coverings are red or green, the lid is in the form of a roof tile and the whole chest is mounted upon claws of carved and gilded wood separating them from the floor.

The series of pieces known as «bride's chests», with their reinforced fronts and their panels of Mudejar marquetry in bone and boxwood, deriving from the Gothic work of the 15th century, but with pictorial decoration already fully Renaissance in manner, are, as we have already said, characteristic of the regions of Catalonia and Aragon and they survive down to the middle of the 17th century, still with their Gothic and Mudejar motifs; naturally, such pieces occupied an important place in the principal bedroom of any house.

In these chests the panel on the right-hand side generally opens independently of the chest itself, by means of a little door which reveals a set of drawers in which, as we said earlier, the bride kept her jewels and her dowry.

But the interest of the chest is, above all, that it was the origin of, and eventually gave place to, a piece of furniture —the «bargueño»— which, together with the friar's chair and the table with fasteners, was one of the most really typical and genuine specimens or archetypes of Spanish furniture of the Renaissance.

The bargueño (or vargueño), the origin of which name it has been impossible to ascertain (50), is a piece of furniture in two parts, constructed in accordance with certain principles of composition and ornamentation which we shall now proceed to analyse.

Considered vis-à-vis its counterparts in the European furniture of the period, we may call it the equivalent of the French cabinet, the Italian stipo or the English chest-of-drawers, but interpreted in an absolutely original way of its own.

The upper part consists of a perfectly prismatic kind of coffer, with side handles and a front which can be folded down.

113. «Bargueño» avec marqueterie d'os, type italien, sur table à pied en forme de pont; on voit sur celle-ci les coquilles de la partie frontale de rallonges servant d'appui au couvercle supérieur. Institut Valencia de Don Juan. Madrid.

114. Armoire de type populaire à une porte, avec tailles planes entre deux grands montants striés; charnières de fer d'une silhouette gothique. Palais de Perelada (Gérone).

115. Armoire basse en bois de pin, partie frontale à portes et tiroirs subdivisés en panneaux d'influence mudéjare. Musée Lázaro Galdiano. Madrid.

113. «Bargueño» mit italienischer Einlegearbeit aus Bein, auf einem Tisch mit Brükkenfuss. An diesem sieht man Muschelverzierungen an der Front der Stützverlängerungen für die obere Klappe. Instituto Valencia de Don Juan. Madrid.

114. Volkstümlicher Schrank mit einer Tür. Flache Schnitzereien zwischen zwei breiten gerieften Pfosten und eisernen Scharnieren im gotischen Stil. Schloss Perelada. Gerona.

115. Niedriger Schrank aus Fichtenholz. Die Frontseite mit Türen und Fächern ist in Paneele im Mudéjarstil aufgeteilt. Museo Lázaro Galdiano. Madrid.

120

116. Bargueño de taquillón, de nogal tallado y dorado; tapa con la típica guarnición de herrajes calados sobre fondo de terciopelo rojo, y cerrojillos, aldabillas en los esquinales, gran cerradura y escuadras de refuerzos.

117. Interior del palacio de Benamejí con bargueño, del siglo XVI y papelera del siglo XVII, sobre mesa con pies torneados y fiadores. Santillana del Mar (Santander).

116. *Desk-type bargueño in carved and gilded walnut; flap with the typical ornamentation of pierced ironwork on a background of red velvet; hooks on the angle irons, large lock and reinforcing angle braces.*

117. *Interior in the Palace of Benamejí, with 16th-century bargueño and 17th-century writing desk on a table with lathe-turned legs and fasteners. Santillana del Mar (Santander).*

El cuerpo inferior del bargueño es principalmente de dos tipos, el llamado de *pie de puente* y el *frailero* o de *taquillón*. En ambos, en la parte superior, hay dos barras o alargaderas, acusadas generalmente por una talla caprichosa, una cabeza de monstruo animal, un león o una simple venera, y que, al sacarlas, sirven de apoyo a la tapa delantera del bargueño, que se abate y que sirve de este modo, más que de escritorio, para depositar las cosas que están en los cajones interiores.

El llamado *frailero* o *taquillón* es a manera de un armario bajo o credencia, con cuatro cajones o puertas decoradas con tallas simples, geométricas, a bisel o excavadas, semejantes al frente del interior del bargueño y como él, dorado y policromado.

El denominado de *pie de puente* consiste en un pie de seis elementos verticales; los exteriores del perfil abalaustrado, plateresco o de columnas estriadas, y los centrales, de columnas corolíticas unidas entre sí, como las mesas francesas de Ducerceau (52), por una arquería formada por tres arcos sobre pequeñas columnas abalaustradas; todo él va sobre un basamento en forma de H, con zapatas en los costados y semeja, en efecto, un puente de donde quizá proviene su nombre.

Son muy corrientes los modelos que se construían sin la tapa delantera, aunque conservaban la estructura de sus costados, es decir, el marco que bordea todo el frente; en estos casos se hacían, naturalmente, sin aplicaciones de hierro y sin alargaderas en el cuerpo inferior, que no tienen razón de ser, pero conservaban las asas laterales.

De todas maneras el nombre del bargueño no se sabe donde empieza y donde termina y los términos de papelera, escritorio, contador y hasta bufetillo, se superponen y emplean sin una definición concreta, que realmente no existe (53).

Dentro de este grupo de papeleras o contadores, para colocar sobre una mesa, existen una serie de ellos con distintas soluciones, en cuanto a su decoración y entre las que se pueden seleccionar o citar: las cajonerías con talla de arabescos y grutescos, las taraceadas con temas renacentistas en hueso grabado sobre el nogal, las de celosías, de clara influencia mudéjar, en maderas claras o sobre dibujo con temas orientales y las taraceas de arquerías, jarrones de flores o de grano de trigo y *pinyonet*, como las arcas levantinas.

Hay, por último, un falso bargueño, que se denomina de Carlos V y que es un *stipo* toscano de nogal, compuesto de dos

This front is the only exterior part of the bargueño and it is decorated with pierced plates of iron cut out against a background of red velvet; although the number and the form of these iron plates may vary, the composition of the front is usually as follows:

There is one plate in the middle of the upper part which is the most important part and serves as the lock, with one or more bolts coming down from the upper lid of the coffer; then there are two other plates at each side with little bolts fixing the front to the sides; two hooks or catches at the upper corners and two or three more plates cut out in the form of rhomboids to decorate the central part of the front.

Besides these, at the edge of the sides of the coffer, which is only two or three centimetres wide at most, there are some pierced angular plates, which serve to strengthen the construction of the angles of the coffer.

The front, which is always a solid piece of walnut, is extremely decorative, with the gleam of the burnished iron and the brilliant crimson of the velvet standing out against the warm colour of the walnut.

One of the peculiarities of the front is that it does not project at all from the body of the coffer, but is fitted into the exterior framework of the sides, and that is why it is so easily fixed by means of the little bolts and catches.

The construction of these pieces is rudimentary enough; all the panels forming the faces of the coffer are of solid walnut and are joined together by tie bars which are visible and mitered in the front and strengthened, as we have said, by the angular iron plates; the only decoration of the sides is provided by the handles, the sole reminder of the chest which was the ancestor of this piece. The interior, when the front has been let down, offers a brilliant and original composition of little drawers, tills and small doors, quite dazzlingly colourful (51). The whole front of the inside is carved, polychromed and gilded and is divided into drawers and the little doors simulating portals, which are ornamented with corolithic or balustered little columns and crowned with divided pediments; almost all the carvings are done with a chisel and the little columns are made of bone, while the whole is decorated with Renaissance mouldings, rude and simple, with little handles of gilded iron in various shapes.

The interiors of other bargueños have the fronts of all the various compartments carved with figures of warriors, grotesques, garlands, griffins and other monstrous animals, with some of the parts gilded.

116. «Bargueño» en noyer taillé et doré; couvercle avec la typique garniture de ferrures ajourées sur fond de velours rouge, et petites serrures, gâches aux angles, grande serrure et équerres de renfort.

117. Intérieur du palais de Benamejí avec «bargueño», du XVIᵉ siècle, et cartonnier du XVIIᵉ siècle, sur table à pieds tournés et verrous. Santillana del Mar (Santander).

116. Schrankförmiger «Bargueño» aus geschnitztem und vergoldetem Nussbaum. Am Deckel die üblichen durchbrochenen Eisenbeschläge auf rotem Samtgrund, mit Riegeln und Griffen an den Kanten, einem grossem Schloss und Winkeleisen als Verstärkung.

117. Innenraum im Schloss Benamejí mit «Bargueño» aus dem XVI. Jahrhundert und Aktenschrank aus dem XVII. Jahrhundert, auf einem Tisch mit gedrechselten Beinen und Verstrebungen. Santillana del Mar (Santander).

La série de coffres dits «de mariée», dont les encadrements antérieurs et les panneaux portent une marqueterie mudéjare en os et en bois, dérivée des marqueteries gothiques du XV.ᵉ siècle, mais dont la décoration picturale relève entièrement de la Renaissance, est propre à la région catalane et aragonaise. Elle se prolonge jusqu'en plein XVII.ᵉ siècle, avec encore des motifs gothiques et mudéjares. Bien entendu, ils occupent une place importante dans la chambre à coucher principale.

Dans ces coffres, généralement, l'ais ou panneau de droite peut être ouvert à part, au moyen d'une petite porte découvrant une série de tiroirs où (nous l'avons déjà dit) les femmes mariées rangeaient leurs bijoux et leur dot.

Mais l'intérêt que présente ce coffre réside surtout dans le fait qu'il a été à l'origine d'un meuble —le bargueño— qui, avec le fauteuil conventuel et la table à entretoises constituent les modèles ou archétypes les plus authentiquement purs du meuble espagnol de la Renaissance.

Le bargueño ou vargueño, nom dont l'origine (50) n'a pu être découverte, est un meuble en deux parties qui répond à certains principes de composition et de décoration que nous allons analyser.

Par rapport au meuble européen contemporain le «bargueño» est l'équivalent du cabinet français, du «stipo» italien et du «drawer» anglais, mais avec une interprétation absolument originale.

La partie supérieure est une espèce de coffre parfaitement parallélépipédique, avec des poignées latérales et un devant ou porte pouvant être rabattu.

Cet abattant est la seule partie extérieure du cabinet, décorée de plaques d'acier découpées et ajourées sur un fond de velours rouge. Bien que le nombre et la forme des plaques d'acier soit variable, la composition de la porte est d'ordinaire la suivante:

Une plaque sur l'axe central et à la partie supérieure en est l'élément le plus important. Elle sert de serrure, avec une ou plusieurs barres qui descendent du dessus du meuble, deux autres plaques de chaque côté et des petits verrous qui fixent la porte aux côtés. Aux angles supérieurs il y a deux petites barres et encore deux ou trois plaques découpées, dessinant un losange, qui décorent la partie centrale de la porte.

Sur le bord des côtés du coffre, qui n'a que deux ou trois centimètres de largeur au maximum, des plaques d'angle ajou-

finden sich weitere zwei kleine Riegel und in die Mitte desselben sind zwei oder drei rhombenförmig geschnittene Blechstücke als Verzierung eingelassen.

An den Rändern der beiden Truhenseiten, die höchstens zwei bis drei Zentimeter dick sind, sind ebenfalls eckige, durchbrochene Blechteile angebracht, die ausserdem als Eckverstärkungen der Truhe dienen.

Der Truhendeckel, der stets aus Nussbaum ist, hat einen grossen dekorativen Wert, weil er den Glanz des polierten Eisens und das Karminrot des Samtes auf der warmen Tönung des Nussbaumes hervorhebt.

Eine Besonderheit des Deckels ist die, dass dieser nicht überragt sondern sich seitlich in das Gefüge einpasst, wodurch er leicht mit den Riegeln befestigt werden kann.

Die Bauart dieses Möbels ist ziemlich primitiv. Sämtliche Bretter, die die Seiten und Fronten der Truhe bilden, sind aus massivem Nussbaumholz und miteinander verfalzt, um, wie schon gesagt, mit den eisernen Winkelhaken verstärkt zu werden. Die einzige Verzierung an den Seiten sind die Griffe, die an die richtige Truhe erinnern und wahrscheinlich der Ursprung dieser Kommode war. Klappt man den Deckel herab, bietet das Innere eine glänzende und originelle Zusammenstellung von Kästchen, Fächern und Türchen in blendenden Farben (51). Die ganze Front ist in wundervoller bunter und vergoldeter Schnitzerei gefertigt; sie ist in Kästen und Türchen unterteilt, die kleine Portale darstellen sollen. Diese sind mit kleinen balaustradenförmigen Säulchen verziert, die von geteilten Giebeln gekrönt werden. Die ganze Schnitzerei ist schrägkantig ausgeführt und die Säulchen sind aus Bein. Das Ganze wird von einer einfachen und grobgearbeiteten Einrahmung im Renaissancestil umgeben und mit kleinen vergoldeten Eisengriffen verschiedener Formen, verziert.

An anderen «Bargueños» ist das Innere mit Schnitzwerk in Form von Kriegern, Einbuchtungen, Girlanden, Greifen und anderen Fabelwesen und Vergoldungen ausgeführt.

Anfang des XX. Jahrhunderts holten sich die Möbeltischler wahrscheinlich an diesen Schnitzereien ihre Einfälle und Ideen zur Nachbildung und so kam es, dass im ersten Viertel dieses Jahrhunderts der Markt mit billigen Möbeln dieser Art überschwemmt wurde, die aus schlichtem, mit Nussbeize gebeiztem Holz angefertigt wurden.

Diese Nachahmungen schädigten dann den eigentlichen echten Stil dieses Möbels.

118. Cama con columnas salomónicas y colgaduras dosel con crestería; totalmente tallada, dorada y policromada. Museo de Artes Decorativas. Madrid.

119. Parte interior del bargueño tallado y dorado en todas las gavetas y puertecillas. Instituto Valencia de D. Juan. Madrid.

120. Taquillón con grandes herrajes calados en la cajonería. Pie de época posterior. Palacio de Monterrey. Salamanca.

118. Bed with Solomonic columns and canopy with openwork cornice; entirely carved, gilded and polychromed. Museum of Decorative Arts. Madrid.

119. Interior of the bargueño, with carving and gilding on all the drawers and little doors. Institute of Valencia de Don Juan. Madrid.

120. Desk with large-scale pierced ironwork on the set of drawers. The foot is of a later period. Palace of Monterrey. Salamanca.

121

rées servent en outre à renforcer la construction des angles du coffre.

La porte, qui est toujours une planche de noyer massif, possède une grande valeur décorative, le brillant du fer poli et le rouge cramoisi du velours se détachant sur la couleur chaude du noyer.

Une particularité de l'abattant est qu'il ne déborde pas du coffre mais s'encastre dans l'encadrement extérieur des côtés. Il est donc facile de le fixer avec les petits verrous et les petites barres.

La fabrication du meuble est assez élémentaire. Tous les panneaux qui forment les côtés du coffre sont massifs, en noyer, assemblés avec des attaches qui sont visibles par devant et se terminent en onglet, et renforcés, comme nous l'avons déjà dit, par les équerres de fer. L'unique décoration des côtés apparaît dans les poignées, seul souvenir du coffre qui a pu lui donner naissance. La partie intérieure, une fois l'abattant ouvert, offre une composition originale et brillante de petits compartiments, tiroirs et portes aux couleurs éblouissantes (51). Tout le devant est sculpté, polychrome et doré. Il est divisé en tiroirs et petites portes simulant des frontispices ornés de petites colonnes corolithiques ou à balustres et couronnés de frontons divisés en deux. Presque toutes les sculptures sont en biseau et les petites colonnes en os. Le tout est garni de moulures renaissance, rustiques et simples, avec des petits boutons de fer doré de formes variées.

D'autres intérieurs de barguenos ont toutes leurs faces sculptées de guerriers, de figures grotesques, de guirlandes, de griffons et d'animaux fabuleux, avec certaines parties dorées.

Les fabricants de meubles du début du xx.ᵉ siècle se sont sans doute inspirés de ces sculptures, y trouvant une source d'imitations qui dégénéra rapidement en un meuble bon marché en bois peint au brou de noix, qui inonda les marchés espagnols du premier quart du siècle et arriva à provoquer une réaction contre le propre style original.

Le corps inférieur du bargueño est principalement de deux types: celui appelé «en pile de pont» et le «conventuel». Ils ont, à la partie supérieure, deux barres ou allonges mises généralement en relief par une sculpture fantaisiste, tête d'animal monstrueux, lion ou simple coquille Saint Jacques, qui, lorsqu'on les tire, servent d'appui à l'abattant du secrétaire qui se rabat

Der untere Teil des «Bargueño» wird hauptsächlich in zwei verschiedenen Formen hergestellt. Der sogenannte «Pie de puente» (Fussgestell in Brückenform oder mit Querleiste) und der «Taquillón». Beide Fussgestelle haben am oberen Teil zwei Barren oder Verlängerungen, die meistens mit einer bizarren Schnitzerei versehen sind, die den Kopf eines Ungetüms, eines Löwen oder auch nur eine einfache Muschel darstellen. Diese Barren dienen, wenn sie herausgezogen sind, als Auflage für den Deckel des «Bargueño», der dann als Schreibpult oder als Ablage benutzt werden kann.

Der sogenannte «Taquillón» ist mehr eine Art niederen Schranks oder Kredenze mit vier Kästen oder Türen, die mit einfachen Schnitzereien versehen sind. Diese Schnitzereien sind von abgeschrägter oder ausgehöhlter geometrischer Form, wie an der Innenseite des Bargueño und wie diese bunt bemalt.

Der mit «Pie de puente» (=Brückenfuss oder Fussgestellt mit Querleiste) bezeichnete Schrank, besteht aus einem sechsteiligen senkrechten Fussgestell. Die äusseren Träger sind balaustradenförmige, geriefte Säulen, die oft auch im spanischen Frührenaissancestil gearbeitet sind. Die mittleren dagegen sind ähnlich wie bei den französischen Tischen von Ducerceau (52) aus einem dreiteiligen Bogenwerk über kleinen balaustradenförmigen Säulchen gearbeitet. Dieses Unterteil steht auf einem H-förmigen Fussgestell dessen äussere Träger oder Säulchen auf kragförmigen Fussleisten stehen, sodass es einer Brücke nicht unähnlich sieht und daher wohl auch der Name stammt.

Diese Möbel wurden auch sehr oft ohne die vordere Deckelklappe hergestellt, behielten aber die vordere Umrandung bei. In diesen Fällen entfielen dann selbstverständlich die Eisenbeschläge und die Verlängerungen, aber die Seitengriffe blieben und es sah wie ein Aufbau aus.

Es ist schwer festzustellen wo die Bezeichnung «Bargueño» herstammt, weil dieses Möbel noch andere vielseitige Namen hat. Die einen nennen es Schreibpult, oder Papierschrank, andere wieder nennen es Buchhalter oder auch kleines Büffet, es gibt also, wie man sieht, keine konkrete Bestimmung dafür (53).

Innerhalb dieser Gruppe von Schränken, die als Aufbauten auf einen Tisch gestellt werden konnten, gibt es nun eine Reihe, die in Bezug auf die Dekoration verschiedene Lösungen bieten. Unter diesen wurden folgende ausgewählt: die Fachwerke mit Arabesken und Grotesken; die mit Einlegearbeiten aus Bein auf Nussbaum mit Renaissancemotiven. Die vergitterten Fachwerke

121. Cama de nogal con dosel, soportes con columnas salomónicas y cabecera con arquería y frontón curvo. Casa Solá, Olot (Gerona).

122. Cama con dosel y colgaduras de un dormitorio de la casa de Lope de Vega. Ambiente reconstruido de la época. Madrid.

123. Armario de nogal con dos puertas de lacerías de influencia mudéjar. Hospital de Afuera. Toledo.

121. *Walnut bed with canopy, supports with Solomonic columns and bedhead with arcading and curved pediment. Casa Solá, Olot (Gerona).*

122. *Bed, with canopy and hangings, of a bedroom in the house of Lope de Vega. Reconstructed period setting. Madrid.*

123. *Walnut cupboard; two doors, with interlacings of Mudejar influence. Hospital de Afuera. Toledo.*

121. Lit de noyer avec dais, supports avec colonnes torses et chevet à arcatures et fronton incurvé. Maison Solá. Olot (Gérone).

122. Lit avec dais et tentures d'une chambre à coucher de la maison de Lope de Vega. Ambiance reconstruite de l'époque. Madrid.

123. Armoire de noyer avec deux portes à entrelacs d'influence mudéjare. Hôpital d'Afuera. Tolède.

121. Bett aus Nussbaum mit Betthimmel der von gewundenen Säulen getragen wird. Kopfende mit Bogenwerk und Rundgiebel. Casa Solá, Olot (Gerona).

122. Bett mit Himmel und Vorhängen in einem Schlafzimmer des Hauses Lope de Vega. Zeitgemäss rekonstruirtes Milieu. Madrid.

123. Nussbaumschrank mit zwei Türen. Schleifenverzierung im Mudéjarstil. Hospital de Afuera. Toledo.

122

123

cuerpos, el superior con la tapa abatible —único parecido al bargueño— que descubre un interior arquitectónico con cajoncillos y portadas muy arquitectónicas; en los ángulos exteriores del cuerpo superior y a veces del inferior, se agrupan figurillas de guerreros o cariátides exentas, toscamente talladas que en Italia llaman «bambocci», es decir muñecos, sin duda por la basta mano de obra empleada (54).

En pleno Renacimiento nacieron nuevos modelos, de acuerdo con las necesidades de las viviendas, que son más amplias y con una distribución más lógica; no podían faltar muebles para el comedor, en que además de la mesa principal, eran necesarias otras mesas o cajonerías auxiliares para el servicio de las comidas. Entre éstas hay un grupo de muebles equivalentes a las credencias italianas de donde tomamos su nombre; estas credencias son de gran expresividad, compuestas, como un antecedente de la cómoda francesa, por una mesa con amplios cajones sobre patas torneadas. Las tapas vuelan ligeramente y las molduraciones son fuertes y armoniosas, completándose, en algunos ejemplares, con unos modillones o ménsulas sobre los largueros y montantes verticales.

Hay credencias de gran tamaño, cuyo frente es de cuarterones, con una composición todavía mudéjar y no falta alguna cajonería de iglesia, de tamaño reducido que es realmente una cómoda, con tallas renacentistas en todo el frente.

En España es fácil encontrar un tipo de armario cuyo entronque con el arca y aún con el bargueño, da lugar a muebles bastante ingenuos y graciosos. Se componen, por la simple superposición, sobre un bargueño, de un tercer cuerpo con dos puertas de celosías o balaustres, cuyo origen morisco parece indudable; a la vez este tercer cuerpo va coronado con un frontón; estos armarios son de tipo popular y por lo tanto la composición y ornamentación no es muy perfecta, pero en cambio es muy interesante su interpretación por un ebanista o entallador provinciano; de éstos derivan los de dos o cuatro puertas con cuarterones tallados, siempre con celosía en la parte superior, que en general se utilizan en los comedores para la conservación de los alimentos.

Pero el armario, ya conocido desde la Edad Media, se traduce en el Renacimiento como una evolución lógica del gótico; con una técnica constructiva más avanzada, substituye los tablones macizos de las puertas o puertecillas por grandes puertas de cuarterones; las bisagras se refuerzan con piezas

It was this kind of carving, undoubtedly, that provided the cabinetmakers of the early 20th century with a source of inspiration and imitation, which very soon degenerated into a cheap kind of furniture, made with walnut-stained wood, which flooded the Spanish market of the first quarter of the century and finally led to a revulsion of taste against the original style itself.

The lower part of the bargueño belongs, principally, to two types, one known as the pie de puente *(«bridge-foot») type, the other called* frailero *(«friar's») or* taquillón *(«filing cabinet»). In the upper part of both types there are two bars or extensions, generally noticeable for some piece of capricious carving, the head of a fabulous monster, a lion or a simple scallop shell, which when pullet out serve to support the front flap of the bargueño, so that the latter may serve, when let down, either as a writing-desk or, more usually, for supporting the things taken out of the drawers in the interior.*

The frailero *or* taquillón *type is rather like a low chest or sideboard, with four drawers or doors decorated with simple geometric carvings, either chiselled or hollowed out, similar to those on the front of the interior of the bargueño and, like them, gilded or polychromed.*

The type known as pie de puente *consists of a foot with six vertical elements, the outline of the outer ones being balustered, plateresque or with fluted columns, while the central ones are corolithic columns, joined to each other, as in the French tables of Ducerceau (52), by an arcading formed of three arches on little balustered columns, the whole being mounted on a base in the shape of an H, with plinths at the sides, and looking indeed rather like a bridge, which probably explains its name.*

Also very common are those models which were constructed without the front flap, although they preserved the same structure of the sides, that is to say, the frame which surrounds the whole front; in such cases the bargueños were naturally made without the iron appliqués and without the pull-out extensions, as there was no need for them, but they kept the handles at the sides.

In any case nobody really knows where the name bargueño begins or ends and such terms as paper case, writing-desk, counter and even little desk are used and misused without reaching any concrete definition, since such a definition does not really exist (53).

Within this whole group of paper cases or counters to be placed on stands there exists a series of types which are differently treated as regards their decoration, and among which we may

et sert ainsi, plutôt que de bureau, pour poser les objets des tiroirs intérieurs.

Celui appelé «conventuel» est une espèce d'armoire basse ou crédence à quatre tiroirs ou portes décorés de sculptures simples, géométriques, en biseau ou creusées, semblables au devant de l'intérieur du secrétaire et, comme lui, dorées et polychromés.

Le dénommé «pile de pont» consiste en un pied composé de six éléments verticaux. Ceux des côtés ont un profil balustré, plateresque ou à colonnes striées, et ceux du milieu à colonnes corolithiques unies, comme dans les tables françaises de DU-CERCEAU (52), par une arcature formée de trois arcs sur de petites colonnes balustrées. Le tout repose sur un soubassement en forme d'H, avec des supports sur les côtés, et ressemble, en effet, à un pont —d'où peut-être son nom—.

Les modèles construits sans abattant par devant sont courants. Ils conservent toutefois la structure des côtés, c'est-à-dire le cadre qui borde tout le devant. Dans ce cas, on n'y mettait naturellement ni appliques en fer ni allonges à la partie inférieure, devenues inutiles, mais ils conservaient leurs anses latérales.

De toutes façons, on ne sait pas où commence et où termine l'appellation de «barguéño». Les termes de table-bureau, bureau, bureau-caisse et même petite table à écrire, se superposent et on les emploie sans une définition concrète qui, réellement, n'existe pas (53).

Dans ce groupe de tables-bureaux ou bureaux-caisses pouvant être mis sur une table, plusieurs offrent des solutions variées quant à la décoration. On peut prendre ou citer: les ensembles de tiroirs à arabesques ou grotesques sculptés, ceux marquetés à motifs renaissance en os gravé sur noyer, ceux à jalousies de nette influence mudéjare, en bois clairs ou sur un dessin à motifs orientaux, et les marqueteries à arcatures, vases à fleurs ou grains de blé et petites pommes de pin, à l'instar des coffres levantins.

Il y a enfin, un faux secrétaire dit de Charles V et qui est un chiffonnier toscan en noyer. Il est divisé en deux parties. Celle d'en haut comporte l'abattant de noyer —seule ressemblance avec le secrétaire— qui découvre un intérieur architectonique à petits tiroirs et portes d'allure très monumentale. Aux angles extérieurs de la partie supérieure, et parfois de la partie inférieure, se groupent des figures de guerriers ou de

von unverkennbarem Mudéjareinfluss, aus hellem Holz gearbeitet oder mit orientalischen Motiven verziert; die mit Bogenwerk und Blumenvasen verziert oder mit Mosaikarbeiten im «Weizenkorn —oder 'pinyonet'— muster» ausgelegt sind wie bei den levantinischen Truhen.

Schliesslich gibt es noch einen falschen «Barguéño», der die Bezeichnung «von Karl V.» führt. Dieser Barguéño stellt aber in Wirklichkeit nur einen toskanischen «stipo» aus Nussbaum dar, der sich aus zwei Teilen zusammensetzt. Am Oberteil kann man den Deckel herunterklappen -und dies ist die einzige Ähnlichkeit, die mit dem Barguéño besteht,- wodurch das architektonische Innere des Schranks freigelegt wird und einen Fächerteil mit Türchen freigibt. An den Aussenecken dieses Oberteils, zuweilen aber auch an denen des Unterteils, prangen kleine gruppierte Kriegerfiguren oder Kariatyden, die grobgeschnitzt sind und daher in Italien auch die Bezeichnung «bambocci» (Puppen) führen (54).

Mit der Entwicklung der Wohnbedürfnisse, die grosszügiger gestaltet werden, entstehen in der Hochrenaissance neue Möbel; man bedurfte der Möbel für Esszimmer, unter denen ausser der grossen Esstafel, noch andere kleine Behelfstischchen und Fächer zum Anrichten der Gerichte benötigt wurden. Darunter befindet sich eine Gruppe, die den italienischen Kredenzen entspricht, von denen auch der Name stammt. Diese Kredenzen sind sehr ausdrucksvoll. Sie entsprechen etwa der französischen Kommode, die sich aus einem Tisch mit grossen Schubfächern auf gedrehten Beinen, zusammenstellt. Die Deckel klappen leicht auf, die Umrahmung ist kräftig und harmonisch und an einigen Exemplaren findet man Sparrenköpfe an den Querträgern und Pfosten.

Es gibt grosse Kredenztische, deren Frontteile in Paneele aufgeteilt und im Mudéjarstil verziert sind. Es fehlt auch nicht an Kirchenschränken und Fächern, die so niedrig sind, dass sie eher einer Kommode gleichen. Die Front dieser Schränke ist im Renaissancestil ausgeschmückt.

Leicht findet man noch in Spanien eine weitere Schrankform, die eine nahe Verwandtschaft mit der Truhe und dem Barguéño aufweist und ein zierliches schlichtes Möbelstück bildet. Dieser Schrank setzt sich, wie gesagt, aus Truhe und Barguéño zusammen, auf die dann noch ein dritter Teil aufgesetzt wird, der mit zwei Gittertüren von unverkennbar maurischem Einfluss versehen ist. Ausserdem krönt diesen dritten Teil noch ein schöner Giebel. Da es sich um ein sehr volkstümliches Möbelstück handelt, ist auch

de hierro en escuadra, de silueta muy decorativa; en general se compone con dos grandes puertas y va coronado con una cornisa amplia y arquitectónica, rematada en su parte inferior por un zócalo sobre el suelo o sobre garras o bolas; en algunos se advierte todavía el espíritu gótico en los paneles de pergamino plegado, interpuestos entre los renacentistas; en otros el mudejarismo subsiste en la composición de las puertas, que son taraceas moriscas de polígonos estrellados.

Otros muchos muebles pueden considerarse derivados de los arcones y armarios, como las estanterías, aparadores, dressoir, bufets y cabinet, pero los pocos ejemplares conservados, están compuestos con elementos de otros muebles o trozos de retablos, de que tan ricos son los pueblos castellanos y restaurados en una época de principios de siglo, con un criterio bastante desafortunado, solicitados por el gusto del momento de su aparición.

Podemos decir que la cama no comienza a tener una importancia real hasta muy avanzado el siglo XVII.

En el renacimiento sólo son importantes las de los palacios, que van completamente vestidas con piezas de brocados y bordados, que cuelgan desde el techo o desde un alto dosel y ocultan completamente el simple esqueleto o armadura, reducido a cuatro pies o largueros en los extremos de la cama.

Las más corrientes y modestas no tienen ni cortinas, ni dosel y el colchón va elevado sobre una tarima o estrado y cubierta con colchas bordadas. La cama más ebanística es la de cuatro patas en forma de columna, con silueta abalaustrada o salomónica; el cabezal está compuesto, con una composición más o menos arquitectónica, de arquerías, coronada con un frontón o una ornamentación semejante. De todas ellas quedan muy pocos ejemplares y éstos más o menos restaurados. Sin embargo en los grabados de la época que ilustran este grupo, se aprecia bien claramente la riqueza de las camas en las cornisas del baldaquino y en el basamento de los colchones, siempre con una gran influencia italiana, interpretadas con una ingenuidad característica.

Advertimos al comenzar este capítulo, que existe un grupo de muebles proyectados por Juan de Herrera, que nos interesaba glosar; nos referíamos a los del Monasterio de El Escorial, en los cuales el cuidado y la intervención del Arquitecto fue definitiva y personal, y sabemos que los artistas, ebanistas, herreros, etc., habían de acudir a «tomar la orden de Juan de

select or mention: the sets of drawers carved with arabesques and grotesques, those inlaid with Renaissance motifs in bone set into the walnut, those with latticework, evidently Mudejar in influence, in pale woods or designs with oriental motifs and the inlaid work with arcading, urns filled with flowers or in the wheat-grain or pinyonet design, like the chests of the east coast.

There is, finally, a false type of bargueño, called after Charles V, which is really a walnut Tuscan stipo, composed of two parts, the upper part with a front flap which can be let down —which is its only similarity to the bargueño— and which reveals an architecturally planned interior, with little drawers and very architectural portals; at the outer corners of the upper part, and sometimes also of the lower part, there are groups of little figures of warriors or free-standing caryatids, roughly carved, which in Italy are called «bambocci», or puppets, doubtless on account of the rudeness of the craftsmanship that went into their making (54).

At the height of the Renaissance new models were created, in accordance with the necessities of the houses, which were more spacious and more logically planned and distributed; naturally there had to be furniture for the dining room, in which, besides the principal table, auxiliary tables and sets of drawers were necessary for serving the meals. Among these there is a group of pieces which are the equivalents of the Italian credenza, or sideboard, from which came the Spanish word credencia; these sideboards are of very expressive character, consisting of a kind of antecedent of the French commode, a table with roomy drawers on turned legs. The tops project slightly and the mouldings are strong and harmonious, being completed in some specimens with some modillions or corbels on the stringers and vertical posts.

Some of these sideboards are of great size, with panelled fronts on which the composition is still in Mudejar style, and there are even a few sets of drawers from churches, smaller in size, which are really commodes, with Renaissance carvings along the whole front.

In Spain it is easy to find a type of cupboard whose relationship to the chest and even to the bargueño has given rise to some rather charmingly ingenuous pieces. They are composed by simply placing on top of the bargueño proper a third part with two doors of latticework or balusters, the Moorish origin of which seems evident; at the same time this third part is surmounted by a pediment; these cupboards are of popular type and so the composition and ornamentation are not very perfect, but on the other hand it is interesting to see how they were interpreted by a provincial carver

cariatides délestées, grossièrement sculptées, que l'on appelle en Italie «bambocci» c'est-à-dire pantins, sans doute à cause de la grossière main d'œuvre employée (54).

De nouveaux modèles apparurent en pleine Renaissance, suivant les besoins des demeures, qui sont plus grandes et d'une distribution plus logique. Il ne pouvait manquer les meubles de salle à manger, où en plus de la table principale le service exigeait d'autres tables ou des ensembles de tiroirs auxiliaires. En fait partie un groupe de meubles correspondant aux crédences italiennes dont elles ont pris le nom. Ces crédences, d'une grande expressivité, sont composées, comme annonce de la commode française, d'une table à larges tiroirs montée sur pieds tournés. Les devants font légèrement saillie, les moulures sont fortes et harmonieuses; elles sont accompagnées, dans quelques modèles, de modillons ou supports placés sur les longrines et montants verticaux.

Il y a des crédences de grande taille dont le devant à panneaux suit une composition encore mudéjare, et l'on trouve quelques ensembles de tiroirs d'église, de taille réduite, qui sont réellement des commodes à sculptures renaissance sur tout le devant.

Il est facile de trouver en Espagne un type d'armoire dont la parenté avec le coffre et même avec le secrétaire produit des meubles assez naïfs et gracieux. Elles comportent, par simple superposition sur un secrétaire, un troisième corps qui a deux portes à jalousies ou balustres, dont l'origine mauresque paraît indubitable. En même temps, cette troisième partie est couronnée d'un fronton. Ces armoires sont d'un type populaire; c'est pourquoi la composition et l'ornementation ne sont pas très parfaites; en revanche, leur interprétation par un ébéniste ou sculpteur provincial est très intéressante. Il en dérive celles à deux ou quatre portes avec des panneaux sculptés et toujours une jalousie à la partie supérieure, qui sont généralement utilisées dans les salles à manger pour garder les aliments.

Mais l'armoire, déjà connue depuis le Moyen-Âge, résulte à la Renaissance d'une évolution logique du gothique. Avec une technique de construction plus avancée, les grosses planches massives des grandes ou petites portes sont remplacées par de grandes portes à panneaux. Les charnières sont renforcées avec des morceaux de fer en équerre d'une ligne très décorative. En général, ces armoires ont deux grandes portes, et sont couronnées d'une grande corniche architectonique, terminée à la partie inférieure par une plinthe à même le sol ou sur des

die Zusammensetzung und Ornamentierung nicht so vollkommen, aber die Interpretierung, die der provinzielle Möbeltischler oder Bildschnitzer diesem Möbel gab ist sehr interessant. Aus diesem Schrank entstanden dann die Schränke mit zwei oder vier Türen mit geschnitzten Paneelen, aber an deren Oberteilen immer vergitterte Türen zu sehen sind. Meistens hat man sie in Speisezimmern stehen und bewahrt dort die Speisen auf.

Dieser schon im Mittelalter bekannte Schrank wird in der Renaissance als die logische Entwicklung aus dem gotischen Stil angesehen. Da die Konstruktionstechnik weiter fortgeschritten ist, ersetzt man nun die aus dicken Brettern bestehenden Türen und Türchen, durch grosse Paneeltüren, an denen die Scharniere noch mit sehr dekorativ wirkenden Winkeleisen verstärkt werden. Diese Schränke haben meistens zwei grosse Türen und werden von einem breiten architektonischen Sims gekrönt. Der untere Teil des Schrankes steht über dem Boden auf einem Sockel, auf tatzenförmigen Füssen oder Kugeln. Viele dieser Schränke weisen noch den gotischen Geist auf, der sich an den Paneelen aus gefaltetem Pergament bemerkbar macht und sich mit den Renaissancemotiven vermischt. An anderen wieder ist an den Türen noch die Mudéjarornamentik erhalten, die sich aus den polygonen Sternen in maurischer Einlegearbeit zusammensetzt.

Noch viele andere Möbelstücke entstanden aus den Truhen und Schränken, wie die Regale, Anrichten, Dressoirs, Büffets usw., aber alle noch erhaltenen Stücke setzen sich aus Teilen von anderen Möbeln oder Aufsatzteilen zusammen, an denen Kastillien so reich ist. Mit wenig glücklichem Kriterium werden diese Möbelstücke um die Jahrhundertwende restauriert, weil die Nachfrage nach diesem Möbelstil zu der Zeit sehr gross war.

Von dem Bett kann man sagen, dass es erst hoch im 18. Jahrhundert Bedeutung bekam.

In der Renaissance waren nur die bedeutend, die in den Palästen und Schlössern standen und vollkommen von Stickereien und Brokatstoffen verhangen waren, die von der Decke oder von einem Betthimmel herabhingen. Diese Vorhänge verdeckten das sonst sehr einfache Bettgestell, das sich aus einem Rahmen auf vier Füssen oder Seitenhölzern zusammensetzte.

Die gewöhnlichen einfachen Betten haben weder Vorhänge noch Betthimmel. Die Matratze liegt auf einem Gestell das erhöht auf einem Podium steht und sie ist mit einer gestickten Bettdecke bedeckt. Das künstlerisch schönste Bett ist das vierbeinige, dessen vier Beine oder Füsse in geschwungener Säulenform gearbeitet

Herrera en todo lo que fuese mandado y se le ordenara» (55). Para nosotros el conjunto de la biblioteca es de un interés excepcional en la historia del mueble español, por la intervención directa que en su trazado tuvo el propio Juan de Herrera.

Según datos conocidos, fue ejecutada por el ensamblador italiano José Flecha, con el concurso de otros ensambladores españoles, pero siempre bajo la aprobación o juicio de Juan de Herrera; es una obra de gran importancia, por su belleza y perfecta composición, y en la que se adivina —no sólo por esta certeza histórica— la mano de un arquitecto de talento, con un conocimiento profundo de la composición y la proporción de lo clásico.

La gran nave destinada a biblioteca está ocupada totalmente por las estanterías, que corren a lo largo de las paredes, sólo interrumpidas por los huecos de las ventanas de sus dos muros opuestos que, por un lado, se asoman sobre la Lonja del Poniente y por el opuesto, sobre el Patio de Reyes.

Bien puede decirse que cada uno de los elementos o estanterías de la monumental biblioteca, situados entre las ventanas de ambas fachadas, son verdaderos muebles y pueden considerarse así con entera independencia del conjunto.

Tomemos como ejemplo una de ellas; está formada por un bello conjunto arquitectónico de orden dórico-romano de cuatro columnas. Estas columnas, con su entablamento y friso decorado con triglifos, corre sobre un cuerpo bajo que le sirve de basamento, el cual, a su vez, sirve de mesa o pódium para apoyar y examinar los libros; el pequeño cuerpo de coronación de la librería, lleva como remate en los ejes de las columnas, las típicas bolas herrerianas.

En la Biblioteca se han empleado las maderas de naranjo, en un claro y bello color dorado, la acana, de color rojo, noble y encendido, la caoba, el terebinto, el boj, el ébano y el nogal. Estas maderas preciosas «ensambladas y entretexidas con la diversidad de sus colores, hacen una vista agradable» (56).

Con el Padre Sigüenza puede asegurarse, que la Biblioteca de El Escorial es «la más galana y bien tratada cosa que de este género se ha visto en la Tierra». Son muy pocos los interiores que se conservan de la época, en su aspecto primitivo y éstos han estado siglos desmantelados y abandonados; otros como el palacio de Felipe II de El Escorial, sufrió grandes variaciones, primero con Felipe IV y Carlos II y mucho mayores en la época de los Borbones; si allí se llegaron a suprimir los

or cabinetmaker; from these derive those which have two or four doors with carved panels, always with latticework in the upper part, which are generally used in dining rooms for keeping food.

But the cupboard, already known since the Middle Ages, is expressed in the Renaissance as a logical evolution from the Gothic style; with a more advanced technique, it replaces the solid boards of the doors, large or small, with great panelled doors; the hinges are strengthened with pieces of iron at right angles, with a very decorative outline; the cupboard is generally made with two great doors, surmounted by a broad architectural pediment, and it finishes at the bottom with a socle resting on the floor or on claw or ball feet; in some we can still see signs of the Gothic spirit in the linenfold panels interposed between those in the Renaissance style; in others the Mudejar influence still survives in the composition of the doors, which are in Moorish inlaid work with star-shaped polygons.

Many other pieces of furniture may be considered to be derivations from these chest and cupboards, pieces such as bookcases, showcases, dressers, buffets and cabinets of various kinds, but the few specimens preserved are composed with elements from other furniture or with portions of altarpieces, in which the villages of Castile are so rich, and restored some time about the beginning of the present century in the rather unfortunate taste in vogue when they made their appearance.

We may say that beds do not begin to be of any real importance until very late in the 17th century. During the Renaissance the only important ones are those of the palaces, which are completely covered with pieces of brocades and embroideries, hanging from the ceiling or from a high canopy and entirely concealing the simple skeleton or framework, which was reduced to four feet or stringers at the extremities of the bed itself.

The more modest and ordinary beds had neither curtains nor canopy, and the mattress was raised upon a dais or platform and covered with embroidered counterpanes. The nearest approach to cabinetmaking is the bed with four legs in the shape of columns, balustered or Solomonic in outline; the headboard is composed, in a more or less architectural manner, of arcading, surmounted by a pediment or some similar ornamentation. Very few specimens of this kind still survive and all of them are more or less restored. In the engravings of the period which illustrate this group, however, one can appreciate quite clearly the richness of the beds in the cornices of the baldachin and in the platform supporting the mattress,

griffes ou des boules. Dans quelques-unes, l'esprit gothique se manifeste encore dans les panneaux à parchemin plié, mêlés à ceux de la Renaissance. Dans d'autres, l'esprit mudéjare subsiste dans la composition des portes qui sont de marqueteries mauresques à polygones étoilés.

Beaucoup d'autres meubles peuvent être considérés comme des dérivations des grands coffres et armoires, tels les rayonnages, bahuts, dressoirs, buffets et cabinets. Mais les rares exemplaires qui s'en conservent se composent d'éléments d'autres meubles ou de morceaux de retables dont les villages castillans regorgent, et ils ont été restaurés vers le début du siècle suivant un critère plutôt malheureux, sollicités par le goût du moment.

Nous pouvons dire que le lit n'a commencé à avoir une réelle importance que lorsque le XVII.ᵉ siècle était bien entamé.

À la Renaissance, seuls comptent ceux des Palais. Ils sont complètement recouverts d'étoffes brochées et brodées, qui tombent du plafond ou d'un haut ciel de lit et cachent complètement la simple charpente ou armature, réduite à quatre pieds ou montants placés aux extrémités du lit.

Les plus courants et les plus modestes n'ont ni rideaux, ni ciel de lit; le matelas est sur un plancher surélevé ou estrade, recouvert de couvre-lits brodés. Le meilleur travail d'ébénisterie est le lit à quatre pieds en forme de colonne, à la silhouette de balustre ou de colonne torse. La tête de lit est composée, de manière plus ou moins architectonique, d'arcatures, et est couronnée d'un fronton ou ornement semblable. Il nous reste très peu d'exemplaires de ces lits, d'ailleurs plus ou moins bien restaurés. Néanmoins, les gravures de l'époque qui illustrent cette catégorie montrent fort bien la richesse des lits dans les corniches du baldaquin et le soubassement des matelas, toujours avec une importante influence italienne et une naïveté caractéristique dans l'interprétation.

Nous avons annoncé au commencement de ce chapitre qu'il existe un groupe de meubles projetés par Juan de Herrera dont le commentaire était à faire. Nous voulions parler de ceux du Monastère de l'Escurial, pour lesquels les soins et l'intervention de l'Architecte furent décisifs et personnels. Nous savons, en effet, que les artistes, les ébénistes, les forgerons etc., devaient aller «prendre les ordres de Juan de Herrera pour tout ce qui était à décider ou disposer» (56). Pour nous, l'ensemble de la Bibliothèque revêt un intérêt exceptionnel dans l'histoire

sind. Das Kopfende setzt sich, mehr oder weniger architektonisch ausgearbeitet, aus einem eingearbeiteten Bogenwerk zusammen, das von einem Giebel oder einem ähnlichen Ornament gekrönt wird. Von allen diesen Formen sind nur noch sehr wenige erhalten, die mehr oder weniger restauriert wurden. Aber aus den Bildern jener Zeit kann man die prächtige Ausstattung der Betten an den Baldachinsimsen und der Matratzenunterlage erkennen, die einen starken italienischen Einfluss aufweist.

Zu Anfang unseres Abschnittes wurde bereits darauf hingewiesen, dass noch eine Möbelgruppe erhalten ist, die von Juan de Herrera —einem spanischen Architekten— entworfen wurde und die nachstehend beschrieben werden soll. Es handelt sich um die Einrichtung im Kloster von El Escorial, deren Anfertigung unter der persönlichen Leitung und den Angaben des genannten Architekten vorgenommen wurde. Es ist bekannt, dass laut höherer Stelle die Künstler, Schreiner, Schmiede usw. «sich in allem und jedem nur den Anweisungen des Juan de Herrera zu fügen hätten» (55).

Die Einrichtung der Bibliothek gilt wegen des direkten Beitrags Juan de Herreras, als einmalig in der Geschichte der spanischen Stilmöbel.

Aus Aufzeichnungen geht hervor, dass die Zusammensetzung der Möbel von dem italienischen Zimmermeister José Flecha mit Hilfe spanischer Zimmerleute vorgenommen wurde, aber immer unter Anleitung Herreras. Das Werk ist in seiner Schönheit und Vollkommenheit sehr eindrucksvoll, da man daran die Hand des begabten Architekten erkennt, der tiefe Kenntnisse der Kompositions- und der klassischen Proportionslehre besass.

Die Wände des grossen, als Bibliothek bestimmten Saales, werden von den Regalen und Bücherschränken eingenommen und nur von den beiden gegenüberliegenden Fenstern unterbrochen. Von diesen Fenstern blickt man auf der einen Seite auf den «westlichen Vorhof» und auf der anderen, auf den «Königshof» (Patio de Reyes).

Die zwischen den Fenstern des riesigen Bibliotheksaales stehenden Regale können wirklich als Möbelstücke angesehen werden, da man sie auch unabhängig von den anderen Stücken der Einrichtung aufstellen kann.

Betrachten wir einmal eines dieser Regale als Beispiel. Es wird von einer architektonisch schönen Gruppe von vier dorisch-römischen Säulen gebildet. Diese Säulen mit den Brettern und dem mit Triglyphen verziertem Fries stehen auf einem Unterteil,

clásicos arrimaderos de cerámica de Talavera, no es de extrañar se pintaran las puertas de azul y blanco, se hiciese una nueva distribución, cubriendo bóvedas y techos y hasta se cambiaran cubriendo los balcones que se asoman al llamado patio de los mascarones. La restauración realizada en 1920, con bastante buen acierto, las restituye, en lo posible, a su aspecto primitivo (57). Otro tanto se puede decir de los palacios de la nobleza, adaptados a lo largo de los tiempos a las exigencias de las modas y distribuyéndolos de acuerdo con las nuevas costumbres y necesidades, con una arquitectura interior, en general, postiza y aparente.

Es muy difícil tratar de rehacer o de imaginar el carácter primitivo de estas estancias, cuyo volumen y superficie también ha sido cambiada por unos tabiques para conseguir una distribución acomodada a los caprichos del momento. Tampoco nos pueden ayudar en esta labor las descripciones literarias, por cierto muy escasas y breves, así como los interiores representados en los cuadros de la Escuela Española y bien puede servir de ejemplo la escueta descripción de la casa de placer o castillo del Duque en *El Quijote* (58), la cual se reduce a «una sala adornada de telas riquísimas de oro y brocado».

Si los comparamos con los interiores europeos de la época —también restaurados con semejantes aciertos y desaciertos— la casa española, en general, era poco confortable; difería bastante de la del Norte y se notaban no pocas influencias italianas, pero sobre todo en ellas no faltaba la nota morisca, en los grandes y espléndidos artesonados, muchas veces de estructura mudéjar, en las paredes enjalbegadas o decoradas con yeserías, en los arrimaderos de azulejo y en los pavimentos de baldosas de barro y olambrillas; naturalmente paredes y suelos se cubrían con tapices, telas y guadamecíes y así ofrecían, no sólo un aspecto más confortable, sino una gran riqueza y apariencia.

Por otra parte la diversidad de climas y regiones de España, no permitían una norma general en estos acabados de arquitectura interior y había notables diferencias entre una casa occidental galaica, una meridional o una levantina y mediterránea. ¿Cuál era la colocación de los muebles en estas estancias?

Es otro problema muy difícil de contestar, pues como puede observarse actualmente, en períodos de tiempos bastante cortos, las mudanzas en la colocación de los muebles es constante

always with a strong Italian influence, but interpreted with characteristic ingenuousness.

We mentioned at the beginning of this chapter that there is an ensemble of furniture designed by Juan de Herrera which we considered worthy of a more detailed study; we were referring to the furniture in the Monastery of the Escorial, in which the care and attention of the great architect were definitive and personal, for we know that artists, cabinetmakers, smiths, etc. had to go «to take their orders from Juan de Herrera regarding everything he might desire or order them to do» (55). For us the ensemble of the library is of exceptional interest in the history of Spanish furniture, on account of the direct intervention of Juan de Herrera himself in every stage of its planning and execution.

According to known data, it was carried out by the Italian joiner José Flecha, with the assistance of other, Spanish, joiners, but always in accordance with the approval or judgment of Juan de Herrera; it is a work of great importance, for its beauty and perfect composition, and one in which one can divine —not only because we know it to be historically true— the hand of an architect of great talent, with a profound knowledge of classical composition and proportion.

The great nave given up to the library is entirely occupied by the bookcases, which run right along the walls, only interrupted by the openings of the windows in its two opposite walls, which on one side overlook the West Gallery and, on the other, the Courtyard of the Kings.

It may be definitely asserted that each of the elements or bookcases situated between the windows in the two façades of this monumental library is a piece of furniture in its own right, quite independently of the whole.

Let us take one of them as an example; it consists of a beautiful architectural group of four Roman-Doric columns. These columns, with their entablature and frieze decorated with triglyphs, stand upon a lower part which serves as their base and, at the same time, as a table or podium on which to rest the books to examine them; the finials at the axes of the columns, in the small piece surmounting the bookcase, are the spheres so typical of Herrera's work.

In the construction of the library use was made of orangewood, in a beautiful pale golden colour, acana, with its noble fiery red, mahogany, terebinth, boxwood, ebony and walnut. These precious woods, «joined together and interwoven in all the diversity of their colours, make a very pleasant sight» (56).

du meuble espagnol en raison de l'intervention directe de Juan de Herrera. Suivant des faits bien connus, elle fut exécutée par l'ensemblier italien José Flecha, avec le concours d'autres ensembliers espagnols, mais toujours avec l'approbation ou l'avis de Juan de Herrera. C'est une œuvre d'une grande importance pour sa beauté et sa composition parfaite, et dans laquelle on sent, pas seulement à cause de cette certitude historique, la main d'un architecte de talent, doté d'une profonde connaissance de la composition et des proportions classiques.

La grande nef utilisée comme bibliothèque est occupée entièrement par les rayonnages qui longent les murs, interrompus seulement par les ouvertures des fenêtres de ses deux murs opposés qui, d'un côté, donnent sur la Lonja del Poniente et de l'autre sur le Patio de Reyes.

On peut bien dire que chacun des éléments ou rayonnages de cette bibliothèque monumentale, situés entre les fenêtres des deux façades, sont de véritables meubles que l'on peut considérer indépendamment de l'ensemble.

Prenons l'un d'eux comme exemple: il est formé par un bel ensemble architectonique d'ordre dorico-romain à quatre colonnes. Ces colonnes, avec leur entablement et leur frise décorée de triglyphes, se développent sur une partie basse qui lui sert de base; celle-ci, à son tour, sert de table ou de podium pour appuyer ou examiner les livres. Le petit corps couronnant la bibliothèque s'achève sur les axes des colonnes par les boules caractéristiques du style de Herrera.

Pour la bibliothèque, on a employé le bois d'oranger dans une belle couleur claire et dorée, l'acane, de couleur rouge, noble et vive, l'acajou, le térébinthe, le buis, l'ébène et le noyer. Ces bois précieux «assemblés et mêlés créent, par la diversité de leurs couleurs, un spectacle agréable» (56).

Avec le Père Sigüenza, on peut assurer que la Bibliothèque de l'Escurial est «la chose la plus jolie et la mieux traitée dans ce genre que l'on ait vue sur Terre». Très peu d'intérieurs de cette époque subsistent dans leur aspect primitif et ils ont été démantelés et abandonnés pendant des siècles. D'autres, comme le Palais de Philippe II à l'Escurial, ont subi de grandes transformations, d'abord sous Philippe IV et Charles II et beaucoup plus encore à l'époque des Bourbons. Si on en est arrivé à supprimer les appuis classiques en céramique de Talavera, il ne faut pas s'étonner qu'on ait peint les portes en bleu et blanc, qu'on ait fait une nouvelle distribution en cachant

das gleichzeitig als Tisch oder Podium dient, wenn man Bücher durchsehen will. Der kleine Teil, der das Regal oder den Bücherschrank krönt, trägt als Abschluss der Säulen die bekannten herreraschen Kugeln.

Für die Bibliothek wurden unter anderen Edelhölzern das schöne goldgelbe Orangenholz, das dunkle Mahagoniholz, die Terebinthe, der Buchsbaum, Ebenholz und Nussbaum verarbeitet. Diese edlen Hölzer «miteinander verbunden und in der Verschiedenartigkeit ihrer Farben verflochten, sind schön anzusehen» (56).

Mit dem Pater Sigüenza kann versichert werden, dass die Bibliothek von El Escorial die «edelste und besterhaltenste Sache dieser Art auf der Welt ist». Wenig Innenräume aus jener Zeit sind noch mit ihrer ursprünglichen Einrichtung erhalten und viele davon waren Jahrhundertelang vernachlässigt und verkommen. Andere wieder, wie der Palast Philipps II. in El Escorial unterlag Veränderungen, erst durch Philipp IV. und Karl II. und später von Grund auf durch die Bourbonen. Wenn man damals die klassischen Wandverkleidungen aus Talaverakeramik abschaffte, darf es nicht verwundern, dass man die Türen blauweiss anstrich, eine neue Aufteilung vornahm, Gewölbe und Decken abdeckte und die Balkone, die auf den «Maskenhof» blicken, umbaute und ebenfalls abdeckte. Die 1920 sinnvoll durchgeführte Restauration gab dem Palast, soweit wie möglich, sein ursprüngliches Aussehen wieder (57). Das gleiche kann man von den anderen Adelsschlössern sagen, die im Laufe der Zeit infolge der jeweiligen Modeforderungen umgebaut wurden und die Räume entsprechend der neuen Sitten und Bedürfnisse mit einer falschen und scheinbaren Innenarchitektur ausstattete.

Diesen Räumen und Gemächern den ursprünglichen Charakter wiedergeben zu wollen, ist äusserst schwierig, weil man ihre Grösse- und Flächen ebenfalls durch Trennwände unterteilt hat, um sie der augenblicklichen Willkür anzupassen. Hierzu können uns auch die vorhandenen kurzgefassten Beschreibungen wenig helfen, ebensowenig wie die Innenräume, die in den Bildern der spanischen Schule dargestellt sind. Einen kleinen Anhalt könnte nur noch die kurze Beschreibung des herzoglichen Lustschlosses in El Quijote (58) geben, wo es heisst, dass es «ein reich mit Brokat und goldgestickten Stoffen ausgestatteter Saal» war.

Wollte man einen Vergleich mit den europäischen Innenräumen jener Zeit aufstellen —die ebenfalls mit dem gleichen Erfolg oder Misserfolg restauriert wurden— so sieht man, dass die spanische Wohnung im allgemeinen wenig bequem war. Sie

124. Reconstrucción de la cama de Isabel Clara Eugenia en las habitaciones de Felipe II. Monasterio de El Escorial. Madrid.

124. Reconstruction of the bed of Isabel Clara Eugenia in the rooms of Philip II. Monastery of the Escorial. Madrid.

124

We may affirm, with Father Sigüenza, that the Library of the Escorial is «the most elegant and well-executed thing of its kind that has been seen on earth». There are very few interiors of the period which have kept their original aspect, and those have mostly been dilapidated and abandoned for centuries; others met the same fate as Philip II's palace of the Escorial, which underwent great transformations, first with Philip IV and Carlos II and even more so under the Bourbons; if here they went so far as to remove the classic wainscotting of Talavera ceramic, it is hardly to be wondered at that they should have painted the doors blue and white, changed the whole distribution, covered vaults and ceilings and even carried out the «improvement» of covering up the balconies which overlook the so-called courtyard of the figureheads. The restoration carried out in 1920, with fairly felicitous results, restored all these features, as far as was possible, to their original appearance (57). Much the same may be said of the palaces of the nobility, adapted down through the years to the demands of fashion, with the interiors changed according to new customs and necessities, so that their interior architecture is, in general, false and merely apparent.

It is very difficult to attempt to re-create or even imagine the original character of these rooms, the volume and surface of which have also been changed by the use of partitions in order to achieve arrangements more suitable to the caprices of each passing style. Nor can we expect much help in this task from literary descriptions, which are anyway very few and brief, and the same may be said of the representations of interiors in the paintings of the Spanish School; an example of the former is to be found in the bare description of the country house or castle of the Duke in Don Quixote (58), which speaks of no more than «a hall adorned with very rich gold cloths and brocades».

If we compare these interiors with those of Europe at the same period (also restored, with the same good or bad fortune), the Spanish house, in general, was not very comfortable; it was considerably different from the type prevailing in the north of Europe and there was quite a lot of Italian influence, but above all the Moorish note was never absent, in the large and splendid caissoned ceilings, in the whitewashed or plastered walls, in the tiled wainscotting and in the flooring of clay tiles; naturally, the walls and floors were covered with tapestries and embossed leathers and thus presented not only a more comfortable aspect, but also an effect of great richness and luxury.

y bastante radical en muchos casos. Hemos de pensar que en todos los interiores del siglo XVI y XVII, que hoy contemplamos, la colocación de los muebles nunca fue la primitiva y responde a criterios personales del momento en que se ha hecho la remodelación o restauración.

Con el siglo XVII finaliza el llamado «mueble español», mueble que hemos ido examinando con sus rasgos más originales, siempre dentro de su severidad y su vigor; podemos advertir cómo de ellos emana un sello especial de tristeza y conserva

124. Reconstruction du lit d'Isabelle Claire Eugénie, des chambres de Philippe II. Monastère de l'Escurial. Madrid.

124. Rekonstruktion des Bettes Isabel Clara Eugenias in den Gemächern Philipps II. Kloster El Escorial. Madrid.

voûtes et plafonds et même qu'on ait changé en les recouvrant les balcons qui donnent sur le patio appelé des mascarons. La restauration faite assez habilement, en 1920, leur a rendu dans la mesure du possible leur aspect primitif (57). On peut en dire autant des palais de la noblesse adaptés au cours du temps aux exigences des modes, et distribués conformément aux mœurs et besoins nouveaux moyennant une architecture intérieure généralement postiche et apparente.

Il est très difficile d'essayer de retracer ou d'imaginer le caractère primitif de ces appartements, dont le volume et même la surface ont été modifiés par des cloisons pour obtenir une distribution s'adaptant aux caprices du moment. Les descriptions littéraires, d'ailleurs très rares et brèves, ne peuvent nous aider davantage dans ce travail, ni les intérieurs représentés sur les tableaux de l'Ecole Espagnole, et l'on peut bien prendre comme exemple la très rapide description de la maison de repos ou château du Duc dans le *Don Quichotte* (58), qui se réduit à «une salle ornée d'étoffes très riches d'or et de brocart».

Comparée aux intérieurs européens de l'époque —restaurés aussi avec d'identiques réussites et maladresses—, la maison espagnole était en général peu confortable. Elle différait assez de celle du Nord, et l'on y remarquait nombre d'influences italiennes; mais, surtout, on y trouvait la marque mauresque: sur les grands et splendides plafonds à caissons, souvent de structure mudéjare, sur les murs blanchis à la chaux ou décorés de plâtrages, dans les appuis en carreaux de faïence, dans les pavages de dalles de terre cuite. Naturellement, les murs et le sol étaient couverts de tapisseries, de toiles et de maroquins, ce qui leur donnait, outre un aspect plus confortable, une grande richesse et un bel aspect.

D'autre part, la diversité de climats et de régions ne permettait pas de suivre une norme générale dans ces solutions d'architecture intérieure, et il y avait des différences marquées entre la maison occidentale galicienne, la maison méridionale et celle du Levant méditerranéen. Quelle était la disposition des meubles dans ces pièces?

C'est encore une question à laquelle il est très difficile de répondre; en peu de temps, comme on peut le constater actuellement, les changements dans la disposition des meubles sont constants et assez radicaux dans bien des cas. Nous devons penser que l'emplacement des meubles dans tous les intérieurs

unterschied sich wesentlich von den nordischen Heimen und man merkt ihr den grossen italienischen Einfluss an, vor allem herrscht aber die maurische Note hervor, die man an den grossen, herrlichen Deckentäfelungen meistens im Mudéjarstil, an den getünchten oder mit Stuck verzierten Wänden, an der gekachelten Verkleidung und den mit Tonfliesen ausgelegten Fussböden erkennt. Wände und Fussböden bedeckte man mit den entsprechenden Teppichen und sie boten daher nicht nur einen behaglichen Anblick, sondern man schloss auch auf Reichtum und Ansehen.

Auf der anderen Seite erlaubten aber auch die verschiedenartigen Klimas und Gebiete Spaniens keine Vereinheitlichung in der Innenausstattung, wodurch der grosse Unterschied zwischen einer westgalaischen, einer südlichen und einer mittelländischen Wohnung entstand. Wie waren nun die Möbel in diesen Wohnungen aufgestellt?

Das ist eine weitere schwer zu beantwortende Frage, denn wie man feststellt, werden die Möbel in immer kürzeren Zeitspannen von Grund auf umgestellt. Wir müssen annehmen, dass in den heute noch erhaltenen Innenräumen, auch im 16. und 17. Jahrhundert die Möbel nie in der ursprünglich vorgefundenen Weise verblieben, sondern auch entsprechend dem jeweiligen persönlichen Geschmack umgestellt wurden.

Mit dem 17. Jahrhundert endet auch der sogenannte «spanische Möbelstil». An diesen, in ihren ureigensten Merkmalen der Strenge und der Kraft analysierten Möbeln, erkennt man das melancholisch anmutende Fluidum, das ihnen entströmt und, trotz der ihnen anhaftenden Ruhe und Würde, weisen sie doch noch die unverkennbaren maurischen Merkmale auf.

Um die Wende des 17. Jahrhunderts macht sich bereits eine Auflehnung gegen diese ornamentale Steifheit bemerkbar, die mit einer Kraft und einem Schwung durchgeführt wird, in denen unverkennbar der Einfluss unserer Beziehungen zu Frankreich und Italien klar zum Ausdruck kommt. Dieser Einfluss erstreckt sich nicht nur auf die Innenausstattungen und infolgedessen auch auf die Möbel, sondern er betrifft auch sämtliche Kunstrichtungen einschliesslich der Wohnungen. Seine Entwicklung ist in der als Barockstil bekannten Kunstrichtung zu suchen.

unos invariantes moriscos dentro de una constante serenidad y una gran dignidad.

Al doblar el siglo XVII se advierte en el ambiente una reacción contra esta rigidez ornamental, con un impulso y una fuerza en los que tanto influye nuestra constante relación con Francia e Italia y que afecta, no sólo a la arquitectura interior, y por consiguiente al mueble, sino que tiene su expresión en todas las artes y en la propia vivienda y su desarrollo final no es otro que el arte que convencionalmente conocemos con el nombre de Barroco.

Apart from this, the diversity of climate in the different regions of Spain did not permit any general standard in these finishings of interior architecture and there were appreciable differences between, let us say, a Galician house in the west, another in the south and a third situated on the Mediterranean coast. And how was the furniture placed in these rooms?

This is another question very difficult to answer, for as one can observe in our own times, changes in the placing of furniture over quite short periods of time are continuous and absolutely radical in many cases. We must remember that in all the interiors of the 16th and 17th centuries that we see today the present placing of the furniture is never the same as it was originally and only corresponds to personal tastes and ideas at the time when the remodelling or restoration took place.

The 17th century sees the end of what is called «Spanish furniture», this furniture we have been examining, with all its original features within its severity and vigour; and we can see that it possesses a special kind of sadness and preserves at all times certain unvarying Moorish characteristics, a constant serenity and a great dignity.

With the end of the 17th century we can see that there is a reaction in the air against this rigidity of ornamentation, an impulse abroad which is very much influenced by the constant relations with France and Italy, and which not only affects interior architecture —and consequently furniture— but finds an expression in all the arts and in the very dwellings of the people; its final development is none other than that art conventionally known by the name Baroque.

des XVI.ᵉ et XVII.ᵉ siècles n'est jamais celui du début; il répond à des considérations personnelles, lorsqu'on réalise la redistribution ou la restauration.

Avec le XVII.ᵉ siècle meurt ce que l'on appelle le «meuble espagnol», meuble dont nous avons étudié les caractères les plus originaux, toujours dans le cadre de sa sévérité et de sa vigueur; nous pouvons remarquer qu'il en émane un cachet spécial de tristesse et qu'il conserve des constantes mauresques dans une sérénité immuable et une grande dignité.

Au crépuscule du XVII.ᵉ siècle, on enregistre dans le milieu ambiant une réaction contre cette rigidité ornementale, avec un élan et une force sur lesquels exercent une grande influence nos relations constantes avec la France et l'Italie. Elle n'affecte pas seulement l'architecture intérieure et par conséquent le meuble; elle s'exprime dans tous les arts et dans la demeure elle-même, et son développement final n'est autre que l'art que nous connaissons conventionnellement sous le nom de Baroque.

125

126

EL BARROCO

El Barroco, al igual que el Renacimiento, se inicia en Roma por los artistas que sucedieron a Miguel Ángel, en pleno ambiente religioso y político de la Contra-Reforma. Por esta causa se extiende en primer lugar, por los Países Católicos, más que por antítesis, como una continuación evolutiva del Renacimiento. Observamos cómo los muebles del último Renacimiento, con tallas recargadas que lo cubren totalmente, no tienen carácter barroco y en cambio otras de mayor sencillez ornamental, pero de línea más flexible y movida, tienen ya una sutil presencia de lo barroco.

El concepto de lo barroco como tal estilo, definido por la voz «barroca», aparece en Italia y Francia y se aplicó especialmente a los fenómenos artísticos en los que se advertía una cierta extravagancia ornamental.

Hoy día el concepto y significación del barroco está aclarado y definido suficientemente en la mayoría de las Historias del Arte.

A. Hauser, estudia el barroco en su *Historia Social del Arte y la Literatura* y analiza los llamados «Conceptos Fundamentales» con los que Wolfflin define el paso del Renacimiento al Barroco, por medio de cinco parejas de rasgos contrapuestos renacentistas y barrocos, que en esquema son los siguientes: 1.º, concepto lineal y pictórico, 2.º, superficial y profundidad, 3.º, formas cerradas y abiertas, 4.º, claridad y oscuridad, 5.º, unidad y variedad.

El propio A. Hauser, los denomina conceptos «clasificados» (59) puesto que su consecuencia son, el movimiento, la discontinuidad, la perspectiva exagerada, las formas abiertas sin límites definidos y el desequilibrio en la composición. El Barroco es un avance natural en constante evolución del arte hacia su superación, cuyos principales rasgos observados más concretamente en el mueble son: la aversión a la recta, líneas quebradas y curvas, la conversión de las superficies planas en curvas, el dinamismo de la composición en contraste con el estatismo y la rigidez del mueble en el siglo XVI, su silueta sin

BAROQUE

Baroque, like the Renaissance style before it, was initiated in Rome by the artists who succeeded Michelangelo, in the midst of the religious and political atmosphere of the Counter Reformation. For this reason it first developed in the Catholic countries, though rather as an evolutionary continuation of the Renaissance than by antithesis. We may observe that the furniture of the end of the Renaissance, covered completely with elaborate carvings, is not Baroque in character, while other pieces, more simply ornamented but more supple and flexible in line, already show the subtle presence of Baroque.

The concept of Baroque as a style, defined by the word «barocca», first appeared in Italy and France and was applied especially to works of art in which there could be seen a certain extravagance in the ornamentation.

Today the concept and significance of Baroque are sufficiently well clarified and defined in most Histories of Art. A. Hauser, in the study of Baroque contained in his Social History of Art and Literature, *makes an analysis of the so-called «Fundamental Concepts» with which Wolfflin defines the passing from Renaissance to Baroque, by means of five pairs of compared Renaissance and Baroque features which, in brief, are the following: 1) linear and pictorial concept; 2) surface and profundity; 3) closed and open forms; 4) clarity and obscurity; 5) unity and variety.*

A. Hauser himself speaks of these as «classified» concepts (59), because their consequences are movement, discontinuity, exaggerated perspective, open forms without defined limits and lack of balance in the composition. Baroque is a natural advance in the constant evolution of art, and its main observable features, particularly in the field of furniture, are: a horror of straightness, lines always either broken or curved, the conversion of flat surfaces into curved ones, the dynamic quality of the composition in contrast to the staticism and rigidity of the furniture of the 16th century, a silhouette devoid of any clear limits (which in many pieces of furniture gives the sensation of their being left unfinished), its asymmetry and its picturesqueness, that is to say, its theatricality,

LE BAROQUE

BAROCK

Le Baroque, comme le style Renaissance, commence à Rome avec les artistes qui succédèrent à Michel Ange, en pleine atmosphère religieuse et politique de la Contre-Réforme. C'est pourquoi il se répand d'abord dans les pays catholiques, moins par opposition qu'en raison de l'évolution de la Renaissance. Nous remarquons que les meubles de la dernière période de la Renaissance, entièrement couverts de sculptures surchargées, n'ont pas le caractère baroque, et qu'au contraire d'autres meuble d'une plus grande simplicité ornementale mais d'une ligne plus souple et floue présentent déjà un léger aspect baroque.

Le concept du baroque comme style, défini par le mot «barroca», apparaît en Italie et en France et a été appliqué essentiellement aux phénomènes artistiques montrant une certaine extravagance ornementale.

A l'heure actuelle, le concept et la signification du Baroque sont suffisamment expliqués et définis dans la plupart des livres d'Histoire de l'Art.

A. Hauser étudie le Baroque dans son *Histoire Sociale de l'Art et de la Littérature*, et analyse ce qu'on appelle les «Concepts Fondamentaux» à l'aide desquels Wölfflin définit le passage de la Renaissance au Baroque au moyen de cinq paires de traits opposés renaissants et baroques qui, schématiquement, sont les suivants: 1) concept linéaire et pictural; 2) superficie et profondeur; 3) formes fermées et ouvertes; 4) clarté et obscurité; 5) unité et variété.

A. Hauser dit lui-même que ces concepts sont «classifiés» (59), puisqu'il en résulte: le mouvement, la discontinuité, la perspective exagérée, les formes ouvertes sans limites définies et le déséquilibre dans la composition. Le Baroque est un progrès naturel, en évolution constante, de l'Art vers son dépassement, dont les principales caractéristiques observées plus concrètement dans le meuble sont: l'aversion pour la ligne droite, les lignes brisées et courbes, la transformation des surfaces planes en courbes, le dynamisme dans la composition

Wie die Renaissance, nimmt das Barock mit den Nachfolgern Michelangelos in Rom seinen Anfang und zwar innerhalb des durch die religiöse und politische Gegenreform entstandenen Milieus. Daher verbreitet sich das Barock auch in erster Linie in den katholischen Ländern, weniger als Gegensatz denn als Folge der Entwicklung der Renaissance. An den Möbeln der Spätrenaissance, die mit Schnitzereien stark überladen sind, kann man noch keine barocken Merkmale feststellen, wohl aber eine grössere ornamentale Schlichtheit, die in der beweglicheren Linie bereits eine feine Andeutung des Barock gibt.

Der Begriff Barock als Stil erscheint erstmalig in Italien und Frankreich, wo das Wort «Barock» besonders auf die künstlerischen Erscheinungen angewandt wird, die eine gewisse ornamentale Extravaganz darstellen.

Heute ist dieser Begriff weitgehend in sämtlichen Kuntsgeschichten aufgenommen und erläutert.

In seiner Sozialgeschichte der Kunst und Literatur studiert A. Hauser das Barock und erklärt die sogenannten «Grundbegriffe», mit denen Wölflin den Übergang von der Renaissance zum Barock erläutert, mit fünf Paaren gegensätzlicher renaissance und barocken Merkmalen, die kurzgefasst folgende sind: 1. linealer und malerischer Begriff, 2. Begriff der Oberfläche und der Tiefe, 3. der geschlossenen und der offenen Formen, 4. der Helle und der Dunkelheit und 5. der Einheit und der Verschiedenheit.

A. Hauser selbst bezeichnet sie als «klassifizierte» Begriffe (59), da ihre Folgen die Bewegung, die Unterbrechung, die übermässige Perspektive, die offenen unabgegrenzten Formen und die Verwirrung in der Komposition sind. Das Barock stellt den natürlichen, sich in dauernder Entwicklung befindlichen Fortschritt der Kunst bis zur höchsten Vollendung dar. Ihre hauptsächlichsten, besonders an den Möbeln sichtbare Merkmale sind die Ablehnung der geraden Linien, die beweglichen und geschwungenen Linien, die Verwandlung der Flächen in gebogene oder gewundene Flächen, die Beweglichkeit der Komposition im Gegensatz zur Statik und die Steifheit der Möbel im 16. Jahrhundert sowie ihre undefinierte

127. Sillón de transición derivado del frailero con elementos torneados y salomónicos. Siglo XVIII. Museo de Artes Decorativas. Madrid.

128. Sillón completamente dorado con copete y faldón en el asiento tallado derivado del frailero. Museo de Santa Cruz. Toledo.

127. Transition armchair deriving from the friar's chair, with lathe-turned and Solomonic details. 18th century. Museum of Decorative Arts. Madrid.

128. Entirely gilded armchair with finial and flap on the carved seat deriving from the friar's chair. Santa Cruz Museum. Toledo.

127. Fauteuil de transition dérivé du «frailero», avec éléments tournés et tors. XVIIIᵉ siècle. Musée des Arts Décoratifs. Madrid.

128. Fauteuil complètement doré, avec corniche et jupe sur le siège, dérivé du «frailero». Musée de Santa Cruz. Tolède.

127. Übergangssessel, Ableitung vom Armsessel, mit gedrechselten und gewundenen Zierelementen. XVIII. Jahrhundert. Museo de Artes Decorativas. Madrid.

128. Vollständig vergoldeter Sessel mit Giebel und breiter Umrandung am geschnitzten Sitz, ebenfalls abgeleitet vom Armsessel. Museo de Santa Cruz. Toledo.

127.

128.

129.

132.

133.

134.

129. Sillón con todos los elementos torneados; brazo curvado y alto respaldo con caída. Hospital de Afuera. Toledo.

130. Sillón de fray Antonio de Sotomayor, interpretación nacional de Luis XIV. Respaldo con orejas y patas y chambranas con tallas muy exageradas. (Este ejemplar estuvo en el Museo de Salamanca, hoy en La Habana.)

131. Evolución de otro tipo de frailero con tallas doradas. Iglesia de San Juan. Écija (Sevilla).

129. Armchair with all the parts lathe-turned; curved arm and high, dipping back. Hospital de Afuera. Toledo.

130. The armchair of Fray Antonio de Sotomayor, a Spanish interpretation of Louis XIV. Winged back; legs and crosspieces with very exaggerated carvings. (This specimen was formerly in the Museum of Salamanca and is now in Havana.)

131. Development of another type of friar's chair, with gilded carvings. Church of San Juan. Ecija (Seville).

136

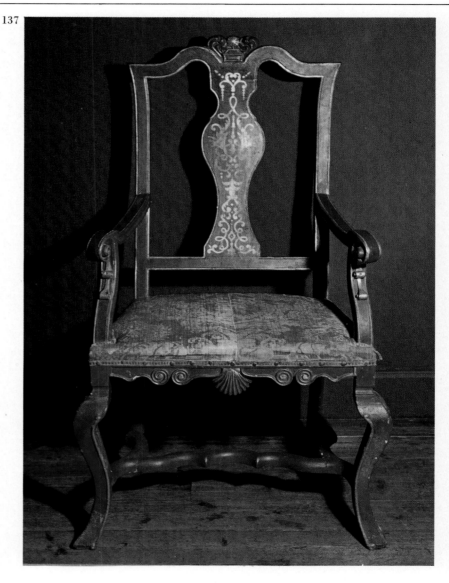

137

un límite claro (que en muchos muebles da la sensación de estar sin terminar), su asimetría y su pintoresquismo, es decir, su teatralidad, falsa perspectiva y efectismo, valorando la apariencia sobre la realidad.

Fueron Bernini y Borromini, los dos geniales arquitectos romanos del seiscientos, los que levantaron las primeras obras que llevaban en sí el germen del barroco. Líneas quebradas y rotas, superficies curvas, columnas salomónicas, frontones partidos, rompimientos de estructuras y bóvedas con efectos

false perspective and striving for effect, giving greater value to appearance than to reality.

Bernini and Borromini, those two great Roman architects of the 17th century, were the ones who built the first works to bear within them the seeds of the Baroque. Twisted and broken lines, curving surfaces, Solomonic columns, divided pediments, breaking of structures and vaults with spectacular lighting effects, all of this was a natural reaction against the purism of the Renaissance, which had by now fallen into an exaggerated mannerism.

138

contrastant avec l'immobilité et la rigidité du meuble au XVI.ᵉ siècle, la silhouette sans nette limitation (ce qui, dans beaucoup de meubles, donne la sensation qu'ils ne sont pas achevés), l'asymétrie et le pittoresque, c'est-à-dire la théâtralité, la fausse perspective et le tape-à-l'œil qui placent l'apparence par-dessus la réalité.

Les deux géniaux architectes romains du XVII.ᵉ siècle, Bernini et Borromini, construisirent les premières œuvres qui portaient en elles le germe du baroque. Lignes en zig-zag et

Form (viele Möbel erwecken den Eindruck von etwas Unfertigem), und wie sie noch alle heissen.

Bernini und Borromini waren die beiden genialen Architekten des 17. Jahrhunderts, die die ersten Werke schufen, die den unverkennbaren Keim des Barock in sich trugen. Unterbrochene und gebrochene Linien, abgerundete Flächen, gewundene Säulen, aufgeteilte Giebel, unterbrochene Strukturen sowie Gewölbe mit besonderen Lichteffekten, waren die natürliche Reaktion gegen die Stilreinheit der Renaissance, die in einen übertriebenen Manierismus gefallen war.

In das strenge und schlichte Milieu der Habsburger in Spanien konnte diese neue Kraft schwer eindringen und trotzdem erschienen im Land die ersten Anzeichen davon um die Mitte des 17. Jahrhunderts.

Die dynastischen Beziehungen zum Papsttum, die Reiselust der Aristokratie sowie ihr Wunsch nach Luxus und Neuheiten, konnte von den spanischen Monarchen nicht unterdrückt werden und waren daher der Anlass zur Einführung neuer Moden.

Man könnte sich vorstellen, dass Velázquez in seiner Eigenschaft als Haushofmeister des Königs, im Jahre 1649 eine zweite Reise nach Rom unternimmt, um neue Kunstwerke für den Hof zu erwerben und nach seiner Rückkehr im Jahre 1651 von den neuen Dekorationen erzählte, die gerade in Mode waren. Ganz bestimmt waren es aber die Botschafter und Adligen, die diese neuen Formen nach Spanien brachten.

Mit Bestimmtheit steht aber fest, dass das Barock sich in den hundertfünfzig Jahren seines Bestehens in Spanien ganz anders entwickelte und eine andere Bedeutung bekam, je nachdem es in der Regierungszeit der Habsburger —Karl II., Philipp III. und Philipp IV. —oder unter Philipp V., dem ersten Bourbonen der in Spanien regierte, erscheint. Karl III., ebenfalls ein Bourbone, bringt aus seinem Reich Neapel 1759 einen anderen Geschmack und andere Probleme mit. In dem Masse, wie der Renaissancestil sich seit Karl V. auf der ganzen Halbinsel mit bemerkenswerter Ebenmässigkeit entwickelt und sich die Motive und Modelle mit unveränderlicher Technik und Kunstsinn wiederholen, bilden sich im Barock ziemlich definierte und bedeutende Regionalschulen wie z.B. die Kastillianische, die Andalusische und die Levantinische (Katalonien und Balearen) aus.

Andrerseits kann man im Spanien des 18. Jahrhunderts drei verschiedene Möbelstile unterscheiden und zwar haben wir den Höfischen und den des Hochadels, der sich an den von Frankreich

132. Sillón de nogal de silueta muy abarrocada y tallada con patas cabriolé, brazos y ménsulas curvos. Palacio de Benamejí. Santillana del Mar (Santander).

133. Silla derivada de las inglesas Reina Ana con respaldo de lira y patas cabriolé, pintada en color verde y oro. Colección Muntadas. Barcelona.

134. Silla de nogal con el respaldo calado, patas cabriolé con chambranas cruzadas sin continuidad. Museo Lázaro Galdiano. Madrid.

132. *Walnut armchair, very baroque in outline and much carved, with cabriole legs, curved arms and corbels. Palace of Benamejí. Santillana del Mar (Santander).*

133. *Chair deriving from the English Queen Anne style, with lyre back and cabriole legs, painted in green and gold. Muntadas Collection. Barcelona.*

134. *Walnut chair with pierced back; cabriole legs with discontinuously crossed crosspieces. Lázaro Galdiano Museum. Madrid.*

139

140

141

luminosos espectaculares, todo ello como una reacción natural contra el purismo del Renacimiento, que había caído en un exagerado manierismo.

En el ambiente español, austero y severo de los Austrias, era difícil que penetrase esta nueva savia renovadora; sin embargo, a mediados del siglo XVII, aparecen las primeras manifestaciones en la Península.

Las relaciones dinásticas con el Papado, el afán de los viajes y el deseo de la novedad y lujo de la aristocracia, que los monarcas españoles no pueden reprimir, son causas bastante poderosas para introducir las nuevas modas.

Nos gusta pensar que Velázquez, aposentador del Rey, con motivo de traer objetos de arte a la Corte, hace un segundo viaje a Roma en 1649 y hablaría a su regreso en 1651, de las nuevas decoraciones en boga, pero fueron, sin duda, los embajadores y la nobleza, los que traerían e introducirían las nuevas formas en España.

Lo que sí es cierto es que en ciento cincuenta años, en que el barroco se desenvuelve en España, tiene un significado diferente según se refiere al del reinado de los Austrias —Carlos II, Felipe III y Felipe IV— o al de Felipe V, primer Borbón

In the severe, austere atmosphere of Spain under the Austrian dynasty, it was difficult for this new reviving sap to have any effect; nevertheless, at about the middle of the 17th century, its first manifestations began to appear in the Peninsula.

The relations of the dynasty with the Papacy, the urge to travel and the desire of the aristocracy for novelty and luxury, which the Spanish monarchs were powerless to repress, were sufficiently powerful causes in the introduction of the new fashions.

We like to think that Velázquez, commissioned by the king to bring objects of art to the court, made his second journey to Rome in 1649 and spoke, on his return in 1651, of the new styles of decoration in vogue, but there is no doubt that it was the ambassadors and nobles who brought the new forms from Italy and introduced them in Spain.

What is certainly true is that in the hundred and fifty years in which the Baroque style developed in Spain it was of different significance according to whether it belonged to the time of the Austrian dynasty —Carlos II, Philip III and Philip IV— or to that of Philip V, the first Bourbon to reign over Spain; Carlos III, another Bourbon, came from his kingdom of Naples in 1759 with other tastes and other problems. While the Renaissance style, from

132. Fauteuil de noyer à silhouette très baroque et taillée, pieds cabriolé, bras et supports incurvés. Palais de Benameji. Santillana del Mar (Santander).

133. Chaise dérivée des chaises anglaises Reine Anne, avec dossier en lyre et pieds cabriolé, peinte en vert et or. Collection Muntadas. Barcelone.

134. Chaise de noyer à dossier ajouré, pieds cabriolé et encadrements croisés sans continuité. Musée Lázaro Galdiano. Madrid.

132. Nussbaumsessel in sehr barocker Form, geschnitzt, mit geschwungenen Beinen, Armlehnen und Kragträgern. Schloss Benameji. Santillana del Mar (Santander).

133. Stuhl, abgeleitet von dem englischen Königin Anna-Stil, mit lyraförmiger Rückenlehne und geschweiften Beinen, grün und gold bemalt. Sammlung Muntadas. Barcelona.

134. Stuhl aus Nussbaum mit durchbrochener Rückenlehne, ausschwingenden Beinen mit unterbrochener, sich kreuzender Umrahmung. Museo Lázaro Galdiano. Madrid.

brisées, surfaces bombées, colonnes torses, frontons fragmentés, ruptures de structures et voûtes à effets lumineux spectaculaires, le tout en réaction naturelle contre le purisme de la Renaissance qui était tombé dans un maniérisme exagéré.

La pénétration de cet apport de sève rénovatrice dans le milieu ambiant espagnol, austère et sévère, de la Maison d'Autriche, était difficile. Néanmoins, ses premières manifestations apparaissent dans la Péninsule au milieu du XVII.e siècle.

Les relations dynastiques avec la Papauté, le goût pour les voyages, le désir de nouveauté et de luxe de l'aristocratie, que ne peuvent réprimer les monarques espagnols, sont assez puissants pour introduire les nouvelles modes.

Nous aimons à penser que Vélasquez, maréchal des logis du Roi, fit un second voyage à Rome en 1649 dans le but de rapporter des objets d'art à la Cour, et qu'il dut parler, à son retour, en 1651, des nouvelles décorations en vogue; mais ce furent sans doute les ambassadeurs et la noblesse qui apportèrent et introduisirent en Espagne les nouvelles formes.

Ce qui est vraiment certain, c'est qu'en 150 ans, période pendant laquelle le Baroque se développe en Espagne, il a une signification différente selon qu'il s'agit du règne de la Maison d'Autriche —Charles II, Philippe III et Philippe IV— ou de celui de Philippe V, premier Bourbon qui règne en Espagne. Charles III, Bourbon aussi, arrive de son royaume de Naples, en 1759, avec d'autres goûts et d'autres problèmes. Alors que la Renaissance, à partir de Charles Quint, se développe avec une remarquable unité dans toute la Péninsule, répétant invariablement les mêmes modèles techniques et artistiques, le Baroque forme des écoles régionales assez définies ou importantes, telles la Castillane, l'Andalouse et la Levantine (Catalogne et Baléares).

Il est facile, d'autre part, de distinguer dans l'Espagne du XVIII.e siècle trois sortes ou types de meubles: celui de la Cour et de la Haute Noblesse qui s'inspire, quand il ne les répète pas, des modèles importés principalement de France et d'Italie; celui de la bourgeoisie et de la noblesse provinciales, réalisé par des artisans locaux et qui, quoique d'inspiration étrangère, reflète sans aucun doute d'une manière plus réelle le tour de main et le caractère espagnols; et enfin, le meuble populaire qui répète ingénuement les types traditionnels avec des variantes qui affectent leur forme ornementale extérieure. Dans ce groupe, très intéressant de par sa simplicité et sa personnalité,

und Italien importierten Möbeln inspiriert, wenn er sie nicht gar nachbildet. Dann gibt es den bürgerlichen Stil und den des Landadels, der von den örtlichen Kunsthandwerkern angefertigt wird. Diese Möbel, obwohl vom Ausland beeinflusst, weisen doch in der Tat den spanischen Charakter und das spanische Handwerk auf und im Volksstil kehrt, von kleinen äusserlichen ornamentalen Abweichungen abgesehen, der schlichte einfache Stil immer wieder. Gerade in dieser Gruppe, die wegen der darin ausgeprägten Schlichtheit und Persönlichkeit höchst interessant ist, findet man die zierlichsten Interpretierungen des Barockstils, doch können wir uns im Rahmen dieser Abhandlung nicht näher mit ihrem Studium befassen.

Mit Sicherheit kann aber gesagt werden, dass unbekannte Handwerker viele Möbelstücke hergestellt haben, an denen die Feinarbeit und die Harmonie der Proportionen durch eine erstaunliche Originalität und Phantasie ersetzt sind. Hierdurch entstanden Möbel von einmaliger Schönheit und Ausdruckskraft, obwohl sie kein Ganzes bildeten noch Schule machten. Aber gerade diese Stücke geben den reinsten Beweis des spanischen Beitrags und sind letzten Endes die wirklichen Modelle des spanischen Barockstils.

Die Regierungszeit der Habsburger bringt einen nationaleren Barockstil hervor, weil dessen Entwicklung mit dem Namen des salmantinischen Architekten, Möbeltischlers und Bildschnitzers Churriguera (1650-1723) in Verbindung steht. Obwohl er selbst nicht die repräsentativsten Werke dieses Stils hergestellt hat, waren es seine Schüler und Nachfolger, die sie über ganz Spanien verbreiteten und dem Stil seinen Namen gaben (60).

Unter Philipp V. verstärkt sich der französische Einfluss und die Möbel werden importiert oder in den Werkstätten des königlichen Hofes angefertigt, womit die französische Mode kopiert und aufgenommen wurde.

Karl III. bringt sich die Künstler aus Neapel mit, die die Leitung der königlichen Werkstätten übernehmen und fördert somit den Aufschwung des Kunsthandwerks. Die Stucke, Marmor, Bronzen und Möbel des Salons Gasparini im königlichen Schloss von Madrid bilden eine der bedeutendsten Sammlungen der barocken Innenausstattung, aber es muss gesagt werden, dass diese Sammlung weder den Ausdruck noch die Merkmale einer nationalen Kunstrichtung besitzt.

Die Regierungszeit Karls III. ist ausserdem von grosser Tragweite für die Endentwicklung des Barockstils. Man darf nicht

135. Sillón de nogal con tallas rococó doradas en el copete; respaldo calado. Museo Lázaro Galdiano. Madrid.

136. Evolución del típico frailero; ancho brazal con mensulillas laterales; chambrana con recorte abarrocado y copete tallado y dorado superpuesto sobre el recto respaldo del sillón. Iglesia de Cabra (Córdoba).

137. Sillón barroco policromado (inspirado en los ingleses del siglo XVIII). Pazo de Fefiñanes (Pontevedra).

138. Interpretación muy fina de una silla Luis XV en madera pintada. Duques de Sueca. Madrid.

135. *Walnut armchair with gilded rococo carvings on the finial; pierced back. Lázaro Galdiano Museum. Madrid.*

136. *Development of the typical friar's chair; wide arm with little side corbels; crosspiece baroque in outline and carved and gilded finial superimposed on the straight back of the chair. Church of Cabra (Cordova).*

137. *Polychrome baroque armchair (inspired in English models of the 18th century). Pazo de Fefiñanes. Pontevedra.*

138. *Very fine interpretation of a Louis XV chair in painted wood. Duke and Duchess of Sueca. Madrid.*

---

que reina en España; Carlos III, también Borbón, viene de su reino de Nápoles en 1759 con otros gustos y otros problemas. Así como el Renacimiento, desde Carlos V, se desarrolla con una notable unidad en toda la Península, repitiendo unos modelos con unas invariantes técnicas y artísticas, en el Barroco se forman escuelas regionales bastante definidas o importantes, como la Castellana, la Andaluza y la Levantina (Cataluña y Baleares).

Por otra parte, es fácil distinguir en la España del siglo XVIII, tres clases o tipos de muebles; el cortesano y de la Alta Nobleza, que se inspira cuando no repite los modelos importados de Francia e Italia principalmente; el de la burguesía y nobleza provinciana, realizado por los artesanos locales que, aunque con una inspiración extranjera, refleja sin duda de una manera más real, la mano y el carácter español, y el popular que repite ingenuamente tipos tradicionales con variantes que afectan a su forma ornamental exterior; en este grupo, de gran interés debido a su simplicidad y personalidad, se encuentran graciosas interpretaciones barrocas, pero su estudio, muy complejo, no entra en los límites de esta obra.

Lo que sí podemos afirmar es que en muchas ocasiones, artesanos desconocidos consiguen ejemplares en que suplen una delicadeza de ejecución, una selección y una armonía de proporciones, con una gran originalidad e imaginación sorprendentes, dando como resultado ejemplares de gran belleza y expresividad, que no llegan a formar ni un conjunto ni una escuela; pero precisamente estos ejemplares señalan la más genuina aportación española y son en definitiva los verdaderos modelos del barroco.

El reinado de los Austrias señala un Barroco más nacional, porque su desarrollo va unido al nombre de Churriguera (1650-1713), arquitecto salmantino además de tallista y ebanista; sin ser autor de las obras más representativas del estilo, son sus discípulos y continuadores los que lo difunden por toda España y el estilo llega a tomar su nombre (60).

Con Felipe V la influencia francesa es total y los muebles son importados o construidos en los talleres de la Casa Real, copiando y siguiendo las modas francesas.

Carlos III trae de Nápoles artistas que dirigen las manufacturas reales y logra dar un gran impulso a las artes industriales. En el Salón Gasparini del Palacio Real de Madrid, estucos, mármoles, bronces y muebles, consiguen uno de los

the time of Charles V, had developed with remarkable unity throughout the Península, repeating the same models with hardly any variations, technical or artistic, Baroque gave rise to the formation of fairly well defined or important regional schools, such as the Castilian, the Andalusian and the Levantine or Eastern (Catalonia and the Balearics).

It is easy, moreover, to distinguish three classes or types of furniture in 18th-century Spain: first that of the court and the higher nobility, which is either inspired in, or simply repeats, the models imported from France and Italy principally; then that of the bourgeoisie and the provincial nobility, which, though foreign in inspiration, undoubtedly reflects more faithfully the Spanish hand and character; and lastly the furniture of the people, which ingenuously repeats traditional types, with variations affecting its exterior ornamental form. In this third group, which is of great interest on account of its simplicity and personality, there are many charming Baroque interpretations, but their study is too complex to warrant inclusion within the limits of the present work.

What we can affirm, however, is that on many occasions unknown artists produced specimens in which any lack of delicacy in the execution or selection and harmony of proportions is made up for by their great originality and surprising imagination, the results being pieces of great beauty and expressiveness, though they cannot be considered as forming a school or even a series; but it is these very specimens that form the most genuine Spanish contribution and are, in short, the true Spanish representatives of the whole style.

Baroque under the Austrian dynasty was of a more national character, for its whole development is linked with the name of Churriguera (1650-1713), a Salamanca architect who was also a carver and cabinetmaker; although he was not the creator of the most representative works of the style, it was his pupils and followers who spread it throughout Spain and so Spanish Baroque is usually known as Churrigueresque (60).

With Philip V the French influence became paramount and the furniture was either imported from France or constructed in the royal workshops, copying and following the French fashions.

From Naples Carlos III brought artists to direct the royal manufactories and succeeded in giving great impetus to the industrial arts. In the Salón Gasparini of the Royal Palace in Madrid, the combination of stuccoes, marbles, bronzes and furniture has produced one of the most remarkable baroque ensembles of interior

135. Fauteuil de noyer avec tailles rococo dorées au sommet; dossier ajouré. Musée Lázaro Galdiano. Madrid.

136. Evolution du typique «frailero»; larges bras avec supports latéraux; chambranle avec découpure baroque et sommet taillé et doré superposé au dossier droit du fauteuil. Église de Cabra (Cordoue).

137. Fauteuil baroque polychrome (inspiré des fauteuils anglais du XVIIIe siècle). Pazo de Fefiñanes (Pontevedra).

138. Trés fine interprétation d'une chaise Louis XV en bois peint. Ducs de Sueca. Madrid.

135. *Sessel aus Nussbaum mit vergoldeter Rokokoschnitzerei am Giebelaufsatz der durchbrochenen Rückenlehne. Museo Lázaro Galdiano. Madrid.*

136. *Entwicklung des typischen Armsessels. Breite Armlehne mit kleinen seitlichen Kragträgern. Barockmässig ausgeschnittene Umrandung und aufgesetzter, geschnitzter und vergoldeter Giebel an der geraden Rückenlehne des Sessels. Kirche in Cabra (Córdoba).*

137. *Buntbemalter Barocksessel (den englischen des XVIII. Jahrhunderts nachgebildet). Pazo de Fefiñanes (Pontevedra).*

138. *Sehr feine Interpretierung eines Stuhls im Ludwig XV. Stil aus bemaltem Holz. Herzog von Sueca. Madrid.*

on trouve d'amusantes interprétations baroques, mais leur étude, très complexe, n'entre pas dans le cadre de cet ouvrage.

Ce que nous pouvons affirmer, par contre, c'est que dans bien des cas des artisans inconnus ont obtenu des spécimens où ils suppléent à la délicatesse d'exécution, à la sélection et à l'harmonie des proportions par une grande originalité et une imagination surprenante, dont il résulte des modèles très beaux et d'une grande expressivité qui n'arrivent à former ni un ensemble ni une école. Mais ces spécimens constituent précisément l'apport espagnol le plus authentique et sont en définitive les vrais modèles du Baroque.

Le règne de la Maison d'Autriche marque un Baroque plus national, son développement étant lié au nom de Churriguera (1650-1713), architecte de Salamanque et, de plus, sculpteur sur bois et ébéniste. Bien qu'il n'ait pas été l'auteur des œuvres les plus représentatives de ce style, ses disciples et continuateurs le répandirent dans toute l'Espagne, et le style en vint à prendre son nom (60).

Avec Philippe V, l'influence française est absolue et les meubles sont importés ou fabriqués dans les ateliers de la Maison Royale, en copiant et suivant les modes françaises.

Charles III fait venir de Naples des artistes qui dirigent les manufactures royales et réussit à donner une grande impulsion aux arts industriels. Les stucs, les marbres, les bronzes et les meubles du Salon Gasparini du Palais Royal forment un des plus remarquables ensembles d'architecture intérieure du Baroque. Mais nous devons reconnaître qu'il ne possède ni l'expressivité ni le caractère d'un art purement national.

Le règne de Charles III revêt aussi une énorme importance dans le développement final du Baroque. N'oublions pas que Charles III (Charles VII de Naples) vient en Espagne, impressionné par les découvertes de Pompéi et d'Herculanum (1755). Il n'est donc pas surprenant qu'à la fin de son règne s'amorce et s'impose la mode d'un retour au classique, qui coïncide avec le mouvement connu en Europe sous le nom de Néo-classique.

L'évolution naturelle des mœurs européennes arrive aussi en Espagne, bien qu'elle constitue un cercle très fermé.

La conception de l'habitat a complètement changé. Les châteaux du Moyen Age et les Palais-châteaux de la Renaissance ont disparu, remplacés par les demeures de la haute bourgeoisie provinciale: grandes maisons régionales, manoirs galiciens, maisons ancestrales et mas catalans, maisons majorqui-

vergessen, dass Karl III. von Spanien (VII. von Neapel) tief beeindruckt von den Entdeckungen in Pompeji und Herkulanum (1755) nach Spanien kommt und es ist nicht verwunderlich, dass gegen Ende seiner Regierung die Rückkehr zur Klassik als Mode durchsetzt, die dann mit der Bewegung zusammenfällt, die in Europa unter dem Namen «Klassizismus» bekannt wurde.

Die natürliche Entwicklung der europäischen Sitten und Gebräuche gelangt trotz des sehr abgeschlossenen Kreises auch nach Spanien.

Der Begriff des Wohnens hat sich von Grund auf geändert. Verschwunden sind die mittelalterlichen Burgen und die Renaissanceschlösser- und paläste. Es entstehen nun die Wohnungen des hohen Landbürgertums in Form von grossen Landhäusern, die «Pazos gallegos» (galicische Erbhöfe), die katalanischen Erbhöfe und Bauerngüter, die mallorkiner Häuser, Bergkaten und die andalusischen Landgüter. Sie alle setzen sich aus einem komplizierten Bauprogramm zusammen und die grossen Räume müssen mit Möbeln ausgefüllt werden; Möbeln, die neuen Zwecken dienen und die, obwohl von den aus Frankreich, England, Italien und Holland eingeführten abgeleitet, dennoch besondere nationale Merkmale besitzen, an denen nicht nur neue ornamentale Motive entwickelt werden, sondern auch die strukturelle Form geändert wird. Mit der neuen Eroberung der Bequemlichkeit und des Komforts ändert sich auch die Bautechnik und diese verliert sich nicht mehr sondern verhilft dazu, die Mode und den Gebrauch der Möbel ständig zu verbessern.

In der Innenausstattung hat man eine grosse Einheit in der Ornamentik erreicht; Bilder, Lampen und verschiedene andere Dinge werden von dem gesellschaftlichen Milieu geprägt, aber letzten Endes ist doch das Mobiliar ausschlaggebend für den Charakter des Raumes.

Die Aufstellung der Möbel, die im 18. Jahrhundert so reichhaltig waren, ist sehr zweckmässig, denn ausser denen, die längs der Wände aufgestellt werden, gibt es Räume wo vor dem Kamin und seitlich desselben Sesselgruppen und Kanapees stehen. In den Häusern des Adels von Mallorca kann man noch viele solcher Säle finden, in denen die Möbel noch in der ursprünglich aufgestellten Form vorhanden sind.

Das Innere der Häuser —eine ganze Folge von Sälen und Empfangsräumen— stellt einen Reichtum dar, der mehr scheint als ist. In der Beschreibung des Buches von Zabaleta El día de Fiesta (Der Festtag) wird verlautet, dass die Empfangsräume

conjuntos de arquitectura interior más notables del barroco; pero hemos de reconocer que no tiene ni la expresividad ni el carácter de un arte propiamente nacional.

El Reinado de Carlos III tiene además una enorme trascendencia en el desarrollo final del Barroco. No olvidemos que Carlos III (Carlos VII de Nápoles) viene a España impresionado con los descubrimientos de Pompeya y Herculano (1755) y no debe extrañar que a los finales de su reinado, se inicie y se imponga la moda de una vuelta a lo clásico, que coincide con el movimiento conocido en Europa con el nombre de Neoclásico.

La natural evolución de las costumbres europeas llega también a España a pesar de constituir un círculo muy cerrado.

El concepto de la vivienda ha cambiado por completo; han desaparecido los castillos de la Edad Media y los palacios-castillos del Renacimiento y surgen ahora las viviendas de la alta burguesía provinciana de grandes casas regionales, los pazos gallegos, las casas pairals y las masías catalanas, las casas mallorquinas, las casonas montañesas y los cortijos andaluces. Todos ellos tienen un programa arquitectónico muy complejo y estas casas hay que llenarlas de muebles, muebles con nuevas funciones y que, aunque derivados de los que nos llegan de Francia, Inglaterra, Italia, los Países Bajos, no dejan de tener unos rasgos eminentemente españoles, en los que no sólo se desarrollan los nuevos temas ornamentales, sino que se modifica la línea estructural y la técnica constructiva con la nueva conquista de la comodidad y confort, condición esta que ya no se ha de perder y que ha de hacer mejorar constantemente la moda y el uso del mueble.

En la Arquitectura interior, se ha logrado una gran unidad con la ornamentación; los cuadros, lámparas y objetos diversos, en cuyo conjunto la indumentaria y el ambiente social dejan también su huella y su influencia; pero en muchos casos el mueble acaba por definir y completar el carácter del interior.

La colocación de los muebles, que tanto se han multiplicado en el siglo XVIII, es muy convencional; además de los que se ponen a lo largo de las paredes, en las habitaciones donde hay una chimenea, se sitúan grupos de sillones o canapés a los lados de aquélla; ejemplos muy curiosos y repetidos pueden contemplarse aún en las casas de la nobleza en Mallorca, que conservan aún una primitiva colocación de aquéllos.

El interior de las casas —sucesión de salones y estrados—, es de una riqueza más opulenta y espectacular que real; en la

architecture; but it must be admitted that it has neither the expressiveness nor the character of a really national art.

The reign of Carlos III is also of enormous importance in the final development of Baroque. We should not forget that Carlos III (Carlos VII of Naples) came to Spain with still recent memories of the discoveries of Pompeii and Herculanum (1755), so it is not surprising that the last years of his reign saw the beginning of the fashion for a return to the classical, which coincided with the movement known in Europe as Neoclassicism.

The natural evolution of European customs also reached Spain, despite the fact of this country's constituting a very closed circle.

The whole concept of the dwelling had by now completely changed; the castles of the Middle Ages and the palace-castles of the Renaissance had disappeared, giving place to the houses of the provincial haute bourgeoisie, those great houses with different names according to the different regions: the pazos of Galicia, the cases pairals and masías of Catalonia, the typical houses of Majorca, the casonas of Santander and the cortijos of Andalusia. All of these houses were architecturally very complex and they all had to be filled with furniture, furniture with new functions which, though reaching us from France, England, Italy or Holland, were never without their eminently Spanish features. In this new furniture the new ornamental motifs were developed and the structural line and technique were modified with the new conquest of comfort, this latter being a condition never lost sight of thereafter, and one which was to cause constant improvements in furniture fashions and functions.

Great unity was achieved in interior architecture by means of ornamentation; pictures, lamps and various other objects, among which clothes and social class also left their mark and their influence; but in many cases it was the furniture which really defined and completed the character of the interior.

The arrangement of the various pieces of furniture, of which there were so many since the 18th century, was very conventional; apart from those which were placed along the walls, in rooms with fireplaces groups of armchairs and sofas were set on each side of them; many curious examples of this can still be seen in the houses of the nobility in Majorca, where the original arrangement of these armchairs and sofas still survives.

The interior of the house —a succession of halls and drawing rooms— was of a richness that was more opulent and spectacular than real; in the description given in Zabaleta's book El día de

139. Petit fauteuil Charles III à dossier très bas, interprétation du fauteuil Louis XV. Palais National de Madrid.

140. Chaise à pieds cabriolé avec double courbe et sommet à silhouette très brisée, avec riche tapisserie brodée. Provient du palais de Dos Aguas de Valence. Palais de Perelada (Gérone).

141. Fauteuil de cérémonie complètement taillé et doré, servant de socle pour une image. Curieuse interprétation andalouse du baroque. Église de l'Incarnation. Fuentes de Andalucía. Séville.

139. *Kleiner Sessel Karls III. mit niedriger Rückenlehne als Interpretierung des Ludwig XV. Stils. Palacio Nacional. Madrid.*

140. *Stuhl mit doppelt gewundenen, ausschwingenden Beinen. Giebelaufsatz in sehr gebrochener Form. Reichgestickte Tapisserie. Stammt aus dem Schloss Dos Aguas in Valencia. Schloss Perelada (Gerona).*

141. *Vollständig geschnitzter und vergoldeter Prachtsitz, der einem Heiligenbild als Fussgestell dient. Eigenartige andalusische Interpretierung des Barockstils. Kirche der Encarnación. Fuentes de Andalucía. Sevilla.*

---

nes, maisons de maître de Santander, et fermes andalouses. Toutes suivent une ligne architecturale très complexe, et elles doivent être remplies de meubles ayant de nouvelles fonctions et qui, bien que dérivés de ceux qui nous arrivent de France, d'Angleterre, d'Italie, de Hollande, ne manquent pas de présenter des traits éminemment espagnols où se développent les nouveaux thèmes ornementaux et où la ligne structurale et la technique constructive sont modifiées suivant la nouvelle conquête de la commodité et du confort —élément qui ne disparaîtra plus et qui sera constamment amélioré par la mode et l'emploi du meuble.

Dans l'Architecture intérieure, on parvient à une grande unité dans l'ornementation: tableaux, lampes et objets divers, sur l'ensemble desquels le vêtement et le milieu social laissent aussi leur empreinte et leur influence. Mais dans bien des cas c'est le meuble qui achève de définir et de compléter le caractère de l'intérieur.

La disposition des meubles, qui se sont tellement multipliés au XVIII.e siècle, est très conventionnelle. Outre ceux que l'on place le long des murs, des groupes de fauteuils ou des canapés sont disposés de chaque côté de la cheminée, dans les pièces où il y en a une. On peut en voir encore des exemples très curieux et fréquents dans les maisons seigneuriales de Majorque qui en conservent encore la disposition primitive.

L'intérieur des maisons —suite de salons et de salles de réception— est d'une richesse plus opulente et spectaculaire que réelle. Dans la description du livre de Zabaleta *Le jour de fête*, nous voyons que les salles de réception se succèdent. Les meubles sont placés contre les murs d'où pendent des étoffes de soie et de velours. Banquettes, secrétaires et vitrines sont les uns à la suite des autres. L'espace entre deux fenêtres est décoré d'un trumeau, c'est-à-dire d'une grande glace placée dans un cadre doré baroque et posée sur une console ou une cheminée.

Ces intérieurs offrent une curiosité: l'emploi de poufs en guise de sièges pour les dames. Dans son livre, Zabaleta décrit la scène de la visite d'une dame qui prend un pouf et s'asseoit sur le tapis qui recouvre le salon (61). Le pouf était peut-être justifié par les jupes imposantes que portaient les dames et qui ne leur permettaient pas d'occuper commodément un fauteuil à bras. Cette coutume du pouf est certainement arabe et persiste sous une forme curieuse: les Grandes dames d'Espagne,

aufeinanderfolgen. Die Möbel stellt man an die Wände, von denen Samt- und Seidenstoffe herabhängen. In bunter Reihenfolge stehen die Möbel nebeneinander, Bänke, Schreibtische mit Fächern und Schaukästen oder Vitrinen. Die zwischen jedem Möbelstück sich ergebende freie Fläche wird mit einem Trumeau oder Spiegeltischchen ausgefüllt. Ein grosser Wandspiegel in einem barocken Goldrahmen gefasst, steht auf einem Tischchen oder auf einer Konsole.

In diesen Räumen finden wir eine Sehenswürdigkeit, die darin besteht, dass viele Sitzkissen für die Damen vorhanden sind. In dem erwähnten Buch von Zabaleta wird eine Szene beschrieben, in der eine Dame zu Besuch kommt, ein Kissen nimmt und sich damit auf den mit Teppich bedeckten Fussboden setzt (61). Wahrscheinlich beruhte die Verwendung des Sitzkissens darauf, dass die Damen infolge ihrer überweiten Röcke nicht bequem in den Sesseln sitzen konnten. Die Sitte Kissen als Sitzgelegenheit zu benutzen, ist zweifellos arabischen Ursprungs und hält sich lange aufrecht, weil die Damen der spanischen Granden das Vorrecht genossen bei Antritt ihrer Ernennung vor dem König sitzen zu dürfen, wozu sie sich des Kissens bedienten.

Im 18. Jahrhundert entsteht erstmalig das kleine Schloss oder Lustschlösschen, das nicht so anspruchsvoll war wie die Schlösser der Renaissance, sowie die Etagenwohnung des Grossbürgertums, in denen eine Reihe von Sälen zu verschiedener Verwendung vorhanden waren. Unter diesen Räumen nimmt der Empfangssalon einen wichtigen Platz ein, und wird deshalb aufwendiger ausgestattet als die anderen Zimmer. Dann folgt der Speisesaal, das Herrenzimmer und die Bibliothek sowie die Damenboudoirs als Musik- und Spielzimmer.

In Andalusien, Katalonien und Mallorca findet man noch einige dieser Räume aus jener Zeit.

Auch die Sakristeien der Mönchs- und Nonnenklöster sowie der Kathedralen sind in dieser Hinsicht wichtig und noch sehr gut erhalten. Im allgemeinen sind sie sehr einheitlich entworfen und stellen gute Beispiele für die Innenräume des Barockstils dar, in denen ein gewisses profanes Merkmal in der Zusammenstellung nicht fehlt. Ihr Grundriss ist rund, oval, mehreckig, achteckig, usw.

An den Wänden stehen grosse Kommoden, Schränke mit Fächern und Konsolen oder Nebentischchen, auf denen Bilder, Füllhörner und Spiegelleuchter aufgestellt werden. In der Mitte der Sakristei steht meistens ein grosser barocker Tisch.

descripción del libro de Zabaleta *El día de fiesta*; vemos que los estrados se suceden; los muebles se *colocan* contra las paredes, de las que cuelgan telas de seda y terciopelo; se colocan unos a continuación de otras, las banquetas, las arquimesas y los escaparates; el espacio que queda entre dos huecos se decora con un tremó, es decir, con un gran espejo encuadrado en un marco dorado abarrocado, apoyado sobre una consola o sobre una chimenea.

Ofrecen una curiosidad estos interiores y es, el empleo de las almohadas como asiento de las damas. En el citado libro de Zabaleta, se describe la escena de la visita de una dama que toma una almohada y se sienta sobre la alfombra que cubre la sala (61); quizá la almohada viniese obligada por las ampulosas faldas que usaban las damas y que no las permitía ocupar cómodamente un sillón de brazos; esta costumbre de la almohada es sin duda árabe y perdura de una forma curiosa, puesto que las damas Grandes de España, al tomar posesión de su cargo, entre sus prerrogativas era la de sentarse delante del Rey y se dice que tomaban la almohada.

En el siglo XVIII nace el palacete, de menos pretensiones que el palacio renacentista y la casa ciudadana de pisos para la alta burguesía, con una serie de salones con destinos diversos; los de recibir, de mayor aparato, el comedor, el despacho y la biblioteca y las saletas femeninas de música y juego.

Encontramos todavía algún interior de esta época en Andalucía, Cataluña y Mallorca.

También las sacristías de conventos, monasterios y catedrales, son muy importantes y están bien conservadas; generalmente están proyectadas con una gran unidad y constituyen unos buenos ejemplos de interiores barrocos, con un cierto carácter profano en su composición; las plantas son circulares, ovaladas, poligonales y ochavadas, etc.; las paredes las ocupan grandes cómodas, cajonerías y consolas sobre las que se colocan cuadros y cornucopias; en general el centro de la sacristía lo ocupa una gran mesa muy barroca.

Las grandes chimeneas del renacimiento y del siglo XVII, se han reducido hasta llegar a la llamada chimenea francesa, de pequeñas proporciones, generalmente de línea muy cuidada, realizada en mármol; con esta proporción perdura en todo el siglo XIX y es muchas veces el centro de composición de la habitación, colocando sobre ella un gran espejo o un cuadro.

En la primera mitad del siglo XVIII, la mujer tiene un gran

fiesta, we are shown this succession of drawing rooms; the furniture is placed against the walls, which are hung with silk and velvet stuffs; one after another come the stools, writing desks and cabinets; the space that is left between two openings is decorated with a tremó, which means a great looking glass surrounded by a gilded baroque frame, which stands upon a console or a chimney piece.

One of the curiosities of these interiors is the use of cushions as seats for ladies. In the above-mentioned book by Zabaleta, there is a description of a scene in which a lady paying a visit takes a cushion and sits down on it on the carpet covering the room (61); perhaps the use of cushions for this purpose was a result of the billowing skirts worn by ladies at the time, which made it uncomfortable for them to sit on an armchair; this custom of the cushions was undoubtedly Arabic and it survived in a curious fashion, for when a lady became a Grandee of Spain and took possession of her post, one of her prerogatives was that of remaining seated in the king's presence, and the common expression referred to her «taking the cushion».

The 18th century saw the birth of the palacete (little palace), which was less pretentious than the palaces of the Renaissance, and of the town house of various floors for the haute bourgeoisie, with a series of saloons for different purposes; the reception rooms, which were the most sumptuously decorated, the dining room, the book-room or office and the library, besides the ladies' rooms for music and amusement. Some interiors of this period can still be found in Andalusia, Catalonia and Majorca.

The sacristies of convents, monasteries and cathedrals are also very important and are well preserved; they are generally designed with a great sense of unity and provide us with some good examples of Baroque interiors, with a certain not very religious character in the composition; the plans are circular, oval, polygonal, octagonal, etc.; the walls are lined with large commodes, sets of drawers and consoles on which are placed pictures and cornucopias; generally the centre of the sacristy is occupied by a large table in an extremely Baroque style.

The great hearths of the Renaissance and the 17th century were reduced to the size of what is called the «French» fireplace, of small dimensions and usually well-proportioned lines, executed in marble; in this form it was to survive throughout the 19th century and it is often the centre of the design of the room as a whole, surmounted by a looking glass or a picture.

lorsqu'elles entraient en fonction, avaient le privilège de s'asseoir devant le Roi; il paraît qu'elles prenaient alors un pouf.

Au XVIII.ᵉ siècle naît le petit palais, aux prétentions plus modestes que le Palais Renaissance, et l'hôtel particulier à étages pour la haute bourgeoisie, pourvu d'une série de salons à usages divers: de réception, de grand apparat, salle à manger, cabinet de travail et bibliothèque, boudoirs féminins pour la musique et le jeu.

Nous trouvons encore des intérieurs de cette époque en Andalousie, en Catalogne et à Majorque.

Les sacristies des couvents, des monastères et des cathédrales sont aussi très importantes et bien conservées. Elles sont généralement tracées suivant une grande unité et constituent de bons exemples d'intérieurs baroques, avec un certain caractère profane dans la composition. Leur plan est circulaire, ovale, polygonal, octogonal, etc.; les murs sont occupés par de grandes commodes, des meubles à tiroirs et des consoles sur lesquels prennent place des tableaux et des miroirs. En général, le centre de la sacristie est occupé par une grande table très baroque.

Les grandes cheminées de la Renaissance et du XVII.ᵉ siècle ont été réduites pour en arriver à ce qu'on appelle la cheminée française, de petites dimensions, d'une ligne généralement très étudiée, réalisée en marbre. Elle durera ainsi durant tout le XIX.ᵉ siècle et constituera souvent le centre de la composition de la pièce, surmontée d'une grande glace ou d'un tableau.

Dans la première moitié du XVIII.ᵉ siècle, la femme exerce un grand ascendant, et cette influence apparaît dans le mobilier, dans la décoration et, en général, dans l'atmosphère de la demeure. On fait de nombreux meubles totalement superflus reflétant les besoins de la vie de société de la noblesse et de la haute bourgeoisie, dont commence le développement. On voit apparaître les tables «coiffeur», les coiffeuses et une infinité de tables auxiliaires pour toutes sortes de jeux, pour les rafraîchissements et le café, tels les célèbres «guéridons», petites tables circulaires sur pied central dont l'utilité se limite à recevoir un candélabre, un verre d'eau, etc..., les très beaux bureaux à dessus incliné, et les «bonheur du jour», les chiffonniers, les bergères, les sofas et les canapés, les chaises longues, etc. Tous ces meubles, dont le développement revêt en France —au siècle de Louis XIV et la Pompadour— une énorme importance et qui produisent des modèles ravissants en guise de tributs à

Die grossen Kamine aus der Renaissance sowie die des 17. Jahrhunderts wurden in ihren Massen soweit verringert, dass sie nur noch die der französischen Kamine besassen, die von kleineren Proportionen und einer feineren Linienführung waren, meistens wurden sie in Marmor angefertigt. Diese Kaminproportionen halten sich bis ins 19. Jahrhundert und der Kamin bildet oft den Mittelpunkt in der Komposition des Raumes. Auf dem Kamin stand meistens ein grosses Bild oder ein Spiegel.

In der ersten Hälfte des 18. Jahrhunderts gewinnt die Frau an Einfluss und dieser macht sich nicht nur im Mobiliar sondern auch in der Ausschmückung und überhaupt in der gesamten wohnlichen Umgebung bemerkbar. Es werden neue, zum Teil recht überflüssige Möbel gebaut, die die Bedürfnisse des sich nun entwickelnden gesellschaftlichen Lebens des Adels und des reichen Bürgertums wiederspiegeln. Es entstehen die Frisiertische, Toilettentischchen sowie eine Menge anderer Behelfstische zum Spielen oder um Erfrischungen zu reichen, wie die berühmten «guéridons». Es ist dies ein rundes Tischchen, dessen Tischplatte auf einem Mittelfuss ruht und nur dazu dient, dass man einen Kandelaber und dergleichen daraufstellt. Die schönen Schreibtische mit abgeschrägter Platte, die «bonheur du jour» Chiffoniers, die «bergères», Sofas, Chaiselongues usw. Alle diese Möbel, deren Entwicklung man in Frankreich —im Jahrhundert Ludwigs XV. und der Pompadour— so grosse Bedeutung beimass, werden nun unter der Herrschaft der Frau in ganz entzückenden Formen hergestellt, finden aber in Spanien nicht die gleiche Entwicklung. Hier findet man ganz selten einen Wohnraum, der das weibliche Merkmal des 18. Jahrhunderts trägt, das im übrigen Europa so häufig ist und nur in den Salons der königlichen Schlösser -wenn auch sehr abgewandelt —findet man diese kleinen Spiel- und Vergnügungsecken für die Hofdamen vor. In den Bürgerwohnungen und Adelsschlössern ist aber die Unterteilung in intimere Räume wie Boudoir, Musik- und Spielsaal, sehr selten zu finden.

In Spanien findet man sehr selten diese Feinheiten. Spanien ist ein armes Land, in dem ausser dem königlichen Hof nur noch eine mächtige, aber kleine Aristokratie herrscht; dann gibt es noch einen kleinen Landadel und das Bürgertum, die sich sehr langsam entwickeln.

Die königliche Macht hält an der traditionellen Sparsamkeit und Schlichtheit fest und verbietet sogar mittels aufeinanderfolgender Verordnungen die Einfuhr von Luxusmöbeln, mit denen die

ascendente y esta influencia se refleja en el mobiliario, en la ornamentación y en general en el ambiente de la vivienda; se hacen numerosos muebles totalmente superfluos y que reflejan las necesidades de la vida de sociedad de la nobleza y alta burguesía, que comienza ahora su desarrollo; nacen las mesas «coiffeur», los tocadores y un sinnúmero de mesas auxiliares para toda clase de juegos, refrescos y café, como las célebres «guéridon», mesita con una tapa circular sobre un pie central y cuya utilidad se reduce a poner un candelabro, un vaso de agua, etc., los bellísimos escritores con tapa inclinada y los «bonheur du jour» chiffonier, les bergeres, sofás y canapés, chaise-longues, etc. Todos estos muebles, cuyo desarrollo tienen en Francia —en el siglo de Luis XV y la Pompadour— una enorme importancia y que producen exquisitos modelos, como una imposición del imperio de la mujer, es natural que no tengan el mismo desarrollo en España. Aquí es difícil encontrar un interior del siglo XVIII, con el carácter femenino que encontramos en el resto de Europa y sólo en los salones de los palacios reales —aunque muy transformados— se encuentran las salitas para juegos y diversiones de las damas de la Corte, pero en los palacios de la burguesía y nobleza existe en muy pocos esa subdivisión de salas más íntimas con el destino boudoir, saleta de música, de juegos, toilette, etc.

En España es difícil llegar a esta sutileza; es un país pobre, en el que fuera de la Casa Real, sólo existe una aristocracia opulenta, pero reducida, una nobleza de provincias y una burguesía que muy lentamente empieza a formarse.

El poder real sigue con su gran austeridad tradicional e incluso prohibe, con sucesivas pragmáticas, la importación de lujosos muebles, con los que la aristocracia, en un afán de emulación, llena los salones de los nuevos palacios remozados, puesto que en España no hay ebanistas con el sentido de responsabilidad y técnica de los talleres franceses, donde alcanzan un alto valor artístico; a mediados de siglo, en Francia, los muebles se estampillan con la firma de su autor, además de otra estampilla «J. M. E.» de los jurados de los maestros ebanistas, para garantizarlos (62). Desde Boulle, célebre ebanista de la época de Luis XIV, hasta G. Jacob que muere en el siglo XIX, los nombres de los ebanistas franceses son innumerables. En cambio entre nosotros, es fácil que el ebanista sea un entallador de retablos, que realiza muebles de encargo para las casas de la nobleza, o un simple ensamblador provinciano,

In the first half of the 18th century woman's place in society became much more important, and this influence is reflected in the furniture, the decoration and, in short, the whole atmosphere of the house; numerous totally superfluous pieces of furniture were produced, reflecting the necessities of the social life of the nobility and the upper classes, which now began to develop; we see the invention of «coiffeuses», dressing tables and an infinity of occasional tables for all kinds of games, refreshments and coffee, such as the famous «guéridon», a little table with a circular top, the utility of which was reduced to holding a candlestick or a glass of water, etc., the exquisite escritoires with sloping tops and the «bonheur du jour», chiffoniers, bergères, sofas, chaises-longues, etc. All of this furniture, the development of which in France —it was the age of Louis XV and Madame de Pompadour— was of enormous importance, and which produced such charming models as a result of the increasing power of women, did not, of course, follow the same lines in Spain. In this country it is difficult to find an 18th-century interior with that feminine character that we see in the rest of Europe, and it is only in the saloons of the royal palaces (though very much transformed) that we can find these little rooms for the gaming and other amusements of the ladies of the court; in very few of the palaces of the nobility and bourgeoisie, in fact, do we find that subdivision into more intimate quarters, intended for boudoirs, music rooms, gaming rooms, dressing rooms, etc.

In Spain such subtleties were difficult to attain; it was a poor country and apart from the royal family there only existed the highest aristocracy, vastly rich indeed, but very few in numbers, the provincial nobility and a bourgeoisie which was, very slowly, beginning to take shape.

The royal power continued its practice of strict austerity, and even forbade, through successive sanctions, the importing of luxurious furniture, with which the Spanish aristocrats, in their orgies of emulation, had been filling the salons of their new or remodelled palaces, since in Spain there were no cabinetmakers with the same sense of responsibility and technique as those in the French workshops, in which a very high artistic level was maintained; in France, by the middle of the century, furniture was stamped with the signature of its maker, apart from that other stamp, «J.M.E.», which carried the guarantee and approval of the guild of master cabinetmakers (62). From Boulle, the famous cabinetmaker of the time of Louis XIV, down to G. Jacob, who died in the 19th century, the list of names of the great French ca-

la souveraineté de la femme, n'ont naturellement pas le même succès en Espagne. Il est difficile, ici, de trouver un intérieur du XVIII.ᵉ siècle ayant le caractère féminin que nous trouvons dans le reste de l'Europe, et c'est seulement dans les salons des palais royaux —quoique très transformés— que l'on retrouve les petites salles de jeu et de distraction des dames de la Cour, mais rares sont les hôtels de la bourgeoisie et de la noblesse qui offrent cette subdivision en salles plus intimes, utilisées comme boudoir, petite salle de musique ou de jeu, cabinet de toilette, etc.

Il est difficile d'arriver à ce raffinement en Espagne; c'est un pays pauvre, où, excepté la Maison Royale, il n'existe qu'une aristocratie opulente mais réduite, une noblesse de province, et une bourgeoisie qui commence très lentement à se former.

Le pouvoir royal conserve sa grande austérité traditionnelle et interdit même, par des édits successifs, l'importation de meubles luxueux dont l'aristocratie, dans son désir d'émulation, remplit les salons des nouveaux palais rajeunis, étant donné qu'en Espagne il n'y a pas d'ébénistes ayant la conscience professionnelle et la technique des ateliers français, où ils atteignent une haute valeur artistique. Au milieu du siècle, en France, les meubles portent la griffe de leur auteur, outre une autre estampille «J.M.E.» apposée par les jurés des maîtres ébénistes, en guise de garantie (62). De Boulle, célèbre ébéniste de l'époque de Louis XIV, à G. Jacob, mort au XIX.ᵉ siècle, les noms des ébénistes français sont innombrables. Au contraire, il est courant chez nous que l'ébéniste soit un sculpteur de retables qui exécute des meubles sur commande pour les maisons nobles, ou un simple menuisier provincial dont le nom n'a aucun intérêt et, pour cette raison, ne nous est pas parvenu. Nous avons fait la sélection des meubles baroques espagnols comme nous l'avons faite pour ceux de la Renaissance, choisissant ceux qui ont les traits nationaux les plus expressifs, sans tenir compte des exemplaires inspirés sinon copiés de modèles étrangers dont il existe un important répertoire, telles les reproductions des ateliers royaux et les cadeaux et acquisitions dus aux relations dynastiques avec la France et l'Italie ainsi qu'aux relations de frontières avec le Portugal, par où pénètre une nette influence anglaise. N'oublions pas un curieux centre de fabrication de meubles anglais, à Minorque, possession anglaise durant presque tout le XVIII.ᵉ siècle.

Aristokratie, mit natürlichem Nachahmungstrieb, die Räume ihrer verjüngten und verschönten Schlösser füllen möchte, weil es in Spanien keine verantwortungsbewussten Möbeltischler gab, die die Techniken der französischen Werkstätten und Kunstfertigkeiten beherrschten. Gegen Mitte des Jahrhunderts versah man in Frankreich bereits die Möbel nicht nur mit dem Schriftzeichen des Herstellers, sondern zusätzlich noch mit der Marke und dem Stempel «J.M.E.» der Tischlermeistergewerkschaft als Garantiezeichen (62). Von Boulle, der ein berühmter Kunsttischler aus der Zeit Ludwigs XIV. war, bis G. Jacob, der im 19. Jahrhundert starb, hat es in Frankreich zahlreiche und namhafte Kunsttischler gegeben. Unter uns kommt es jedoch vor, dass der Möbeltischler ein Bildschnitzer ist, der die Möbel auf Bestellung oder nach Angabe der Adligen anfertigt oder aber er ist ein einfacher Zimmermann vom Land, dessen Name unwichtig ist und daher nicht überliefert wurde.

Auch von den spanischen Barockmöbeln haben wir, wie bei den Renaissancemöbeln, eine Auswahl getroffen, für die wir die Möbel mit den ausdruckvollsten nationalen Merkmalen aussuchten und diejenigen beiseite liessen, die unverkennbar den Stempel nachgebildeter Modelle trugen. Zu dieser Sammlung gehören die Möbel, die in den königlichen Werkstätten hergestellt wurden und die als Geschenke aus Italien und Frankreich auf Grund der dynastischen Beziehungen hereinkamen sowie die, die von England beeinflusst aus Portugal kamen. In Menorca, das fast das ganze 18. Jahrhundert in englischem Besitz war, besteht noch eine Werkstatt, in der englische Stilmöbel hergestellt werden.

Wir beziehen uns also nur auf die Stücke, die mehr oder weniger sporadisch in den kleinen Provinzwerkstätten, ohne europäische Tragweite, hergestellt wurden, die in Kunsttischlerkreisen fast unbekannt sind und trotzdem ohne Zweifel einen künstlerischen Wert haben.

Wie schon in einem früheren Abschnitt gesagt wurde, ist der Armsessel mit Ledersitz eines der spanischen Urmodelle, von denen noch einige sehr interessante Exemplare aus dem 18. Jahrhundert erhalten sind. Anhand dieser Modelle kann man sehen wie sich dieser Sessel aus den Vorbildern um die Mitte des 17. Jahrhunderts entwickelte. Erst wurden die prismatischen Barren der vier Beine durch mehr oder weniger komplizierte gedrechselte Teile ersetzt, die in gewundenen Säulen nicht nur an den Stuhlbeinen, sondern auch an den Kragträgern der Armlehnen auslaufen. Hierzu müssen wir bemerken, dass gerade die erwähnten Teile

142. Banco de carácter religioso con elementos franceses rococó pintados y dorados sobre un fondo rojo en el respaldo, brazos y patas. Museo Romántico. Madrid.

143. Tresillo estilo Regencia de línea muy fina, tallado y dorado, con finas patas cabriolé. Palacio de Liria. Duques de Alba. Madrid.

144. Sofá, interpretación española del Luis XV con patas cabriolé sobre pie de cabra, brazos curvos sobre ménsulas cabriolé y respaldo tapizado con silueta quebrada. Palacio de Perelada (Gerona).

142. Bench of a religious character, with painted and gilded French rococo elements on a red background in the back, arms and legs. Romantic Museum. Madrid.

143. Three-piece suite of very fine lines in the Regency style, carved and gilded, with fine cabriole legs. Palace of Liria. Duke and Duchess of Alba. Madrid.

144. Sofa, a Spanish interpretation of Louis XV, with cabriole legs on goat's feet, curved arms on cabriole corbels and upholstered back with broken silhouette. Palace of Perelada (Gerona).

142  143  144

cuyo nombre no tiene interés y que por esta razón no nos ha llegado. Hemos hecho la selección de muebles barrocos españoles, como lo hicimos en el Renacimiento, eligiendo los que tienen los rasgos nacionales más expresivos, sin referirnos a ejemplares inspirados cuando no repitiendo modelos extranjeros, de los que existen un repertorio de gran importancia, como son las reproducciones de los talleres reales y los regalos y adquisiciones debidos a las relaciones dinásticas con Francia e Italia y las fronterizas con Portugal, por donde penetra una clara influencia inglesa; sin olvidar un curioso centro de fabricación del mueble inglés en Menorca, que fue una posesión inglesa durante casi todo el siglo XVIII.

Nos referimos, pues, a aquéllos, especímenes más o menos esporádicos repetidos todo lo más en pequeños talleres locales regionales, sin transcendencia europea, casi desconocidos en los círculos ebanísticos, pero con un indudable valor e interés artístico.

Como dijimos en el capítulo anterior, el frailero es uno de los arquetipos nacionales, y en pleno siglo XVIII, encontramos ejemplares muy interesantes; veamos cómo se verifica su evolución a través de los modelos en la mitad del siglo XVII; primero las barras prismáticas de las cuatro patas, se sustituyen por elementos torneados, más o menos complicados, que acaban en elementos salomónicos, no sólo en las patas sino en las ménsulas de los brazos, en las chambranas; hacemos notar que estos elementos son característicos del mueble hispano-flamenco de esta época. Simultáneamente los brazos han ido cambiando su rigidez por una suave línea ondulada, terminada

binetmakers is endless. In Spain, on the contrary, the cabinetmaker may very well have been just a carver of altarpieces who also made furniture to order for the houses of the nobility, or a simple provincial joiner, whose name was of no interest and so has not come down to us. We have made our selection of Spanish Baroque furniture, as we did with that of the Renaissance, by choosing those pieces which are most expressively national in character, without any reference to specimens inspired in —if not repeating— foreign models, of which there is a very extensive repertoire, such as the reproductions made in the royal manufactories and the presents and acquisitions due to the dynastic relations with France and Italy, as well as the vicinity of Portugal, through which last country an evident English influence penetrated; nor should we forget that curious manufacturing centre of English furniture in Minorca, which was a British possession throughout almost the whole of the 18th century.

We are referring, then, to those more or less sporadic specimens, repeated at most in small local workshops in the various regions and without any European importance; almost unknown, in fact, to connoisseurs of cabinet-making, but undoubtedly of artistic value and interest.

As we said in the previous chapter, the «friar's» chair is one of the national archetypes, and even in the middle of the 18th century we still find some very interesting specimens; let us now see how it developed, by examining the models produced in the middle of the 17th century; first of all, the prismatic bars of the four legs are replaced by more or less complicated lathe-turned members, which finish in Solomonic columns, and this not only in the legs but also in the corbels of the arms and in the chambranas; we

142. Banc de caractère religieux avec éléments français rococo peints et dorés sur un fond rouge au dossier, sur les bras et les pieds. Musée Romantique. Madrid.

143. Canapé et fauteuils style Régence, d'une ligne très fine, taillés et dorés, avec pied cabriolé. Palais de Liria. Ducs d'Alba. Madrid.

144. Canapé, interprétation espagnole du Louis XV, avec pieds cabriolé sur pied de chèvre, bras incurvés sur supports cabriolé et dossier tapissé à silhouette brisée. Palais de Perelada (Gérone).

142. Bemalte Kirchenbank mit französischen, vergoldeten Rokokomotiven auf rotem Grund an der Rücken- und Armlehne sowie an den Beinen. Museo Romántico. Madrid.

143. Dreiteilige Garnitur im Regentschaftsstil mit sehr feiner Linienführung, geschnitzte und vergoldete Verzierungen, schlanke ausschwingende Beine. Schloss Liria. Herzog Alba. Madrid.

144. Sofa, spanische Interpretierung des Ludwig XV. Stils mit ausschwingenden Beinen auf Eisenstreben, gebogene Armlehnen auf gewundenen Kragträgern, gepolsterte Rückenlehne in gebrochener Form. Schloss Perelada (Gerona).

145

Nous nous référons donc aux spécimens plus ou moins sporadiques, répétés tout au plus dans de petits ateliers locaux et régionaux, sans transcendance européenne, presque inconnus dans les cercles d'ébénisterie mais d'une valeur et d'un intérêt artistique indiscutables.

Comme nous l'avons dit au chapitre précédent, le fauteuil conventuel est un des archétypes nationaux et nous en trouvons des exemplaires très intéressants en plein XVIIIe siècle. Voyons comment se produit son évolution à travers les modèles du milieu du XVIe siècle. D'abord, les barres prismatiques des quatre pieds sont remplacées par des éléments tournés plus ou moins compliqués, terminés en éléments tors aux pieds et aussi aux supports des bras et aux chambranles. Signalons que ces éléments caractérisent le meuble hispano-flamand de cette époque. Simultanément, les bras ont troqué leur rigidité pour une douce ligne ondulée, terminée en une volute de plus en plus affirmée et volumineuse. Les dossiers sont plus inclinés, plus élevés, et finissent en haut par une courbe discrète. Le siège et le dossier sont garnis de cuir de Cordoue fixé par de grands clous de bronze. La forme trapue du fauteuil conventuel est devenue aussi plus svelte avec tous ces petits changements. A travers une foule de modèles, on en obtient un d'une grande élégance, typiquement espagnol, que nous retrouvons dans toute l'Europe.

Plus tard, la rigidité Renaissance des pieds se brise et se courbe grossièrement pour donner un simple pied «cabriolé» en forme de S, fini en griffe sur une boule, à l'instar des chaises anglaises «Chippendale» du commencement du XVIIIe siècle.

ein charakteristisches Merkmal des spanischflämischen Möbelstils jener Zeit waren. Gleichzeitig ersetzte man die Steifheit der Armlehnen durch eine sanftere, geschwungene Linienführung, die in einer immer grösseren Volute auslief. Die Rückenlehnen werden höher gezogen und erhalten eine gewisse Neigung. Der obere Rand wird sanft gebogen. Sitz und Lehne sind aus Korduanleder, das mit grossen bronzenen Nägeln festgemacht wird. Die an sich gedrungene Form des ursprünglichen Armsessels ist durch alle diese kleinen Änderungen einer schlankeren Linie gewichen. Nach einer grösseren Anzahl von Modellen gelangt man schliesslich zu dem eleganten, typischen spanischen Stil, der in ganz Europa zu finden ist.

An den Stuhlbeinen der späteren Modelle bricht sich die strenge des Renaissancestils um einem groben Schwung Raum zu geben, der wie an den englischen Chippendalestühlen des 18. Jh., in einem einfachen S-förmigen Stuhlbein oder in auf Kugeln stehenden Tatzen ausläuft. Andere Male verläuft die Entwicklung in anderer Richtung. Die Linien des Armsessels nehmen grobere Formen an, die Armlehnen sind kräftiger, die Umrahmungen sind prächtiger ausgearbeitet, die Rückenlehne ist ausgebuchtet und mit Schnitzereien von zweifelhaftem Geschmack verziert, aber das Ganze stellt ein herrliches, sehr spanisches Exemplar dar.

Einen weiteren Schritt in der laufenden Erneuerung zur barokken Struktur bildet nun der Schwung mit dem alle Teile ausgestattet werden. Arme, Träger, Beine und Umrahmungen wiederholen sich in einer doppelten geschwungenen Linie und stellen so ein herrliches Urmodell des zeitgenössischen Sessels Ludwigs XIII. in Frankreich dar. Dieses Modell wird in ganz Europa als ein ursprüngliches Original jeden Landes angesehen. Es ist sehr schwer, den eigentlichen Ursprung dieses Sesselmodells festzustellen, denn in jedem Land kann man ganz herrliche Exemplare davon finden. Zweifellos findet man aber in Frankreich und in Spanien die schönsten Urbilder davon, an denen der durchgehende Schwung der Fuss-, Arm- und Trägerseiten am vollkommensten ausgearbeitet ist.

Wenn in Frankreich der nächste Schritt in der Entwicklung zum Sessel Ludwigs XIV. führt, so muss man in Spanien eine andere Auflösung für die nächsten Wandlungen des Armsessels suchen und zwar wie sie sich z.B. in Andalusien bieten. Die strukturelle Linie ist die gleiche, aber der vordere Rand wird mächtiger. Die Rückenlehne wird nicht nur geschweifter sondern erhält als

145. Banco de nogal con tallas policromadas, pintado y dorado. Iglesia de la Asunción. Huevar (Sevilla).

146. Sofá Chippendale. Interpretación muy exagerada. Respaldo de palas caladas y patas cabriolé en caoba. Museo Municipal. Madrid.

147. Consola tallada y dorada de origen italiano. Sillas del siglo XVIII. Palacio de Monterrey. Salamanca.

145. *Painted and gilded walnut bench with polychrome carvings. Church of the Assumption. Huevar (Seville).*

146. *Chippendale-type sofa. Very exaggerated interpretation. In mahogany, with pierced blades in the back and cabriole legs. Municipal Museum. Madrid.*

147. *Carved and gilded console of Italian origin. Chairs of the 18th century. Palace of Monterrey. Salamanca.*

146

147

en una voluta cada vez más definida y voluminosa. Los respaldos se hacen más inclinados, más altos y se rematan con una suave curva en el copete, el asiento y el respaldo se guarnecen con cordobanes claveteados con grandes clavos de bronce. La proporción achaparrada del frailero, también se ha hecho más esbelta con todas estas pequeñas variaciones. A través de multitud de modelos, se logra un modelo de gran elegancia, típicamente español, que encontramos en toda Europa.

Más adelante, en las patas, la rigidez renacentista se quiebra y curva toscamente hasta conseguir una ingenua pata cabriolé, en forma de S rematada, con garras sobre bolas como las sillas inglesas Chippendale de principios de siglo XVIII. Otras veces la evolución se realiza en otra forma; las líneas del frailero se embastecen; los brazos son más fuertes, las chambranas más opulentas e importantes, y el respaldo se ha curvado, además de enriquecerse con tallas de gusto dudoso, pero el conjunto es un bello ejemplar muy español.

Otro paso en los continuos cambios e innovaciones hacia la estructura barroca, es la curvatura de todos los elementos; brazos, ménsulas, patas y chambranas repiten una doble línea curva y consiguen un precioso prototipo contemporáneo del Luis XIII en Francia y que en toda Europa se considera

145. Banc de noyer avec tailles polychromes, peint et doré. Église de l'Assomption. Huevar (Séville).

146. Canapé Chippendale. Interprétation très exagérée. Dossier ajouré et pieds cabriolé en acajou. Musée Municipal. Madrid.

147. Console taillée et dorée d'origine italienne. Chaises du XVIIIe siècle. Palais de Monterrey. Salamanque.

145. *Bank aus Nussbaum mit buntbemalter und vergoldeter Schnitzerei. Kirche der Asunción. Huevar (Sevilla).*

146. *Chippendale-Sofa in sehr übertriebener Nachbildung. Rückenlehne mit durchbrochenem Blatt und ausschwingenden Beinen aus Mahagoni. Museo Municipal. Madrid.*

147. *Geschnitzte und vergoldete Konsole italienischen Ursprungs. Stühle aus dem XVIII. Jahrhundert. Schloss Monterrey. Salamanca.*

148. Consola con tapa de mármol, patas con volutas y chambranas cruzadas muy voluminosas y exageradas. Museo Municipal. Madrid.

149. Gran mesa con tablero de nogal, patas salomónicas y fiadores de hierro. Hospital de Afuera. Toledo.

150. Mesa de nogal en la sacristía de la catedral de Sigüenza, con fiadores de hierro, plenamente barroca. Guadalajara.

151. Consola tallada y dorada con gran faldón y patas cabriolé. Paredes de Nava (Palencia).

148. Console with marble top, scrolled legs and very voluminous and exaggerated intersecting crosspieces. Municipal Museum. Madrid.

149. Large table with walnut top, Solomonic legs and iron fasteners. Hospital de Afuera Toledo.

150. Walnut table with iron fasteners in the Sacristy of the Cathedral of Sigüenza, from the heyday of Baroque. Guadalajara.

151. Carved and gilded console, with deep underskirt and cabriole legs. Paredes de Nava (Palencia).

149

150

151

Pour d'autres, l'évolution s'accomplit d'une autre manière: les lignes du fauteuil conventuel deviennent lourdes; les bras sont plus robustes, les chambranles plus gros et importants, et le dossier s'incurve et s'enrichit de sculptures d'un goût douteux. Mais l'ensemble constitue un beau modèle très espagnol.

Un nouveau pas dans les changements continuels et les innovations conduisant à la structure baroque est la courbure de tous les éléments. Bras, supports, pieds et chambranles répètent une double ligne courbe, fournissant un ravissant prototype contemporain du Louis XIII français, considéré dans toute l'Europe comme un exemplaire original de chaque pays. Il est difficile de découvrir la paternité de ce fauteuil, puisque dans chaque pays il y en a de très beaux exemples. Mais c'est à coup sûr en France et en Espagne qu'on trouve les modèles les mieux proportionnés, dans lesquels le développement de la courbe continue que forment les côtés des pieds, les bras et les supports, est le plus parfait.

Si en France le pas suivant dans l'évolution de ces exemplaires nous conduit au Louis XIV, en Espagne nous devons chercher d'autres solutions dans les changements successifs du fauteuil conventuel; par exemple, celles qui furent adoptées dans la région andalouse: la ligne générale continue à être la même, mais les chambranles de devant deviennent plus riches et importants et le dossier ne se limite pas à s'incurver, il s'achève en un haut appuie-tête décoré de sculptures dorées d'un caractère postiche qu'il est impossible de dissimuler.

Précisément dans les modèles andalous, avec l'apport anglais du pied «chippendale cabriolé» à griffe sur une boule et des motifs du baroque français en «haricot» et en «rocaille», nous arrivons aux modèles les plus dynamiques et asymétriques du baroque espagnol, dont la silhouette, comme nous l'avons dit au début du chapitre, n'a ni forme ni limite définies.

Souvent, et sans modèles intermédiaires, surgissent des types d'une grande valeur esthétique, des oeuvres d'une vigoureuse personnalité, offrant toujours le caractère expressif de tout l'art espagnol d'ébénisterie, avec des sculptures méridionales violentes et polychromées où un style mudéjare jamais disparu s'est maintenu à travers tous ces siècles. L'originalité des plats des dossiers et de leurs sommets, les pieds «cabriolé» et les côtés du siège, les chambranles en forme de H ou de X, les appuis des bras à grande courbure finissant en volutes ondulées —éléments qui caractérisent le baroque anglais ou

152. Consola tallada y dorada. Interpretación del Luis XV. Palacio de Perelada (Gerona).   *152. Carved and gilded console. Interpretation of Louis XV. Palace of Perelada (Gerona).*

152

152. Console taillée et dorée. Interprétation du Louis XV. Palais de Perelada (Gérone).

152. Geschnitzte und vergoldete Konsole; Interpretierung des Ludwig XV. Stils. Schloss Perelada (Gerona).

français— ont ici un caractère très différent et sont employés dans un autre sens. Il suffit de comparer les modèles andalous avec un fauteuil baroque, très espagnol aussi, mais réalisé à l'époque de Charles III dans les ateliers royaux, suivant une ligne très étudiée et originale, avec un dossier exagérément bas.

On peut dire que le sofa, nouveau meuble confortable, seulement admis dans les grands salons où domine l'influence étrangère, naît alors. C'est dans les modèles directement dérivés du banc que se trouvent quelques spécimens plus espagnols, d'une sculpture très naïve, d'un baroque churriguéresque doré et peint, exécuté sans doute par des menuisiers de retables plutôt que par des sculpteurs et des fabricants de meubles.

Nous croyons que la chaise et le fauteuil conservés au Musée L. Galdiano, avec de très beaux détails sur leur sommet rococo, les bras et les pieds, la ligne ajourée de la lyre et du dossier, sont les meilleurs spécimens des sièges appartenant au baroque national. La décoration est en général plus grossière que dans les modèles européens, mais elle est réalisée avec plus de vigueur et de ce dramatisme si caractéristique du génie espagnol. L'exemple du fauteuil de Fra A. de Sotomayor nous permet d'en juger. Les lignes y sont violentes, brisées, tourmentées et dynamiques, sans l'équilibre des modèles français contemporains du style Louis XIV. S'il nous fallait choisir un prototype exemplaire de ce style, nous ne pourrions trouver aucun modèle national aussi représentatif (63). Il n'est pas difficile de trouver des interprétations nationales des chaises Reine Anne et Louis XV. Dans les deux cas, outre le manque de délicatesse dans l'exécution, les chambranles qui, en forme de H croisés, unissent les pieds «cabriolé», mettent longtemps à disparaître. Leur absence confère une note d'élégance et de légèreté aux modèles déjà pleinement baroques.

Le meuble est de plus en plus commode. La tapisserie a atteint un grand développement et l'on commence à voir des sièges réellement confortables. De gros coussins garnissent le dossier et le siège et l'on rembourre les bras des fauteuils. Les dossiers sont incurvés pour qu'ils s'adaptent mieux au corps, et l'on recule les bras des «bergères» pour que les dames puissent s'asseoir commodément sans comprimer et froisser les larges jupes qu'impose la mode.

Outre la chaise, de plus en plus légère et qui ne rappelle en rien les modèles issus ou dérivés du fauteuil conventuel, nous trouvons la banquette, dérivée de la chaise pliante de la Renais-

Krönung einen Giebel mit vergoldeten Schnitzereien, dem schwerlich das Merkmal eines Ersatzteiles abgesprochen werden kann.

Gerade bei den andalusischen Modellen mit dem Beitrag des englischen Chippendalefusses, mit der Tatze auf der Kugel und den französischen Barockdetails der «haricot» und der «rocaille» kommen wir zu den bewegten und asymmetrischen Modellen des spanischen Barockstils, dessen Linie, wie Anfangs schon erwähnt, weder eine definierte Form noch Grenzen hat.

Oft findet man ohne Zwischenstücke, einige aesthetisch sehr wertvolle Exemplare; Werke, denen eine starke Persönlichkeit innewohnt, die immer das ausdrucksvolle Kennzeichen der spanischen Schreinerkunst mit ihren gewaltigen und bunten südländischen Schnitzereien tragen. Uber die Jahrhunderte hinaus hat sich der Mudejarismus an ihnen erhalten. Die originelle Form der Rückenlehne und des Giebelaufsatzes, die gewundenen Stuhlbeine und die Verzierung am Sitz, die H- oder X-förmigen Umrahmungen und weitausladenden Träger der Armlehnen, die in gekräuselten Voluten auslaufen, sind Kennzeichen des englischen oder französischen Barockstils. Werden sie aber hier angefertigt, dann bekommen sie eine ganz andere Prägung und dienen auch anderen Zwecken. Man braucht nur ein andalusisches Modell mit einem Barocksessel aus der Zeit Karls III. zu vergleichen, um den Unterschied zu erkennen. Auch dieser letztere wurde als spanischer Stilsessel in der königlichen Werkstatt angefertigt. Die Linienführung ist sehr schön und originell, aber die Lehne ist äusserst niedrig gehalten.

Es kann gesagt werden, dass in diesen Jahren die Chaiselongue und das Sofa entstehen. Es ist ein sehr bequemes Möbelstück, das aber nur in den grossen Salons Aufnahme findet, die dem ausländische Einfluss zugänglicher sind. An den Modellen, die direkt von der Bank abgeleitet wurden, findet man eher spanische Kennzeichen, wie eine sehr einfache Schnitzerei im überladenen, vergoldeten und bemalten Barockstil. Aber diese Möbel wurden sicherlich mehr von Bildschnitzern als von Kunsttischlern hergestellt.

Unserer Meinung nach stellt der im Museum L. Galdiano bewahrte Stuhl und Sessel mit den schönen Rokokoverzierungen am Lehnengiebel, den Armlehnen und Füssen, der durchbrochenen Lyraförmigen Linie, das beste Beispiel für diese Sitzmöbel im spanischen Barockstil dar.

Im allgemeinen fällt die Dekoration hier ungeschliffener aus als an den europäischen Modellen, ist aber mit grösserer Kraft und

153. Consola tallada y dorada con la talla del faldón muy asimétrica dentro de una interpretación nacional del Luis XV. Iglesia del Carmen. Estepa (Sevilla).

154. Mesita de nogal con tallas rococó doradas y silueta quebrada en la tapa. Palacio de Perelada (Gerona).

155. Salón según proyecto de Gasparini ejecutado por J. Canops para el Salón de Vestir de Carlos III. Palacio Real. Madrid.

156. Mesa tallada y dorada, interpretación del Luis XV. Comendadoras de Santiago. Sacristía. Madrid.

153. *Carved and gilded console, with the carving of the underskirt very asymmetrical, within its Spanish interpretation of Louis XV. Church of El Carmen. Estepa (Seville).*

154. *Little walnut table with gilded rococo carvings and wavy outline in the top. Palace of Perelada (Gerona).*

155. *Room designed by Gasparini and carried out by J. Canops as the Dressing Room for Carlos III. Royal Palace. Madrid.*

156. *Carved and gilded table, interpretation of Louis XV. Sacristy of the Comendadoras de Santiago. Madrid.*

154

sance. Elle est maintenant plus allongée, son siège est tapissé, et seuls les pieds gardent les mêmes profils que nous avons vus dans les chaises.

Dans les grands salons et les galeries, les banquettes se succèdent le long des murs, seulement interrompues par des tables, des consoles et des secrétaires ou bureaux, comme on peut encore le voir dans quelques vieux manoirs de province.

Une des chaises aux traits les plus nationaux est la chaise appelée «majorquine» qui, en fin de compte, est un modèle populaire: éléments tournés, haut dossier formé de barreaux en escalier et terminé par un couronnement circulaire sculpté, et siège de paille. Elle est en bois de pin et entièrement polychromée à la manière italienne.

Dans toute l'Europe, la table évolue vers des formes et des éléments courbes et il n'est pas rare de trouver des tables à plateau rond ou ovale et surtout à angles arrondis.

En Espagne, l'inertie des formes Renaissance et l'«horreur» de la courbe maintiennent les tables à entretoises et les tables de couvent ou de réfectoire, quoique avec des angles et des lignes arrondis. En tout cas, les pieds sont déjà des colonnes torses ou une interprétation du «cabriolé», comme dans les chaises.

La console —meuble caractéristique du XVIII.ᵉ siècle— est une table que l'on met contre le mur. Elle est d'ordinaire richement sculptée, complètement dorée dans bien des cas, avec des lignes et des caractéristiques très exagérées. C'est ainsi que les pieds ont la forme «cabriolé», très en dedans, en forme de support, et que les chambranles sont très robustes. Les côtés sont habituellement couverts aussi d'une décoration excédant toutes les limites. C'est peut-être dans ces meubles que l'on apprécie le plus l'asymétrie de la décoration qui est un des traits fondamentaux de la dernière époque du baroque, asymétrie qui, au début, déplaît à l'art espagnol d'ébénisterie, mais qui, une fois admis, arrive à de grands excès bien que toujours dans le cadre d'une composition très pondérée et équilibrée.

On place souvent sur la console un grand miroir encadré de moulures très tourmentées et baroques. L'ensemble s'appelle trumeau et il est souvent le centre de la composition de la pièce.

Un autre des meubles typiques de la Renaissance —le secrétaire— suit la même lente évolution des nouvelles tendances: couronnements à galeries et frontons incurvés ou partagés, colonnes torses et corps architecturaux appareillés, sur-

como un original de cada país. Es difícil encontrar la paternidad de este sillón, pues en cada nación hay ejemplos bellísimos, pero sin duda en Francia y España se encuentran los arquetipos mejor proporcionados y en los que el desarrollo de la curva continua que forman el costado de las patas, brazos y ménsula, es más perfecto.

Si en Francia el paso siguiente en la evolución de estos ejemplares nos lleva al Luis XIV, en España hemos de buscar otras soluciones en las mutaciones sucesivas del frailero; como por ejemplo las seguidas en la región andaluza; la línea estructural sigue siendo la misma, pero se hacen más opulentas e importantes las chambranas delanteras y no sólo se curva el respaldo, sino que se remata con un aparatoso copete decorado con tallas doradas, con un carácter de postizo imposible de disimular.

Precisamente en los modelos andaluces con la aportación inglesa de la pata chippendale cabriolé, con garra sobre bola y los detalles del barroco francés de los *haricot* y la *rocaille*, llegamos a los modelos más dinámicos y asimétricos del barroco español, cuya silueta, como dijimos al principio del capítulo, no tienen ni una forma ni un límite definido.

Con frecuencia, sin encontrar ejemplares intermedios, surgen tipos de un gran valor estético, obras de fuerte personalidad, siempre con el carácter expresivo de todo el arte ebanístico español, con tallas violentas y policromas meridionales, en que ha perdurado a través de estos siglos un mudejarismo que nunca ha muerto. La originalidad de las palas de los respaldos y de sus copetes, las patas cabriolé y el faldón del asiento, las chambranas en forma de H o de X, las ménsulas de los brazos de amplia curvatura, rematados en rizadas volutas y que son los elementos que caracterizan el barroco inglés o el francés, tienen aquí unos rasgos muy diferentes y se emplean con otro sentido. Basta comparar los modelos andaluces, con un sillón barroco, también muy español, pero realizado en la época de Carlos III, en los talleres reales, con una línea muy cuidada y original y un respaldo exageradamente bajo.

Puede decirse que en estos años nace el sofá, nuevo mueble confortable, que es sólo aceptado en los grandes salones y en los que la influencia extranjera es mayor. En los modelos directamente derivados del banco, es donde se encuentran algunos ejemplos más españoles, con una talla muy ingenua, de un barroco churrigueresco dorado y pintado, ejecutado

157. Sofá con rica tapicería y silueta barroca en el respaldo y los brazos. Palacio de Perelada (Gerona).

158. Gran cómoda de sacristía con cajones profusamente tallados. Écija (Sevilla).

159. Papelera de fines del siglo XVII con una puerta central entre columnas; cajonería con chapas de concha y planchas de cobre engruesada de ébano. Palacio de Liria. Duques de Alba. Madrid.

160. Mueble papelera, de carácter barroco, tallado y dorado en ébano y bronces. Palma de Mallorca.

157. *Richly upholstered sofa with Baroque outline in the back and the arms. Palace of Perelada (Gerona).*

158. *Great sacristy cupboard with profusely carved drawers. Ecija (Seville).*

159. *Late 18th-century writing desk with a central door between columns; set of drawers with shell veneers and plates of copper, filled in with ebony. Palace of Liria. Duke and Duchess of Alba. Madrid.*

160. *Writing desk of Baroque character, carved and gilded in ebony and bronzes. Palma.*

156

157

158

157. Canapé avec riche tapisserie et silhouette baroque au dossier et aux bras. Palais de Perelada (Gérone).

158. Grande commode de Sacristie avec tiroirs abondamment taillés. Ecija (Séville).

159. Cartonnier de la fin du XVIIᵉ siècle, avec porte centrale entre colonnes; tiroirs avec plaques d'écaille et planches de cuivre épaissies d'ébène. Palais de Liria. Ducs d'Albe. Madrid.

160. Meuble cartonnier, de caractère baroque, taillé et doré en ébène et bronzes. Palma de Majorque.

157. Sofa mit reicher Tapisserie, Rücken-und Armlehnen im Barokstil. Schloss Perelada (Gerona).

158. Grosse Sakristeikommode mit reichgeschnitzten Schubläden. Ecija (Sevilla).

159. Aktenschrank, Ausgang des XVII. Jahrhunderts, mit einer zwischen Säulen angebrachten Mitteltür; Schubfächer mit Schildpattplatten und Kupfer auf Ebenholzplatten. Schloss Liria des Herzog Alba. Madrid.

160. Barocker Aktenschrank aus Ebenholz, geschnitzt und vergoldet sowie Bronzeverziert. Palma de Mallorca.

159

160

should point out that these elements are characteristic of the Spanish-Flemish furniture of this period. At the same time the stiffness of the arms gradually gave place to a soft, undulating line, ending in a scroll which was increasingly more sharply defined and voluminous. The backs became more inclined and higher and were finished with a slight curve at the top, both seat and back being adorned with Cordovan leather, fastened with large bronze nails. The rather stubby proportions of the friar's chair had also become more graceful with all these little variations. As a result of these gradual changes a model of great elegance, and typically Spanish, emerged, one which we find all over Europe.

Later on the Renaissance stiffness of the feet was roughly twisted and curved, resulting in a rather rustic cabriole foot, in the shape of an S, with claws on balls as in the English Chippendale chairs of the 18th century. But sometimes this piece evolved differently; the lines of the chair became coarser; the arms were stronger, the chambranas *increased in size and opulence and the back took on a curve, apart from being enriched with carvings in rather doubtful taste; nevertheless, the whole constitutes a beautiful and very Spanish piece of furniture.*

Another step in the continuous changes and innovations leading to the Baroque structure was the curving of all the parts; arms, corbels, feet and chambranas *all repeat a doubly curving line, which produces an exquisite prototype contemporary with the Louis XIII style in France, though all over Europe this type is considered native to each country. It is difficult to discover the exact origin of this type, for there are very beautiful specimens to be found in every European nation, but it is undoubtedly in France and Spain that we find the best-proportioned archetypes and those in which the development of the continuous curve formed by the side of the feet, arms and corbels is most perfect.*

If in France the next step in the evolution of these specimens brings us to the Louis XIV style, in Spain we must look for other explanations of the successive mutations undergone by the friar's chair; for instance those we find in the region of Andalusia; the structural line remained the same, but the front chambranas *became more important and opulent, while the back not only took on a pronounced curve but was even surmounted with an elaborate top decorated with gilded carvings, the falseness of which is too apparent to be concealed.*

It is precisely in these Andalusian models, with the English contribution of the Chippendale foot, with its ball and claw, and

163. Armario de dos hojas con una composición ebanística estrellada de ascendencia mudéjar. Pintado y dorado. Hospital de Afuera. Toledo.

164. Papelera policromada, siglo XVIII. Museo de Pontevedra.

165. Biblioteca del palacio de Benamejí. Mesa central con dobles fiadores. Sillas interpretación del Chippendale, con tallas doradas. Santillana del Mar (Santander).

166. Armario de composición barroca de ascendencia mudéjar; tallado, dorado y policromado. Écija (Sevilla).

163. *Two-door cupboard, with a composition of stars of Mudejar origin; painted and gilded. Hospital de Afuera. Toledo.*

164. *Polychrome writing desk, 18th century. Museum of Pontevedra.*

165. *Library of the Palace of Benamejí. Central table with double fasteners. Chairs in the Chippendale idiom, with gilded carvings. Santillana del Mar (Santander).*

166. *Cupboard which is Baroque in composition but of Mudejar origin; carved, gilded and polychromed. Ecija (Seville).*

162

the French Baroque details of haricot and rocaille, *that we come to the most dynamic and asymmetrical models of all Spanish Baroque, the silhouette of which, as we said at the beginning of this chapter, has neither forms nor limits really defined.*

Often enough, without encountering any intermediate specimens, we come across types of great aesthetic value, works of strong personality, always possessing the expressive character of all Spanish cabinetwork, with violent carvings and typically southern polychromes, in which we see the survival through these centuries of a Mudejar influence which had never died. The originality of the bars of the backs and of their tops, the cabriole feet and the undersurface of the seat, the chambranas *in the shape of an H or an X, the corbels of the amply curving arms, finishing in curling scrolls: all these are elements characteristic of English or French Baroque, but here they have very different features and are used in quite a different way. It is enough to compare any of the Andalusian models with a Baroque armchair, also very Spanish but constructed in the royal workshops in the time of Carlos III, with its very carefully planned and original line and its exaggeratedly low back.*

It may be said that it was at this time that the sofa was born, that new and very comfortable piece of furniture, which at first found acceptance only in the greatest salons and in those most influenced by foreign fashions. It is in the models directly deriving from the settle that we find some rather more Spanish examples, very ingenuous in line, in a gilded and painted form of Churrigueresque, which was surely the work of local altarpiece carvers rather than that of «real» cabinetmakers.

It is our belief that the chair and armchair preserved in the Lázaro Galdiano Museum, with their beautiful details in the rococo tops, in the arms and feel and in the pierced lines of lyre and back, are the finest examples of Spanish baroque seats. The decoration, in general, is less fine than in the European models, but it is carried out with greater vigour and «dramatic effect», so intrinsic a part of the Spanish spirit. In what better example than the armchair of Fray A. de Sotomayor can we see the truth of this? There the lines are violent, twisted, tortuous and dynamic, without any of the balance to be found in the contemporary French models of the Louis XIV style. If we had to choose one specimen as the prototype of this style, we could not find a more representative Spanish model (63). It is not difficult to find Spanish interpretations of Queen Anne or Louis XV chairs; in both, apart from the lack of delicacy in the workmanship, the chambrana *lingers on, in the form of a*

163. Armoire à deux battants avec composition étoilée d'ascendance mudéjare. Peinte et dorée. Hôpital d'Afuera. Tolède.

164. Cartonnier polychrome, XVIIIe siècle. Musée de Pontevedra.

165. Bibliothèque du palais de Benaméjí. Table centrale avec doubles verrous. Chaises interprétation du Chippendale, avec tailles dorées. Santillana del Mar (Santander).

166. Armoire d'une composition baroque, d'ascendance mudéjare, taillée, dorée et polychrome. Ecija (Séville).

163. Schrank mit zwei Türen und gesternter Holzarbeit im Mudéjarstil. Bemalt und vergoldet. Hospital de Afuera. Toledo.

164. Buntbemalter Aktenschrank aus dem XVIII. Jahrhundert. Museum von Pontevedra.

165. Bibliothek in Schloss Benaméjí. Mitteltisch mit doppelter Eisenverstrebung. Nachgebildete Chippendale-Stühle mit vergoldeter Schnitzerei. Santillana del Mar (Santander).

166. Barock-Schrank vom Mudéjar-Stil abgeleitet; geschnitzt, vergoldet und buntbemalt. Ecija (Sevilla).

163

«Dramatik» angefertigt, die dem spanischen Charakter so eigen sind. Wo besser als am Beispiel des Sessels von Fray A. de Sotomayor kann man dies feststellen? An diesem Sessel wirken die Linien wuchtig, unterbrochen, stürmisch und bewegt, ohne die Ausgeglichenheit aufzuweisen, die man an den zeitgenössischen französischen Modellen Ludwigs XIV. findet. Hätte man ein Urmodell für diesen Stil zu wählen, könnte man kein besseres finden, das ausdrucksvoller den spanischen Möbelstil darstellt (63). Es ist auch nicht schwer, spanische Interpretierungen des Stuhles der Königin Anna oder Ludwigs XV. zu finden. Beiden Nachbildungen fehlt die Feinheit der Fertigung. Die in Form eines H- gekreuzten Rahmen, die die geschwungenen Stuhlbeine verbinden, werden noch lange beibehalten und ihre Abschaffung gilt für die nun schon barocken Möbel, als eine Note der Eleganz und der Zierlichkeit.

Die Möbel werden immer bequemer gestaltet. Die Tapezierkunst hat sich ebenfalls weiterentwickelt und die Sitze werden von nun an bequemer gestaltet. Rückenlehne und Sitz werden mit Kissen ausgestattet und die Armlehnen der Sessel werden gepolstert. Die Rückenlehne wird ausgebuchtet, damit sie sich dem Körper besser anpasst und die Armlehnen der «bergères» werden zurückgelegt um den Damen einen bequemeren Sitz zu bieten, ohne dass ihre bauschigen, der Mode entsprechenden Kleider zerknüllt werden.

Ausser den immer zierlicher werdenden Stühlen, die mit dem Armsessel fast nichts mehr gemein haben, gibt es noch die lehnenfreie Bank, die von dem Klappstuhl der Renaissance abgeleitet wurde. Diese ist nun etwas länglicher, hat einen gepolsterten Sitz und nur die Form der Beine ist beibehalten worden.

In den Sälen und auf den Fluren stehen diese Bänke an den Wänden und zwischen ihnen findet man kleine Tischchen, Konsolen und Barguenos sowie Schreibtischchen mit Fächern, wie man es noch in alten Landhäusern finden kann.

Der typischste spanische Stuhl ist der sogenannte mallorquiner Stuhl, der sehr volkstümlich ist. Er wird aus gedrechselten Teilen zusammengesetzt, die Rückenlehne ist sehr hochgezogen und durch treppenförmige Querleisten mit den beiden hinteren Stuhlbeinen verbunden. Oben ist sie in einem Ziergiebel abgerundet. Der Sitz ist aus Bast geflochten. Der Stuhl selbst ist aus Fichtenholz gefertigt und nach italienischer Sitte bunt bemalt.

Der Tisch entwickelt sich in ganz Europa zur runden Form hin und nicht selten findet man jetzt Tische mit runder, ovaler oder abgerundeter Tischplatte.

167. Armario de líneas muy simples, pintado. El copete y los muebles representados en los recuadros son plenamente barrocos. Casa-Museo Papiol. Villanueva y Geltrú (Barcelona).

167. Painted cupboard with very simple lines. The finial and the furniture represented on the panels are completely Baroque. Casa Papiol Museum. Villanueva y Geltrú (Barcelona).

167. Armoire de lignes très simples, peinte. Le sommet et les meubles représentés sur les panneaux sont absolument baroques. Maison-Musée Papiol. Villanueva y Geltrú (Barcelone).

167. Bemalter Schrank in einfacher Linienführung. Der Giebel und die in den Quadraten dargestellten Möbel sind Barock. Casa-Museo Papiol. Villanueva y Geltrú (Barcelona).

montés d'une galerie métallique à petits balustres, et pour finir le tout, des figures de bronze très tourmentées et des moulures très inégales. Les faces de ces ensembles de tiroirs ont des formes variées: panneaux à riches moulures encadrant des fonds en écaille ou en marqueterie, moulures de gaïac ou d'ébène, fonds en verre peint appelés «églomisés». En général, on remarque dans ces modèles l'énorme influence de la France, de l'Italie et de la Flandre.

Ces meubles ne sont plus le secrétaire à abattant et prennent le nom de table de travail ou bureau. Ils sont sur des pieds en forme de boules, avec des griffes de bronze, qui s'appuient à leur tour sur une table ou un petit bureau à pieds tors dits «en lyre». Ce modèle, avec de très nombreuses variantes de composition, finit par avoir un certain caractère national. Parmi les modèles majorquins, les bureaux ou consoles arrivent à prendre une grande importance. Leurs pieds tors montrent sur le devant de grands motifs décorés, exécutés assez grossièrement. Ils sont abondamment sculptés, peints et dorés. Leur composition, d'une grande richesse et d'un grand effet, trahit une indiscutable influence italienne.

Le nombre de matériaux employés pour enrichir et embellir ces meubles est énorme: la nacre, l'ivoire, le bronze et les pierres dures ou le marbre, alternent avec les verres peints, les marqueteries de bois exotiques et les cuirs repoussés.

On trouve encore quelques coffres des siècles précédents, presque toujours d'un caractère populaire, avec des sculptures baroques influencées par la rocaille ou richement tapissées. Les coffres appelés «de fiancée» de la région du Levant continuent à être très intéressants, avec leur double abattant pour laisser ouvert le premier, décoré intérieurement de peintures, de marqueterie ou de sculptures et l'inévitable petit compartiment latéral pour les bijoux de la fiancée.

Ceux qui s'en conservent sont tapissés de velours de soie ou de cuir, toujours cloutés suivant des dessins très baroques.

Il existe beaucoup d'exemplaires de l'armoire, dernier meuble dérivé du coffre, d'une composition et d'une technique très variées, depuis les modèles les plus naïfs tels ceux formés par la superposition d'un troisième corps sur le secrétaire —transformation vers le baroque des modèles déjà vus lors de la Renaissance— jusqu'à ceux qui sont composés de portes à panneaux sculptés de polygones en étoile mudéjares ou de portes sculptées couronnées de frontons brisés courbes. Le meuble

Angesichts der Trägheit in den Formen der Renaissance und des Abscheus vor den Bögen und Rundungen, findet man in Spanien noch lange Zeit die länglichen Klapp- und Refektoriumstische, obwohl schon mit abgerundeten Kanten und Ecken. Die Tischbeine allerdings bestehen aus gewundenen Säulen oder aus einer Nachbildung der Chippendalefüsse wie bei den Stühlen.

Die Konsole —ein besonderes Möbelstück aus dem 18. Jahrhundert— ist ein gegen die Wand gestellter Tisch, der meistens mit reicher, vielfach vergoldeter Schnitzrei verziert ist und von auffallender Linienführung ist. So z.B. sind die Tischbeine sehr nach innen geschwungen, in Form von Trägern und die Querleisten sind sehr wuchtig. Die Vorder- und Seitenplatten des Tisches sind ebenfalls sehr üppig dekoriert. Vielleicht erkennt man gerade an diesen Möbeln am meisten die Asymmetrie der Ornamentik, die eines der grundsätzlichsten Merkmale der Endepoche des Barockstils ist. Die spanischen Kunsttischler fühlen sich anfänglich davon abgestossen, aber einmal angenommen wird sie übertrieben, obwohl sie stets bei einer ausgeglichenen und sehr gut ausgewogenen Komposition bleiben.

Oft stellt man auf diese Konsolen grosse Wandspiegel, die in einen sehr barocken Rahmen gefasst sind. Diese Zusammenstellung nennt man dann Trumeau oder Spiegeltischchen und bildet meistens den Mittelpunkt des Raumes.

Ein weiteres typisches Möbelstück aus der Renaissance ist das Bargueño, das der gleichen langsamen Entwicklung zum Barockstil unterliegt. Man findet nun an diesen Möbeln abgerundete oder geteilte Emporen und Frontgiebel, gewundene Säulen, zurückgelegte architektonische Teile, die von einem metallischen Säulenrahmen gekrönt werden und in Bronzefiguren von bewegten modulierten Formen enden. Die Fronten dieser Schränke oder Fächer sind von sehr verschiedenen Formen. Man findet Paneele mit gekräuselten Rahmen, die Schildpatt- oder Mosaikeinlagen einfassen. Ebenholz und Palisandereinrahmungen. Bemalte Glaseinlagen, «eglomise» genannt. Im allgemeinen macht sich an diesen Möbeln der grosse Einfluss Frankreichs, Italiens und Flanderns bemerkbar.

Diese Möbel haben nichts mehr mit dem eigentlichen Bargueño mit abklappbarem Deckel gemein. Sie dienen nun als Schreibtische. Sie stehen auf kugelförmigen Füssen mit bronzenen Klauen, die ihrerseits auf einem Tisch mit gewundenen sogenannten Lyraplatten ruhen. Nach vielen Wandlungen in der Zusammenstellung, kann man nun dieses Möbel als typisch spanisch bezeichnen. Vor

168

crossed H joining the cabriole feet, and its disappearance gives a note of elegance and lightness to those models which are already completely Baroque.

Furniture is now becoming ever more comfortable; upholstery has reached a high degree of development and now we begin to find seats which are really comfortable; cushions are placed on the seat and against the back, and the arms of the armchairs are padded; the backs are curved to fit more snugly to the body and the arms of the «bergères» are set back in order to permit ladies to sit in them comfortably, without squeezing or wrinkling the voluminous skirts decreed by fashion.

Alongside the chair, which has become lighter and lighter and is no longer at all reminiscent of the models evolved or derived from the friar's armchair, we find the stool, a derivation from the Renaissance folding chair; but now it is longer and only the legs still have the same outline as we have seen in its ancestor.

In the great salons and galleries, the stools are lined along the wall, only interrupted by tables, consoles and bargueños or writing desks, as may still be seen in some old mansions in the provinces.

One of the most characteristically Spanish pieces of furniture is the so-called Majorcan chair which, after all, is a popular specimen, with lathe-turned members, a high ladder back surmounted by a high, circular, carved top and with a rush seat; it is constructed of pine and the whole is polychromed in the Italian fashion.

All over Europe the evolution of the table was towards curving forms and members, and it is not unusual to find tables with round and oval tops and, above all, with rounded corners.

In Spain, owing to the inertia of the Renaissance forms and the horror of curves, the tables with fasteners and the convent or refectory tables still survived, though with rounded corners and lines. In any case the legs were by now either Solomonic columns or some kind of interpretation of the cabriole, just as in the case of the chairs.

The console — a piece of furniture peculiar to the 18th century — is a table which is placed against the wall, usually richly carved and in many cases gilded all over, with very exaggerated lines and features; thus the legs are in the cabriole form, well tucked in in the shape of corbels, while the trimming is very opulent; the under-edge, too, is usually covered with ornamentation which goes beyond all bounds. It is perhaps in these pieces that we can best appreciate the asymmetry of the ornamentation, which is one of the fundamental features of the last stages of Baroque, an asymmetry which at first revolted the Spanish cabinetmakers, but which, once they had

seguramente más que por entalladores y mueblistas, por carpinteros de retablos.

Creemos que la silla y el sillón conservado en el Museo L. Galdeano, con bellísimos detalles en el copete rococó, en los brazos y patas y en la línea calada de la lira y del respaldo, son los mejores ejemplos del mobiliario de asiento del barroco nacional. La decoración es en general más tosca que en los modelos europeos, pero está realizada con un mayor vigor y «dramatismo», tan intrínseco del genio español. ¿En qué ejemplo mejor que en el sillón de Fray A. de Sotomayor vemos ésta apreciación? Allí sus líneas son violentas, quebradas, tormen-

168. Commode à face ventrue; comme les exemplaires levantins, elle a un autre corps en retrait sur le dessus de la commode; ici, le premier compartiment est un couvercle de bureau. Palais de Perelada (Gérone).

169. Meuble-bureau en noyer, avec corps supérieur. Inspiré des meubles anglais du XVIIIe siècle, composition très baroque et originale. Musée Municipal. Madrid.

168. *Kommode mit bauchigem Frontteil. Wie alle levantinischen Exemplare hat auch sie einen kleinen zurückgesetzten Aufsatz auf der Platte. Der Oberste Kommodenkasten ist eine Schreibplatte. Schloss Perelada (Gerona).*

169. *Schreibschrank aus Nussbaum, mit Oberteil. Den englischen Möbeln des XVIII. Jahrhunderts nachgebildet in origineller und stark barocker Komposition. Museo Municipal. Madrid.*

169

allem der Arbeitstisch oder die Konsolen der mallorquiner Modelle sind wichtig und interessant wegen ihrer geschweiften Beine und der grossen dekorativen Motive an den Frontseiten, die von grober Fertigung sind. Diese Tische sind reich mit vergoldeten und bemalten Schnitzereien versehen und der italienische Einfluss ist unverkennbar.

Zur Verzierung dieser Möbelstücke diente ein reichhaltiges Material. Schildpatt, Elfenbein, Bronze, harte Steine und Marmor wechseln mit bemaltem Glas, Einlegearbeiten aus exotischen Hölzern und Pressleder ab.

Aus vergangenen Jahrhunderten sind noch einige Truhen erhalten, die meist sehr volkstümlich mit barocken Schnitzereien oder reichen Tapisserien verziert sind. Nach wie vor werden die «Brauttruhen» bevorzugt, die aus dem Levantegebiet stammen und einen Doppeldeckel haben, von dem der eine immer geöffnet bleibt, damit man die herrlichen Innendekorationen der Truhen in Form von Malereien, Mosaiken oder Schnitzereien bewundern kann und das bewusste Seitenfach des Brautschmucks freizugeben.

Die Truhen, die noch vorhanden sind, sind mit Seidensamt oder Leder ausgeschlagen und mit Nägeln von sehr barocker Form verziert.

Die Schränke, die als letzte der Truhe entspragen, sind auch noch in einigen Exemplaren erhalten. Komposition und Technik dieses Möbels sind sehr verschiedenartig und führt von den schlichtesten Formen der einfachen Aufstellung eines dritten Teils auf das Bargueño —das schon die barocke Umwandlung eines in der Renaissance bereits vorhandenen Modells ist— bis zu den Schränken mit geschnitzten Paneelen, mit gesternten Polygonen im Mudéjarstil an den Türen oder die nur einfache geschnitzte Türen mit schwungvollen, geteilten Giebelfronten haben. Aber das für den Barockstil kennzeichnendste Möbelstück, das auch den bürgerlichen Lebensbedürfnissen mehr entspricht, ist die Kommode.

Obwohl es in der Renaissance bereits Vorläufer dieses Möbels gab —für Spanien brauchen wir uns nur an die ersten Kommoden des Renaissancestils zu erinnern, die als Fachwerke in den Kirchen dienten—, müssen wir seinen Ursprung in Frankreich suchen, wo es sich vor allem im 17. Jahrhundert entwickelte. Die Form desselben stellt einen prismatischen niedrigen Schrank dar, dessen Frontseite in grosse Schubfächer aufgeteilt ist.

Die besondere Note der französischen Kommode wird durch die Umwandlung gekennzeichnet, die sie im Laufe des Jahrhunderts erfährt und die darin besteht, dass ihre Seiten immer konvexer

170. Cómoda. «Canterano» de tapa inclinada, frente con cajones abombados. Colección particular. Barcelona.

171. Cómoda alta con el frente de línea quebrada, chaflanes y remates de tipo rococó. Colección particular. Barcelona.

172. Cómoda-tocador con el frente abombado y pequeño cuerpo superior con un espejo de tipo cornucopia tallado y dorado.

173. Gran armario de nogal con cuatro puertas, zócalo y cornisa. Frontis partido con volutas, totalmente tallada. Hospital de Afuera. Toledo.

170. «Canterano» writing desk with sloping flap, the front with outward-swelling drawers. Private collection. Barcelona.

171. High commode with broken lines in the front, chamfers and finials in the rococo style. Private collection. Barcelona.

172. Commode cum dressing table, with outward-curving front and a small upper part with a looking glass of the cornucopia type, carved and gilded.

173. Great walnut cupboard, with four doors, socle and cornice. Divided front with scrolls, carved all over. Hospital de Afuera. Toledo.

170

172

171

170. Commode «Canterano» à couvercle incliné, face avec tiroirs bombés. Collection privée. Barcelone.

171. Haute commode à partie frontale d'une ligne brisée, pans coupés et couronnements rococo. Collection privée. Barcelone.

172. Commode-coiffeuse à partie frontale bombée et petit corps supérieur avec miroir du genre «cornucopia» taillé et doré.

173. Grande armoire de noyer à quatre portes, avec socle et corniche. Frontispice divisé avec volutes, entièrement taillé. Hôpital d'Afuera. Tolède.

170. Kommode. «Canterano» mit schrägem Deckel, am Frontteil bauchige Kästen. Privatsammlung. Barcelona.

171. Hohe Kommode mit unterbrochener Frontlinie, abgeschrägten Ecken und Verzierungen im Rokokostil. Privatsammlung. Barcelona.

172. Frisierkommode mit bauchiger Front und kleinem Aufsatz mit einem Spiegel in vergoldetem und geschnitzten Rahmen im Füllhornstil.

173. Grosser Schrank aus Nussbaum mit vier Türen, Sockel und Sims. Die Front ist vollständig geschnitzt und von Voluten unterbrochen. Hospital de Afuera. Toledo.

173

tosas y dinámicas, sin el equilibrio de los modelos contemporáneos franceses del Luis XIV. Si hubiese que elegir un ejemplar prototipo del estilo, no podríamos encontrar un modelo nacional más representativo (63). No es difícil encontrar interpretaciones nacionales de la silla Reina Ana y Luis XV; en ambas además de la falta de delicadeza en la ejecución, tardan en desaparecer las chambranas que en forma de H cruzadas, unen las patas de forma cabriolé y cuya desaparición es una nota de elegancia y ligereza en los modelos ya plenamente barrocos.

El mueble es cada vez más cómodo; la tapicería ha alcanzado un gran desarrollo y empiezan los muebles de asiento realmente confortables; en el respaldo y en el asiento se colocan almohadones, se almohadillan los brazos de los sillones; se curvan los respaldos para que se adapten mejor al cuerpo y los brazos de las «bergêres» se retrasan para que las damas puedan sentarse cómodamente sin oprimir y arrugar las amplias faldas que impone la moda.

Además de la silla, cada vez más ligera y que ya nada recuerda a los modelos evolucionados o derivados del frailero, encontramos la banqueta, derivada de la silla de tijera del renacimiento; ahora es más alargada, con el asiento tapizado y sólo las patas continúan con las mismas siluetas que hemos vistos en las sillas.

En los grandes salones y galerías, las banquetas se suceden a lo largo de las paredes, sólo interrumpidas por mesas, consolas y bargueños o arquimesas, como aún pueden verse en alguna vieja casona de provincias.

Una de las sillas que tiene rasgos más nacionales es la llamada mallorquina, que al fin y al cabo es un ejemplar popular, con elementos torneados, un alto respaldo de aldabas en escalera y rematada por un alto copete circular tallado y con el asiento de anea; es de pino y toda ella va policromada a la manera italiana.

En toda Europa la mesa evoluciona hacia formas y elementos curvos y no es extraño encontrar mesas con la tapa redonda y ovalada y sobre todo con los ángulos redondeados.

En España la inercia de las formas renacentistas y el *horror* a la curva hace que, aunque con ángulos y líneas redondeadas, subsistan las mesas de fiadores y las mesas conventuales o de refectorio. En todo caso las patas ya son columnas salomónicas o una interpretación de la cabriolé, igual que en las sillas.

accepted it, they carried to the wildest extremes, although always within the limits of a well-thought-out and balanced composition.

Frequently a large looking glass was placed above the console, framed with very tortuous, baroque mouldings; the whole composition thus formed was called a tremó *and was often the central point for the design of the whole room.*

Another of the most typical Renaissance pieces —the bargueño— followed the same slow evolution of the new Baroque trends; the tops with galleries and curved or divided pediments. Solomonic columns and irregular architectural volumes, surmounted by metal galleries of little balusters and finished off with tortuous bronze figures and meandering mouldings. The fronts of these sets of drawers are of many forms; panels with curling mouldings enclosing backgrounds of tortoise shell or marquetry; mouldings of lignum vitae or ebony; backgrounds of painted glass, known as «eglomise»; in these models in general one can see the enormous influence of France, Italy and Flanders.

But these pieces are no longer the real bargueños, those with the front opening downwards, and now they are called paper cases or writing desks; they are mounted on feet in the form of balls, with bronze claws, which in turn rest on a table or small desk with Solomonic pillars or what are called «lyre» supports. This model, with infinite variations in its composition, came to be of fairly representative Spanish character. Above all, the table of the little desks or of the consoles in the Majorcan models came to be of great importance, having Solomonic legs with great decorative motifs on the front, rather crudely executed; they were very much carved, painted and gilded; in composition they are very rich and showy, with undeniable Italian influence.

The number of materials used to enrich and embellish these pieces is enormous; shells, ivory, bronze and hard stone or marble alternate with painted glass, marquetries in exotic woods and embossed leather.

There still survived some coffers in the fashion of previous centuries, almost always of a popular kind, with Baroque carvings of rocaille influence or richly lined with fabric or leather. Still very interesting are the «bride's chests» of the eastern regions, with their double lid to leave the first one open, decorated inside with paintings, marquetries or carvings and with the usual little side drawer for the bride's jewels. Those which still survive are lined with silk velvet or leather and always studded with nails arranged in very Baroque patterns.

174. Coiffeuse peinte et dorée, inspirée du style Louis XV. Palais de Vivó. Palma de Majorque.

174. Bemalter und vergoldeter Toilettentisch dem Ludwig XV.-Stil nachgebildet. Schloss Vivó. Palma de Mallorca.

174

werden. *Dies erkennt man an der äusseren Form der Platte, die nicht nur an der Stirnseite sondern auch seitlich gewunden erscheint. Die merkwürdigste Eigenheit an diesem Möbelstück, ist der Zusammenhang der bauchigen Oberfläche in der die Kästen und Fächer verborgen sind. Auf dieser Oberfläche spielt sich eine grossartige Dekoration in Form von Schnitzwerk, Einlege- und Lackarbeiten ab, die die ganze Kommodenfront in vollkommener Einheit von der Platte bis zu den Füssen ziert.*

Diese absolut rokokomässige Zusammenstellung oder Komposition wird noch mit bronzenen Griffen, Schlossumrandungen und anderen Verzierungen an den Ecken und Füssen ergänzt.

Die spanische Ausgabe der Kommode ist viel einfacher gehalten als die herrlichen französischen Exemplare, die von den besten französischen Möbeltischlern des 18. Jahrhunderts angefertigt wurden, und entspricht immer dem besonderen spanischen Merkmal der Sparsamkeit und Schlichtheit sowie dem Mangel an handwerklicher Kunstfertigkeit. Die Ornamentik beschränkt sich auf schlichte Streifen in Mosaikarbeit und auf die an der bauchigen Vorderseite der Kommode angebrachten Bronzebeschläge. Sämtliche Teile der Kommode aber, wie die Füsse, Fronten, Kästen, Bronzen usw. bilden ein herrlich zusammenhängendes Ganzes, das den französischen Modellen nicht nachsteht.

Ganz selten findet man die Vorderseite der spanischen Stilkommode, dem französischen und holländischen Einfluss folgend, ganz durchgehend mit Einlegearbeit verziert und wieder ist es in der Levante und in Andalusien, wo man einige dieser Kommoden finden kann.

Eine Abwandlung dieser Kommode stellt der Schreibtisch mit dem abgeschrägten Deckel —der katalanische «canterano»— dar, der sehr oft zierlich mit Einlegearbeit verziert ist und eine grosse Ähnlichkeit mit den holländischen, blumenverzierten Schreibtischen hat.

Von der Kommode als Folge der zeitgenössischen Bedürfnisse der Damen abgeleitet, gibt es eine Möbelgruppe, die als Toilette- oder Frisiertische bekannt ist. Obwohl diese Tische europäischen Ursprungs sind, tragen sie unverkennbar die spanische Prägung. Ihre Schnitzarbeit kann als grob und wenig kunstfertig angesehen werden, ausserdem sind sie noch sehr bunt bemalt, aber man kann ihnen eine gewisse Originalität nicht absprechen.

Ein Möbel, das auch von Zabaleta genannt wird, ist die Auslage oder der Schaukasten. Es wird dargestellt von einem auf drei Seiten verglastem Schrank, der auf einen Tisch aufgestellt

le plus caractéristique du baroque et qui répond aux besoins d'une vie plus bourgeoise et rationnelle est cependant la commode.

Bien qu'il ait une ascendance Renaissance —en Espagne, il suffit de se rappeler les modèles de premières commodes Renaissance qu'étaient les ensembles de tiroirs des églises—, ce meuble a une origine française évidente, surtout par suite de son développement au cours de tout le XVII.e siècle. Il a une for-

175. Cama de estilo levantino con cabecera de silueta recortada muy quebrada y patas cabriolé pintada y dorada. Colección particular.

176. Cuna pintada y dorada con lados de balaustres y cabecero con tallas barrocas. Casa Trinxeira. Olot (Gerona).

175. Bed in the east coast style; headboard with a winding outline and cabriole legs; painted and gilded. Private collection.

176. Painted and gilded cradle with baluster sides and headboard with Baroque carvings. Casa Trinxeira. Olot (Gerona).

La consola —mueble peculiar del siglo XVIII— es una mesa que se adosa a la pared, suele ir ricamente tallada y en muchos casos completamente dorada, con sus líneas y rasgos muy exagerados; así las patas son en forma cabriolé, muy remetidas, en forma de ménsula y las chambranas son muy opulentas; también el faldón suele estar cubierto por una ornamentación que rebasa todos los límites. Es quizá en estos muebles donde se aprecia más la asimetría de la ornamentación, que es uno de los rasgos fundamentales de la última época del barroco, asimetría que en un principio repugna al arte ebanístico español, pero que una vez admitido llega a grandes excesos, aunque siempre dentro de una composición muy ponderada y equilibrada.

Muchas veces sobre la consola se coloca un gran espejo enmarcado con molduras muy movidas y abarrocadas; el conjunto se denomina tremó y es muchas veces el centro de composición de la estancia.

Otro de los muebles más típicos del Renacimiento —el bargueño— sigue las misma lenta evolución de las nuevas tendencias abarrocadas; coronaciones con galerías y frontones curvos o partidos, columnas salomónicas y cuerpos arquitectónicos retranqueados, coronados por una galería metálica de balaustrillos, rematadas por figuras de bronce muy movidas y modulaciones muy quebradas. Los frentes de estas cajonerías son de muchas formas; cuarterones con molduras rizadas encuadrando fondos de carey o de marquetería; molduraciones de palosanto o ébano; fondos de cristal pintados, llamados «eglomise»; en general en los modelos se aprecia la enorme influencia de Francia, Italia y Flandes.

Estos muebles ya no son el bargueño, de tapa abatible y toman el nombre de papeleras o arquimesas; van sobre unos pies en forma de bolas, con garras de bronce, que a su vez apoyan sobre una mesa o bufetillo con palas salomónicas o de las llamadas de «lira».

El modelo, con infinitas variaciones de composición, llega a tener bastante carácter nacional. Sobre todo la mesa de los bufetillos o las consolas en los modelos mallorquines llega a tener una gran importancia y tienen patas salomónicas con unos grandes motivos decorativos en el frente, de ejecución bastante basta; van muy tallados, pintados y dorados; su composición es de gran riqueza y apariencia, con una indiscutible influencia italiana.

175

Of the cupboard, the last piece of furniture deriving from the chest, many specimens have come down to us, very varied both in composition and technique, from the most rustic models, like those formed by placing a third part on top of the bargueño proper —which was simply a Baroque transformation of the Renaissance models we have already mentioned— to those formed of doors with carved panels, Mudejar star-polygons or carved doors, surmounted by curved and divided pediments. But the one piece of furniture most characteristic of all Baroque, and that which best answers the necessities of a more bourgeois, rational life, is the commode.

175. Lit de style levantin, avec chevet d'une silhouette découpée très brisée et pieds cabriolé, peint et doré. Collection privée.

176. Berceau peint et doré, côtés à balustres et chevet à tailles baroques. Maison Trinxeira. Olot (Gérone).

175. Bett im levantiner Stil. Kopfteil in sehr ausgezackter Linienführung und ausschwingenden Beinen. Bemalt und vergoldet. Privatsammlung.

176. Bemalte und vergoldete Wiege mit seitlichen Geländersäulen und Kopfende mit Barockschnitzerei. Haus Trinxeira. Olot (Gerona).

177. Buró de tapa inclinada o «canterano» de nogal con marquetería. Palacio de Perelada (Gerona).

178. Cornucopia muy típica por el carácter de sus tallas abultadas y voluminosas. Duques de Sueca. Madrid.

179. Cama mallorquina vestida con gruesas y ricas colgaduras. La cabecera y pies son salomónicos de palosanto. Palacio de Son Veri. Palma de Mallorca.

180. Cama «Olotina» con cabecera de silueta curva, pintada y dorada, patas cabriolé. Casa Ventós. Olot (Gerona).

177. «Canterano» or sloping-flap bureau, in walnut with marquetry. Palace of Perelada (Gerona).

178. Cornucopia; a very typical specimen on account of its bulging, voluminous carvings. Duke and Duchess of Sueca. Madrid.

179. Majorcan bed hung with rich, thick hangings. The headboard and the feet are Solomonic and made of lignum vitae. Palace of Son Verí. Palma.

180. «Olot» bed with curving headboard; painted and gilded, with cabriole legs. Casa Ventós. Olot (Gerona).

177

178

me prismatique d'armoire basse, divisée en grands tiroirs qui occupent tout le devant.

La note caractéristique de la commode française, à mesure que s'écoule le siècle, est la convexité des faces, accusée par la silhouette extérieure presque toujours courbe aussi bien devant que latéralement. La particularité la plus importante est la continuité de la surface ventrue: les tiroirs restent dissimulés dans la partie bombée, sur laquelle se développe une décoration de sculptures, de marqueterie ou de laque, qui couvre tout le devant de la commode suivant une unité parfaite, depuis le bout des pieds jusqu'au panneau du dessus.

Cette composition, absolument rococo, est complétée par les anses, les trous de serrures et d'autres applications de bronze aux angles, sur les pans coupés et aux pieds.

L'interprétation espagnole de la commode est plus simple que celle des beaux spécimens français, créés par les meilleurs ébénistes du XVIII.e siècle. Elle reste fidèle aux mêmes traits caractéristiques du meuble espagnol: austérité, simplicité et manque de qualité dans la main-d'œuvre. La décoration est réduite à des filets de marqueterie et aux bronzes appliqués sur la partie bombée du devant de la commode, où les tiroirs restent dissimulés. Mais tous ses éléments, c'est-à-dire les pieds, les devants, les tiroirs, les bronzes, etc., forment un ensemble et obtiennent une continuité dans leur composition, comme dans les commodes françaises.

Il est rare que le devant soit entièrement marqueté suivant les influences française et hollandaise. C'est dans le Levant et en Andalousie que nous pouvons en trouver quelques exemplaires.

Une variante de ces commodes est le secrétaire à abattant incliné —le «canterano» catalan—, souvent marqueté, dont la ressemblance avec ceux de Hollande, à la belle marqueterie, est évidente.

Dérivés de la commode, en raison de l'adaptation aux nouveaux besoins, nous trouvons un groupe de meubles appelés «coiffeuses», d'ascendance européenne mais d'un indéniable cachet espagnol. Il s'agit d'exemplaires rustiques et certainement grossiers dans leur décoration sculptée. Ils sont exagérément polychromés mais ne manquent pas d'originalité.

Un meuble cité aussi par Zabaleta est la «vitrine», espèce d'armoire posée sur une table et dont le devant ainsi que les côtés sont en verre. On y expose des petits objets d'art ou des

wird. *Dieser Schrank dient zur Aufnahme von kleinen Kunstgegenständen, Figürchen und dergleichen und fehlt in keinem spanischen Haushalt. In diesem fehlt auch nicht das Füllhorn. Das ist ein Spiegel, der von einem meist sehr breiten, geschwungenen Goldrahmen mit übermässiger Schnitzerei umgeben ist. Diese Schnitzerei stellt eine wahre Orgie von Muschel-, Vögel- und Fruchtmotiven dar, unter denen die Füllhörner nicht fehlen von denen er den Namen hat. Dieses Füllhorn darf, wie gesagt, in keinem Wohnraum fehlen und es kam sogar soweit, dass man den spanischen Rokokostil auch «Füllhornstil» nannte, weil man diese eben an den unwahrscheinlichsten Plätzen aufhing.*

Das letzte Möbel des Barockstils ist das Bett.

Gegen Ende des 17. Jahrhunderts wendet man nun —vor allem in den Schlössern und Palästen— auch dem Alkoven oder

181. Cama levantina de cabecera con silueta curva y pinturas centrales religiosas. Patas del piecero cabriolé. Toda ella pintada y dorada. Museo de Artes Decorativas. Madrid.

181. *Bed from the east coast; the headboard has a curving silhouette and religious motifs painted in the centre. Cabriole feet at the end. The whole painted and gilded. Museum of Decorative Arts. Madrid.*

181. Lit levantin à chevet d'une silhouette courbe et peintures centrales religieuses. Pieds cabriolé. Le tout peint et doré. Musée des Arts Décoratifs. Madrid.

181. *Levantinisches Bett mit rundem Kopfende und religiöser Malerei in der Mitte. Die Füsse des Fussendes schwingen aus. Das Bett ist vollständig bemalt und vergoldet. Museo de Artes Decorativas. Madrid.*

El número de materiales empleados para enriquecer y embellecer estos muebles, es enorme; la concha, el marfil, el bronce y las piedras duras o mármoles, alternan con los vidrios pintados, las marqueterías de maderas exóticas y los cueros repujados.

Todavía persisten algunos cofres de anteriores siglos, casi siempre de carácter popular, con tallas barrocas, influenciadas por la rocalla o ricamente tapizadas. Siguen siendo muy interesantes los llamados de «novia», de la región levantina, con doble tapa para dejar la primera abierta, decorada en su interior con pinturas, marqueterías o tallas y el consabido cajoncito lateral para las joyas de la novia.

Los que se conservan, van tapizados en terciopelo de seda o de cuero, siempre claveteados, siguiendo líneas de dibujos muy barrocos.

Del armario, último mueble derivado del arca, se conservan muchos ejemplares, con una composición y una técnica muy variada, desde los modelos más ingenuos, como son los formados por la superposición de un tercer cuerpo sobre el bargueño —y que es una transformación abarrocada de los modelos que ya vimos en el Renacimiento—, a los compuestos con puertas de cuarterones talladas, polígonos estrellados mudéjares o puertas talladas, coronadas por frontones partidos curvos. Pero el mueble más característico del barroco y que responde a las necesidades de una vida más aburguesada y más racional, es la cómoda.

Aunque es un mueble con antecedentes renacentistas, y en España basta recordar los ejemplos de las primeras cómodas renacentistas, que eran las cajonerías de las iglesias, este mueble tiene un claro origen francés sobre todo por su desarrollo a lo largo de todo el siglo XVII. El mueble tiene una forma prismática de armario bajo, subdividido en grandes cajones que ocupan todo el frente.

La nota peculiar de la cómoda francesa, conforme avanza el siglo, es la convexidad de sus caras, que se acusa en la silueta exterior de la tapa, casi siempre curva, no sólo en el frente sino lateralmente; la singularidad más importante es la continuidad de la superficie panzuda, de manera que quedan disimulados los cajones en la superficie abombada, sobre la que se desarrolla una decoración de tallas, marquetería o laca, que cubre todo el frente de la cómoda con una unidad perfecta, desde el extremo de sus patas hasta la tapa.

Although this piece has Renaissance antecedents —in Spain we need only recall the example of the first Renaissance commodes, the sets of drawers in the churches— it is nevertheless clearly French in origin, especially in its development throughout the whole 17th century. It has the prismatic form of a low chest, divided into large drawers which occupy the whole front.

The peculiar feature of the French commode, with the passing of this century, is the convexity of its faces, which can be seen in the exterior outline of the covering, which is almost always curved, not only on the front but also at the sides; the most important peculiarity is the continuity of this bellying surface in such a way that the drawers are hardly noticed in the whole of the «paunch», which is covered with a decoration of carvings, marquetry or lacquer, extending all over the front of the commode in perfect unity, from the tips of the feet to the very top. This composition, which is completely rococo, is completed with the handles, keyholes and other bronze appliqués at the angles and chamfers and on the feet.

The Spanish interpretation of the commode is simpler than that of the beautiful French examples, created by the best cabinetmakers of the 18th century, and it always possesses the same features peculiar to all Spanish furniture: austerity, simplicity and poor quality in the workmanship. The ornamentation is reduced to fillets of inlaid work and the bronzes superimposed on the front «paunch» of the commode, hiding the drawers; but all its elements, i.e., the feet, fronts, drawers, bronzes, etc., form a unified whole and achieve continuity in the composition, as in the French models.

In a few cases the front is totally covered with marquetry, following French and Dutch influence; it is principally on the east coast and in Andalusia that we can find examples of this.

A variation of this kind of commode is the writing desk with a sloping top —what is called a canterano *in Catalonia— which is frequently covered with marquetry, and in which the similarity to the Dutch desks, with their beautiful floral marquetry, is very evident.*

Deriving from the commode, in consequence of the adaptation to the new necessities, there is a group of pieces called tocadores, *or dressing tables, European in origin but unmistakably Spanish; they are rather crude specimens and certainly lack delicacy in their carved ornamentation; still, though exaggeratedly polychrome, they have a singularly original quality.*

A piece of furniture which is also mentioned by Zabaleta is that which is called the escaparate *or curio-cabinet, which is a*

Esta composición, absolutamente rococó, se completa con las asas, bocallaves y otras aplicaciones de bronce en los ángulos, chaflanes y patas.

La interpretación española de la cómoda, es más sencilla que la de los bellos ejemplares franceses, creados por los mejores ebanistas del siglo XVIII y siempre responden a los mismos rasgos peculiares del mueble español, de austeridad, sencillez y falta de calidad en la mano de obra; la ornamentación se reduce a filetes de taraceas y a los bronces sobrepuestos en la panza de la superficie del frente de la cómoda, donde quedan disimulados los cajones; pero todos sus elementos, es decir, las patas, frentes, cajones, bronces, etc., forman un conjunto y logran una continuidad en su composición, como en las francesas.

En pocas ocasiones el frente va marqueteado totalmente, siguiendo las influencias francesas y holandesas y es en levante y Andalucía donde podemos encontrar algún ejemplar.

Variación de estas cómodas es el escritorio, de tapa inclinada —el *canterano* catalán— muchas veces marqueteado y en los que la semejanza con los holandeses, de bella marquetería flora, es evidente.

Derivados de la cómoda y como consecuencia de la adaptación a las nuevas necesidades, hay un grupo de muebles, llamados tocadores, con una ascendencia europea pero con un inconfundible sello español; son ejemplares bastos y ciertamente toscos en su ornamentación tallada; exageradamente policromados pero con una singular nota de originalidad.

Un mueble, citado también por Zabaleta, es el llamado escaparate, que es una especie de armario sobre una mesa con el frente y los costados de cristal; se utiliza para exponer pequeños objetos de arte o imágenes y no falta en ninguna casa española; tampoco falta la cornucopia, espejo con un complicado marco de silueta curva, con una ornamentación muy recargada, verdadera orgía de temas, como las conchas, pájaros, frutas y cuernos de la abundancia, de los que tomó su nombre; la cornucopia es indispensable en cualquier interior nacional, hasta el punto de que hay quien ha llamado «estilo cornucopia» al rococó español, a causa de la repetición de estos espejos en los sitios más inverosímiles.

El último mueble del barroco es la cama.

Es ahora, a fin del siglo XVII, cuando la alcoba o dormitorio —sobre todo en los palacios— tiene su mayor importancia, con la cama de «parade» o de gala. Estas camas tienen un alto

kind of wardrobe mounted on a table, with the front and sides of glass; it is used for displaying small objets d'art or images and there is one in practically every Spanish house; equally ubiquitous is the cornucopia, a looking glass with a complicated curving frame, usually very much over-ornamented, in a veritable orgy of motifs, including shells, birds, fruits and, of course, cornucopias, from which last it takes its name; the cornucopia was at this time indispensable in any Spanish interior, to such an extent that there are some who call Spanish rococo the «cornucopia style», on account of the repetition of these looking glasses in the unlikeliest places.

183

184

images, et elle ne manque dans aucune maison espagnole. Il n'y manque pas davantage la «cornucopia», glace munie d'un cadre compliqué à silhouette courbe, abondamment décoré, véritable orgie de motifs tels que coquillages, oiseaux, fruits et cornes d'abondance —d'où son nom—. La «cornucopia» est indispensable dans tout intérieur national, à tel point que d'aucuns ont appelé «style cornucopia» le genre rococo espagnol parce qu'on la retrouve dans les endroits les plus invraisemblables.

Le dernier meuble du baroque est le lit.

C'est maintenant, à la fin du XVII.ᵉ siècle, que l'alcôve ou

Schlafraum mehr Aufmerksamkeit zu, indem man dort das «Parade»- oder Galabett aufstellt. Diese Betten haben einen hohen Betthimmel oder ein Baldachin, von dem weite Vorhänge herabhängen, die von grossen Büscheln zusammengefasst waren. Diese Betthimmel haben bereits Vorläufer in der Renaissance und in der Gotik und die Vorhänge dienten dazu, das Bett vom Rest des Raumes zu trennen. Nun entsteht im Barock ein Bett, dessen Himmel vom Kopfende bis zum Fussende reicht.

In Spanien herrschen die Betten vor, an denen vom Himmel reiche Vorhänge herabwallen, die aber noch das unverkennbare Merkmal der Renaissance bewahren. Diese Prachtbetten sind zwar

dosel o baldaquino y amplias colgaduras, rematadas con grandes penachos; tienen su antecedente en las renacentistas y góticas, que aislaban la cama del resto de la habitación. En este momento es cuando aparece la cama con un dosel que avanza desde el cabecero, sin apoyo alguno, hasta los pies.

En España predominan las camas con colgaduras muy ricas, que conservan siempre un cierto carácter renacentista; estas camas de aparato, están inspiradas en las francesas, pero con un sello muy español en su línea y ornamentación.

Hay un grupo de camas con baldaquino sobre cuatro altas columnas torneadas o salomónicas, con una composición en los cabeceros de arquerías y frisos arquitectónicos, en madera de nogal, caoba y palosanto.

En la región salmantina y gallega se repite mucho este tipo, muy influido por las camas portuguesas llamadas de «bilros» (64) con las cuatro columnas de los extremos torneadas, con elementos lenticulares muy exagerados y que llevan aplicaciones de bronce en planchas caladas y recortadas sobre las arquerías del cabecero; muchas de ellas van desnudas, es decir, sin colgaduras.

En Levante se conserva un arquetipo de cama con un amplio cabecero macizo, de una silueta muy movida, curvilínea, tallada, pintada y dorada con un tema religioso desarrollado en el centro. El piecero se reduce a unos remates en los extremos con la forma de la pata cabriolé invertida.

Variaciones de los dos tipos anteriores —que son los más importantes— son las de elementos salomónicos, típicos de Mallorca, también con dosel y colgaduras de tela blanca y las de cabecero macizo con silueta curva y quebrada de la comarca de Olot —llamadas olotinas— también pintadas y doradas. En estas camas muchas veces el cabecero es independiente y va colgado de la pared.

El mueble barroco tiene además un gran interés para nosotros y es su urgente conocimiento, puesto que está en trance de desaparecer, desaparición lenta pero continua y constante. Sin duda por razones de herencia, por la mala conservación de los ejemplares o por la posible venta a anticuarios, los conjuntos de los interiores barrocos españoles van siendo cada vez más raros. El ejemplo de los salones del palacio del Marqués de Villa-Real, en Puerto de Santa María o la venta del sillón de F. A. de Sotomayor del Museo de Salamanca, desgraciadamente no son los únicos.

The last Baroque piece to be examined is the bed.

It was at this time —the end of the 17th century— that the bedroom, above all in the palaces, reached the height of its importance, with the parade or gala bed. These beds had a high canopy or baldachin and voluminous hangings topped with great crests; their origin is to be found in the Renaissance and Gothic styles, which isolated the bed from the rest of the room. Now there appeared a bed with a cantilevered canopy, which reached from the top of the headboard to the feet without any support.

Predominant in Spain were the beds with very rich hangings, which always kept a certain Renaissance character; these more elaborate beds were inspired in French models, but with a very Spanish stamp in their line and ornamentation.

There is one group of beds in which there is a baldachin supported by four tall columns, Solomonic or lathe-turned, the headboard being decorated with a design of architectural arcading and friezes, carried out in walnut, mahogany and lignum vitae. This type is to be found very often in the region of Salamanca and in Galicia, much influenced by the Portuguese beds which are called «de bilros» (64), with the four columns at the corners lathe-turned and with very exaggerated lenticular elements, bearing bronze appliqués in pierced plates cut out against the arcading of the headboard; many of them are «bare», i.e., without hangings.

Along the east coast the archetypal bed has a broad, solid headboard, which has a very tortuously curved outline, carved, painted and gilded, with some religious subject depicted in the centre. The foot is reduced to a pair of finials at the corners in the form of inverted cabrioles.

Among the variations of the two previous types —which are the most important— are those with Solomonic columns, typical of Majorca, also with a canopy and hangings in white cloth, and those with solid headboards, curved and twisted in outline, from the district of Olot —known in Spanish as olotinas— which are also painted and gilded. In these beds the headboard is often independent of the rest and hangs from the wall.

Baroque furniture, moreover, has a very special claim on our attention, which is that it is on the point of disappearing, slowly but inexorably. Doubtless for reasons of inheritances, because of the neglect of the specimens or the possibility of selling them to antique dealers, the ensembles of Spanish baroque interiors are becoming rarer every day. The example of the salons of the palace of the Marqués de Villa-Real, in Puerto de Santa María, and the sale

chambre à coucher —surtout dans les palais— prend de l'importance, avec son lit de «parade» ou de gala. Ces lits ont un haut dais ou baldaquin et de grandes tentures, achevées par de grands panaches. Ils descendent des lits Renaissance et gothiques, qui isolaient le lit du reste de la pièce. C'est à cette période qu'apparaît le lit comportant un dais qui va de la tête au pied du lit sans appui d'aucune sorte.

En Espagne, les lits à tentures très riches prédominent. Ils conservent toujours un certain caractère Renaissance. Ces lits d'apparat sont inspirés des français, mais avec un cachet très espagnol dans leur ligne et leur décoration.

Il y a un groupe de lits à baldaquin posé sur quatre hautes colonnes tournées ou torses, avec une décoration aux têtes de lit d'arcs et de frises architecturales en bois de noyer, d'acajou et de gaïac.

Dans les régions de Salamanque et en Galice, on trouve souvent ce type très influencé par les lits portugais appelés «a bilros» (64). Les quatre colonnes des extrémités sont tournées et ont des éléments lenticulaires très exagérés portant des applications de bronze sous forme de plaques ajourées et découpées sur les arcs du chevet. Beaucoup sont dépouillés, c'est-à-dire sans tentures.

Le Levant conserve un modèle de lit à vaste chevet massif, d'une silhouette tourmentée, curviligne, sculptée, peinte et dorée, avec un thème religieux développé au centre. Le pied du lit se réduit à des terminaisons aux extrémités ayant la forme du pied «cabriolé» inversé.

En guise de variantes des deux types précédents —les plus importants—, nous avons les lits à éléments tournés, typiques de Majorque, également à dais et tentures de toile blanche, et ceux à chevet massif et à silhouette courbe et brisée de la région d'Olot —appelés «olotins»— qui sont peints et dorés aussi. Le chevet de ces lits est souvent indépendant et est accroché au mur.

Le meuble baroque nous intéresse encore pour une autre raison: il est urgent de le connaître, étant donné qu'il est en train de disparaître, disparition lente mais continue et constante. Pour des raisons de succession, de mauvaise conservation de spécimens ou à cause de la vente possible aux antiquaires, les intérieurs baroques espagnols sont de plus en plus rares. L'exemple des salons du palais du Marquis de Villa-Real, à Puerto de Santa María, ou la vente du fauteuil de F. A. de

den französischen Betten nachgebildet, zeigen aber in der Linienführung und in der Dekoration die merkliche spanische Prägung.

Es gibt eine weitere Bettengruppe, deren Baldachin von vier hohen gedrehten Säulen getragen wird. Den Kopfenden dieser Betten, die aus Nussbaum, Mahagoni und Palisander gefertigt sind, ist als Verzierung ein Bogenwerk mit einem architektonischen Fries angebracht.

In der Gegend von Salamanca und Galicien werden diese Betten, die von den portugiesischen Betten, «bilros» genannt, beeinflusst sind, sehr viel hergestellt. Die «bilros» (64) haben an den vier Ecken gedrehte Säulen mit übertrieben linsenförmigen Teilen sowie an den mit geschnitztem Bogenwerk verzierten Kopfenden Beschläge aus durchbrochenem Bronzeblech. Viele dieser Betten mit Himmel haben aber keine Vorhänge oder sonstige Gehänge.

In der Levantegegend ist noch das Urmodell eines Bettes erhalten, das ein breites massives Kopfende besitzt. Dieses Kopfende ist von schwungvoller Linienführung und mit einer reichen geschnitzten, gemalten und vergoldeten Dekoration versehen, die als Mittelpunkt ein religiöses Motiv enthält. Das Fussende selbst besteht nur aus an den Ecken in umgekehrter Form auslaufenden gewundenen Füssen.

Als Abwandlung dieser beiden vorgenannten wichtigsten Bettmodelle, kann man noch die typischen mallorquiner Betten nennen, die ebenfalls einen Betthimmel haben, von dem Vorhänge aus weissem Stoff herabhängen. Dann gibt es noch die Betten aus der Olotgegend (in der Provinz Gerona), die ein massives geschwungenes Kopfende mit bemalter und vergoldeter Verzierung haben. Diese Betten nennt man auch «Olotinas». Das Kopfende dieser Betten ist meistens als Einzelteil an der Wand befestigt.

Die Möbel des Barockstils sind für uns besonders interessant und die Kenntnisse hierüber sind wichtig, weil sie langsam aber ständig im Verschwinden begriffen sind. Vielleicht aus Erbschaftsgründen, infolge schlechter Erhaltungsmassnahmen oder aber auch wegen ihrer Veräusserung an die Antiquare werden die spanischen Barockeinrichtungen immer weniger. Die Beispiele der Säle im Palast des Marquis von Villa Real in Puerto de Santa María (Cádiz) oder die Veräusserung des Armsessels von A. de Sotomayor im Museum von Salamanca, stehen leider nicht alleine da.

Im letzen Viertel des 18. Jahrhunderts macht sich an den Möbeln eine Neuerung bemerkbar, die bereits die Wandlung andeutet, die sich in Kürze an ihnen vollziehen würde. Dieser Übergang an den Möbelformen macht sich als natürliche Reaktion ge-

185. Papelera con el frente compuesto por una portada y la cajonería toda ella cubierta con reengruesos de ébano y cristales pintados con escenas mitológicas; sobremesa pintada de negro y oro con patas salomónicas y faldón con grandes tallas barrocas y escudo central. Palacio de Perelada (Gerona).

186. Arca tipo mallorquín, con tapa cilíndrica cubierta de terciopelo rojo y claveteado, sobre patas de garras doradas. Palacio de Perelada (Gerona).

187. Arca cofre forrado de cuero con clavos dorados. Museo Artes Decorativas. Madrid.

185. Writing desk with the front composed of a portal and the set of drawers, the whole covered with fillings of ebony and panes of glass painted with mythological scenes; it stands on a table painted black and gold with Solomonic legs and an underskirt with great Baroque carvings and a coat of arms in the centre. Palace of Perelada (Gerona).

186. Chest of the Majorcan type, with cylindrical lid covered with studded red velvet, standing on gilded claw feet. Palace of Perelada (Gerona).

187. Chest lined in leather with gilded nails. Museum of Decorative Arts. Madrid.

En el último cuarto del siglo XVIII se notan ciertas innovaciones en el mueble, que acusan un cambio que en muy breve tiempo ha de ser radical. Esta transición en las formas del mobiliario, también se manifiestan en todas las artes como una reacción natural, contra el frenesí y la orgía del rococó. Las dinámicas y opulentas curvas del Barroco se frenan, se suavizan y en pocos años se transforman en líneas, que sin perder su gracia y elegancia, no son absolutamente rígidas y austeras; en estos últimos años del siglo XVIII y de Carlos III, van haciendo un nuevo estilo que ha de desarrollarse breve y plenamente en el reinado de Carlos IV.

of the armchair of Fray A. de Sotomayor by the Museum of Salamanca are, unfortunately, not unique cases.

In the last quarter of the 18th century certain innovations can be seen in the furniture, the forerunners of a change which was very shortly to be a radical one. This transition in the forms of furniture also made its appearance in all the other arts, as a natural reaction against the frenzied orgy of rococo. The dynamic, opulent curves of Baroque were checked and softened and in a few years transformed into lines which, without losing their charm and elegance, were not absolutely stiff and austere; in these last years of the 18th century and of the reign of Carlos III, a new style was gradually emerging, which was to see its brief but full development in the reign of Carlos IV.

185

186

185. Cartonnier à partie frontale composée d'un panneau et d'un ensemble de tiroirs, le tout couvert d'ébène et de verre peints de scènes mythologiques; dessus peint en noir et or, avec pieds tors et chute à grandes tailles baroques et écusson central. Palais de Perelada (Gérone).

186. Coffre type majorquin, avec couvercle cylindrique couvert de velours rouge et clouté, sur pieds en forme de griffes dorées. Palais de Perelada (Gérone).

187. Coffre doublé de cuir, avec clous dorés. Musée des Arts Décoratifs. Madrid.

185. Aktenschrank mit portalförmiger Tür. Der Fächerteil ist ganz mit Ebenholz und bemalten Glas mit mythologischen Motiven verstärkt. Der Tischaufsatz mit gewundenen Säulenbeinen, ist in schwarz und gold bemalt und an der Umrandung ist eine barocke Schnitzerei mit Wappen als Mittelstück, angebracht. Schloss Perelada (Gerona).

186. Mallorkiner Truhe mit Runddeckel; dieser ist mit rotem Samt bezogen und genagelt. Die Truhe steht auf Beinen mit vergoldeten Klauen. Schloss Perelada (Gerona).

187. Koffertruhe mit Lederbezug und vergoldeten Nägeln. Museo de Artes Decorativas. Madrid.

Sotomayor du Musée de Salamanque, ne sont malheureusement pas uniques.

On remarque au dernier quart du XVIII.ᵉ siècle certaines innovations dans le meuble. Elles accusent un changement qui deviendra vite radical. Cette transition dans les formes du mobilier se manifeste aussi dans tous les arts comme une réaction naturelle contre la frénésie et l'orgie du rococo. Les courbes dynamiques et opulentes du Baroque sont freinées, adoucies, et en quelques années elles se transforment en lignes qui, sans perdre de leur grâce et de leur élégance, ne sont pas absolument rigides et austères. Au cours de ces dernières années du XVIII.ᵉ siècle et de Charles III, elles créent peu à peu un nouveau style qui se développera vite et pleinement sous le règne de Charles IV.

gen den Überschwang des Rokoko auch in allen anderen Kunstrichtungen bemerkbar. Die bewegten und wuchtigen Bögen des Barockstils werden sanfter und verlieren innerhalb weniger Jahre vollkommen die Steifheit und Strenge ohne an Zierlichkeit und Eleganz einzubüssen. In den letzen Jahren des 18. Jahrhunderts und der Regierung Karls III. entsteht ein neuer Stil, der unter der Regierung Karls IV. zu voller Entwicklung gelangt.

187

EL NEOCLÁSICO:
CARLOS IV

NEOCLASSICISM:
CARLOS IV

Cuando el Barroco llega a su última fase de desarrollo se observan en las Artes ciertos movimientos que significan una reacción, una protesta contra ese desenfreno de ornamentación que culmina en el rococó, y cuyo desenlace final no encuentra solución; se produce entonces una rápida evolución, en la que influye notablemente la labor de las Academias de Bellas Artes —nacidas en España en este siglo— y cuya misión orientadora de una parte, fiscalizadora de otra, dan normas sobre la vuelta a un clasicismo más puro y rígido (65). Sin duda estas ordenanzas —a veces verdaderamente dictatorias— estuvieron muy influenciadas por los descubrimientos de la antigüedad, que en esta época se estaban produciendo principalmente en el reino de Nápoles, y por los estudios publicados sobre el arte clásico en Italia y Grecia, como las obras de Winckelmann y Bartolomy sobre el arte antiguo en Roma y las de J. Stuart y N. Revett, sobre las antigüedades en Atenas, consecuencia esta última de un viaje comenzado en 1751, y que son fundamentales para el conocimiento del Arte Clásico y su difusión en toda Europa.

Para nosotros y para la Historia del Arte europeo del mueble, tienen una singular importancia las excavaciones que se iniciaron en Pompeya en 1748 por Carlos de Borbón, rey de Nápoles —más tarde Carlos III— y que continuaron más racionalmente, en el siglo XIX bajo la dirección de Giuseppe Fiorelli. Por eso el 1748 es un año clave que marca el inicio de una moda en los estudios sobre el arte clásico.

Los muebles de bronce, e incluso los restos carbonizados de los de madera, encontrados en Pompeya y Herculano, eran de una gran belleza y fueron una excelente aportación cuyo reflejo e influencia se observaron en el Imperio. David, el artista que más influencia ha de tener a principios del siglo XIX, los reproduce en sus cuadros y amuebla su estudio con una interpretación muy personal de aquéllos (66).

El siglo XVIII es el gran siglo de las excavaciones. Recordemos que ya en 1709 se iniciaron los primeros pozos en Herculano,

When Baroque reached its final stage of development, there could be observed in the arts certain movements which meant reaction, a protest against that wantonness in ornamentation which culminated in rococo, and for the final outcome of which there was no solution; a rapid evolution then took place, notably influenced by the work of the Academies of Fine Arts —which had been founded in this century— the purpose of which, as guides on the one hand and patrons on the other, was to provide the norms for the return to a purer and more rigid classicism (65). Undoubtedly their decrees —sometimes positively dictatorial— were much influenced by the discoveries of the art of antiquity, which were being principally made at that time in the kingdom of Naples, and by the studies published on classical art in Italy and Greece, such as the works of Winckelmann and Bartolomy on the antique art in Rome and those of J. Stuart and N. Revett on the antiquities of Athens (this latter being the consequence of a journey begun in 1751), all of which works are fundamental for the knowledge of classical art and its diffusion throughout Europe.

Of singular importance for us, and for the history of European furniture, are the excavations which were begun in Pompeii in 1748 by Charles de Bourbon, king of Naples —later Carlos III of Spain— and which were continued in a more rational fashion in the 19th century, under the direction of Giuseppe Fiorelli. That is why 1748 is the key year which marks the beginning of a new way of studying classical art.

The bronze furniture, and even the carbonized remains of wooden furniture, discovered in Pompeii and Herculanum, were of great beauty and made an excellent contribution to the formation of the Empire style. David, the most influential artist of the beginning of the 19th century, reproduced them in his paintings and even furnished his studio with a very personal interpretation of them (66).

The 18th century was the great century for excavations. We should not forget that the first diggings in Herculanum had already been begun in 1709 by the Austrian prince D'Elboeuf, when many

LE NÉO-CLASSIQUE: CHARLES IV

NEUKLASSIZISMUS: KARL IV.

On constate, quand le Baroque parvient à la dernière phase de son développement, certains mouvements qui signifient une réaction, une protestation contre ce déchaînement d'ornements qui aboutit au rococo et dont le dénouement final ne trouve pas de solution; une rapide évolution a lieu alors, dans laquelle intervient notablement le travail des Académies des Beaux-Arts —nées en Espagne au cours du siècle— dont la mission d'orientation, d'une part, et de contrôle, d'autre part, marque des directives sur le retour à un classicisme plus pur et rigide (65). Ces règles —vraiment dictatoriales parfois— furent influencées par les découvertes de l'antiquité qui avaient lieu à l'époque au royaume de Naples et par les études publiées en Italie et en Grèce sur l'art classique, telles les œuvres de Winckelmann et de Bartolomy sur l'Art antique de Rome et celles de J. Stuart et N. Revett sur les antiquités d'Athènes, cette dernière étant le résultat d'un voyage commencé en 1751, qui sont fondamentales pour la connaissance de l'Art classique et sa diffusion dans toute l'Europe.

Ont une importance particulière, pour nous et pour l'Histoire de l'Art européen du meuble, les excavations commencées à Pompéi en 1748 par Charles de Bourbon, roi de Naples —plus tard Charles III—, et poursuivies plus rationnellement au XIX.ᵉ siècle sous la direction de Giuseppe Fiorelli. C'est pourquoi 1748 est une année-clef qui marque le début d'une mode dans les études sur l'art classique.

Les meubles de bronze et même les restes carbonisés des meubles de bois trouvés à Pompéi et Herculanum étaient très beaux et constituèrent un excellent apport dont le reflet et l'influence se firent remarquer durant l'Empire. David, l'artiste qui devait avoir le plus d'influence au début du XIX.ᵉ siècle, les reproduit dans ses tableaux et en meuble son studio, les interprétant d'une manière très personnelle (66).

Le XVIII.ᵉ siècle est le grand siècle des excavations. Rappelons que les premiers puits furent commencés à Herculanum, dès 1709, par le prince autrichien D'Elbœuf, et que d'importantes

Als das Barock in die letze Phase seiner Entwicklung tritt, macht sich in der Kunst eine Protestbewegung gegen den Überschwang und die Zügellosigkeit in der Ornamentik bemerkbar, die im Rokoko den Höhepunkt findet, deren Ausgang aber keine Lösung hat. Nun vollzieht sich eine schnelle Entwicklung, in der sich der Einfluss der Akademien der Schönen Künste —die in diesem Jahrhundert in Spanien ins Leben gerufen wurden— stark bemerkbar macht. Der einerseits richtungsweisende Auftrag dieser Akademien und andrerseits die Kontrolle, die sie ausüben, geben Richtlinien zur Umkehr zu einem reineren und strengeren Klassizismus (65). Diese oftmals sehr diktatorischen Richtlinien waren stark von den Entdeckungen der Antike beeinflusst, die zur Zeit im Königreich Neapel gemacht wurden.

Ebenso wurden sie beeinflusst von den Studien über die klassische Kunst in Italien und in Griechenland, die Winckelmann und Bartolomy in ihrem Buch über die Antike Kunst in Rom, und J. Stuart und N. Revett über die Altertümer in Athen, anlässlich einer Reise dieser beiden im Jahre 1751, veröffentlichten und die wesentlich für die Kenntnis der klassischen Kunst und ihrer Verbreitung in Europa waren.

Für uns und für die europäische Kunstgeschichte sind die Ausgrabungen wichtig, die im Jahre 1748 von Karl von Bourbon, dem König von Neapel —und später von Karl III.— in Pompeji begonnen und im 19. Jahrhundert unter der Leitung von Giuseppe Fiorelli rationeller fortgesetzt wurden. Deshalb ist auch das Jahr 1748 ein Schlüsseljahr, das den Auftakt zum Beginn einer Mode gab, die sich dem Studium der klassischen Kunst zuwandte.

Die in Pompeji und Herkulanum gefundenen Möbel aus Bronze sowie die verkohlten Reste der Holzmöbel waren sehr schön und ihr Beitrag schlug sich im Empirestil nieder. David, der Künstler der Anfang des 19. Jahrhundert den grössten Einfluss

188. Sillón de líneas neoclásicas; interpretación Carlos IV del Luis XVI; tapicería de seda. Colección Marqués de Santo Domingo. Madrid.

189. Sillón de proporciones muy exageradas. Interpretación Carlos IV del Luis XVI. Colección Marqués de Santo Domingo. Madrid.

190. Silla muy tosca del Luis XVI; patas torneadas en estípite, asiento de rejilla, pintada y dorada. Duques de Sueca. Madrid.

191. Silla Carlos IV de tallas pintadas y doradas; una ejecución muy cuidada de los Talleres Reales. Casita del Labrador. Aranjuez (Madrid).

188. *Armchair of Neoclassic lines; Spanish interpretation of Louis XVI; silk upholstery. Collection of the Marquis of Santo Domingo. Madrid.*

189. *Armchair of very exaggerated proportions. Spanish interpretation of Louis XVI. Collection of the Marquis of Santo Domingo. Madrid.*

190. *Very crudely fashioned Louis XVI chair; lathe-turned legs in the form of an inverted pyramid; cane seat; painted and gilded. Duke and Duchess of Sueca. Madrid.*

191. *Chair of the period of Carlos IV; painted and gilded carvings; a very well-finished piece from the Royal Workshops. The Labourer's Cottage. Aranjuez (Madrid).*

188

190

191

192

193

188. Fauteuil d'une ligne néo-classique; interprétation Charles IV du Louis XVI; tapisserie de soie. Collection du Marquis de Santo Domingo. Madrid.

189. Fauteuil de proportions très exagérées. Interprétation Charles IV du Louis XVI. Collection Marquis de Santo Domingo. Madrid.

190. Chaise très grossière Louis XVI; pieds tournés en colonne diminuée, siège canné, peinte et dorée. Ducs de Sueca. Madrid.

191. Chaise Charles IV à tailles peintes et dorées; exécution très soignée des Ateliers Royaux. Petite Maison du Laboureur. Aranjuez (Madrid).

188. Sessel in klassizistischer Linienführung. Interpretierung Karls IV.-des Ludwig XVI.-Stils. Seidenbezug. Sammlung des Marqués de Santo Domingo. Madrid.

189. Sessel in übertriebener Proportion. Interpretierung Karls IV. des Ludwig XVI.-Stils. Sammlung des Marqués de Santo Domingo. Madrid.

190. Sehr plumper Stuhl im Ludwig XVI.-Stil; gedrechselte Pilasterbeine die sich nach unten verjüngen, gitterförmiger Sitz, bemalt und vergoldet. Herzog Sueca. Madrid.

191. Stuhl im Karl IV.-Stil mit bemalten und vergoldeten Schnitzereien. Eine sehr sorgfältige Anfertigung der Königlichen Werkstätten. Casita del Labrador. Aranjuez (Madrid).

194

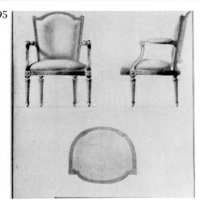
195

196

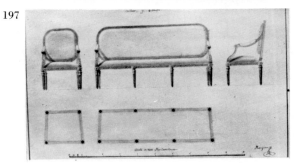
197

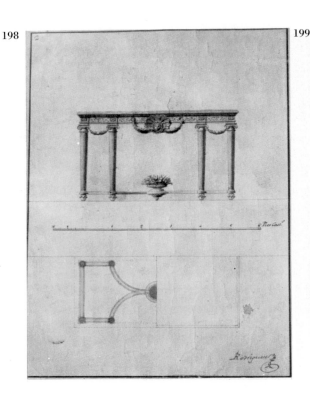
198

199

200

192. Silla Carlos IV interpretación neoclásica muy original de los Talleres Reales; pintada y dorada. Casita del Labrador. Aranjuez (Madrid).

193. Silla de estilo Adam inglés. Patas rectas con chambrana corrida. Museo de Pontevedra.

194. Sofá de línea Luis XVI; brazos muy abiertos a la misma altura que el respaldo; pintado y dorado. Palacio de Liria. Duques de Alba. Madrid.

195. Dibujo de una silla Carlos IV por el arquitecto Ventura Rodríguez. Colección Duques de Sueca. Madrid.

192. *Chair of the period of Carlos IV; a very original Neoclassic piece from the Royal Workshops; painted and gilded. The Labourer's Cottage. Aranjuez (Madrid).*

193. *Chair in the English Adam style. Straight legs with flowing crosspiece. Museum of Pontevedra.*

194. *Sofa with Louis XVI lines; very open arms at the same height as the back; painted and gilded. Palace of Liria. Duke and Duchess of Alba. Madrid.*

195. *Design for a chair done in the period of Carlos IV by the architect Ventura Rodríguez. Collection of the Duke and Duchess of Sueca. Madrid.*

202

203

gewinnen sollte, reproduziert sie in seinen Bildern und richtet sein Atelier mit einer sehr persönlichen Interpretierung dieser Möbel (66) ein.

Das 18. Jahrhundert ist das grosse Jahrhundert der Ausgrabungen. Schon 1709 legte der österreichische Prinz D'Elboeuf die ersten Schächte in Herkulanum an und in Italien wurden wichtige Ruinen freigelegt. Sehr bald entstand unter den Künstler und Kunsthandwerkern die Mode dorthin zu reisen um die «scavi» (Ausgrabungen) mit eigenen Augen zu besichtigen.

Die Reisen Goethes und anderer deutschen Dichter und Künstler, sowie die der französischen Aristokraten und Gelehrten —auch Madame Pompadour begünstigt eine Reise ihres Bruders, des Marquis von Marigny nach Italien, um die klassische Kunst zu studieren— fördern den Kult und die Begeisterung für das Altertum und mit Hilfe der strengen akademischen Richtlinien werden neue Kunstwerke in Angriff genommen, die von einer ausserordentlichen Reinheit der Linien und einem feinen eklektischen Merkmal sind.

Spanien, das ein Land der Grossgrundbesitzer und Landwirte, der Kunsthandwerker, Handwerker und Bauern ist, bildet in der einfachen Entwicklung dieser Kleinkunst ein schlichtes, einfaches Mobiliar aus, das von dem Landadel und dem Mittelstand verlangt wird. Die Kunst kehrt zur archäologischen Klassik zurück. Man ist noch weit von den Problemen entfernt, die Europa durch die industrielle Revolution Englands und der Entstehung der neuen kapitalistischen und arbeitenden Schichten, bewegen und die die Entwicklung der Möbel im 19. Jahrhundert so stark beeinflussen sollten.

Fast alle Künstler und Möbeltischler dieser Zeit fertigten die Möbel noch im Barock- und Rokokostil an und gehen nun, in ganz wenigen Jahren, zur neuen Mode über, die viel strenger und kälter wirkt. Deshalb fällt es nicht schwer, die beiden Richtungen nebeneinanderzustellen und gleichzeitig Möbeln im reinsten Akademismus und andere im feinsten Rokokostil anzufertigen, der zwar nicht so überladen verziert wird, wie das im Frühbarock geschah.

Erst nach der kurzen Periode der französischen Revolution, die sich im Spanien Karls IV. wenig nachhaltig auswirkt, und

220

196. Mesita Carlos IV pintada y dorada. Palacio de Liria. Duques de Alba. Madrid.

197. Proyecto de tresillo Carlos IV, dibujado por Ventura Rodríguez. Colección Duques de Sueca. Madrid.

198. Consola proyectada y dibujada por Ventura Rodríguez. Colección Duques de Sueca. Madrid.

199. Saleta con tremó, consola y silla de estilo Carlos IV; interpretación de la región olotina. Casa Solé. Olot (Gerona).

196. *Little table of the period of Carlos IV, painted and gilded. Palace of Liria. Duke and Duchess of Alba. Madrid.*

197. *Design for a three-piece suite done in the period of Carlos IV by Ventura Rodríguez. Collection of the Duke and Duchess of Sueca. Madrid.*

198. *Console designed by Ventura Rodríguez. Collection of the Duke and Duchess of Sueca. Madrid.*

199. *Sitting room with pier glass, console and chair in the Carlos IV style; local (Olot) interpretation of the style. Casa Solé. Olot (Gerona).*

204

206

205

196. Petite table Charles IV, peinte et dorée. Palais de Liria. Ducs d'Albe. Madrid.

197. Projet de canapé et fauteuils Charles IV, dessiné par Ventura Rodríguez. Collection Ducs de Sueca. Madrid.

198. Console projetée et dessinée par Ventura Rodríguez. Collection Ducs de Sueca. Madrid.

199. Petite salle avec trumeau, console et chaise style Charles IV; interprétation de la région olotine. Maison Solé. Olot (Gérone).

196. *Tischchen im Karl IV.-Stil, bemalt und vergoldet. Schloss Liria des Herzogs Alba. Madrid.*

197. *Entwurf einer dreiteiligen Garnitur im Karl IV.-Stil, gezeichnet von Ventura Rodríguez. Sammlung des Herzogs Sueca. Madrid.*

198. *Konsole, entworfen und gezeichnet von Ventura Rodríguez. Sammlung des Herzogs Sueca. Madrid.*

199. *Kleiner Saal mit Tremeaux, Konsole und Stuhl im Karl IV.-Stil. Interpretierung der Olot-Gegend. Haus Solá. Olot (Gerona).*

207

208

209

200. Consola. Magnífico ejemplar Carlos IV de bellas y cuidadas proporciones; ornamentación en la que sobresale la cabeza y concha central característica de los muebles Luis IV.

201. Tresillo de línea Luis XVI, pintado y dorado. Palacio de Liria. Madrid.

202. Cómoda neoclásica de la época de Carlos IV, con marquetería. Palacio de Perelada (Gerona).

203. Cómoda-tocador pintada, tallada y dorada. Interpretación muy ingenua y popular del Carlos IV. Olot (Gerona).

200. *Console. Magnificent piece from the period of Carlos IV, finely proportioned; outstanding features of the ornamentation are the central head and shell characteristic of Louis XVI furniture.*

201. *Three-piece suite of Louis XVI lines, painted and gilded. Palace of Liria. Madrid.*

202. *Neoclassic commode of the period of Carlos IV, with marquetry. Palace of Perelada (Gerona).*

203. *Commode cum dressing table, painted, carved and gilded. Very ingenuous and popular interpretation of the Carlos IV style. Olot (Gerona).*

---

por el príncipe austriaco D'Elboeuf y volvieron a la luz importantes ruinas de Italia; y pronto una moda entre artistas y artesanos hacían inevitables viajes para ver con sus propios ojos los «scavi».

Los viajes de Goethe y los poetas y artistas alemanes; los aristócratas y eruditos franceses —la propia Madame de Pompadour patrocina el viaje de su hermano el marqués de Marigny a Italia para estudiar el arte clásico— estimulan el culto y la exaltación de la antigüedad y con el refuerzo y la ayuda de las rígidas normas académicas se proyectan las nuevas obras de Arte con una exagerada pureza de líneas y con un carácter muy fino y ecléctico.

España, que es un país de terratenientes y campesinos, de artesanos, menestrales y labradores, refleja modestamente en el sencillo desarrollo de este arte menor, un mobiliario solicitado por una nobleza provinciana y una modesta burguesía; el movimiento de las artes hacia un retorno a un clásico arqueológico; estamos todavía lejos de los problemas que se presentan en Europa, como el de la revolución industrial inglesa, o el nacimiento de las nuevas clases capitalista y trabajadora que tanto han de repercutir en el desenvolvimiento del mueble en el siglo XIX.

Casi todos los artistas y ebanistas de esta época han trabajado y realizado muebles aun en estilo barroco y rococó y pasan en muy pocos años a la nueva moda, mucho más rígida y fría y por eso no es difícil que se yuxtapongan y se hagan simultáneamente muebles de un purismo academista y otros en los que subsiste la ornamentación «rococó», claro es que no tan recargada y ampulosa como la del primer barroco.

Tras el breve período de la Revolución Francesa, que naturalmente repercute poco en la España de Carlos IV, y sólo unos años después, se pasará del fino y femenino neoclásico, al pesado y ostentoso estilo Imperio.

En España se puede seguir y comprobar este tránsito evolutivo tan rápido y radical en un artista que además tiene una gran influencia y relación directa en el mueble; es el Arquitecto Ventura Rodríguez, nacido en 1717 en el pueblo de Ciempozuelos, próximo a Madrid; a través de su extensa obra se puede estudiar su paso desde un bello barroco —interpretación española de los modelos italianos— hasta sus últimas obras académicas y herrerianas (67).

Más de 140 son las obras catalogadas, proyectadas y dirigi-

important ruins of Italy came to light; and soon it became the indispensable fashion among artists and craftsmen to make the journey there, in order to see the «scavi» with their own eyes.

The journeys of Goethe and other German poets and artists, as also those of the French aristocrats and savants (it was Madame de Pompadour herself who encouraged her brother, the Marquis de Marigny, to travel to Italy to study classical art), stimulated the cult of antiquity and with the support and assistance of the rigid academic norms the new works of art were designed with an exaggerated purity of line and with a fine, eclectic character.

Spain, which was a country of landowners and peasants, of craftsmen, tradesmen and labourers, provided a modest reflection, in the simple development of this minor art, of the furniture demanded by a provincial nobility and a modest middle class; the movement of the arts was towards a return to an archaeological classicism; we are still far removed from the problems then beginning to be felt in Europe, such as that of the English industrial revolution, or the birth of the new capitalist and working classes, which was to have a great effect on the development of furniture in the 19th century.

Almost all the artists and cabinetmakers of this period had painted and had made furniture still in the Baroque and rococo styles and they had to pass to the new fashions, which were much stiffer and colder, in a very few years, so it is not surprising that they should produce, at one and the same time, furniture of academic purism and other pieces in which the rococo decoration still survived, though not of course so elaborate and bombastic as in earlier days.

After the brief period of the French Revolution, which naturally had little effect on the Spain of Carlos IV, and only a few years later, the fine and feminine Neoclassicism was to give way to the heavy and ostentatious Empire style.

In Spain we can follow and see for ourselves this phase of evolution, which was so rapid and radical, in an artist who had, besides, a great influence on, and a direct connection with, furniture; this was the architect Ventura Rodríguez, born in 1717 in the village of Ciempozuelos, near Madrid; through his extensive work we can study his gradual development from a beautiful Baroque —a Spanish interpretation of Italian models— to his last works, academic and Herreran (67).

There are over 140 works catalogued, designed and directed by him (apart from many in which his influence is evident), which

ruines italiennes revirent alors le jour; il fut bientôt de mode parmi artistes et artisans de faire d'inévitables voyages pour voir directement les «scavi».

Les voyages de Goethe et les poètes et artistes allemands, les aristocrates et érudits français —la propre Madame de Pompadour patronne le voyage en Italie de son frère le Marquis de Marigny pour qu'il y étudie l'art classique— stimulent le culte et l'exaltation de l'antiquité; avec le renfort et l'appui des strictes normes académiques, on projette les nouvelles œuvres d'Art suivant une pureté de lignes exagérée et un style très élégant et éclectique.

L'Espagne, pays de propriétaires terriens et de paysans, d'artisans, d'ouvriers et de laboureurs, reflète modestement, dans le simple développement de cet art mineur, un mobilier demandé par une noblesse provinciale et une bourgeoisie modeste; le mouvement des arts vers un retour à un classique archéologique; nous sommes encore loin des problèmes qui se posent en Europe, comme celui de la révolution industrielle anglaise ou la naissance des nouvelles classes capitaliste et travailleuse, qui devaient avoir tant de répercussions sur l'évolution du meuble, au XIX.e siècle.

Presque tous les artistes et ébénistes de l'époque ont encore fourni des meubles de style baroque et passent rapidement à la nouvelle mode, bien plus rigide et froide. Il n'est donc pas étonnant que l'on juxtapose et produise simultanément des meubles d'un purisme académique et d'autres dans lesquels subsiste l'ornementation rococo, moins surchargée et emphatique pourtant qu'au début du Baroque.

Après la brève période de la Révolution française, qui répercute naturellement bien peu dans l'Espagne de Charles IV, et seulement quelques années après, on passe de l'élégant et féminin néo-classique au lourd et magnifique style Empire.

Il est possible de suivre et de vérifier en Espagne ce transit évolutif tellement rapide et radical chez un artiste qui a en outre une grande influence et une relation directe avec le meuble: l'Architecte Ventura Rodriguez, né en 1717 à Ciempozuelos, près de Madrid; à travers son œuvre abondante, l'on peut étudier son évolution, depuis un beau baroque —interprétation espagnole des modèles italiens— jusqu'à ses derniers travaux académiques et herrériens (67).

Plus de 140 œuvres cataloguées, projetées et dirigées par lui (outre celles, nombreuses, dans lesquelles son influence est

nur wenige Jahre später, geht man von dem feinen weiblichen Klassizismus zum prächtigen und schweren Empirestil über.

In Spanien kann man die Entwicklung dieses schnellen und radikalen Übergangs an einem Künstler verfolgen, der die Möbel stark beeinflusste und in direkter Beziehung zu ihnen stand. Es handelt sich um den Architekten Ventura Rodríguez, der 1717 in Ciempozuelos bei Madrid geboren wurde. An seinem ganzen Werk kann man den Übergang vom schönsten Barock —spanische Interpretierung der italienischen Modelle— bis zu den letzten Stücken im akademischen und herrerianischen Stil verfolgen (67).

Über 140 Werke sind von ihm katalogisiert, entworfen und geleitet worden (abgesehen von vielen anderen, an denen sein Einfluss ersichtlich ist), die man in den entlegensten Dörfern des spanischen Landes finden kann und Schritt für Schritt Zeugnis dieser Entwicklung geben.

Ventura Rodríguez hat eine aussergewöhnliche Persönlichkeit. Sein Werk ist zweifellos das bedeutendste der spanischen Architektur des 18. Jahrhunderts und wird für uns noch bedeutender durch seine wertvollen Möbelzeichnungen, von denen glücklicherweise die schönsten erhalten sind.

Gegen Ende dieses 18. Jahrhunderts findet man nicht selten eine grosse Anzahl Möbeltischler, deren Werke sehr bekannt sind. Vor allem in der Levante und den Mittelmeergebieten —einschliesslich der Balearen— kennt man die Namen von Möbeltischlern und die Einzelheiten ihrer Werke, die aber für uns unwichtig sind, weil sie keine Originalität der Strukturen, noch besondere Arbeitsformen oder die Persönlichkeit des Herstellers oder der Werkstatt aufweisen. Sie tragen lediglich den Stempel der Extravaganz und der Eigentümlichkeit, die andrerseits den spanischen Möbelstil so anziehend machen.

Die königlichen Werkstätten, die ununterbrochen seit 1636 in Betrieb waren, hinterliessen ein sehr beachtliches Werk. Durch die dynastischen Beziehungen und später durch die Kontinuität in der Leitung und der Arbeit in den Werkstätten gelang es einige schöne Möbelstücke anzufertigen, die die besondere originelle spanische Prägung besassen, wie man zum Beispiel an den Einrichtungen in der «Casa del Labrador» in Aranjuez oder in der

das por él (además de muchas en las que su influencia es notoria) que se pueden ver en los pueblos más distantes y separados del suelo español y nos señalan paso a paso esta evolución.

La personalidad de Ventura Rodríguez es realmente extraordinaria. Su obra es sin duda la más importante de la Arquitectura española del siglo XVIII y se acrecienta para nosotros por el valor de sus dibujos sobre muebles, de los que por fortuna quedan algunos, realizados además maravillosamente.

En este fin del siglo XVIII, no es raro encontrar gran número de ebanistas cuya obra es conocida. Sobre todo en Levante y el Mediterráneo —incluidas las Baleares— se conocen nombres de ebanistas y algunos datos de obras realizadas, pero realmente para nosotros tienen poco interés, pues sus obras no señalan ninguna originalidad en las estructuras, ni acusan una forma de hacer ni una personalidad del autor o del taller, y sino sólo en el mueble singularidades y extravagancias que por otra parte hacen tan atrayente el mueble español.

Los talleres reales, que venían funcionando con una continuidad desde 1636, nos han dejado obras muy interesantes que, primero por las relaciones dinásticas y más tarde por la continuidad en la dirección y trabajo de los talleres, logran algunos ejemplares de gran belleza y con cierto carácter original y español, como por ejemplo, los conjuntos de la Casa del Labrador de Aranjuez o la Casita del Príncipe del Pardo, realizadas todas en los primeros años del siglo XIX, es decir, en plena época de Carlos IV (68).

La ornamentación del mueble ha cambiado radicalmente y nos referimos no sólo a que es absolutamente simétrica, sino que todos los elementos que se utilizan, estrías, grecas, guirnaldas, ánforas, etc., en general toda la decoración grecorromana, es extraordinariamente fina y se acrecienta con temas y motivos griegos y orientales, como las esfinges, y con los temas de la decoración pictórica descubierta en Pompeya, como falsas perspectivas arquitectónicas muy finas, mezcladas además con temas de hojarasca, guirnaldas, etc.

La tapicería, de la que no se puede prescindir, marca por lo menos exteriormente una gran rigidez en los almohadones del asiento y respaldos, etc., sin la blandura y flexibilidad que se consiguió en el rococó.

La caoba se utiliza en toda Europa con gran profusión, como la primera de las maderas de la ebanistería. Aunque en España se conocía ya desde el siglo XVII —en Inglaterra se la llama por

may be seen in towns and villages near and far on Spanish soil, and which show us this evolution step by step. The personality of Ventura Rodríguez was really extraordinary. His work is without doubt the most important of all Spanish architecture of the 18th century, and it is even more interesting for us because of the importance of his designs for furniture, some of which fortunately still survive, beautifully carried out besides.

By this time, the end of the 18th century, it is not unusual to find a great number of cabinetmakers whose work is known. Above all in the east of Spain and along the Mediterranean —including the Balearics— we know the names of certain cabinetmakers and we even have some data referring to the work they did, but this is not really of much interest to us, since their works have no originality in structure, nor do they provide us with any hint as to the personality of the craftsman or the methods or styles prevailing in the various workshops, though they do betray something of those singularities and extravagances which, after all, are part of the charm of Spanish furniture.

The royal workshops, which had been operating continuously since 1636, have left us some very interesting works which, first on account of the dynastic connections and later through the very continuity in the management and work of the workshops, achieve some specimens of great beauty and with something of an original, Spanish character, such as the ensembles in the «Labourer's Cottage» in Aranjuez or in the «Prince's Cottage» in the Pardo, all work executed in the first years of the 19th century, i.e., at the height of the reign of Carlos IV (68).

The ornamentation of the furniture has changed radically, and by this we mean not only that it is now absolutely symmetrical, but also that all the elements employed, flutings, Grecian frets, garlands, amphorae, etc., and in general all the Greco-Roman decoration, is extremely fine and is further enriched by Greek and oriental themes and motifs, such as sphinxes, and with the motifs of the pictorial decoration discovered in Pompeii, such as the very fine architectural false perspectives, with the further addition of foliage, garlands, etc.

The upholstery, which by now had become indispensable, seems to be rather too stiff, at least externally, in the cushions of the seats and the backs, etc., without the softness and flexibility achieved in rococo.

Mahogany was now used all over Europe in great profusion, being considered the first of all woods for cabinetwork. Although

206. Buró de tapa cilíndrica y patas ligeramente curvadas, marquetería de rombos, influencia de los grandes ebanistas franceses de finales de siglo XVIII; época de Luis XVI. Palacio de Liria. Duques de Alba. Madrid.

206. Bureau à couvercle cylindrique et pieds légèrement courbes, marqueterie en losanges, influence des grands ébénistes français de la fin du XVIIIe siècle; époque de Louis XVI. Palais de Liria. Ducs d'Albe. Madrid.

206. Bureau with cylindrical top and slightly curving legs; inlaid with rhomboids showing the influence of the great French cabinetmakers of the late 18th century; period of Louis XVI. Palace of Liria. Duke and Duchess of Alba. Madrid.

206. Schreibtisch mit zylindrischem Deckel und leicht gebogenen Beinen. Rhombenförmige Laubsägearbeit von den grossen französischen Kunsttischlern Ausgangs des XVIII. Jahrhunderts beeinflusst. Ludwig XVI.-Epoche. Schloss Liria des Herzogs Alba. Madrid.

notoire), peuvent être vues dans les villages les plus lointains et séparés du sol espagnol, nous guidant pas à pas dans cette évolution.

La personnalité de Ventura Rodriguez est réellement extraordinaire. Son œuvre est sans doute la plus importante de toute l'Architecture espagnole du XVIII.e siècle, et elle l'est davantage encore pour nous en raison de la valeur de ses dessins de meubles dont quelques-uns subsistent, fort heureusement, réalisés d'ailleurs d'une façon merveilleuse.

En cette fin du XVIII.e siècle, il n'est pas rare de trouver bon nombre d'ébénistes dont l'œuvre est connue. Dans le Levant, surtout, et le long de la Méditerranée —y compris les Baléares—, on connaît les noms d'ébénistes et quelques renseignements sur leurs travaux, mais en réalité ils manquent d'intérêt car ces œuvres n'ont aucune originalité dans leurs structures, n'accusent aucune méthode ni personnalité de l'auteur ou de l'atelier, seulement des singularités et des extravagances, qui d'ailleurs rendent le meuble espagnol si attrayant.

Les ateliers royaux qui fonctionnaient avec régularité depuis 1636 nous ont laissé des œuvres très intéressantes qui, d'abord en raison de leurs relations dynastiques puis de la continuité dans la direction et le travail des ateliers, fournissent quelques exemplaires d'une grande beauté et d'un certain caractère original et espagnol, comme par exemple les ensembles de la Maison du Laboureur d'Aranjuez ou la Maisonnette du Prince du Pardo, réalisés tout au début du XIX.e siècle, c'est-à-dire en plein règne de Charles IV (68).

L'ornementation du meuble a changé radicalement; nous ne voulons pas dire seulement qu'elle est maintenant parfaitement symétrique, mais encore que tous les éléments employés: stries, grecques, guirlandes, amphores, etc., toute la décoration gréco-romaine en somme, est extraordinairement délicate et se trouve enrichie de thèmes et de motifs grecs et orientaux, comme les sphynx, et des thèmes de la décoration picturale découverte à Pompéi, comme de fausses perspectives architecturales très fines, avec encore, mêlés, des thèmes de feuilles, de guirlandes, etc.

La tapisserie, dont on ne peut se passer, présente, extérieurement du moins, une grande rigidité dans les coussins du siège et des dossiers, sans l'élasticité et la flexibilité obtenues par le rococo.

L'acajou s'emploie abondamment dans toute l'Europe;

«Casita del Príncipe» im Palast vom Pardo in Madrid sehen kann. Diese Möbel wurden alle Anfang des 19. Jahrhunderts unter der Regierung Karls IV. angefertigt (68).

Die Dekoration der Möbel erfuhr eine grundlegende Wandlung. Wir beziehen uns nicht nur darauf, dass sie nun absolut symmetrisch ist, sondern dass die angewandten Elemente wie Riefen, griechische Bordüren, Girlanden, Amphoren usw., also die gesamte greiechischrömische Verzierung äusserst fein und zierlich ist. Sie wird auch noch mit griechischen und orientalischen Motiven und Themen wie die Sphinxe und die in Pompeji entdeckten Malereien bereichert.

Die Tapisserien, die nicht entbehrt werden können, wirken nun im Gegensatz zu der Weichheit und Elastizität des Rokoko, an den Sitz- und Lehnenpolstern steif und hart.

Das Mahagoniholz wird nun in ganz Europa als erstklassiges Möbelholz verschwenderisch verarbeitet. Obwohl in Spanien das Mahagoni schon seit dem 17. Jahrhundert bekannt war —in England nannte man es spanisches Mahagoni— wird es erst jetzt richtig verarbeitet. Nun kommt auch die Mode der gestrichenen Möbel auf und so wird bald das Mahagoni durch minderwertigeres Holz wie Buche, Fichte oder Birnbaum ersetzt, die dann leicht vergoldet oder in sanften Farben bemalt werden. Eine vollständige Wandlung erfährt die Verzierung mit Einlege- oder Mosaikarbeiten. Den geblümten barockartigen Mustern aus der Mitte des 18. Jahrhunderts folgen nun die Rhomben- und geometrischen Zeichnungen sowie die klassizistischen pompejanischen Motive. Ausserdem ist die Ausstattung mit Bronzen, Tapisserien, Schnitzereien und Mosaiken, die sehr gut ausgeführt werden, sehr reich.

Die Abneigung gegen Bogen und Windungen erreicht nun einen Punkt, an dem man nicht selten eine viereckige Volute findet und das schönste Beispiel hierüber, findet man an der Konsole in der Hauskapelle der mit Edelhölzern getäfelten Räume des Bourbonen-Palastes in El Escorial.

Die Beine, die während der kurzen Übergangsjahre noch leicht geschweift sind, werden nun gerade und zierlich. Die Querleisten verschwinden, wodurch die Möbel äusserst zerbrechlich und einfach wirken. Die geraden strengen Linien zeigen die senk-

207. Cama de estilo Carlos IV en líneas neoclásicas, características de la región catalana: óvalo con el anagrama de María, tallado, pintado y dorado.

208. Consola del oratorio de las Habitaciones de Maderas Finas. Palacio de El Escorial. Madrid.

209. Consola tallada y dorada tipo Carlos IV. Palacio de Liria. Duques de Alba. Madrid.

210. Cómoda neoclásica. Marqués de Santo Domingo. Madrid.

211. Cómoda de la casa Trinxeira. Olot (Gerona).

207. *Bed in the Carlos IV style, with Neoclassic lines characteristic of Catalonia; oval with an anagram of María, carved, painted and gilded.*

208. *Console of the oratory in the Room of Fine Woods. Palace of the Escorial. Madrid.*

209. *Carved and gilded console of the Carlos IV type. Palace of Liria. Duke and Duchess of Alba. Madrid.*

210. *Neoclassic commode. Marquis of Santo Domingo. Madrid.*

211. *Commode in Casa Trinxeira. Olot (Gerona).*

212

213

212. Sillón de influencia francesa. Palacio de Truyols. Palma de Mallorca.
213. Ambiente de Salón de los Duques de Sueca. Madrid.

212. Armchair of French influence. Palace of Truyols. Palma.
213. Drawing room setting, property of the Duke and Duchess of Sueca. Madrid.

ejemplo caoba española— es ahora cuando se utiliza más; encontramos además la moda de los muebles pintados y en estos casos la caoba es sustituida por maderas de calidad más inferior, como el haya, el pino o el peral, que van doradas o pintadas en colores muy suaves. El cambio en los temas de la decoración de taraceas, es total y las composiciones florales y abarrocadas de la mitad del siglo XVIII, siguen los dibujos de rombos y temas geométricos y pompeyanos más clasicistas; por otra parte la riqueza de bronces, tapicería, tallas y marqueterías, siempre muy bien realizadas es extraordinaria.

La aversión a la curva llega a tal extremo, que no es raro encontrar alguna voluta trazada en forma cuadrada y el ejemplo más bello lo podemos ver en la consola del oratorio de las habitaciones de maderas finas del Palacio de los Borbones del Escorial.

Las patas, que en los breves años de transición, son todavía de curvas muy suaves, acaban por ser rectas y con una leve silueta de estípite, con perfiles y secciones extremadamente finas y llegan a desaparecer las chambranas, lo que da la sensación de fragilidad y excesiva sencillez; estas líneas rígidas y rectas señalan la verticalidad de su estructura, y la acusan claramente en relación con los frentes del mueble, como las mesas y las sillas, en oposición total con la unidad de composición de los grandes volúmenes del barroco que enlazaban entre sí todos los elementos.

El mueble es muy fino y tan original y extravagante en sus detalles, como ya hemos visto en siglos anteriores; es de volumen ligero y fácil de trasladar, repitiendo los prototipos ya conocidos en la época anterior de Carlos III.

Como resumen los rasgos más importantes del mueble Carlos IV son los cinco siguientes:

Su simetría y aversión a la curva. Una ornamentación fina y clasicista con marqueterías geométricas que suelen llevar en los centros composiciones florales. Aplicaciones de bronces de baquetones con lazos en forma de X y galerías caladas de coronación en las mesas, cómodas y burós. Tapicerías muy rígidas que siguen las líneas del mueble exageradamente dibujadas. Muebles dorados y pintados en colores claros, decorados con baquetones y estrías y ornamentación del estilo.

Todas estas características las podemos seguir en las sillas desde las proyectadas por el propio Ventura Rodríguez hasta las de los Talleres Reales. Entre éstas la llamada de «peineta»

it had been known in Spain since the 17th century —in England, for instance, it was known as Spanish mahogany— it was now that it was most widely used; now, too, we encounter the vogue for painted furniture, and in these cases the mahogany is replaced by woods of inferior quality, such as beech, pine or pearwood, which are either gilded or painted in very soft colours. There is also a total change in the motifs used for inlaid decoration, in which the Baroque floral compositions used in the middle of the 18th century are replaced by the most classical designs of rhomboids and geometric and Pompeian motifs; on the other hand there is an extraordinary richness of bronzes, tapestry, carvings and marquetry, always very finely carried out.

The horror of curves reached such an extreme that it is not unusual to find a scroll designed in a square shape, and the most beautiful example of this can be seen on the console of the oratory in the room devoted to fine woods in the Palace of the Bourbons in the Escorial.

The legs, which in the brief years of transition were still very gently curved, finally became straight, with a very slightly pyramidal outline and extremely fine profiles and sections; and finally the chambrana *began to disappear, thus giving the chairs an appearance of fragility and excessive simplicity; these stiff, straight lines underline the verticality of the structure and show it very clearly when we look at the fronts of this furniture, such as those of the tables and chairs, in complete contrast to the unity of composition of the great volumes of Baroque, which joined all the elements together.*

This furniture is very fine, and as original and extravagant in its details as any we have seen in previous centuries; it is extremely light and easy to carry, thus repeating the prototypes already known in the previous reign, that of Carlos III.

To sum up the most important features of furniture in the time of Carlos IV, we would mention the following:

Its symmetry and aversion to curves. A fine classical ornamentation with geometric marquetry which usually has a floral composition in the centre. Semicircular bronze appliqués with X-shaped bows and pierced galleries surmounting tables, commodes and bureaux. Very stiff upholstery following the exaggeratedly meticulous lines of the furniture.

Furniture painted and gilded in pale colours, decorated with semicircular mouldings, together with flutings and ornamentation of the style.

c'est le bois qui vient en premier lieu en ébénisterie. Quoique connu en Espagne dès le XVII.ᵉ siècle —en Angleterre, par exemple, on l'appelle acajou espagnol—, c'est maintenant qu'on s'en sert le plus. Nous trouvons aussi la mode des meubles peints, l'acajou étant alors remplacé par des bois de moindre qualité, comme le hêtre, le pin ou le poirier, qui sont dorés ou peints de couleurs très pâles. Le changement dans les thèmes de la décoration de marqueterie est absolu, et les compositions à fleurs et baroques de la moitié du XVIII.ᵉ siècle sont remplacées par des dessins de losanges et des thèmes géométriques et pompéiens plus classicistes; la richesse des bronzes, des tapisseries, des sculptures et des marqueteries, toujours fort bien exécutées, est d'autre part extraordinaire.

La répugnance pour la ligne courbe est telle qu'il n'est pas rare de trouver des volutes de forme carrée; nous pouvons en voir un bel exemple dans la console de l'oratoire des chambres de bois fins du Palais des Bourbons de l'Escurial.

Les pieds, qui sont encore légèrement courbés durant ces quelques années de transition, finissent par devenir droits, prenant une vague silhouette de colonne diminuée, avec des profils et des sections extrêmement fines, et les chambranles arrivent à disparaître, ce qui donne une sensation de fragilité et de simplicité excessive; ces lignes rigides et droites signalent la verticalité de la structure et la mettent nettement en relief par rapport aux faces du meuble, tables et chaises, en opposition absolue avec l'unité de composition des grands volumes du baroque qui reliaient les éléments entre eux.

Le meuble est très élégant et aussi original et extravagant dans ses détails qu'aux siècles précédents; il prend peu de place et est facile à transporter, et il répète les prototypes déjà connus avant Charles III.

Les cinq caractéristiques les plus importantes du meuble Charles IV sont les suivantes:

Sa symétrie et son aversion pour la ligne courbe. Une ornementation fine et classiciste avec des marqueteries géométriques portant souvent en leur centre des compositions florales. Des applications de bronzes sur moulures, avec entrelacs en X, et bordures ajourées de couronnement de tables, commodes et bureaux. Tapisseries très rigides suivant les lignes du meuble et exagérément dessinées. Meubles dorés et peints en tons clairs, décorés de moulures et de stries et ornés suivant le style.

Nous pouvons suivre toutes ces caractéristiques sur les

rechte Struktur an, die sich auch an den Frontseiten der Möbel, wie bei den Tischen und Stühlen, im Gegensatz zu der Ebenmässigkeit der wuchtigen Barockmöbel bemerkbar macht, die in allen Teilen untereinander verbunden waren.

Die Möbel sind weiterhin fein, originell und extravagant in ihren Einzelheiten, wie wir es schon in den vergangenen Jahrhunderten gesehen haben. Sie sind leichter und zierlicher geworden und wiederholen die Urmodelle, die wir schon aus der Zeit Karls III. kennen.

Zusammenfassend sind die wichtigsten Merkmale der Möbel aus der Zeit Karls IV. die folgenden:

Ihre Symmetrie und die Ablehnung der gebogenen Linie. Eine feine klassizistische Ausschmückung mit geometrischen Einlegearbeiten, deren Mittelpunkt fast immer Blumenmotive bilden. Bronzene Rundstabbeschläge mit X-förmigen Verschleifungen und durchbrochene Umrandungen an Tischen, Kommoden und Schreibtischen. Steif wirkende Tapisserien mit überladener Musterung. Vergoldete und in hellen Farben bemalte Möbel, stilgerecht mit Rundeisen und Riefen verziert.

Diese ganzen Kennzeichen können an den Stühlen verfolgt werden, die von dem Architekten Ventura Rodríguez entworfen wurden bis zu denen, die aus den königlichen Werkstätten kamen. Unter diesen, stammt der sogenannte «peineta»-(Kämmchen) Stuhl noch aus der Zeit Karls III. Die Anfertigung dieses Stuhl ist sehr zierlich. Die Rückenlehne hat eine herrliche Verzierung in Einlegearbeit aus Ebenholz. Die anderen in den königlichen Werkstätten angefertigten Stühle, stammen aus der Zeit wo Ángel Maeso, Pedro Palencia und Quintana, wahrscheinlich Bildschnitzer von Beruf, diese Werkstätten leiteten.

Zwischen diesen, mit grösster Sorgfalt gearbeiteten Modellen und der darauffolgenden, besteht ein grosser Unterschied in der Fertigung.

Sehr interessant ist die von Ventura Rodríguez entworfene Zeichnung einer Konsole und deren Ausführung. Die Proportionen der verschiedenen Bauteile wie Säulen, Kapitelle und klassische Ornamentik, sind sorgfältig bedacht. Den Mittelpunkt

214

chaises, depuis celles que projeta Ventura Rodriguez lui-même jusqu'à celles des Ateliers Royaux. La chaise dite «de peineta» date encore de l'époque de Charles III et se distingue par la grande finesse de son exécution et la belle marqueterie d'ébène du dossier; les autres chaises sélectionnées aux Ateliers Royaux datent de l'époque à laquelle ils étaient dirigés par Angel Maeso, Pedro Palencia et Quintana.

On remarque entre ces modèles très soignés et les suivants une notable différence de finissage.

Le dessin d'une console du propre Ventura Rodriguez et sa réalisation sont très intéressants. La proportion des éléments architecturaux: colonnes, chapiteaux et ornementation néo-classique, est extrêmement soignée, le centre est encore une tête de femme sur écaille, souvenir du thème si courant dans les meubles Louis XIV.

Les autres exemples de consoles suivent des normes identiques ou semblables quant aux matériaux et à l'ornementation.

Nous voyons, dans la série de commodes, que leurs structures simples et prismatiques sont couvertes de marqueteries accusant ou dissimulant les tiroirs suivant la composition, qui est très variée.

bildet noch ein Frauenkopf auf einer Muschel, der an das oft wiederholte Motiv der Möbel Ludwigs XIV. erinnert.

Die anderen Konsolenexemplare folgen den gleichen oder ähnlichen Richtlinien in Bezug auf das Material und die Ausschmückung.

An den verschiedenen Kommoden fällt ihre schlichte prismatische Struktur auf; sie sind mit Einlegearbeiten ausgeschmückt und unter ihnen verbergen sich die Schubfächer.

Es gibt aber auch Möbel, an denen noch die sanftgeschwungene Linie erhalten ist, wie bei den Schreibtischen, deren Beine einen leichten Schwung haben.

Die Auswahl der Betten aus der Zeit Karls IV. ist sehr reichhaltig und wir wählen hier als Beispiel eins aus, das von Ventura Rodríguez für den Palast von Boadilla del Monte bei Madrid entworfen wurde (69).

Das Bett ist von schöner ausgewogener Proportion und man erkennt an ihm sofort die Hand des Architekten.

es todavía de la época de Carlos III de gran finura de ejecución con una bella marquetería de ébano en el respaldo; las otras sillas seleccionadas de los Talleres Reales son de la época en que los dirigían Ángel Maeso, Pedro Palencia y Quintana.

Entre estos cuidados modelos y los siguientes se advierte una notable diferencia en la terminación de la mano de obra.

Es de gran interés el dibujo de una consola del propio Ventura Rodríguez y la realización de la misma. La proporción de los elementos arquitectónicos como columnas, capiteles y ornamentación neoclásica está muy cuidada, el centro es todavía una cabeza de mujer sobre concha, recuerdo del tema tan repetido en los muebles Luis XIV.

Los demás ejemplos de consolas siguen las mismas o semejantes normas en cuanto a materiales y ornamentación.

Vemos en la serie de cómodas sus simples y prismáticas estructuras cubiertas por marqueterías en las que se acusan o se disimulan los cajones según la composición que es muy variada.

Hay muebles que conservan líneas suavemente curvas como muchos burós cuyas patas tienen todavía un ligero galbo.

La selección de camas Carlos IV es muy variada y elegimos como primer ejemplo la proyectada por el propio Ventura Rodríguez para el Palacio de Boadilla del Monte próximo a Madrid (69).

Tiene una bella y justa proporción en la que se adivina la mano de un arquitecto.

El ejemplo de ciertas camas «Olotinas» de silueta todavía abarrocada en el cabecero y patas ligeramente cabriolé pertenece ya al final del siglo VIII; en ella se advierte ya un gusto por la ornamentación más tranquilo con colores suaves y marca perfectamente la transición al neoclásico. Los restantes son ejemplos muy significativos en los que se siguen bien las variaciones y rasgos del estilo.

All of these characteristics can easily be followed in the chairs, from those designed by the aforesaid Ventura Rodríguez down to the products of the royal workshops. Among them the one known as the «comb» chair, which is still of the period of Carlos III, is very finely executed, with beautiful ebony marquetry on the back; the other chairs selected from the royal workshops are from the period when they were directed by Ángel Maeso, Pedro Palencia and Quintana.

Between these carefully executed models and the ones which follow, the reader will notice a remarkable difference in the quality of the finish.

Of great interest is the design for a console by Ventura Rodríguez, together with the console itself. The proportion of the architectural elements such as the columns, capitals and Neoclassic ornamentation is very well-thought-out, while the centre is still a woman's head on a shell, reminiscent of the motif so much repeated in Louis XIV furniture. The other examples of consoles follow the same or similar norms as far as materials and ornamentation are concerned.

In the series of commodes we may observe the way in which their simple, prismatic structures are covered with marquetries in which the drawers are noticeable or not, depending on the composition, which is very variable. But there were some pieces of furniture which kept their gently curving lines, as was the case with many bureaux, the feet of which still showed a slight tendency to bulge.

The selection we have made of beds of the period of Carlos IV is extremely varied, and for our first example we have chosen that designed by Ventura Rodríguez for the Palace of Boadilla del Monte, near Madrid (69). In its precise and beautiful proportions one can see the hand of an architect.

The example shown of a certain kind of «Olotina» bed, with its still Baroque silhouette in the headboard and its slightly cabriole feet, belongs to the end of the 18th century and in it we can already see a taste for quieter decoration in softer colours, which shows perfectly well the transition to Neoclassicism. The others are very significant examples, through which we can easily follow all the variations and features of the style.

217. Lit Charles IV. Maison Barreda. Santillana del Mar (Santander).

217. Bett im Stil Karls IV. Haus Barreda. Santillana del Mar (Santander).

Certains meubles conservent des lignes légèrement courbes, par exemple de nombreux bureaux dont les pieds montrent encore un léger galbe.

Le choix de lits Charles IV est très varié. Nous prenons comme premier exemple celui que projeta le propre Ventura Rodriguez pour le Palais de Boadilla del Monte, près de Madrid (69).

Ses proportions sont gracieuses et justes; on y devine la main d'un architecte.

L'exemple de certains lits «Olotins», d'une silhouette encore baroque au chevet et a pieds légèrement «cabriolés» correspond déjà à la fin du XVIII.ᵉ siècle; on y observe un goût plus calme pour l'ornementation en couleurs pâles qui marque parfaitement la transition vers le néo-classique. Les autres sont des exemples très significatifs qui permettent de suivre les variations et les traits du style.

Die sogenannten «Olotiner»-Betten, deren Kopfenden noch stark Barock sind und leicht gewundene Beine haben, gehören schon dem Ausgang des 18. Jahrhunderts an. An ihnen macht sich schon der Geschmack für eine ruhigere Verzierung in zarten Farben bemerkbar und kündigt den Übergang zum Klassizismus an. Die übrigen Exemplare sind auch bezeichnend, weil man an ihnen die stilbedingten Wandlungen sieht.

217

FERNANDINO
O EL IMPERIO

El paso del Neoclásico al Imperio es violento; porque el Imperio no es un estilo que nace con la natural evolución de las artes, sino que es impuesto de una manera fulminante por Napoleón. Y el propio Emperador comienza por regalar muebles del nuevo estilo, muebles opulentos y macizos con finísimas aplicaciones de bronce cincelado, obra de los mejores artistas franceses.

David, el pintor más representativo del Imperio y los arquitectos Percier y Fontaine inundan las cortes europeas de sus proyectos de muebles y dan origen a numerosas importaciones de todos los países relacionados o no con el Emperador.

Sin embargo, hay que advertir que Inglaterra de una parte y de otra España, influidos naturalmente por la nueva moda le infunden su personalidad.

En los últimos años del reinado de Carlos IV y en la primera década del siglo XIX es cuando llegaron a España los primeros muebles Imperio; muebles franceses, con un carácter propio, con una técnica, materiales y elementos de ornamentación perfectamente definidos en los proyectos de los arquitectos de Napoleón (70).

Los primeros ejemplares llegados a la Corte fueron bien pronto conocidos por los ebanistas de los talleres reales y más tarde por los maestros de los talleres artesanos particulares que existían no sólo en Madrid sino en otras ciudades. Este nuevo estilo por diversas circunstancias políticas y geográficas llega aun mejor a Cataluña, Baleares y puntos del Sur y alcanza un gran desarrollo en estas dos primeras décadas del siglo.

Así en Barcelona, y la región de Olot, en Valencia, Castellón, Cádiz son centros de producción en que se realizan en pequeños talleres muebles de estilo y por numerosos artistas —sobre todo escultores y entalladores de arte religioso—; pero en estas obras y en las de más categoría de los talleres reales, no tratemos de buscar un mueble Imperio que repita los modelos franceses conocidos bien por obras editadas con los dibujos de Percier y Fontaine o por los propios muebles importados, sino modelos creados con una auténtica personalidad.

«FERNANDINO»
OR EMPIRE FURNITURE

The transition from Neoclassic to Empire was a violent one, for the Empire style was not one born in the process of the natural evolution of the arts, but rather imposed almost overnight by Napoleon. And it was the Emperor himself who began the fashion for it by giving presents of furniture in the new style, massive, opulent furniture, with very fine appliqués of chiselled bronze wrought by the best French artists. David, the most representative painter of the Empire, together with the architects Percier and Fontaine, flooded the courts of Europe with their furniture designs and were the cause of numerous imports in all countries, whether these countries were connected with the Emperor or not. It should be pointed out, however, that England on the one hand and Spain on the other, though naturally influenced by these new fashions, stamped their products in this style with their own personality.

It was in the first decade of the 19th century, during the last years of the reign of Carlos IV, that the first Empire furniture reached Spain; it was French furniture, with a character of its own, and with its technique, materials and ornamental elements definitively set out in the designs made by Napoleon's architects (70).

The first specimens to reach the Spanish court very soon came to the notice of the cabinetmakers of the royal workshops, and later on to the attention of the masters of the unofficial crafts centres, which existed not only in Madrid but also in other cities. This new style, on account of various political and geographical circumstances, became even more popular in Catalonia, the Balearics and certain parts of the south of Spain, and developed greatly in these first two decades of the century.

Thus in Barcelona and the district round Olot, in Valencia, Castellón and Cadiz, there were centres of production in which furniture in the new style was manufactured in little workshops by numerous artists (mostly sculptors and carvers who specialised in religious art); but in these works and the rather finer ones produced in the royal workshops we need not look for that kind of Empire furniture which simply repeats the French models, already known either through the published works containing the designs of Percier and Fontaine or through the imported models

L'ÉPOQUE DE FERDINAND OÙ DE L'EMPIRE

Le passage du Néo-classique à l'Empire est violent; en effet, l'Empire n'est pas un style qui naît de l'évolution naturelle des arts, il est imposé d'une manière fulminante par Napoleón. Et c'est le propre Empereur qui commence par faire cadeau de meubles du nouveau style, meubles opulents et massifs à fines applications de bronze ciselé, réalisés par les meilleurs artistes français.

David, le peintre le plus représentatif de l'Empire, et les architectes Percier et Fontaine, inondent les cours européennes de leurs projets de meubles et sont à l'origine d'importations sans nombre dans les pays en rapport ou non avec l'Empereur.

Il faut toutefois signaler que l'Angleterre et l'Espagne, naturellement influencées par la nouvelle mode, lui inculquent leur personnalité.

Les premiers meubles Empire arrivent en Espagne aux dernières années du règne de Charles IV et au cours de la première décade du XIX.e siècle; ce sont des meubles français d'un caractère particulier, montrant une technique, des matériaux et des éléments d'ornementation parfaitement définis dans les projets des architectes de Napoléon (70).

Les premiers exemplaires qui arrivèrent à la Cour furent bientôt connus des ébénistes des ateliers royaux et plus tard des maîtres des ateliers artisanaux particuliers qui existaient à Madrid comme dans d'autres villes. Pour différentes raisons politiques et géographiques, ce nouveau style pénètre encore mieux en Catalogne, aux Baléares et en certains lieux du Sud, et se développe considérablement pendant les deux premières décades du siècle.

Ainsi, Barcelone et la région d'Olot, Valence, Castellón, Cadix, sont des centres de production où de petits ateliers fournissent des meubles de style exécutés par de nombreux artistes —surtout sculpteurs et ciseleurs d'art religieux—; pourtant, n'essayons pas, dans ces œuvres et dans celles de plus de catégorie des ateliers royaux, de chercher un meuble Empire copiant les modèles français connus à travers les ouvrages édités qui incluent les dessins de Percier et de Fontaine ou les meubles

FERNANDINISCHE EPOCHE ODER DAS EMPIRE

Der Übergang vom Klassizismus zum Empirestil ist sehr stürmisch, denn das Empire ist kein Stil, der aus der natürlichen Entwicklung der Kunstrichtungen hervorgeht, sondern er wurde von Napoleon auferzwungen. Der Kaiser selbst beginnt nun Möbel des neuen Stils zu verschenken; prächtige und gediegene Möbelstücke mit feinen zierlichen Bronzebeschlägen, die von den besten französischen Künstlern angefertigt wurden.

David, der berühmteste Maler des Empire und die Architekten Percier und Fontaine überschwemmen nun die europäischen Höfe mit ihren Möbelprojekten und geben so den Anlass zu zahlreichen Exporten in alle Herren Länder, ob diese nun Beziehungen zu dem Kaiser haben oder nicht. Trotzdem muss beachtet werden, dass England einerseits und Spanien auf der anderen Seite den bei ihnen hergestellten Möbel ihre eigene Persönlichkeit aufprägen, obwohl sie auch von der neuen Mode beeinflusst wurden.

In den letzten Jahren der Regierung Karls IV. und im ersten Jahrzehnt des 19. Jahrhunderts kommen die ersten Empiremöbel nach Spanien. Französische Möbel mit eigenem Charakter, angefertigt mit einer Technik, Materialen und Schmuckteilen, die in den Entwürfen der Architekten Napoleons eindeutig festgelegt waren (70).

Die ersten Möbelstücke, die an den königlichen Hof gelangten, lernten die Kunsttischler der königlichen Werkstätten sehr bald kennen und später erhielten auch die privaten Meister der Kunsttischlerei, nicht nur in Madrid sondern auch in anderen Städten, Kenntnis von ihnen. Aus verschiedenen politischen und geographischen Umständen gelangt dieser neue Stil noch besser nach Katalonien, den Balearen und in den Süden, wo er sich in den ersten beiden Jahrzehnten des Jahrhunderts sehr gross entwickelt.

So werden Barcelona, die Gegend um Olot (in Gerona), Valencia, Castellón und Cádiz die grossen Produktionszentren dieser Möbel, wo in kleinen Tischlerein Stilmöbel hergestellt werden. Auch zahlreiche Künstler, vor allem Bildschnitzer der Kirchenkunst, beteiligen sich an dieser Herstellung. Doch man darf an diesen Möbeln und auch nicht an den gediegeneren, die aus den königlichen Werkstätten kommen, ein Empiremöbelstück suchen,

218. Sillón fernandino de caoba, en forma de góndola; todas las patas talladas, esfinges, hojas, flechas, etc., son de madera dorada. Palacio de Aranjuez (Madrid).

219. Silla fernandina de caoba, con respaldo en forma de lira en ébano y metal. Palacio de los Borbones de El Escorial. Madrid.

220. Espejo o «psiche» en madera de caoba. Museo Romántico. Madrid.

221. Banqueta de forma de tijera o patas cruzadas talladas y doradas. Colección Muntadas. Barcelona.

218. Mahogany Fernandino armchair in the shape of a gondola; all the carved legs, sphinxes, leaves, arrows, etc. are of gilded wood. Palace of Aranjuez. Madrid.

219. Fernandino chair in mahogany, with lyre-shaped back in ebony and metal. Palace of the Bourbons in the Escorial. Madrid.

220. Cheval glass in mahogany. Romantic Museum. Madrid.

221. Stool with scissors-fashion crossed legs, carved and painted. Muntadas Collection. Barcelona.

218

219

220

221

222

218. Fauteuil Ferdinand en acajou, en forme de gondole; les pieds taillés, les sphynx, feuilles, flèches, etc. sont en bois doré. Palais d'Aranjuez (Madrid).

219. Chaise Ferdinand en acajou, avec dossier en forme de lyre, en ébène et métal. Palais des Bourbons de l'Escurial. Madrid.

220. Miroir ou psyché en mois d'acajou. Musée Romantique. Madrid.

221. Banquette pliable ou à pieds croisés taillés et dorés. Collection Muntadas. Barcelone.

218. Gondelförmiger Sessel aus Mahagoni im Fernandiner-Stil. An den Beinen Schnitzereien in Formen von Sphynxen, Blättern, Pfeilen usw. aus vergoldetem Holz. Schloss Aranjuez. Madrid.

219. Mahagoni-Stuhl im Fernandiner-Stil, mit lyraförmiger Rückenlehne aus Ebenholz und Metall. Schloss der Bourbonen. El Escorial. Madrid.

220. Spiegel oder «Psyche» in Mahagonirahmen. Museo Romántico. Madrid.

221. Scherenförmige Sitzbank, geschnitzt und vergoldet. Sammlung Muntadas. Barcelona.

223

224

225

226

222. Silloncito Ferdinand de caoba, respaldo de lira calada. Palacio de los Barreda. Marquesa de Benamejí. Santillana del Mar (Santander).

223. Tresillo de madera tallada y dorada época de transición de las formas neoclásicas al Imperio. Duques de Sueca. Madrid.

224. Consola Imperio con patas de lira, aplicaciones de bronce dorado y cincelado sobre caoba. Colección Duques de Sueca. Madrid.

225. Sofá o canapé Ferdinand, chapeado con hojas de raíces y caoba. Colección Marqués de Santo Domingo. Madrid.

222. *Small Fernandino armchair in mahogany, pierced lyre-back, ungilded wooden carvings and appliqués in gilded bronze. Palace of Barreda. Marquesa de Benamejí. Santillana del Mar (Santander).*

223. *Three-piece suite in carved and gilded wood, from the transition period between Neoclassic and Empire. Duke and Duchess of Sueca. Madrid.*

224. *Empire console with lyre-shaped legs, appliqués in gilded and chiselled bronze on mahogany. Collection of the Duke and Duchess of Sueca. Madrid.*

225. *Fernandino sofa or day bed, with veneers of roots and mahogany. Collection of the Marquis of Santo Domingo. Madrid.*

227

Es cierto que el empleo de la caoba bien maciza o chapeada es común y se repite en todos los muebles, pero los temas decorativos tallados como las esfinges y los dragones, los cisnes y las águilas, y otros numerosos temas tan queridos y repetidos por el arte francés tienen en España una traducción muy peregrina e ingenua, algunas veces desproporcionada y hasta grotesca, pero siempre con una fuerte personalidad.

Pero sobre todo las bellísimas aplicaciones de bronce dorado a fuego y cincelado por los grandes artistas que sobreviven en la época de Luis XV y XVI son sustituidas en los modelos españoles por chapas troqueladas en hueco de metal dorado y sobre todo por tallas de madera dorada superpuestas naturalmente más bastas que en los originales no sólo por la calidad del material, que no permite un detalle tan cuidado, sino por la peculiar mano de obra española, descuidada y tosca sin un estudio a fondo de los detalles.

themselves, but rather for models created with a genuine personality.

It is true that the use of mahogany, whether solid or in veneer, was very common and was repeated in all kinds of furniture, but the carved decorative motifs such as the sphinxes and dragons, the swans and eagles, as well as many other motifs lovingly repeated in French art, were expressed in Spain in a very singular and ingenuous fashion, sometimes out of proportion and even grotesque, but always with a strong personality.

Above all, however, the exquisite bronze appliqués, gilded and chiselled by the great artists who were still working in the period of Louis XV and Louis XVI, were replaced in the Spanish models by stamped sheets of gilded metal and, even more, by superimposed carvings of gilded wood, which were naturally coarser than in the original pieces, not only on account of the quality of the material (which did not permit such carefully detailed work), but also due to the peculiarities of Spanish craftsmanship, which was careless

222. Petit fauteuil Ferdinand en acajou, dossier ajouré. Palais des Barreda. Marquise de Benamejí. Santillana del Mar (Santander).

223. Canapé et fauteuils de bois taillé et doré, époque de transition des formes néo-classiques à Empire. Ducs de Sueca. Madrid.

224. Console Empire avec pieds de lyre, applications de bronze doré et ciselé sur acajou. Collection Ducs de Sueca. Madrid.

225. Sofa ou canapé Ferdinand, plaqué de feuilles de racines et d'acajou. Collection Marquis de Santo Domingo. Madrid.

222. Kleiner Mahagoni-Sessel im Fernandiner-Stil mit durchbrochener Rückenlehne in Lyraform. Schloss Barreda. Marquesa de Benamejí. Santillana del Mar (Santander).

223. Dreiteilige Garnitur aus geschnitztem und vergoldetem Holz, aus der Übergangszeit der klassizistischen Formen zum Empire. Herzog Sueca. Madrid.

224. Konsole im Empire-Stil mit lyraförmigen Beinen, vergoldeten und ziselierten Bronzebeschlägen auf Mahagoniholz. Sammlung des Herzogs Sueca. Madrid.

225. Kanapee im Fernandiner-Stil mit Wurzelblättern und Mahagoni furniert. Sammlung des Marqués de Santo Domingo. Madrid.

229

230

importés eux-mêmes; tâchons de trouver des modèles créés avec une authentique personnalité.

L'emploi de l'acajou massif ou plaqué est courant et se renouvelle dans tous les meubles, mais les thèmes décoratifs sculptés comme les sphynx et les dragons, les cygnes et les aigles, et d'autres nombreux thèmes si chers à l'art français, ont en Espagne une traduction très singulière et ingénue, parfois hors de proportion et même grotesque, bien que toujours avec une forte personnalité.

Mais, surtout, les très belles applications de bronze doré au feu et ciselé par les grands artistes qui survivent à l'époque de Louis XV et Louis XVI sont remplacées dans les modèles espagnols par des plaques estampées en creux de bois doré, superposées, plus grossières naturellement que dans les originaux, pas tellement en raison de la qualité du matériel, qui ne permet pas un soin extrême, mais surtout de l'exécution espa-

das haargenau den französischen Modellen nachgearbeitet ist, die uns aus den veröffentlichten Werken mit Zeichnungen von Percier und Fontaine bekannt sind, oder den importierten Möbeln nachgebildet wurden. Nein, bei den hier hergestellten Möbeln handelt es sich um Modelle mit eigener Prägung und wahrer Persönlichkeit.

Sicherlich wird das Mahagoni ganz allgemein verwendet, ob als massives Holz oder nur fourniert ist einerlei, aber die geschnitzten Verzierungsmotive wie die Sphinxe, Drachen, Schwäne und Adler sowie andere beliebte Themen, die sich in den französischen Möbeln so wiederholen, erfahren in Spanien eine einfache und seltsame Interpretierung. Manchmal wirken sie unproportioniert und fast grotesk, aber immer drücken sie eine starke Persönlichkeit aus.

Vor allem die herrlichen Beschläge aus im Feuer vergoldeter Bronze und die von den grossen Künstlern der Epoche Ludwigs XV. und XVI. ziseliert wurden, werden an den spanischen Möbeln

231

232

El mueble macizo amazacotado y pesado se salva precisamente por la originalidad de la mano artesana, que resuelve ingenuamente todos los problemas técnicos y artísticos del nuevo estilo —las patas, los brazos, las molduras de coronación, etc.— con una gracia muy personal opuesta a las rígidas, estudiadas y académicas proporciones del mueble francés.

A pesar de que la expansión y duración del estilo se hace en un período muy breve, los últimos años de Carlos IV (que representan entre nosotros una transición entre el Luis XVI y

and clumsy, without according any really thorough study to the details. But the saving grace of this solid, heavy and ponderous furniture came, in fact, from this very originality of the craftsmen, who found ingenuous solutions to all the technical and artistic problems of the new style —the feet, the arms, the top mouldings, etc.— with a very personal charm quite opposed to the stiff, studied and academic proportions of the French furniture.

In spite of the fact that the expansion and duration of this style were very brief, occupying only the last years of Carlos IV (years

226. Petite table coiffeuse ou table à ouvrage d'acajou, pieds de lyre, interprétation Ferdinand. Palais de Perelada (Gérone).

227. Coiffeuse avec tailles dorées et bronzes ciselés. Palais de Perelada (Gérone).

228. Table de bureau Empire en acajou, avec applications de bronze doré et ciselé. Palais de Liria. Ducs d'Albe. Madrid.

229. Table de bureau Empire; acajou avec applications de bronze ciselé et doré. Palais de Liria. Ducs d'Albe. Madrid.

233

234

gnole, négligée et lourde, sans étude approfondie des détails.

Le meuble massif, disgracieux et grossier, se sauve précisément par l'originalité de l'exécution artisanale, qui résout ingénuement tous les problèmes techniques et artistiques du nouveau style —pieds, bras, moulures de couronnement, etc.— avec une habileté très personnelle en opposition avec les proportions rigides, très étudiées et académiques du meuble français.

Bien que l'expansion et la durée du style aient lieu en si peu de temps, les dernières années de Charles IV (qui représentent

durch hohl ausgestanzte Blechteile aus vergoldetem Metall sowie durch vergoldete Holzschnitzereien ersetzt, die aufgesetzt werden und natürlich viel grober als die Originale wirken, nicht allein schon wegen des verwendeten Materials, das sich nicht so fein verarbeiten lässt, als wegen der spanischen Handwerker, die vernachlässigt und ungelernt sind. Gerade die schweren, gediegenen Möbelstücke werden durch diese Eigenart der Kunsthandwerker gerettet, die auf ihre einfältige Art sämtliche technischen und künstlerischen Probleme des neuen Stils —der Beine, Arme,

230. Consola-tocador de caoba cubierto con palmas y talla de madera dorada. Colección E. Toda. Escornalbou (Tarragona).

231. Cómoda con tallas doradas y aplicaciones de bronce dorado. Palacio de Truyols. Palma de Mallorca.

232. Tocador con espejo y patas doradas con cuello de cisne y patas de león con alas. Santillana del Mar (Santander).

233. Tocador postimperio.

230. *Console cum dressing table in mahogany, covered with palms and carvings in gilded wood. E. Toda Collection. Escornalbou (Tarragona).*

231. *Commode with gilded carvings and appliqués in gilded bronze. Palace of Truyols. Palma.*

232. *Dressing table with looking glass, gilded swan's-neck legs and feet in the shape of winged lions. Santillana del Mar (Santander).*

233. *Post-Empire dressing table.*

235

236

238

237

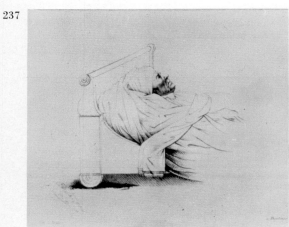

los primeros años del Consulado de Napoleón, 1806). El Imperio se desenvuelve totalmente en el reinado de Fernando VII (1808-1833) y como se verá continúa después de la abdicación de Napoleón en 1815.

Dan los principales ejemplos, en primer lugar, los talleres reales que cambian el mobiliario e inundan los palacios como Aranjuez, La Granja, El Escorial, de Sillerías Imperio, de consolas, de camas y otros modelos en los que se inspiran la burguesía que comienza ahora a nacer.

La Reina Gobernadora a la muerte de Fernando VII representa un Imperio más burgués que refleja en España los muebles franceses no sólo de la Restauración sino del propio Rey Luis Felipe (71).

La línea Imperio se hace más simple y en los muebles van desapareciendo los bronces y las tallas doradas sustituidas por unos dibujos taraceados con filetes metálicos que se repiten

which in Spain represent the transition from the Louis XVI style and that of the first year of Napoleon's consulate, 1806), the Empire style reached the height of its development during the reign of Fernando VII (1808-1833) and, as we shall see, continued for some time after the abdication of Napoleon in 1815.

The principal examples, in the first place, came from the royal workshops, which changed the current taste in furniture and flooded the royal palaces of Aranjuez, La Granja and the Escorial with Empire chairs, consoles, beds and other pieces from which the new bourgeoisie, then beginning to arise, took its inspiration.

With the death of Fernando VII, the Queen Regent represented a more bourgeois form of the Empire style, a Spanish reflection of French furniture, not only of the Restoration period but even of that of Louis Philippe (71).

The Empire line became simpler and the bronzes and gilded carvings gradually disappeared from the furniture, to be replaced

239

240

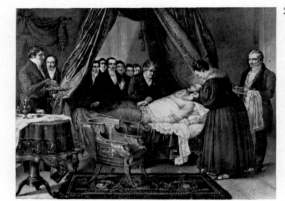

chez nous une transition entre le Louis XIV et les premières années du Consulat de Napoléon, 1806), le style Empire se développe totalement durant le règne de Ferdinand VII (1808-1833) pour continuer après l'abdication de Napoléon, en 1815.

Les principaux exemplaires sont fournis, d'abord, par les ateliers royaux qui changent le mobilier et inondent les palais d'Aranjuez, de La Granja, de l'Escurial, de sièges Empire, de consoles, de lits et d'autres modèles dans lesquels s'inspire la bourgeoisie qui commence alors à naître.

A la mort de Ferdinand VII, la Régente représente un Empire plus bourgeois que reflètent en Espagne les meubles français de la Restauration et même du roi Louis-Philippe (71).

La ligne Empire est simplifiée, et les bronzes et sculptures dorées disparaissent dans les meubles, remplacés par des dessins marquetés de filets métalliques qui se répètent et caractérisent ces meubles de la troisième décade du XIX.e siècle.

Umrahmungen usw.— mit der ihnen angeborenen persönlichen Empfindsamkeit lösen, die den strengen, einstudierten und akademischen Proportionen des französischen Möbels entgegengesetzt ist.

Trotzdem die Ausbreitung und Dauer dieses Stils innerhalb einer sehr kurzen Zeit, während der letzten Regierungsjahre Karls IV. erfolgt (was bei uns dem Übergang zwischen dem Stil Ludwigs XVI. und den ersten Jahren des Napoleonischen Konsulats von 1806 gleichkommt), entwickelt sich der Empirestil ganz unter der Regierung Ferdinands VII. (1808-1833) und wie man weiter sehen wird, setzte er sich noch nach der Abdankung Napoleons im Jahr 1815 fort.

Das Beispiel geben an erster Stelle die königlichen Werkstätten, die nun das ganze vorhandene Mobiliar ändern und die Schlösser von Aranjuez, La Granja, El Escorial mit Möbelstücken im Empirestil überschwemmen, wie Konsolen, Betten und anderen Gegenständen, von denen dann das entstehende Bürgertum

y caracterizan estos muebles de la tercera década del siglo XIX.

Los problemas y preocupaciones políticas del siglo XIX son en España lo suficientemente importantes para que el desarrollo del mueble esté supeditado a las influencias del exterior y sólo en los salones de la Corte y de la aristocracia, encontramos interpretaciones nacionales, cuando no copias, de los últimos modelos napoleónicos, de la Restauración y de Luis Felipe, el Rey burgués.

Queremos hacer observar que a lo largo del siglo XIX el mueble popular repite estos modelos y temas con una gracia singular muy del gusto actual por un fenómeno en la educación y formación burguesa cuyo estudio se sale del objeto de esta obra.

El Imperio representa un tiempo muy breve —un cuarto de siglo— en el largo desarrollo de los estilos. Los muebles Fernandinos —que toman este nombre en España— tienen rasgos tan curiosos como la interpretación de los cisnes y las águilas, los opulentos y desproporcionados cabeceros de la cama, representados en Cataluña por un elemento de silueta de copa o frutero, hasta las formas de góndolas en las que se llega a siluetas bellísimas.

Si exceptuamos los muebles cortesanos —muchos de ellos sin duda franceses— son bastante escasos los ejemplares que han quedado en los palacios y casas particulares.

Es preciso citar entre éstos los ejecutados por un artista, Adrian Ferran «L'Adrià» cuya vida se desarrolla en Mallorca y que alterna sus trabajos de imaginería religiosa con su taller de ebanista. Sus obras pueden considerarse entre las mejores del estilo que se han conservado en Palma. Hay ejemplares verdaderamente lujosos e importantes como los tocadores rematados con grandes espejos sustentados por elementos tallados y generalmente dorados y algunas camas y cunas excepcionales.

Pero quizá los prototipos nacionales más curiosos y bien resueltos son los sofás y divanes, en los que los artesanos indígenas encuentran soluciones muy elegantes.

Además de las camas de la región catalana, cuyo cabecero es de una gran originalidad, podemos seguir el desarrollo del Imperio en ésta selección en la que incluimos algunas obras muy interesantes de los talleres reales sobre todo por su personalidad.

by designs inlaid with metal fillets, the repetition of which was a characteristic of this furniture of the third decade of the 19th century.

The political problems and preoccupations of the 19th century were of sufficient importance in Spain to let the development of furniture be left to foreign influences, and it is only in the salons of the court and of the aristocracy that we find Spanish interpretations, or even copies, of the last Napoleonic models or of the furniture of the Restoration and of the period of Louis Philippe, the bourgeois king. Empire represents a very short space of time —a mere quarter of a century— in the long development of artistic styles. Fernandino furniture, as it is called in Spain, possesses some curious features, such as the national interpretation of the swans and eagles, the opulent and disproportioned headboards of the beds, represented in Catalonia by an element with the outline of an urn or fruit bowl, even the forms of gondolas, some of which are extremely beautiful in outline.

With the exception of the furniture of the court —much of which is undoubtedly French— very few specimens have survived in private houses or palaces. Among these we should mention the furniture executed by Adrián Ferrán (popularly known as «L' Adrià), who lived all his life in Majorca and who alternated the carving of religious images with his work as a cabinetmaker. His works may be considered as among the best in this style to be preserved in Palma. Some of his works are truly luxurious and important, like the dressing tables surmounted by great looking glasses supported on carved and generally gilded elements, as well as some quite exceptional beds and cradles.

241

Les problèmes et les soucis politiques du XIX.ᵉ siècle sont suffisamment importants en Espagne pour que le développement du meuble dépende de l'extérieur. Nous ne trouvons des interprétations nationales, sinon des copies, des derniers modèles napoléonniens, de la Restauration et de Louis-Philippe, le Roi bourgeois, que dans les salons de la Cour et de l'aristocratie.

Nous tenons à faire remarquer que le meuble populaire reprend ces modèles et thèmes pendant tout le XIX.ᵉ siècle avec une grâce singulière, très à la manière actuelle, par un phénomène d'éducation et de formation bourgeoise dont l'étude n'entre pas dans le cadre de cet ouvrage.

L'Empire représente une période très brève —un quart de siècle— dans le long développement des styles. Les meubles «Ferdinand» —ils prennent ce nom en Espagne— présentent des traits aussi curieux que l'interprétation des cygnes et des aigles, les chevets de lit opulents et disproportionnés représentés en Catalogne par un élément à silhouette de coupe ou de compotier, jusqu'aux formes de gondoles où elles arrivent à des profils splendides.

Si nous exceptons les meubles de la Cour —la plupart français, sans doute—, rares sont les exemplaires qui en sont restés dans les palais et les maisons privées.

Il faut tout de même signaler ceux qui furent exécutés par un artiste, Adrian Ferran «L'Adriá», dont la vie s'écoula à Majorque, et qui alterna ses travaux d'imagerie religieuse et son atelier d'ébéniste. Sa production peut être considérée parmi les meilleures du genre que l'on conserve à Palma. Certains exemplaires sont réellement luxueux et importants, comme les coiffeuses surmontées de grandes glaces posées sur des éléments sculptés et généralement dorés, et quelques lits et berceaux exceptionnels.

Pourtant, les prototypes nationaux les plus curieux et les mieux résolus sont peut-être les sofas et divans, pour lesquels les artisans indigènes trouvent des solutions très élégantes.

Outre les lits de la région catalane, dont le chevet est très original, nous pouvons suivre le déroulement de l'Empire dans cette sélection où nous incluons quelques œuvres très intéressantes des ateliers royaux, en raison surtout de leur personnalité.

beeindruckt wird. Die Königin-Regentin vertritt nach dem Tode Ferdinands VII. ein bürgerlicher ausgerichtetes Reich, das in Spanien nicht nur die französischen Möbel aus der Restaurationszeit sondern auch die des Königs Louis-Philipp (71) aufnimmt.

Die Empirelinie vereinfacht sich und die Bronzeverzierungen verschwinden an den Möbeln. Die vergoldeten Schnitzereien werden von eingelegten, mit Metallfäden durchzogenen Mustern abgelöst, die sich stets wiederholen und das Kennzeichen dieser Möbel im dritten Jahrzehnt des 19. Jahrhunderts bilden.

Die politischen Probleme und Sorgen des 19. Jahrhunderts sind in Spanien gross genug, um die Entwicklung der Möbel dem fremden Einfluss unterzuordnen und so findet man nur in den Sälen des königlichen Hofes und in denen des Adels die nationalen Ausführungen, wenn nicht gar Nachbildungen der letzten Modelle des napoleonischen Stils, der Restauration und des Bürgerkönigs Louis-Philipp.

Hierzu soll noch bemerkt werden, dass im Verlaufe des 19. Jahrhunderts diese Modelle und Themen von dem volkstümlichen Mobiliar aufgenommen und besonders reizvoll nachgebildet wurden, da sie dem damaligen Geschmack infolge der bürgerlichen Erziehung und Bildung sehr entsprachen. Wegen Raummangels können wir uns aber hierüber nicht weiter ergehen.

Der Empirestil umfasst nur eine kurze Zeitspanne —ein knappes Vierteljahrhundert—, innerhalb der sonst langen Entwicklung der Möbelstile. Die fernandinischen Möbel —diese Bezeichnung hat nur in Spanien Gültigkeit— weisen so eigenartige Merkmale auf wie die Darstellung der Schwäne und Adler, die wuchtigen und unförmigen Bettkopfenden, die besonders in Katalonien in Form von Kelchen oder Fruchtschalen dargestellt werden bis zu den Gondelförmigen, die eine wunderbare Linienführung haben. Wenn man von den Möbeln des Hofes absieht —viele von denen ohne Zweifel französischer Herkunft sind— gibt es in den Schlössern und Privatwohnung nur noch wenig Exemplare.

Unter diesen genannten Möbelstücken, darf man nicht die vergessen, die von einem Künstler, Adrián Ferrán, «L'Adriá» genannt, angefertigt wurden, der sein Leben auf Mallorca verbrachte und seine Tätigkeit als Bildschnitzer mit seiner Möbelschreinerei abwechselte. Die von ihm gefertigten Stücke gelten als die stilgerechtesten, die heute noch in Palma vorhanden sind. Darunter findet man wahre Kunstwerke wie die Frisierkommoden, auf denen grosse Spiegel in geschnitzten Rahmen stehen (diese Rahmen sind meistens vergoldet), sowie einige Betten und wundervolle Kinderwiegen.

EL ROMANTICISMO Y EL SIGLO XIX

Los diez años de la regencia de María Cristina, a la muerte de Fernando VII en 1833, representan un mueble Fernandino más modesto y aburguesado, que ya prepara el advenimiento del Isabelino.

Los muebles de este breve período —la tercera década del siglo XIX— se acusan por el singular empleo de unas incrustaciones de filetes metálicos, que forman una taracea lineal sobre los fondos de caoba. Son muebles con siluetas y formas menos voluminosas que los Fernandinos.

El año 1843 es el año de la mayoría de edad de Isabel II y el comienzo de su reinado que dura hasta su destronamiento en las jornadas de 1868. El mueble isabelino representa, pues, este largo período de los cuarenta años centrales del siglo XIX y corresponden al período de los estilos Luis Felipe y segundo Imperio en Francia, y al llamado Victoriano inglés que llega hasta los primeros años del siglo XX.

Al principio, se acusan en los muebles las influencias del Romanticismo y el Neogótico, mal llamado en un breve período «trouvadour», en el que se llega a recubrir de una manera artificial una caja de piano, con una tracería gótica, en una forma mediocre y ridícula.

Sin ningún género de duda, los trabajos del célebre arquitecto Violet-le-Duc, en plena fiebre romántica, restaurador de catedrales y autor de numerosas obras de arquitectura y de su célebre *Diccionario razonado sobre el mueble francés en la Edad Media*, ejerce una notable influencia en toda Europa.

Como consecuencia, la Duquesa de Berny (1830) introduce en Francia —y por consiguiente en España— la moda inspirada en la Edad Media.

Dos ejemplos curiosos, entre otros muchos, debemos citar de interiores de esta efímera época. Es uno, la Saleta de ingreso a las habitaciones, de maderas finas del Palacio de El Escorial, con muebles blancos y dorados, de línea gótica poco feliz y que pueden atribuirse a Ángel Maeso, que fue maestro de los talleres reales, realizador de otras bellísimas obras desde el reinado de Carlos IV. El segundo es el conjunto de la Biblioteca del Senado,

ROMANTICISM AND THE 19th CENTURY

The ten years of the regency of María Cristina, following the death of Fernando VII in 1833, represent a more modest and bourgeois form of Fernandino furniture, already preparing us for the coming of the Isabelline style.

The furniture of this brief period —the third decade of the 19th century— is notable for the singular use of incrustations of metal fillets, forming a linear inlay on a mahogany background. It is less voluminous in form and outline than Fernandino furniture.

The year 1843 saw the coming of age of Isabel II and the beginning of her reign, which lasted until her overthrow in 1868. Isabelline furniture, therefore, represents that long period of the forty central years of the 19th century, thus corresponding to the Louis Philippe and Second Empire styles in France and the Victorian in England, which was to last down to the early years of the 20th century.

The earliest furniture of this period is noticeably influenced by the romantic and the neogothic styles, a form which was, for a brief period, miscalled «troubadour», and which went to such extremes as artificially covering the case of a piano with «Gothic» tracery, in a mediocre and ridiculous fashion.

There can be no doubt that the works of the celebrated architect Viollet-le-Duc, at the height of the romantic fever, restorer of cathedrals and author of numerous works on architecture and of the celebrated Dictionnaire raisonné sur le meuble français dans le Moyen Âge, *had a remarkable influence all over Europe. As a consequence, the Duchesse de Berny, in 1830, introduced in France —and subsequently in Spain— a fashion which took its inspiration from the Middle Ages.*

We shall mention just two curious examples, out of the multitude in existence, of this ephemeral period. One is the entrance chamber to the hall of fine woods, in the Palace of the Escorial, with white and gilded furniture, in a rather infelicitous Gothic line, which may be attributed to Angel Maeso, who was the master of the royal workshops and had carried out other, very beautiful, works since he was first appointed in the reign of Carlos IV. The second is the ensemble of the Senate Library, with very fine composition in the bookcases, executed at the close of the century.

LE ROMANTISME ET LE XIX.ᵉ SIÈCLE

Les dix années de régence de Marie Christine, à la mort de Ferdinand VII en 1833, fournissent un meuble «Ferdinand» plus modeste et bourgeois qui prépare l'avènement du style Isabelle.

Les meubles de cette brève période —la troisième décade du XIX.ᵉ siècle— se distinguent par l'emploi singulier d'incrustations de filets métalliques formant une marqueterie linéaire sur les fonds d'acajou. Les silhouettes et les formes de ces meubles sont moins volumineuses que celles du style «Ferdinand».

Isabelle II atteint la majorité en 1843, année à laquelle elle commence à régner jusqu'à son détrônement en 1868. Le meuble de son époque couvre donc la longue période des quarante années du milieu du XIX.ᵉ siècle qui correspondent aux styles Louis Philippe et Second Empire, en France, et au Victorien anglais qui dure jusqu'au début du XX.ᵉ siècle.

Au commencement, les meubles accusent l'influence du Romantisme et du Néo-gothique, appelé à tort «troubadour» pendant un certain temps; on en arrive à recouvrir artificiellement une caisse de piano à l'aide de tracés gothiques, d'une façon médiocre et ridicule.

Les travaux du célèbre architecte Violet-le Duc, en pleine fièvre romantique, restaurateur de cathédrales et auteur de nombreuses œuvres architecturales et du célèbre *Dictionnaire raisonné sur le meuble français au Moyen Age*, exercent sans doute une notable influence dans toute l'Europe.

En conséquence, la Duchesse de Berny (1830) introduit en France —donc en Espagne— la mode inspirée dans le Moyen Age. Nous devons mentionner, parmi bien d'autres, deux exemples curieux d'intérieurs de cette époque éphémère. Le premier est la Petite Salle d'accès aux chambres de bois fins du Palais de l'Escurial, garnie de meubles blancs et dorés, d'une ligne gothique peu réussie, qui peuvent être attribués à Angel Maeso, maître des ateliers royaux et réalisateur d'autres très belles œuvres depuis le règne de Charles IV. Le second est l'ensemble de la Bibliothèque du Sénat, aux librairies d'une belle composition, réalisé déjà à la fin du siècle.

BIEDERMEIER UND XIX. JAHRHUNDERT

Die zehn Regentschaftsjahre der Königin María Christina, nach dem Tode ihres Gemahls König Ferdinand VII. im Jahre 1833, bringen bescheidenere und bürgerlichere Möbel hervor, mit denen sich schon der isabellinische Möbelstil ankündigt.

Die Möbel aus dieser kurzen Periode —das dritte Jahrzehnt des 19. Jahrhunderts— zeichnen sich durch die Verzierungen mit eingelegten Metallfäden aus, die auf dem Mahagonigrund ein linienförmiges Mosaik bilden. Die Linien und Formen dieser Möbelstücke sind nicht so wuchtig wie die Fernandinischen.

Im Jahr 1843 erreicht Isabella II. ihre Grossjährigkeit und tritt ihre Regierungszeit an, die bis zu ihrer Absetzung in den turbulenten Tagen des Jahres 1868 dauert. Die Möbel des isabellinischen Stils repräsentieren also die lange Periode der Vierzigerjahre des 19. Jahrhunderts und entsprechen den Stilmöbeln Louis Philipps und des zweiten Empire in Frankreich, sowie dem viktorianischen Stil Englands, der bis in die ersten Jahre des 20. Jahrhunderts reicht.

Anfangs weisen die Möbel noch den Einfluss des Biedermeier und des neugotischen Stils auf, den man für kurze Zeit auch den «Trouvadourstil» nannte. In diesem Stil bemalte man sogar auf künstliche Weise das Klavier mit kitschigen gotischen Zeichnungen.

Die Arbeiten des berühmten französischen Architekten Violet-le-Duc, der Kathedralen restauriert und Autor und Herausgeber zahlreicher Bücher über Architektur sowie seines berühmten «Kommentierten Lexikon über die französischen Möbel des Mittelalters» ist, haben zweifellos im vollsten Fieber des Biedermeier einen grossen Einfluss auf Europa ausgeübt.

Als Folge davon führt die Herzogin von Berny im Jahr 1830 in Frankreich —und entsprechend auch in Spanien— eine auf das Mittelalter gestützte Mode ein.

Unter vielen anderen Beispielen, greifen wir hier nur zwei eigentümliche Innenraumgestaltungen aus dieser vorübergehenden Periode heraus. Eines davon ist der Vorraum zu den Gemächern im Schloss von El Escorial, der mit Edelhölzern getäfelt und mit weissen und vergoldeten Möbeln, in einem nicht sehr geglückten gotischen Stil ausgestattet ist. Die Anfertigung dieser Möbel

242. Silla romántica de caoba, con tallas muy ligeras. Primera mitad del siglo XIX, derivada del Imperio. Palacio de Barreda. Marquesa de Benamejí. Santillana del Mar (Santander).

243. Sillón isabelino línea Luis XV; la estructura es de madera cubierta con hojas de palo rosa y aplicaciones de bronce; tapicería de seda. Palacio de Monterrey. Duques de Alba. Salamanca.

244. Silla isabelina de la segunda mitad del siglo XIX con típicas tallas en el copete, aldaba y faldón de caoba. Pazo de Fefiñanes (Pontevedra).

242. Romantic chair in mahogany, with very light carving. First half of the 19th century, deriving from the Empire style. Palace of Barreda. Marquesa de Benamejí. Santillana del Mar (Santander).

243. Isabelline armchair with Louis XV lines; wooden structure veneered in tulipwood and with bronze appliqués; upholstered in silk. Palace of Monterrey. Duke and Duchess of Alba. Salamanca.

244. Isabelline chair, second half of the 19th century; finial, crossbar and underskirt in mahogany, with typical carving. Pazo de Fefiñanes (Pontevedra).

242

243

244

con una bella composición en las librerías, realizada ya a fin de siglo.

Isabel II representa el eclepticismo de Luis Felipe de los años 40. En realidad, los grandes artistas ebanistas son reacios y hostiles a este arte falso y convencional, utilitario y vulgar de una ridícula apariencia.

En España es muy lenta la sustitución de la mano de obra por la máquina. La organización capitalista de los talleres nos es casi desconocida y siguen siendo estos verdaderos talleres artesanos, pero al mismo tiempo los muebles son solicitados y llegan más fácilmente al gran público.

En los primeros años del Isabelino, además de la breve moda neogótica, nace, impuesto por el gusto obsesivo de Luis Felipe, la repetición de los muebles de estilo «Boulle», muebles macizos, chapeados de ébano, y decorados con marqueterías de concha y cobre que fueron una de las características de la ebanistería del Luis XIV. Y así, no es extraño encontrarnos en palacios y colecciones particulares, mesas, cabinets, muebles de esquina y entredoses, copiados escrupulosamente de aquellos modelos, y por consiguiente sin ninguna personalidad.

Isabel II represents the eclecticism of the Louis Philippe style of the eighteen-forties. In reality the great artist-cabinetmakers were obstinately hostile to this art, which was false and conventional, utilitarian and vulgar, as well as ridiculous in appearance.

In Spain manual labour was only very gradually replaced by the machine. The capitalistic organization of workshops was practically unknown here, and so the workshops continued to be operated by true craftsmen, but at the same time there was a great demand for their products and they reached the great public more easily.

In the early years of the Isabelline period, apart from the brief neogothic fashion, the obsessive taste of Louis Philippe gave rise to the repetition of furniture in the «Boulle» style, solid furniture, veneered in ebony and decorated with marquetry in shell and copper, which was one of the characteristics of Louis XIV cabinetwork. And thus it is not unusual to find, in private palaces and collections, tables, cabinets, corner furniture and consoles, scrupulously copied from the originals and therefore without any personality at all.

Among this sumptuary furniture, which went so well with the ostentation demanded by the court, other very heterogeneous

242. Chaise romantique en acajou, à tailles très légères. Première moitié du XIXe siècle, dérivée de l'Empire. Palais de Barreda. Marquise de Benamejí. Santillana del Mar (Santander).

243. Fauteuil Isabelle, ligne Louis XV; la structure est en bois couvert de plaques de bois de rose et d'applications de bronze; tapisserie de soie. Palais de Monterrey. Ducs d'Albe. Salamanque.

244. Chaise Isabelle de la seconde moitié du XIXe siècle, avec tailles typiques au sommet, appuis et chute d'acajou. Pazo de Fefiñanes. (Pontevedra).

242. *Biedermeier-Stuhl aus Mahagoni mit leichter Schnitzerei. Erste Hälfte des XIX. Jahrhunderts, vom Empire-Stil abgeleitet. Schloss Barreda der Marquesa de Benamejí. Santillana del Mar (Santander).*

243. *Isabeliner Sessel im Ludwig XV.-Stil. Das Gerüst ist aus Holz mit Rosenholzverschalung und bronzenen Verzierungen. Seidenbezug. Schloss Monterrey der Herzöge von Alba. Salamanca.*

244. *Isabeliner Stuhl aus der zweiten Hälfte des XIX. Jahrhunderts mit typischen Schnitzereien am Lehnengiebel; Griff und Sitzumrandung aus Mahagoni. Pazo de Fefiñanes (Pontevedra).*

246

247

Isabelle II représente l'éclectisme de Louis Philippe des années 40. En réalité, les grands artistes ébénistes se montrent réticents et hostiles à cet art faux et conventionnel, utilitaire et vulgaire, d'aspect ridicule.

Le remplacement de la main-d'œuvre par la machine ne se fait que très lentement en Espagne. L'organisation capitaliste des ateliers nous est presque inconnue, et ils continuent d'être de vrais ateliers artisanaux, mais en même temps les meubles sont très demandés et arrivent plus facilement au grand public.

Au début du style «Isabelle», et outre la brève mode néo-gothique, naît, imposée par le goût obsessif de Louis Philippe, la répétition des meubles du style «Boulle», meubles massifs plaqués d'ébène et décorés de marqueteries d'écaille et de cuivre, une des caractéristiques de l'ébénisterie du genre Louis XIV. Il n'est donc pas rare de trouver dans les palais et les collections privées des tables, des cabinets, des meubles d'angle et des entre-deux, copiés scrupuleusement sur ces modèles et n'ayant par conséquent aucune personnalité.

Au milieu de ces meubles somptuaires qui correspondent parfaitement à tape-à-l'œil exigé par la Cour, il s'en produit d'autres très hétérogènes qui mélangent plusieurs styles mais

schreibt man Angel Maeso zu, der damals Meister in den königlichen Werkstätten war und unter der Regierung Karls IV. ganz hervorragende Stücke vollbrachte. Das zweite Beispiel ist die Ausstattung der Senatsbibliothek, zu der wunderbare Bücherschränke gehören, die schon gegen Ende des Jahrhunderts hergestellt wurden.

Isabella II. vertritt den Eklektizismus Louis Philipps der vierziger Jahre. Die grossen Kunsttischler lehnen aber in Wirklichkeit diese falsche und konventionelle, gewöhnliche und kitschige Kunstrichtung ab.

Die Ablösung des Handwerkers durch die Maschine geht in Spanien nur sehr langsam vor sich. Man kennt noch nicht die kapitalistische industrialisierte Organisation der Werkstätten und diese gelten weiterhin als kunsthandwerkliche Betriebe. Trotzdem sind die von ihnen gefertigten Möbel sehr gefragt und gelangen leicht an die grosse Masse.

In den ersten Jahren des isabellinischen Stils entsteht, ausser einer kurzen neugotischen Moderichtung, veranlasst durch die fixe Idee Louis Philipps, eine Wiederholung der Möbel des sogenannten «Boulle»-Stils. Diese Möbel waren sehr massiv, mit Ebenholz fourniert und mit Einlegearbeit aus Schildpatt und

245. Consola isabelina. Estilo Luis XV, de talla dorada. Casa Museo Papiol. Villanueva y Geltrú (Barcelona).

246. Buró con tapa abatible de caoba. Casa Museo Papiol. Villanueva y Geltrú (Barcelona).

247. Consola isabelina de línea derivada del Imperio, chapeada con palmas de caoba. Museo Romántico. Madrid.

248. Sofá isabelino con decoración inspirada en temas de Arquitectura Naval de los siglos XVIII y XIX; caoba tallada y palma de caoba. Museo de Pontevedra.

245. *Isabelline console. Louis XV style, with gilded carving. Casa Papiol Museum. Villanueva y Geltrú (Barcelona).*

246. *Mahogany bureau with fold-down top. Casa Papiol Museum. Villanueva y Geltrú (Barcelona).*

247. *Isabelline console, with lines deriving from Empire, veneered with mahogany palm. Romantic Museum. Madrid.*

248. *Isabelline sofa with decoration inspired in themes of naval architecture of the 18th and 19th centuries; carved mahogany and mahogany palm. Museum of Pontevedra.*

dans lesquels ne disparaissent jamais les traits et le goût de l'Empire, du Consulat et du Directoire.

La seconde grande époque du style Isabelle coïncide avec le Second Empire français.

C'est le moment des meubles capitonnés, devenus indispensables; l'ambiance continue à être d'une grande richesse apparente et d'un luxe tapageur, mais malgré les somptueuses fêtes de palais le meuble ne reflète qu'une fausse splendeur théâtrale.

Les cours européennes préfèrent les meubles Louis XVI et Louis XV, qui sont copiés servilement, et on les retrouve, reproduits et dégénérés, dans toutes les maisons de la noblesse et de la bourgeoisie.

Des meubles d'emplois divers et de styles variés remplissent et même envahissent les salons: commodes ventrues, chiffonniers, guéridons et tables de toutes sortes, formes et styles, couverts de marqueterie et de bronzes, tous confortables, car le confort, mot qui vient faire partie du vocabulaire commun en ce siècle, exprime le bien-être et la commodité conquis par la bourgeoisie. Le vis-à-vis, sorte de canapé ou de chaise pour deux personnes dont les sièges se font face et dont les bras sont unis en leur sommet pour former ensemble une silhouette en S, et surtout le pouf, tabouret volumineux et cylindrique entièrement tapissé atteignant parfois de grandes proportions et qui, lorsqu'il est placé au centre des salons, est appelé «borne».

Les chaises sont montées sur roues, ont des poignées en leur sommet pour leur transport commode dans les réunions et fêtes de la nouvelle société.

Les fauteuils ont généralement des bras brefs et bas, pour que les dames de la classe moyenne puissent s'y asseoir confortablement et exhiber les amples jupes armées de crinoline, étoffe qui arrive à désigner cette époque; ils ont beaucoup de relief et revêtent presque entièrement les meubles tapissés, le bois visible étant fréquemment du gaïac.

Ces meubles sont complétés par de grands rideaux à plis pompeux et cantonnières d'une ligne rococo très brisée, garnis de galons, de franges, de nœuds et de glands que l'on peut voir encore dans les vieux palais de la Péninsule (72).

La modification du meuble et de ce qui l'entoure est donc totale après l'Empire. Le désir de confort se manifeste dans un meuble commode et utilitaire, encore inspiré de l'autre, mais d'une ligne bien moins soignée.

Kupfer verziert, die ein besonderes Merkmal der Möbelschreinerei Ludwigs XIV. war. So darf man sich nicht wundern, wenn man in den Schlössern und in Privatsammlungen noch Tische, Eckmöbel und Wandschränkchen usw. findet, die naturgetreu den Vorbildern jener Zeit nachgebildet wurden und somit auch keine eigene Persönlichkeit besitzen.

Ausser diesen Prachtmöbeln, die so gut zu dem Aufwand eines Hofes passen, werden aber auch noch andere verschiedenartige Möbel angefertigt, an denen sich die Stile miteinander vermischten ohne aber die Merkmale des Konsulats und des Direktoires ganz zu vernachlässigen.

Die zweite grosse Epoche des isabellinischen Stils fällt mit dem zweiten französischen Empire zusammen.

Es ist die Zeit der grossen Möbel, die jetzt unentbehrlich geworden sind. Das Milieu zeugt weiterhin von einem scheinbaren Reichtum und einem aufwendigen Luxus, aber trozt der prunkvollen Hoffeste stellen die Möbel nur einen falschen Theaterglanz dar.

Der Möbelstil Ludwigs XV. und Ludwigs XVI. werden sklavisch nachgebildet und geniessen den Vorzug der europäischen Herrscherhäuser. In allen Wohnungen des Adels und des Bürgertums findet man die degenerierten Nachahmungen dieser Möbelstile.

Möbelstücke verschiedener Stile und Gebrauchszwecke füllen und überschwemmen oft die Säle und Gemächer. Dickbauchige Kommoden, Chiffoniers oder Vertikos, Guéridone und Tische in allen Formen und Stilen, reich mit Bronzen und Einlegearbeiten ausgeschmückt, die alle der Bequemlichkeit dienen, denn das Wort «bequem» wird nun in den allgemeinen Wortschatz aufgenommen und drückt den vom Bürgertum errungenen Wohlstand und Komfort aus.

Das «vis à vis» ist ein zweisitziges, S-förmiges Kanapee, dessen gegenüberliegenden Sitze durch eine gemeinsame Lehne verbunden, zu traulichem Zwiegespräch einladen. Nicht vergessen darf man unter diesen Möbelstücken den Pouf. Dies ist ein wuchtiger, runder Schemel, der ringsum gepolstert ist, und ebenfalls als Sitzgelegenheit dient. Steht er in der Mitte eines Saales, nennt man ihn «borne».

Die Stühle werden nun auf Räder gestellt und am oberen Rand der Lehne mit Griffen versehen, damit man sie besser bei Zusammenkünften, Festlichkeiten, Gesellschaften usw. befördern kann.

Die Sessel besassen im allgemeinen zurückfallende niedrige Armlehnen, damit die Damen des Mittelstandes sich bequem setzen

249. Lavabo-tocador isabelino, 2.ª mitad del siglo XIX; utilizado por la emperatriz Eugenia, palosanto tallado y chapeado. Palacio de Monterrey. Duques de Alba. Salamanca.

249. *Washstand cum dressing table, second half of the 19th century, in carved and veneered lignum vitae; used by the Empress Eugénie. Palace of Monterrey. Duke and Duchess of Alba. Salamanca.*

249. Table de toilette-coiffeuse Isabelle, seconde moitié du XIXe siècle; utilisée par l'Impératrice Eugénie, gaïac taillé et plaqué. Palais de Monterrey. Ducs d'Albe. Salamanque.

249. *Isabeliner Waschtisch, zweite Hälfte des XIX. Jahrhunderts, aus geschnitztem und verschalten Palisanderholz. Von Kaiserin Eugenia benutzt. Schloss Monterrey des Herzogs Alba in Salamanca.*

Entre estos muebles suntuarios, que tan bien van con la apariencia que exige la corte, se construyen otros muy heterogéneos, mezclando unos estilos con otros, pero en los que nunca desaparecen los rasgos y el gusto del Imperio del Consulado y Directorio.

La segunda gran época del isabelino coincide con el Segundo Imperio francés.

Es el momento de los muebles capitoné, que son ahora indispensables; el ambiente sigue siendo de una gran riqueza aparente y de un lujo ostentoso; pero a pesar de las suntuosas fiestas palatinas, el mueble no refleja más que un falso esplendor teatral.

Los muebles Luis XVI y Luis XV que se copian servilmente, son los preferidos en las cortes europeas, y se encuentran repetidos y degenerados en todas las casas de la nobleza y de la burguesía.

Muebles con muy diversos usos y estilos, llenan y a veces invaden los salones; cómodas panzudas, chiffonnier, guéridon y mesas de todas clases, formas y estilos, cubiertas de marquetería y bronces, todos muy confortables; porque el confort, palabra que se incorpora en este siglo al vocabulario común, expresa el bienestar y la comodidad conquistadas por la burguesía. El «vis a vis», especie de canapé o silla de dos plazas, con los asientos opuestos para charlas confidenciales, con los brazos unidos al copete de manera que entre las dos formen una silueta en S, y sobre todas ellas el pouf, taburete de forma voluminosa y cilíndrica, completamente tapizado, que a veces llega a tener grandes proporciones; cuando va colocado en el centro de los salones, es llamado «borne».

Las sillas van sobre ruedas, llevan asas en el copete para su más fácil traslado en reuniones, tertulias y fiestas de la nueva sociedad.

Las butacas tienen generalmente los brazos muy retrasados y bajos, para que de esta forma las damas de la clase media, puedan sentarse cómodamente y lucir las amplias y opulentas faldas armadas con crinolina, tela que llega a dar nombre a esta época; éstas son de mucho relieve y revisten casi por completo los muebles tapizados y la madera vista muchas veces es el palosanto.

Complemento de dichos muebles eran los grandes cortinajes de ampulosos pliegues, con guardamalletas de silueta rococó muy quebrada, guarnecidos con galones, flecos, lazos y

models were constructed in various mixtures of styles, though none of them ever quite lost the taste and features of the Empire, Consulate and Directoire styles.

The second great phase of the Isabelline style coincided with the Second Empire in France. This was the period of capitonné furniture, which was now considered indispensable; the interiors continued to be of great apparent richness and ostentatious luxury; but in spite of the sumptuous entertainments in the palace, the furniture reflected no more than a false and theatrical splendour.

Furniture of the most diverse uses and styles filled and sometimes overfilled the salons; potbellied commodes, chiffonniers, guéridons and tables of all classes, forms and styles, covered with marquetry and bronzes and all very comfortable; for comfort, a word incorporated in the common Spanish vocabulary in this century, expressed the welfare and convenience achieved by the bourgeoisie. There were such pieces as the «vis à vis» a kind of two-seater chair or sofa, the two seats facing each other for confidential chats, with the arms joined together at the top in such a way that between the two they form an S; and above all there was the pouf, a voluminous, cylindrical divan, upholstered all over, which was sometimes of very large proportions; when it was placed in the centre of a salon, it was called, in Spain, a «borne».

Chairs went on wheels, with handles at the top to make them easier to move about during the various entertainments of this new society.

The armchairs generally had their arms well set back and very low, so that in this way the ladies of the middle classes could sit in them comfortably and still show off their billowing crinolines, so characteristic of the period; these pieces were almost completely upholstered, while a wood very frequently seen was lignum vitae.

Complementary to this furniture were the great curtains with their elaborate folds and their twisted, rococo valances, adorned with fringes, galloons, bows and tassels, examples of which can still be seen in old houses all over the Peninsula (72).

As may be observed, the Empire style gave rise to a complete change in furniture and interiors. The desire for comfort was expressed in furniture which was comfortable and utilitarian, always inspired in the line of its predecessor but much less graceful.

The wardrobe with a mirrored door, the great creation of the 19th century, which took its inspiration from that great looking glass known as a «psyche» in the Empire period, but which replaced this latter in a much more practical fashion, summed up

250. Ambiente isabelino sobre temas Luis XV muy degenerados, tallas doradas y pintadas a mano. Casa Solá. Olot (Gerona).

251. Cama de la emperatriz Eugenia. Palacio de Monterrey. Salamanca.

250. Isabelline setting with late and decadent Louis XV motifs, the carvings gilded and painted by hand. Casa Solà. Olot (Gerona).

251. Bed of the Empress Eugénie. Palace of Monterrey. Salamanca.

250. Ambiance Isabelle sur thèmes Louis XV très dégénérés, tailles dorées et peintes à la main. Casa Solá. Olot (Gérone).

251. Lit de l'Impératrice Eugénie. Palais de Monterrey. Salamanque.

250. Isabeliner Milieu über sehr degenerierte Motive des Ludwig XV.-Stils, mit vergoldeten und handgemalten Schnitzereien. Casa Solá. Olot (Gerona).

251. Bett der Kaiserin Eugenia. Schloss Monterrey. Salamanca. Innenraummilieu Museo Romántico. Madrid.

252. Chiffonnier Segundo Imperio; interpretación de los muebles «Boulle» de marquetería de cobre y concha. Palacio de Monterrey. Salamanca.

253. Ambiente isabelino en el Museo Romántico de Madrid.

252. *Second Empire chiffonnier; interpretation of «Boulle» furniture with marquetry in copper and shell. Palace of Monterrey. Salamanca.*

253. *Isabelline setting in the Romantic Museum of Madrid.*

252

253

252. Chiffonnier Second Empire; interprétation des meubles «Boulle» de marqueterie de cuivre et d'écaille. Palais de Monterrey. Salamanque.

253. Ambiance Isabelle au Musée Romantique de Madrid.

252. *Chiffonnier Zweites Empire; Interpretation der «Boulle»-Möbel mit Einlegearbeit aus Kupfer und Schildpatt. Palast Monterrey. Salamanca.*

253. *Isabeliner Milieu im Museo Romántico. Madrid.*

254. Consola isabelina de madera tallada y dorada de línea Luis XV. Pazo de Fefiñanes (Pontevedra).

255. Piano romántico derivado del Imperio. Casa Museo Papiol. Villanueva y Geltrú (Barcelona).

254. Isabelline console with Louis XV, lines, in carved and gilded wood. Pazo de Fefiñanes (Pontevedra).

255. Piano in the romantic manner deriving from Empire. Casa Papiol Museum. Villanueva y Geltrú (Barcelona).

254

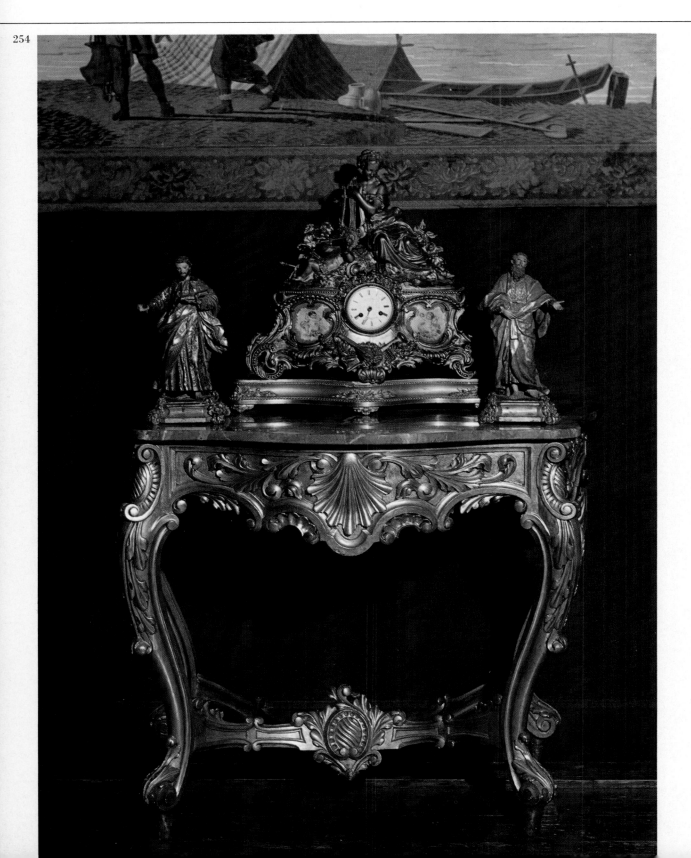

254. Console Isabelle en bois taillé et doré ligne Louis XV. Pazo de Fefiñanes (Pontevedra).

255. Piano romantique dérivé de l'Empire. Maison Musée Papiol. Villanueva y Geltrú (Barcelone).

254. *Isabeliner Konsole aus geschnitztem und vergoldetem Holz im Stil Ludwigs XV. Pazo de Fefiñanes (Pontevedra).*

255. *Biedermeier-Klavier vom Empirestil abgeleitet. Casa Museo Papiol. Villanueva y Geltrú (Barcelona).*

borlas que todavía podemos contemplar en los viejos palacios de la Península (72).

Como puede observarse, el cambio del mueble y del ambiente, es total después del Imperio. El afán del confort se traduce en un mueble cómodo y utilitario inspirado siempre en aquél pero con una línea mucho menos cuidada.

El armario de luna, creación y conquista del siglo XIX, inspirado en el gran espejo que en el Imperio se denominaba «psiche», y que viene a sustituirle con una función mucho más práctica, resume el carácter aburguesado del Isabelino, en oposición al aristocrático Imperio.

También la vivienda ha evolucionado en la nueva sociedad burguesa y capitalista. Desaparecen en las recientes edificaciones, los salones de espectaculares volúmenes, y todo se hace más reducido. Es menor el número de salones de respeto; pero conservan su aspecto suntuoso y aparatoso, decorados en un falso Renacimiento, en un Luis XVI y hasta en un Gótico. Se crean pequeños «fumoir» junto al comedor, muchas veces de un convencional estilo oriental. Se incorporan los dormitorios, interiores —alcobas a la italiana— a un gabinete exterior. Todas estas habitaciones ocupan la planta noble o principal, y el servicio se lleva a la parte posterior, mal iluminado, o se sitúa en el semisótano o en una planta superior. Es un paso hacia los programas cada vez más reducidos, que nos llevan a los pisos de fines del siglo XIX; y así nace una intimidad que es consecuencia de todos estos rasgos.

Es natural que de esta época, tan cercana a nosotros, se conserven numerosos ejemplares, y así, de muebles sueltos se puedan elegir modelos muy sugestivos, como sillas, que reflejan una fuerte inspiración en las opulentas consolas francesas del siglo XVIII. O las más sencillas y románticas, derivadas de muebles Directorio con unas líneas curvadas muy agradables en la vuelta de los copetes, y unas tallas y marqueterías sencillas, en las aldabas de los respaldos. En algún sillón —aunque muy deformado— con unos brazos y unas orejas muy desproporcionadas —estos elementos reflejan el momento del confort— recordemos la influencia y la interpretación en el s. XIX de la silla iberorromana que vimos en las primeras manifestaciones del mueble.

Quizá, en donde el mueble isabelino consiga sus más elegantes y originales modelos, sea en las consolas con influencia Imperio, chapeadas de caoba, en las que la silueta de las patas,

the bourgeois character of Isabelline furniture, in contrast to the aristocratic Empire style.

Man's habitat had also evolved in this new bourgeois, capitalistic society. The spectacularly large salons had no longer any place in the new buildings and everything was built on a smaller scale. There were fewer reception rooms, though the ones that remained kept their showy and sumptuous character, decorated in imitations of Renaissance, Louis XVI and even Gothic. Little «smoking rooms» made their appearance in the proximity of the dining rooms, frequently in a conventionally «oriental» style. The inner bedrooms —the Italian-style alcoves— became part of rooms which had windows in the outside walls. All these rooms were situated on the first floor, while the servants' quarters were relegated to the dimly lit rear part of the house, or situated in a semibasement or one of the upper floors. This marked a step towards ever smaller dimensions, culminating in the flats built at the end of the 19th century, so that a certain intimacy was the consequence of all these features.

Naturally enough, many specimens of this period, so near to our own time, still survive, and so we can select some very interesting models of single pieces, such as chairs, which reflect the powerful influence of the opulent French consoles of the 18th century.

There are also simpler and more romantic pieces, deriving from Directoire furniture, with pleasingly curved lines in the turn of the finials and simple carving and marquetry in the crossbars of the backs. In some of the armchairs, though in a very deformed fashion, with disproportioned arms and wings —elements reflecting this comfort-loving age— we may recall the influence, in its 19th-century interpretation, of the Ibero-Roman chair we have already studied as one of the first specimens of our furniture.

Perhaps the most elegant and original models of Isabelline furniture are to be found among the Empire-influenced consoles, with mahogany veneers, in which the line of the legs is sometimes very fine indeed, as also in the sofas, which interpret the Empire style very ingenuously, with a much stylized and deformed line, but which produce some very attractive results. In many newly invented pieces, on the other hand, such as dressing tables and washstands, the composition is vulgar, only meriting attention on account of the associations of the piece, as is the case of the Empress Eugénie's washstand, now preserved in the Palace of Monterrey in Salamanca.

256

L'armoire à glace, création et conquête du XIX.ᵉ siècle, inspirée de la grande glace appelée «psyché» pendant l'Empire et qui remplace celle-ci de façon bien plus pratique, résume le caractère bourgeois du style Isabelle en contraste avec l'aristocratique style Empire.

L'habitation a évolué aussi dans la nouvelle société bourgeoise et capitaliste. Les salons spectaculaires disparaissent dans les constructions récentes, et tout adopte des dimensions plus réduites. Le nombre de salons diminue; ils conservent toutefois leur aspect somptueux et superbe, et sont décorés en un faux Renaissance, un Louis XVI ou même un Gothique. On installe de petits «fumoirs» près de la salle à manger, souvent en un style oriental conventionnel. Les chambres à coucher intérieures —alcôves à l'italienne— sont incorporées à un cabinet extérieur. Toutes ces pièces occupent le rez-de-chaussée, et le service passe à la partie postérieure, mal éclairée, ou bien au sous-sol ou à un étage supérieur. C'est une transition vers les programmes de plus en plus réduits qui nous conduisent aux appartements de la fin du XIX.ᵉ siècle. Ainsi naît une intimité qui est la conséquence de tous ces traits.

Il est normal qu'il existe de nombreux exemplaires de cette époque, si proche déjà de nous, et l'on peut ainsi choisir des modèles très suggestifs, des chaises par exemple, qui reflètent une nette inspiration des opulentes consoles françaises du XVIII.ᵉ siècle. Ou bien celles, plus simples et romantiques, dérivées de meubles Directoire, aux lignes courbes très agréables aux revers des sommets et aux sculptures et marqueteries simples aux barres des dossiers. Dans certains fauteuils —très déformé cependant— aux bras et oreilles très disproportionnées —ces éléments reflètent le moment du confort; nous constatons l'influence et l'interprétation au XIX.ᵉ siècle de la chaise ibéro-romaine que nous avons vue aux premières manifestations du meuble.

Le meuble Isabelle fournit peut-être ses modèles les plus élégants et originaux dans les consoles influencées par le style Empire, plaquées d'acajou, dans lesquelles la silhouette des pieds parvient à une grande élégance, et dans les sofas, qui interprètent ingénuement le style Empire, de ligne très stylisée et déformée mais arrivant à des solutions très attrayantes. Dans beaucoup de meubles de création récente, par contre, comme les coiffeuses et tables de toilette, la composition est vulgaire et n'est curieuse qu'en raison de la destination du

und ihre weiten Krinolinenröcke zeigen konnten. Dieser Stoff gab der Epoche den Namen. Da er sehr auftragend und steif ist, wurden auch die Möbel damit tapeziert. Das Holz, das am meisten verarbeitet wurde war der Palisander.

Als Ergänzung dieser Einrichtungen, brachte man noch schwere, weitfaltige Vorhänge und Portieren an, mit Überwürfen und Umrandungen im Rokokostil. Wenn man alte spanische Schlösser besichtigt, kann man sie noch vielfach sehen (72).

Nach dem Empirestil vollzog sich nun eine totale Umwandlung der Möbel und des Milieus.

Der Drang nach Bequemlichkeit und Komfort brachte zweckmässigere und bequemere Möbel hervor, die sich zwar noch dem Stil anpassten, im grossen und ganzen aber in der Linienführung nicht so sorgfältig gearbeitet sind.

Der Spiegelschrank, der eine Erfindung und Eroberung des 19. Jahrhunderts war, lehnt sich zwar an den grossen Spiegel an, der im Empire als «Psyche» bezeichnet wurde, ihn aber zweckentsprechender ersetzt, vereint in sich den bürgerlichen Charakter des Isabellinenstils im Gegensatz zum aristokratischen Empire.

Auch die Wohnung erfuhr eine Wandlung mit der neuen bürgerlichen und kapitalistischen Gesellschaft. In den neuen Gebäuden verzichtete man auf die übergrossen Säle und alles wurde verkleinert. Es gibt weniger Empfangsräume, aber die noch vorhandenen, behalten die prunkhafte Ausstattung bei, die in einem falschen Renaissancestil, einem Ludwig XVI. oder einem gotischen Stil angefertigt ist. Nun werden kleine Rauchzimmer neben dem Speisezimmer errichtet, die oft in einem konventionellen orientalischen Stil eingerichtet sind. Die Schlafzimmer verlegt man in ein

260. Ambiente isabelino del Museo Romántico, sillas de la primera mitad del siglo XIX románticas, derivadas de tipos neoclásicos. Velador y sofá de inspiración Imperio con taraceas de boj sobre palmas de caoba.

261. Ambiente isabelino inspirado en muebles Luis XV e Imperio. Casa Solá. Olot (Gerona).

262. Ambiente isabelino inspirado en muebles Luis XV e Imperio, todos van chapeados con hojas de caoba, palo-rosa y filetes de boj, rinconeras talladas y doradas. Decoración de las paredes de la segunda mitad del siglo XIX por Miralles, pintor gerundense. Casa Solá. Olot (Gerona).

260. *Isabelline setting from the Romantic Museum, chairs of the first half of the 19th century in the romantic style, deriving from Neoclassic types. Pedestal table and sofa of Empire inspiration, with boxwood inlays on mahogany palms.*

261. *Isabelline setting inspired in Louis XV and Empire furniture. Casa Solà. Olot (Gerona).*

262. *Isabelline setting inspired in Louis XV and Empire furniture; all the pieces are veneered in mahogany, rosewood and boxwood fillets, and the corner pieces are carved and gilded. The walls were decorated in the second half of the 19th century by Miralles, a Gerona painter. Casa Solà. Olot (Gerona).*

257

258

260

261

260. Ambiance Isabelle du Musée Romantique, chaises de la première moitié du XIXe siècle, romantiques, dérivées de types néoclassiques. Guéridon et canapé d'inspiration Empire avec marqueteries de buis sur palmes d'acajou.

261. Ambiance Isabelle inspirée de meubles Louis XV et Empire. Maison Solá. Olot (Gérone).

262. Ambiance Isabelle inspirée de meubles Louis XV et Empire, tous plaqués de feuilles d'acajou, bois de rose et filets de buis, angles taillés et dorés. Décoration des murs de la seconde moitié du XIXe siècle, par Miralles, peintre de Gérone. Casa Solá. Olot (Gérone).

260. Isabeliner Milieu im Museo Romántico. Stühle im Biedermeierstil der ersten Hälfte des XIX. Jahrhunderts vom Klassizismus abgeleitet. Leuchter und Sofa vom Empire-Stil beeinflusst mit Einlegearbeit aus Buchsbaum auf Mahagoniblatt.

261. Isabeliner Milieu beeinflusst von dem Möbelstil Ludwigs XV. und Empire. Casa Solá. Olot (Gerona).

262. Isabeliner Milieu, beeinflusst von dem Möbelstil Ludwigs XV. und Empire. Die Möbel sind alle mit Mahagoniblatt, Rosenholz- und Buchsbaumstreifen furniert. Ecktische und Schränke geschnitzt und vergoldet. Wanddekoration aus der zweiten Hälfte des XIX. Jahrhunderts, von dem gerundenser Maler Miralles ausgeführt. Casa Solá. Olot (Gerona).

59

262

italienisches Alkoven, das an einen äusseren Raum angrenzt. Diese Räume liegen alle in der Haupt- oder Edeletage und die Dienstbotenzimmer werden in den rückwärtigen, schlechter beleuchteten Teil der Wohnung, ins Dachgeschoss oder in den Keller verlegt. So sieht der weitere Schritt zur Verkleinerung der Wohnungen aus, der uns dann zu den Wohnräumen des Ausgangs des 19. Jahrhunderts bringt. Als Folge dieser ganzen Voranzeichen entsteht dann die häusliche Gemütlichkeit.

Es ist selbstverständlich, dass uns aus dieser jüngsten Vergangenheit zahlreiche Möbelstücke überliefert sind und so kann man unter vereinzelten Stücken sehr schöne Modelle finden, wie die Stühle, die sich stark an die französischen prächtigen Konsolen des 18. Jahrhunderts anlehnen. Oder die einfacheren, romantischen, die den Möbeln des Direktoires mit den schönen geschwungenen Linien der Rückenlehne und den schlichten Schnitzereien und Einlegearbeiten an den Griffen entsprangen. An einigen Sesseln, wenn auch etwas entstellt, spiegeln sich diese Elemente der Bequemlichkeit an den übermässigen Armlehnen und grossen Ohrenklappen wieder. Denken wir an den Einfluss und die Interpretierung im 19. Jahrhundert des iberorömischen Stuhls, den wir in den ersten Beschreibungen des Möbels betrachteten.

Wo aber der isabellinische Möbelstil seine originellsten und elegantesten Modelle hervorbrachte, war an den vom Empirestil beeinflussten Konsolen mit Mahagonifournier, deren Füsse eine sehr elegante Linie haben, und die Sofas, deren sehr einfache Interpretierung des Empirestils eine sehr stilisierte und entartete Linie hervorbrachte, mit der man aber sehr reizvolle Lösungen erreichte. Bei den anderen neugeschaffenen Möbeln dagegen, wie die Toiletten- und Waschtische, wirkt die Komposition ziemlich gewöhnlich und das Kuriosum daran ist nur ihre Bestimmung, wie man an dem Waschtisch der Kaiserin Eugenie sehen kann, der im Palast von Monterrey in Salamanca steht.

Zwar sind in diesen Jahren, in denen die Möbel des Empirestils wie die Ludwigs XV. und XVI. wiederholt werden, die Varianten und Abwandlungen sehr gross und schwer auseinanderzuhalten, um die Echtheit derselben feststellen zu können. Zum Beispiel an den Behelfstischchen mit den leicht geschwungenen Beinen, die mit Blättern aus Rosenholz und ziselierten Bronzebeschlägen belegt sind und eine Verzierung aus Sèvresporzellan tragen. Im Milieu unseres Jahrhunderts gehen wir von den Sälen der dreissiger Jahre, mit ihren Papiertapeten und Möbeleinrichtungen eines degenerierten Empirestils, zu den Reproduktionen eines

alcanza una gran elegancia y en los sofás, con una interpretación muy ingenua del Imperio, con una línea muy estilizada y deformada, pero con la que se llega a soluciones muy atractivas. En cambio, en muchos muebles de nueva creación, como en los tocadores y lavabos, la composición es vulgar y sólo tiene la curiosidad del destino del mueble; como el lavabo de la Emperatriz Eugenia conservado en el Palacio de Monterrey de Salamanca.

Claro es que en estos años —que repite lo mismo el mueble Imperio que el Luis XV y XVI—, las variaciones son muy grandes y hasta es difícil distinguir y ver la autenticidad de un mueble. Por ejemplo, en las mesitas auxiliares con patas de ligero galbo cubiertas todas ellas con hojas de palo-rosa con aplicaciones de bronces cincelados y aplicaciones de centros de porcelana de Sèvres. En los ambientes del siglo, pasamos de unos salones, decorados con papeles pintados de los años 30 y muebles de un Imperio degenerado, a las reproduciones de un Luis XV y XVI con muebles tallados y dorados de una manera ampulosa hasta los clásicos tresillos isabelinos que son interpretaciones muy españolas y repetidas de un Luis XV muy convencional, con madera vista de palosanto y con tallas elementales y discretas cuyos conjuntos —tan cercanos a nosotros— conservan vivo el final del siglo.

In these years, naturally, which reproduced Empire furniture as readily as they did Louis XV or Louis XVI, there were very great variations, and it is sometimes hard to be sure of the authenticity of any one piece. We can see an instance of this in the little occasional tables with slightly bulging legs, all covered with tulipwood veneer, chiselled bronze appliqués and centres of Sèvres porcelain. In the interiors of the period we can find rooms with wallpapers of the eighteen-thirties and furnished in a degenerate kind of Empire, as well as reproductions of Louis XV and Louis XVI, with furniture pompously carved and gilded, and even the classic Isabelline *three-piece suites, which were very Spanish versions, much repeated, of a highly conventional Louis XV form, with the woodwork in discreetly carved lignum vitae; such ensembles —so near to us in time— bring the fin de siècle to life.*

meuble; par exemple, le lavabo de l'Impératrice Eugénie conservé au Palais de Monterrey, à Salamanque.

Naturellement, les variations sont considérables au cours de cette période, qui reprend aussi bien le meuble Empire que le Louis XV et le Louis XVI, à tel point qu'il est difficile de juger de l'authenticité d'un meuble. Par exemple dans les petites tables auxiliaires à pieds légèrement incurvés, entièrement recouvertes de plaques de bois de rose, avec des applications de bronzes ciselés ou des applications de centres de porcelaine de Sèvres. Nous passons des salons décorés de papiers peints des années 30 et des meubles d'un style Empire dégénéré, aux reproductions d'un Louis XV et d'un Louis XVI avec des meubles sculptés et dorés d'une manière ostentatoire, jusqu'aux classiques ensembles d'un canapé et de deux fauteuils, interprétations très espagnoles et répétées d'un Louis XV très conventionnel, en bois de gaïac aux parties visibles et aux sculptures élémentaires et discrètes dont les ensembles —si proches de nous— sont conservés jusqu'à la fin du siècle.

Ludwig XV. und XVI. Stils mit geschnitzten, überreich vergoldeten Möbeln und zu den klassischen Dreiersitzecken im isabellinischen Stil über, die rein spanische Interpretierungen eines konventionellen Ludwig XV. Stils sind. Diese Einrichtungen, aus Palisanderholz mit primitiven Schnitzereien gefertigt, halten sich bis zum Ausgang des Jahrhunderts.

EL SIGLO XX:
GAUDI Y EL MODERNISMO

Al mismo tiempo que las imitaciones de los últimos años del siglo van a caer en el «pastiche» de los estilos históricos, comienza en toda Europa un renacimiento de las artes decorativas que se denomina «Modern Style» o «Art Nouveau» y que en España se conoce con el nombre de «Modernismo». Este arte, nacido en Inglaterra, es un extenso movimiento revolucionario que alcanza rápidamente un gran desarrollo con el apoyo de artistas y arquitectos de toda Europa, al finalizar el siglo XIX y el comienzo del siglo XX hasta la Primera Guerra Europea.

En la ebanistería se advierte una gran influencia en la observación directa de la naturaleza, unida a un gran adelanto en la técnica, que llega a ser perfecta.

El mueble se inspira en la naturaleza imitando e interpretando las hojas y elementos de las plantas, sobre todo de los lirios, las hojas de agua y los vegetales de tallos alargados, flexibles y ondulantes.

El nuevo estilo, dentro de una cierta tradición ebanística, rompe con los estilos históricos.

No podemos dejar de traer el ejemplo de M. Thonet (1796-1871), el gran industrial vienés que inició —puede decirse que inventó— los muebles curvados en madera de haya que inundaron el mundo, muebles de líneas cuidadas y de notable belleza, cuyos modelos se buscan y cotizan y que la moda ha hecho resurgir en estos años.

También ha evolucionado el concepto del mueble considerado como un simple objeto, y a principios de siglo se empiezan a hacer muebles extraños y heterogéneos, como la cama-sofá, la librería-mesa o la librería-cama.

La difusión de las revistas especializadas y las continuas exposiciones europeas ejercen notable influencia en el desarrollo del «Modern Style», en el que no hay que dejar de señalar la ejercida por la manifestación artística de los «Ballets Rusos», que presentó Diaghilev en París en 1909 y cuya ascendencia alcanza a todas las artes menores, aparte de su directa conexión con la música y la pintura.

THE 20th CENTURY:
GAUDI AND ART NOUVEAU

At the same time as all the imitations perpetrated in the last years of the century were producing this pastiche of historical styles, a rebirth of decorative art was beginning all over Europe, the style we know as Art Nouveau, which in Spain is called «Modernismo». This art, which had originally begun in England, was a revolutionary movement which spread and developed rapidly with the support of artists and architects throughts Europe, in the last years of the 19th century and the first of the 20th, lasting until the first World War.

In cabinetmaking we can see the great influence of a direct observation of nature, together with great advances in technique, which came to be almost perfect. Furniture took its inspiration from nature, imitating and interpreting the leaves and other elements of plants, particularly of lilies, water leaves and other plants with long, flexible, undulating stems. These new forms, though within a certain tradition of cabinetmaking, broke with the historical styles.

We must not forget to mention here the example of M. Thonet (1796-1871), the great Viennese industrialist who initiated —or, we might even say, invented— the famous furniture in bent beechwood which swept the world, furniture of great beauty and carefully designed lines, specimens of which are now much sought after, since fashion has revived it in recent years.

The concept of furniture considered as simple objects had also evolved considerably, and strange, heterogeneous models began to be made at the beginning of the century, models such as sofa-beds, bookcase-tables and bookcase-beds.

The diffusion of the specialist reviews and the continuous European exhibitions had a remarkable influence on the development of Art Nouveau, as well as that exercised by the artistic phenomenon of the Russian Ballet, presented in Paris by Diaghilev in 1909, the importance of which was felt in all the minor arts, apart from any direct connection with music and painting. We need only remember the names of Picasso and Strawinsky —to mention only the two most universally known— who found their opportunity with the Russian Ballet. To the decorative arts, too, they contributed the great attraction of their colour, volumes and ornamentation.

In Spain, of course, this movement, which reached us through

LE XXe SIÈCLE: GAUDÍ ET LE MODERNISME

De la même façon que les imitations des dernières années du siècle tombent dans le «pastiche» des styles historiques, une renaissance des arts décoratifs commence en Europe; c'est le «Modern Style» ou «Art Nouveau», connu en Espagne sous le nom de «Modernisme». Cet art, né en Angleterre, est un mouvement révolutionnaire qui se développe rapidement, sanctionné par des artistes et architectes de toute l'Europe à la fin du siècle et au début du xxe siècle, jusqu'à la Première Guerre Européenne.

Le meuble s'inspire de la nature, imitant et interprétant les feuilles et autres éléments des plantes, surtout les iris, les feuilles aquatiques et les végétaux à tiges allongées, flexibles et ondulantes. Le nouveau style, dans une certaine tradition de l'ébénisterie, s'écarte des styles historiques.

Nous ne pouvons négliger l'exemple de M. Thonet (1796-1871), le grand industriel viennois qui lança —inventa, pourrait-on dire— les meubles incurvés en bois de hêtre qui inondèrent le monde, meubles aux lignes bien étudiées et d'une beauté remarquable dont les modèles sont recherchés et très cotés et que la mode a relancés ces dernières années.

La conception du meuble en tant que simple objet a beaucoup évolué aussi, et au début du siècle l'on commence à faire des meubles étranges et hétérogènes comme le divan-lit, la table-librairie ou la librairie-lit.

La diffusion des revues spécialisées et les très nombreuses expositions européennes exercent une grande influence sur le développement du «Modern Style», sans oublier celle de la manifestation artistique des «Ballets Russes» que présente Diaghilev à Paris en 1909 et dont l'ascendant affecte tous les arts mineurs, outre leur rapport direct avec la musique et la peinture.

Rappelons les noms de Picasso et Strawinsky, pour ne citer que les deux plus universels, qui eurent une opportunité avec les Ballets Russes.

Ils laissèrent aussi leur puissante empreinte de couleur, de volumes et d'ornementation sur les arts décoratifs.

DAS XX. JAHRHUNDERT: GAUDÍ UND DER MODERNISMUS

Zur gleichen Zeit als die Nachahmungen der letzten Jahre des Jahrhunderts in eine «Vermengung» der geschichtlichen Stile verfallen, entsteht in Europa eine Renaissance der Ausstattungskunst, die sich «Modern Style» oder «Art Nouveau» nennt und in Spanien unter der Bezeichnung «Modernismus» bekannt wird. Diese in England entstandene Kunst ist eine revolutionäre Bewegung, die sich mit Hilfe der Künstler und Architekten Europas um die Jahrhundertwende bis zum ersten Weltkrieg sehr rasch entwickelte.

In der Möbeltischlerei macht sich der grosse Einfluss bemerkbar, den die direkte Betrachtung der Natur, verbunden mit einem grossen technischen Fortschritt mit sich bringt.

Die Möbel inspirieren sich in der Natur, indem sie Blätter und andere Pflanzenteile, vor allem Lilien, Wasserblätter und die langstieligen Pflanzen nachbilden. Dieser neue Stil durchbricht trotz einer gewissen Tradition der Kunsttischlerei alle geschichtlichen Stile.

Wir können nicht umhin, das Beispiel des M. Thonet (1796-1871), des grossen Wiener Industriellen zu erwähnen, der die geschwungenen Buchenholzmöbel erfand, die den Weltmarkt überschwammen. Diese Möbel von schöner sorgfältiger Linienführung, deren Modelle noch heute gesucht und bezahlt werden, wurden von der Mode der letzten Jahre neu ins Leben gerufen.

Auch der Begriff des Möbelstückes nur als Objekt gesehen, hat sich gewandelt und man beginnt um die Jahrhundertwende mit der Anfertigung von fremd- und verschiedenartigen Möbeln wie Schlafsofa, Buchtische oder das Schrankbett.

Die Verbreitung von Fachzeitschriften und die dauernden europäischen Möbelausstellungen üben einen grossen Einfluss auf die Entwicklung des «Modern Style» aus, wobei auch nicht der Einfluss vergessen werden darf, den die künstlerischen Darstellungen des «Russischen Ballets» von Diaghilev 1908 in Paris ausgeübt hat, deren Vorrang alle Kleinkunstrichtungen, ausser der direkten Beziehung zur Musik und zur Malerei, erreichte.

Denken wir an die Namen von Picasso und Strawinsky —um

Recordemos los nombres de Picasso y Strawinsky —por citar los dos más universales— que tuvieron una oportunidad con los Ballets Rusos.

También en las artes decorativas dejaron su poderoso atractivo de color, volúmenes y ornamentación.

Claro es que en España, el movimiento, que nos llega a través de revistas y viajes, es más lento y no participamos de las novedades y osadías del otro lado de los Pirineos, sino que sólo iniciamos, tímidamente, la construcción de muebles en serie, sobre todo en la región valenciana, que se pone a la cabeza de esta modalidad.

A través de estas páginas se ha podido comprobar la relación y subordinación que siempre tuvo el mueble español con el europeo, y en mayor proporción aun con el francés y el inglés; a pesar de estas nuevas tendencias, que se aplican tenazmente en toda Europa, continuamos en los últimos años del siglo XIX con las mismas imitaciones, haciendo hincapié en la repetición de los estilos históricos, el Enrique II, el Francisco I, el Chippendale, etc.

Sin embargo, gracias a Gaudí, una figura genial y aislada, España estuvo presente en este movimiento de las Artes. Antonio Gaudí nació el 25 de julio de 1852 en Reus; su juventud coincide con los últimos años del Segundo Imperio y el comienzo de las nuevas tendencias artísticas. En estos años sus impulsos artísticos y creadores le dirigen hacia el diseño industrial, en lo que influye sin duda el oficio de su padre, que era caldererero en Ruidoms, donde pasa su infancia, y esta afición de la artesanía del hierro le ha de acompañar toda la vida.

Gaudí fue un gran arquitecto lleno de audacias y excentricidades y un gran escultor, autor de formas y volúmenes nuevos con un extraordinario valor —se anticipó a la escultura abstracta de nuestros días— pero fue además un magnífico dibujante, y sus preocupaciones por la técnica y la función de cada objeto le llevó a realizar concienzudos estudios de todos estos problemas en obras de todos conocidas, puesto que la figura de A. Gaudí —sobre todo en estos últimos años ha sido cariñosamente estudiada y admirada, y su bibliografía es muy abundante (73).

Sin duda, dominado por el ambiente social de aquel momento, y de otra parte, por la obra de Violet-le-Duc, del que fue gran admirador —pasó por un inevitable período gótico que en su arquitectura perduró hasta el fin de su vida.

reviews and journeys abroad, was much slower, and we did not really participate in the daring novelties from beyond the Pyrenees, merely confining ourselves to a rather timid initiation of the mass production of furniture, principally in the region of Valencia, which soon became the leading area in this kind of manufacture.

Through these pages we have been able to see how the relationship of Spanish furniture to European was always a subordinate one, even more so with regard to French and English furniture; in spite of these new tendencies, which had completely taken hold of the rest of Europe, Spain in the last years of the century went on grinding out the same old imitations, with special reference to the repetition of the historical styles, Henri II, Francis I, Chippendale, etc.

Thanks to Gaudí, however, that isolated genius, the presence of Spain was felt in this movement of the arts. Antonio Gaudí was born in Reus on July 25th, 1852; his youth, therefore, coincided with the last years of the Second Empire and the beginning of the new artistic tendencies. In these years his creative and artistic impulses led him towards industrial design, in which he was doubtless influenced by the trade of his father, who was a boilermaker in the village of Riudoms, where he spent his childhood, and this love of craftsmanship in iron was to last all his life.

Gaudí was a great architect, full of audacity and eccentricity, and a great sculptor, the creator of new forms and volumes of extraordinary interest, anticipating the abstract sculpture of today, but he was also a magnificent draughtsman and his preoccupation with the technique and function of every object led him to make conscientious studies of all these problems in works which are well-known to us all, since the figure of Gaudí —above all in the last few years— has been lovingly studied and admired and the bibliography referring to him is very plentiful (73).

Doubtless influenced by the social atmosphere of the period and, on the other hand, by the work of Viollet-le-Duc, of whom he was a great admirer, he passed through an inevitable Gothic period, which in his architectural work lasted the rest of his life.

The furniture of this first stage is represented by that of a religious kind, which he planned and designed for a chapel in Comillas and which was executed in 1878. It is impossible not to notice in his furniture the constant, though at the same time insensible, influence of Art Nouveau, which had arrived in Barcelona principally, on account of this city's closer cultural and commercial connections with France; but this influence always went hand in hand with that of the Second Empire or Louis XV, and always

En Espagne, bien sûr, le mouvement qui nous arrive à travers revues et voyages est plus lent, et nous ne participons pas aux innovations et audaces d'outre-Pyrénées; nous commençons seulement, timidement, la construction de meubles en série, surtout dans la région de Valence qui se situe au premier rang dans cette modalité.

Il a été possible de constater, dans ces pages, le rapport et la subordination constante du meuble espagnol au meuble européen et surtout aux meubles français et anglais; malgré les nouvelles tendances, suivies avec opiniâtreté dans toute l'Europe, nous continuons à la fin du XIX.ᵉ siècle à imiter surtout les styles historiques: Henri II, François Ier, Chippendale, etcetera.

Et pourtant, grâce à Gaudí, figure géniale et isolée, l'Espagne fut présente dans ce mouvement des Arts. Antonio Gaudí naquit le 25 juillet 1852 à Reus; sa jeunesse coïncide avec les dernières années du Second Empire et le commencement des nouvelles tendances artistiques. Son élan artistique et créateur l'oriente vers le dessin industriel, sous l'influence sans doute du métier de son père, chaudronnier à Riudoms où il passe son enfance; ce goût pour l'artisanat du fer devait l'accompagner toute sa vie.

Gaudí fut un grand architecte plein d'audace et d'excentricités et un grand sculpteur, auteur de formes et de volumes nouveaux d'une valeur extraordinaire —il s'anticipa à la sculpture abstraite de nos jours—, mais il fut par surcroît un magnifique dessinateur, et son souci de la technique et de la fonction de chaque objet le porta à étudier consciencieusement tous ces problèmes dans des œuvres connues de tous puisque la figure d'A. Gaudí, surtout ces dernières années, a été étudiée et admirée longuement, et que sa bibliographie est très abondante (73).

Probablement sous la domination du milieu social ambiant du moment et aussi de l'œuvre de Violet-le-Duc, qu'il admira beaucoup, il passa par une inévitable période gothique qui se retrouve dans son architecture jusqu'à sa mort.

Les meubles de cette première étape sont représentés par ceux du genre religieux qu'il projeta ou dessina pour une chapelle à Comillas, et qu'il réalisa en 1878. Il est impossible de ne pas constater dans ses meubles la constante et insensible influence de l'«Art Nouveau», ressentie particulièrement à Barcelone en raison de ses relations culturelles et commerciales plus intenses avec la République voisine; mais ces caractères

nur die Weltbekanntesten zu nennen— die Gelegenheit hatten mit dem Russischen Ballet in Verbindung zu treten.

Auch die Ausstattungskunst erfuhr den Einfluss und die grosse Anziehungskraft ihrer Farben, Grössen und Schmuck.

Da uns diese Bewegung nur über die Zeitschriften und Reisen erreicht, erfolgt die Entwicklung in Spanien viel langsamer und so kann man an den Neuheiten und Wagnissen von jenseits der Pyrenäen nicht teilnehmen, sondern man versucht ganz schüchtern auch hier die Serienkonstruktion der Möbel aufzunehmen, wobei Valencia und Umgebung an der Spitze dieser neuen Industrie steht.

Im Laufe dieser Abhandlung hat man gesehen wie der spanische Möbelstil stets von dem europäischen, vor allem aber von dem französischen und englischen Stil beeinflusst und abhängig war. Trotz der neuen Tendenzen, die in ganz Europa strikte durchgeführt werden, stellt man in Spanien nach wie vor zu Ausgang des 19. Jahrhunderts die gleichen Imitationen her, wobei man sich besonders an die Wiederholung der historischen Stile Heinrichs II., Franz I., Chippendale usw. hält.

Und dennoch ist Spanien, dank der genialen und einzeln darstehenden Figur Gaudís gegenwärtig in dieser neuen Kunstbewegung. Antonio Gaudí wurde am 25. Juli 1852 in Reus (Tarragona) geboren. Seine Jugend fällt in die letzten Jahre des Zweiten Empire und Beginn der neuen Kunstrichtungen. Seine künstlerischen und schöpferischen Neigungen lassen ihn sich in diesen Jahren dem Industrieentwurf zuwenden, wobei ihn wahrscheinlich der Beruf seines Vaters, der in Riudoms Kupferschmied war, beeinflusst haben mag. Er verbringt seine Kindheit an diesem Ort und diese Vorliebe für die Kunsteisenschmiede begleitet ihn sein ganzes Leben lang.

Gaudí war ein grosser Architekt und Bildhauer. Er steckte voller Kühnheit und Exzentrizitäten, der neue ausserordentlich wertvolle Formen und Grössen schuf- und Vorläufer der heutigen abstrakten Plastik war. Er war aber ausserdem noch ein grossartiger Zeichner und sein Interesse um die Technik und Zweckmässigkeit eines jeglichen Dinges brachten ihn dazu sämtliche, damit verbundenen Probleme, eingehend zu studieren. Die Figur Antonio Gaudís ist gerade in den letzten Jahren sehr wohlwollend studiert worden und es besteht über ihn eine reichhaltige Literatur (73).

Wahrscheinlich veranlasst durch das gesellschaftliche Milieu jener Zeit und beeinflusst von dem Werk Violet-le-Ducs, den er sehr verehrte, durchlief das Werk Gaudís eine unvermeidliche

263
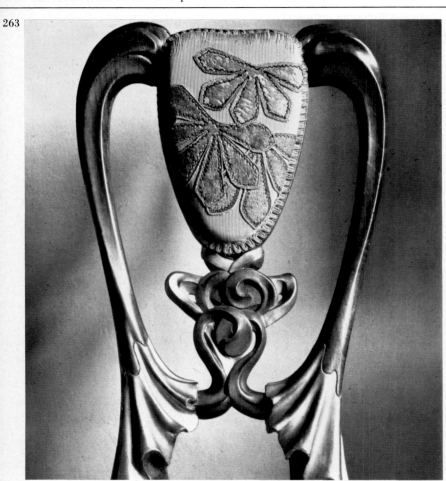

264

265

Los muebles de esta primera etapa están representados por los del tipo religioso que proyectó y dibujó para una capilla en Comillas, realizados en 1878. No puede dejar de notarse en sus muebles, la constante y a la vez insensible influencia del «Art Nouveau», llegada a Barcelona principalmente por sus mayores relaciones culturales y comerciales con la vecina República; pero estos caracteres van unidos y ligados con un Segundo Imperio o un Luis XV siempre dentro de un gran barroquismo, rasgo saliente de su personalidad.

Quizá dos de los muebles más espectaculares, en los que se capta mejor su originalidad y su formación, es en el sofá y el tocador del Palacio Güell de Barcelona, que son de los años 86-89. El tocador es un ejemplo plenamente modernista; las patas, aunque de tipo «cabriolé», representan una solución

267

gotische Periode, die er bis zu seinem Tod an seinen Bauwerken beibehielt.

Die von ihm entworfenen und aufgezeichneten Möbelstücke beschränken sich auf die religiösen Zwecke für eine Kapelle in Comillas (Santander), die 1878 angefertigt wurden. An seinen Möbeln macht sich unverkennbar der ständige Einfluss des «Art Nouveau» bemerkbar, der durch die grösseren kulturellen und geschäftlichen Beziehungen zur Nachbarrepublik nach Barcelona kam. Diese Merkmale verbinden sich mit dem Stil eines zweiten Empires oder eines Ludwigs XV., aber immer innerhalb eines grossen Barockismus, der das hervorragendste Kennzeichen seiner Persönlichkeit ist.

Die vielleicht ausdrucksvollsten Möbelstücke, an denen man am besten seine Originalität und Bildung sehen kann, sind das Sofa und der Toilettentisch im Palacio Güell von Barcelona, die in den Jahren 1886-1889 angefertigt wurden. Der Toilettentisch ist ganz im modernen Stil gehalten. Die geschwungenen Beine erfahren eine ganz gaudinianische Lösung, ebenso wie die eigenartige und originelle Komposition des Spiegels.

Die «Chaiselongue» verhält sich innerhalb der isabellinischen Tradition, mit schweren Drapperien und originellen schmiedeeisernen Beschlägen, für die der Meister eine grosse Vorliebe hat.

Aber die Möbel in den Häusern Calvet und Batlló in Barcelona, die Anfang des 20. Jahrhunderts hergestellt wurden, zeigen die endgültige und persönlichste Wirkung, die von Gaudí angestrebt wurde. Obwohl auch sie nicht dem Einfluss eines Ludwig XV. Stils entgingen, hat Gaudí sie mit neuen technischen Möglichkeiten zweckentsprechender und persönlicher gestaltet. So erzielt er Exemplare, die weit ab vom bürgerlichen Geschmack liegen, der damals in Spanien herrschte, die aber die einzige Verbindung mit dem restlichen Europa herstellen.

Bis zu seinem Tode verfolgt Gaudí die gleiche Linie, indem er versucht die Möbelprobleme so zu entwickeln und zu lösen, dass diese ihrem eigentlichen Zweck entsprechen und eigene Persönlichkeit haben. Seine letzten Jahren gehörten aber ganz und gar dem Bau des Tempels der Sagrada Familia, sowie im besonderen der dazugehörenden Einrichtungen.

In diesen Jahren stellt sich Europa an die Spitze der Entwicklung des «Modern Style» über den Kubismus und Expressionismus hinweg (74). Im Jahr 1929 —also drei Jahre nach Gaudís Tod—, in voller Entwicklung eines Post-Gaudinianischen Modernismus, stellt Mies Van der Rohe auf der Weltausstellung in

268

muy gaudiana, así como la extraña y original composición del espejo del tocador.

La «chaise-longue» está dentro de la tradición isabelina de opulentos tapizados «capitoné», con originales aplicaciones de hierro forjado, tan queridas por el maestro.

Pero son los muebles de la casa Calvet y de la casa Batlló, realizados en los primeros años del siglo XX, en los que Gaudí consigue efectos más personales y definitivos. Aunque en ellos no se puedan eludir las influencias de un Luis XV, los estudió con nuevas técnicas constructivas, de un modo más racional y personal, respondiendo a su función específica. Así consigue unos especímenes, muy lejos del gusto burgués, que dominaba entonces España, y que por tanto, representan el único entronque con el resto de Europa.

Hasta su muerte Gaudí sigue esta misma línea, tratando de desarrollar y solucionar los problemas en el mueble, de manera que respondiesen a su verdadera función, con una gran personalidad; pero en sus últimos años se dedicó plenamente al Templo de la Sagrada Familia, y en el mueble de un modo especial, al del propio Templo.

En estos años Centro Europa se pone a la cabeza del desarrollo del «Modern Style», pasando por el cubismo y el expresionismo (74); el año 29 —tres años después de la muerte de Gaudí— es decir, en plena producción de un modernismo post-gaudiano, Mies Van der Rohe presenta en la Exposición Universal de Barcelona su célebre silla de pletina de acero, que es verdaderamente revolucionaria.

Pero en España (salvo por una minoría) pasa desapercibida; porque está por una parte en plena labor imitativa de los estilos franceses e ingleses del siglo XVIII, y por otra parte en una interpretación de un falso «renacimiento español» que inunda las casas burguesas y profesionales de la Península con obras mediocres y exageradas.

Puede afirmarse que es Antonio Gaudí «una vocación apasionada», el genio de fin y de principios de siglo, el que con sus creaciones, aporta en paralelo a Europa, una serie de ideas nuevas e inspiraciones que hicieron que España estuviera presente en la Historia del mueble y del arte en tan difíciles momentos.

within a sort of grand Baroque, which was the most noticeable feature of his personality.

Perhaps two of the most spectacular pieces, and those in which his originality and his formation may be best be seen, are the sofa and the dressing table in the Güell Palace in Barcelona, which belong to the years 1886-89. The dressing table is a pure example of Art Nouveau; the feet, although of the cabriole type, represent a solution very typical of Gaudí, as does the strange and original composition of the looking glass.

The sofa or chaise-longue is in the Isabelline *tradition of opulently capitonné furniture, with original appliqués in wrought iron, so dear to the master's heart.*

But it is in the furniture of the Calvet House and the Batlló House, built in the early years of the 20th century, that Gaudí achieves his most personal and definitive effects. Although we cannot fail to see in it the influence of the Louis XV style, it is here studied with new constructive techniques, in a more rational and personal way, corresponding to its specific function. In this way Gaudí achieves models which are far from the bourgeois taste then dominant in Spain and which therefore represent the only link between the furniture of Spain and the rest of Europe.

Until his death Gaudí followed this same line, attempting to develop and solve the problems of furniture in a way that would correspond to its true function, with great personality; but in his last years he devoted himself entirely to the church of the Holy Family and in furniture, especially, to the furniture intended for it.

In these years Central Europe was at the head of the development of modern styles, passing through cubism and expressionism (74); in the year 1929 —three years after Gaudí's death— i.e., at the height of the post-Gaudí modernism, Mies Van der Rohe presented, at the Barcelona Universal Exhibition, his famous steel chair, which was really revolutionary.

But in Spain (except for a minority) it passed unnoticed; for this country was still, on the one hand, hard at work imitating the French and English styles of the 18th century and, on the other, creating a false interpretation of what they called «Spanish Renaissance», which flooded the homes of the Spanish middle classes with mediocre and exaggerated work. It may be affirmed that Gaudí was an artist of «passionate vocation», a turn-of-the-century genius whose creations contributed to Europe a series of new ideas and inspirations which caused Spain's presence to be felt in the history of furniture and art in general at such a difficult time.

s'allient à un Second Empire ou Louis XV, toujours dans un grand genre baroque, trait essentiel de sa personnalité.

Les deux meubles plus spectaculaires, où apparaissent le mieux son originalité et sa formation, sont peut-être le sofa et la table de toilette du Palais Güell de Barcelone, qui datent des années 86-89. La table est un exemple pleinement moderniste; les pieds, bien que du genre «cabriolé», montrent une interprétation très gaudienne, ainsi que l'originale et étrange composition de la glace.

La chaise-longue fait partie de la tradition du style Isabelle à tapisseries capitonnées ostentatoires et originales applications de fer forgé, si chères au maître.

Mais c'est dans les meubles de la maison Calvet et de la maison Batlló, produits tout au début du XX.ᵉ siècle, que Gaudí obtient les effets les plus personnels et définitifs. Sans écarter l'influence du Louis XV, il les étudia à travers de nouvelles techniques constructives, d'une manière plus rationnelle et personnelle, répondant à leur fonction spécifique. Il obtient ainsi des specimens distants du goût bourgeois qui dominait alors en Espagne et qui les apparentent au reste de l'Europe.

Gaudí suit cette même ligne jusqu'à sa mort, essayant de développer et de résoudre les problèmes du meuble afin qu'il corresponde à sa vraie fonction, toujours avec une grande personnalité; il consacra ses dernières années au Temple de la Sagrada Familia et au meuble, surtout celui du propre Temple.

L'Europe Centrale se place en tête du développement du «Modern Style», en passant par le cubisme et l'expressionnisme (74); en 1929 —trois ans après la mort de Gaudí—, c'est-à-dire en pleine production d'un modernisme post-gaudien, Mies Van der Rohe présente à l'Exposition Universelle de Barcelone sa célèbre chaise à plat d'acier, véritablement révolutionnaire.

Elle passe pourtant inaperçue en Espagne (sauf pour une minorité). Le pays se trouve en effet en pleine période d'imitation des styles français et anglais du XVIII.ᵉ siècle et d'interprétation d'une fausse «renaissance espagnole» qui inonde les maisons bourgeoises et professionnelles de la Péninsule d'œuvres médiocres et exagérées. On peut affirmer qu'Antonio Gaudí est «une vocation passionnée», le génie de la fin et du début du siècle, celui qui par ses créations apporte en parallèle à l'Europe une série d'idées nouvelles et d'inspirations qui firent que l'Espagne ait été présente dans l'Histoire du meuble et de l'art en un moment si difficile.

Barcelona seinen berühmten Stuhl aus Stahlblech aus, der in der Tat revolutionär ist.

Aber abgesehen von einer kleinen Minderheit, fällt dieser Stuhl in Spanien gar nicht weiter auf, weil Spanien voll ausgefüllt ist mit der Anfertigung der Imitationen der französischen und englischen Stile des 18. Jahrhunderts und mit der Herstellung eines falschen «spanischen Renaissancestils», der die Bürger- und Arbeiterwohnungen des Landes mit ausgefallenen und minderwertigen Stücken überschwemmt.

Es kann gesagt werden, dass Antonio Gaudí «eine leidenschaftliche Hingabe» an seinen Beruf hatte, dass er der Genius des ausgehenden und beginnenden Jahrhunderts war, der mit seinen Schöpfungen und Werken einen parallellen Beitrag zu Europa brachte, neue Ideen und Einfälle entwickelte, die dazu beitrugen, dass Spanien auch in den schwierigsten Momenten in der Geschichte der Möbel und der Kunst gegenwärtig war.

NOTAS AL TEXTO

(1) Los libros de Riaño, Quintero, Diccionario de Gestoso y algún otro nos dan nombres de entalladores y ensambladores de los siglos XVI-XVII.

(2) Sánchez Albornoz A., *España, enigma histórico*, tomo II, pág. 301; más citas ver en el índice temático.

(3) Arcaute, *Juan de Herrera*, apéndice. Testamento de Juan de Herrera y L. Pérez Bueno. *El Mueble*. Varias páginas s/n.

(4) Juan de Zabaleta, *El día de fiesta*, pág. 181 y siguientes.

(5) W. Goetz, *Historia Universal* (Espasa Calpe; tomo I, pág. 154).

(6) Richter G.M.A., *The Phe Phaidon Press London 1966. The Furniture of the Greek Etruscans and Romans*. Fot. 44-50-64-128.

(7) García Bellido, *Ars Hispaniae*; tomo I, pág. 224. Marqués de Lozoya, *Historia del Arte Hispánico*; tomo I.

(8) M. Jarry, *La siège en France*. París 1948, pág. 271-272.

(9) L. Feduchi, *Historia del Mueble*. Madrid 1966, pág. 180-181.

(10) L. Feduchi, *Historia del Mueble*. Madrid 1966, pág. 590 y sig.

(11) L. Feduchi, *Historia del Mueble*. Madrid 1966, pág. 175.

(12) *The Furniture*. Obra citada, pág. 507.

(13) Sánchez Albornoz; obra citada, pág. 182. Ver índice temático.

(14) Cama, sitiales, arcas, etc., se pueden ver en la General Historia (Estoria) de Alfonso X (s. XIII) y en los distintos Beatos de Liébana conservados en El Escorial, Burgo de Osma, Academia de la Historia, etc.

(15) Estos refuerzos subsisten en pleno Renacimiento porque tienen un gran valor artístico o decorativo además del constructivo.

(16) Sánchez Albornoz; obra citada, pág. 136; tomo II, pág. 313. Índice temático.

(17) Ver decoraciones semejantes en el Códice Emilianense y Comentarios al Beato de Liébana de la Biblioteca de El Escorial.

(18) Los cuatro manuscritos conservados son: el de la signatura B.I. 2 conservado en El Escorial, es el más completo; el de Toledo es quizá el más antiguo ¿1255?; el de Florencia registrado con la signatura II-I-213; el Escurialense, tomo I.1. del cual reproducimos las miniaturas.

(19) El dosel queda enmarcado entre la arquería, la cual se repite como un *leit motif* en todas las miniaturas.

(20) En el libro de Guerrero Novillo sobre las Cantigas se describen estos detalles, primer párrafo de la página 290.

(21) Como este armario hemos de ver un triple ejemplo en el capítulo siguiente en los armarios mudéjares del Convento de Santa Úrsula de Toledo.

(22) En Inglaterra. Principios siglo XIII. Transición s. XIV; Perpendicular y Tudor: s. XV.
En Francia. Principios: 1150. Apogeo: 1215 (San Luis 1270). Flamboyant: s. XV.

(23) Arco ojival o apuntado es el formado por dos arcos de círculo que se cortan o se cruzan en sus extremos, volviendo la concavidad el uno al otro.

(24) Bóveda de cañón o cilíndrica es la formada siguiendo un semicírculo con una longitud mayor que la anchura; la de medio cañón es la que tiene forma de medio cilindro hueco.

TEXT NOTES

(1) The works of Riaño and Quintero, the Dictionary of Gestoso and some others give names of 16th- and 17th-century carvers and joiners.

(2) Sánchez Albornoz, A., España, enigma histórico, vol. II, page 301; x for further quotations, see index of subjects.

(3) Arcaute, Juan de Herrera, appendix. Testament of Juan de Herrera and L. Pérez Bueno, El Mueble. Various pages.

(4) Juan de Zabaleta, El día de fiesta, page 181 ff.

(5) W. Goetz, Historia Universal (Espasa Calpe; vol. I, page 154).

(6) Richter, G.M.A., The Furniture of the Greeks, Etruscans and Romans, The Phaidon Press, London, 1966. Photos. 44-50-64-128.

(7) García Bellido, Ars Hispaniae, vol. I, page 224; Marqués de Lozoya, Historia del Arte Hispánico, vol. I.

(8) M. Jarry, Le siège en France. Paris, 1948, pages 271-272.

(9) L. Feduchi, Historia del Mueble, Madrid, 1966, pages 180-181.

(10) L. Feduchi, Historia del Mueble, Madrid, 1966, page 590 ff.

(11) L. Feduchi, Historia del Mueble, Madrid, 1966, page 175.

(12) The Furniture..., op. cit., page 507.

(13) Sánchez Albornoz, op. cit., page 182. See index of subjects.

(14) Bed, seats, chests, etc. can be seen in the General Historia (Estoria) of Alfonso X (13th century) and in the various Codices of Liébana, preserved in the Escorial, Burgo de Osma, the Academy of History, etc.

(15) These strengtheners survive well into the Renaissance, because they are of great artistic or decorative, as well as structural, value.

(16) Sánchez Albornoz, op. cit., page 136; vol. 11, page 313. See index of subjects.

(17) See similar decorations in the Códice Emilianense and Commentaries to the Codex of Liébana, in the library of the Escorial.

(18) The four manuscripts preserved are: that with the library number B.I.2, preserved in the Escorial, the most complete; that of Toledo, perhaps the oldest (1255); that of Florence, registered with the library number II-I-213; the Escurialense, from which we have reproduced the miniatures.

(19) The canopy is framed in the arcading, which is repeated like a leitmotif in all the miniatures.

(20) In Guerrero Novillo's book on the Canticles these details are described, in the first paragraph of page 290.

(21) Similar to this chest we shall see a triple example in the following chapter, in the Mudejar chests of the Convent of Santa Ursula in Leon.

(22) In England. Early 13th century: Transition; Perpendicular and Tudor: 15th century.
In France. Beginnings: 1150. Apogee: 1215 (St. Louis 1270). Flamboyant: 15th century.

(23) An ogival arch is that formed by two arcs of a circle which cut or cross each other at their ends, the concavity of each returning to the other.

(24) A barrel vault is that forming a semicircle, its length being greater than its width; a semi-barrel vault is that which is in the form of a hollow semi-cylinder.

COMMENTAIRES SUR LE TEXTE   *TEXTE*

(1) Les livres de Riaño, Quintero, le Dictionnaire de Gestoso et d'autres nous donnent de noms de sculpteurs et de menuisiers des XVI.ᵉ et XVII.ᵉ siècles.

(2) Sánchez Albornoz A., *España, enigma histórico*, tome II, p. 301; pour d'autres citations voir la table des matières.

(3) Arcaute, *Juan de Herrera*, appendice. Testament de Juan de Herrera et de L. Pérez Bueno. *El Mueble*. Différentes pages s/n.

(4) Juan de Zabaleta, *El día de fiesta*, p. 181 et suivantes.

(5) W. Goetz, *Historia Universal* (Espasa Calpe; tome I, p. 154).

(6) Richter G.M.A., *The Phe Phaidon Press London 1966. The Furniture of the Greek Etruscans and Romans*. Phot. 44-50-64-128.

(7) García Bellido, *Ars Hispaniae*; tome I, p. 224. Marquis de Lozoya, *Historia del Arte Hispánico*; tome I.

(8) M. Jarry, *Le siège en France*. Paris 1948, p. 271-272.

(9) L. Feduchi, *Historia del Mueble*. Madrid 1966, p. 180-181.

(10) L. Feduchi, *Historia del Mueble*. Madrid 1966, p. 590 et suivantes.

(11) L. Feduchi, *Historia del Mueble*. Madrid 1966, p. 175.

(12) *The Furniture*. Œuvre citée, p. 507.

(13) Sánchez Albornoz; œuvre citée, p. 182. Voir la table des matières.

(14) On peut voir lit, trônes, coffres, etc., dans l'Histoire (Estoria) Générale d'Alphonse X (XIII.ᵉ siècle) et dans les différents Beatos de Liébana conservés à l'Escurial, au Bourg de Osma, à l'Académie d'Histoire, etc.

(15) Ces ferrures subsistent en pleine Renaissance à cause de leur grande valeur artistique ou décorative, outre celle de la construction.

(16) Sánchez Albornoz; œuvre citée, p. 136; tome II, p. 313. Table des matières.

(17) Voir des décorations semblables dans le Manuscrit Emilien et dans les Commentaires du Beato de Liébana à la Bibliothèque de l'Escurial.

(18) Les quatre manuscrits conservés sont: celui référence B.I.2 conservé à l'Escurial, est le plus complet; celui de Tolède est peut-être le plus ancien 1255?; celui de Florence, référence II-I-213; celui de l'Escurial, tome I.1. dont nous reproduisons les miniatures.

(19) Le ciel de lit est encastré dans l'arcature qui se retrouve comme un *leitmotiv* sur toutes les miniatures.

(20) Dans le livre de Guerrero Novillo sur les Cantiques, ces détails sont décrits au premier paragraphe de la page 290.

(21) Nous allons voir trois exemplaires de ce type d'armoire au chapitre suivant, parmi les armoires mudéjares du couvent de Sainte Ursule à Tolède.

(22) En Angleterre. Début du XIII.ᵉ siècle. Transition; Perpendiculaire et Tudor: XV.ᵉ siècle.
En France. Début: 1150. Apogée: 1215 (Saint Louis 1270). Flamboyant: XV.ᵉ siècle.

(23) L'arc ogival ou brisé est formé de deux arcs de cercle qui se coupent ou se croisent à leurs extrémités. leurs parties concaves se faisant face.

(24) La voûte en plein cintre ou cylindrique dessine une demi circonférence; sa longueur est supérieure à sa largeur. La voûte en berceau a la forme d'un demi cylindre.

(1) In den Büchern von Riaño, Quintero, Diccionario de Gestoso und einigen anderen, findet man Namen von Bildschnitzern und Zimmerhandwerkern des 16. - 17. Jahrhunderts.

(2) Sánchez Albornoz, A., España, enigma histórico, Band II, Seite 301; weitere Angaben im Sachregister.

(3) Arcaute, Juan de Herrera, Anhang. Testament von Juan de Herrera und L. Pérez Bueno. El Mueble, verschiedene Seiten o/Nr.

(4) Juan de Zabaleta, El día de fiesta, Seite 181 und ff.

(5) W. Goetz, Historia Universal (Espasa Calpe; Band I, Seite 154).

(6) Richter, G.M.A., The Phe Phaidon Press London 1966. The Furniture of the Greek, Etruscans and Romans. Fot. 44-50-64-128.

(7) García Bellido, Ars Hispaniae; Band I, Seite 224. Marqués de Lozoya, Historia del Arte Hispánico, Band I.

(8) M. Jarry, La siège en France. Paris 1948, Seiten 271-272.

(9) L. Feduchi, Historia del Mueble, Madrid 1966, Seiten 180-181.

(10) L. Feduchi, Historia del Mueble, Madrid 1966, Seite 590 ff.

(11) L. Feduchi, Historia del Mueble, Madrid 1966, Seite 175.

(12) The Furniture. Oben erwähntes Buch, Seite 507.

(13) Sánchez Albornoz: oben erwähntes Buch, Seite 182. Siehe auch Sachregister.

(14) Bett, Chorstuhl, Truhen usw. ersieht man aus der General Historia (Estoria) von Alphons X. (13. Jh.) und aus den verschiedenen Beatos de Liébana, die in El Escorial, Burgo de Osma, Academia de la Historia usw. aufbewahrt werden.

(15) Diese Verstärkungen werden bis in die Hochrenaissance beibehalten, weil sie einen künstlerischen, dekorativen und bautechnischen Wert besitzen.

(16) Sánchez Albornoz; erwähntes Buch, Seite 136; Band II, Seite 313. Sachregister.

(17) Siehe ähnliche Dekorationen im Códice Emilianense und in Comentarios al Beato de Liébana in der Bibliothek in El Escorial.

(18) Die vier noch erhaltenen Manuskripte sind: das der Signatur B.I.2, das in El Escorial aufbewahrt wird und das vollständigere ist; das von Toledo, vielleicht das älteste, 1255 (?); das von Florenz unter der Signatur II-I-213 registriert; das Escurialense, Band I.1, aus dem die Miniaturen reproduziert sind.

(19) Der Betthimmel wird von dem Bogenwerk eingerahmt, das sich als Leitmotiv in allen Miniaturen wiederholt.

(20) Im Buch von Guerrero Novillo über die «Cantigas», werden diese Einzelheiten beschrieben, erster Absatz der Seite 290.

(21) Wie dieser Schrank, sehen wir im nächsten Kapitel ein dreifaches Beispiel an den Mudéjarschränken des Klosters von Santa Úrsula in Toledo.

(22) In England. Anfang des 13. Jahrhunderts, Übergang: 14. Jh.; Senkrechtstil und Tudor: 15. Jh.
In Frankreich. Anfang: 1150. Höhepunkt: 1215 (San Luis 1270). Flamboyant: 15. Jh.

(23) Der Spitzbogen ist der, der von zwei runden Bögen gebildet wird, die sich an ihren Enden schneiden oder kreuzen und die Hohlrundungen gegeneinander wenden.

(24) Tonnengewölbe wird aus einem Halbkreis gebildet, dessen Länge grösser als die Breite ist. Das Halbtonnengewölbe hat die Form eines halben Hohlzylinders.

(25) El nuevo y más original elemento del estilo gótico es el arbotante que absorbe los empujes de arcos y bóvedas; nace y desaparece con el estilo.

(26) Esta técnica de la subdivisión de las puertas en paneles se había utilizado ya por los romanos, pero se había perdido en la época de las invasiones.

(27) V. Lampérez; *Historia de la Arquitectura cristiana española*. Madrid 1930, pág. 43-51 y siguientes; capítulo dedicado a obreros y corporaciones.

(28) Hauser; *Historia Social de la Literatura y el Arte*; tomo I, pág. 348; capítulo sobre la organización gremial.

(29) El estudio de la silueta y el trazado de los paños de «pergamino» ayuda a determinar la nacionalidad del mueble.

(30) En muchos muebles la talla geométrica está superpuesta; se ejecuta entonces en un tablero de poco grosor que queda calado como un encaje y se fija sobre un fondo generalmente pintado; es muy frecuente en Europa Central.

(31) Se llamaban «encorados» los arcones y muebles cubiertos de cuero y «ensayalados» los tapizados y forrados con telas de diversas calidades.

(32) *Historia del Mueble*. Obra citada, fig. 213.

(33) En el Renacimiento volveremos a hablar de estos cofres de novia.

(34) «Psalterio» conservado en la Biblioteca de El Escorial; siglo XV; 12 miniaturas de arte francés influencia de Fouquet. ¿Perteneció quizá a Carlos V?

(35) El sillón a la «dantesca» o Savonarola, es derivado del de tijera pero con un pequeño respaldo que, como el asiento, es de cuero, fijado a la madera con gruesos clavos de bronce y es por tanto plegable; el centro de producción más importante fue la Toscana en todo el 400.

(36) Estos relieves se completan a veces con otros, casi en el centro de las patas. Estas piezas subsisten muchas veces en pleno Renacimiento.

(37) Según Pérez Bueno en su obra *El Mueble*, en el siglo XV «la Catedral de Toledo encargó a los entalladores granadinos tres sillas de cadera que hoy figuran en la Capilla Mayor del grandioso templo».

(38) P. Domenech y L. Pérez Bueno; *Muebles antiguos españoles*, pág. XVI; de cedro, tipo mudéjar del siglo XVI.

(39) Gómez Moreno en su *Catálogo Monumental de León* (1925); pág. 167-168, lo describe «como muestra insigne de moblaje morisco del siglo XIII».

(40) Fue donado por el Abad Martín Ponce de León; lleva la fecha de 1390; es posible obra aragonesa con detalles del taller de los Serra.

(41) Hauser; obra citada, concepto del Renacimiento; pág. 373 y sig.

(42) S. Albornoz; obra citada; tomo I, pág. 186.

(43) Muchas mesas renacentistas mallorquinas son de encina de bella calidad y dureza muy apta para los torneados de las patas.

(44) Los «intarsíatori» italianos han dejado muchas muestras de su arte en las obras llamadas a la «certosina» que es una marquetería geométrica en un punto semejante a la mudéjar, y otras de tipo realista que reproducen perspectivas en interiores, exteriores, motivos arquitectónicos, florales, etc., quizá el ejemplo más bello es el coro de Monteoliveto (Siena) por Fra Giovanni de Verona terminado en 1505.

(45) Se llama cordobán el cuero trabajado en España y guadamecí el originario de la población de Gadames entre Argelia y Trípoli, donde se trabajaba el cuero (Cordobanes y guadamecíes, por don José Ferrandis. Sociedad Española de Amigos del Arte. Madrid 1955).

(25) *The newest and most original element of the Gothic style was the flying buttress which absorbed the thrusts of arches and vaults; it was born and died with the style itself.*

(26) *This technique of the division of the doors into panels had already been employed by the Romans, but it had been lost during the period of the invasions.*

(27) *V. Lampérez,* Historia de la Arquitectura cristiana española, *Madrid, 1930, pages 43-51 ff.; chapter on workmen and corporations.*

(28) *Hauser,* Historia Social de la Literatura y el Arte, *vol. I, page 348; chapter on the organization of the guilds.*

(29) *The study of the silhouette and design of the linenfold panelling helps to determine the nationality of the piece.*

(30) *In many pieces the geometric carving is superimposed; it is then carried out on a thin panel which is pierced like lace and fixed on a background generally painted; it is very frequent in Central Europe.*

(31) *«Encorado» is the name given to chests and other pieces covered with leather, those lined with fabrics of various qualities being known as «ensayalados».*

(32) *Historia del Mueble, op. cit., fig. 213.*

(33) *In the chapter on the Renaissance we shall return to the subject of these bride's chests.*

(34) *Psalter preserved in the library of the Escorial; 15th century; 12 miniatures of French art showing the influence of Fouquet. Did it, perhaps, belong to Charles V?*

(35) *The «Dantesque» or Savonarola armchair derives from the scissors-type folding chair, but with a small back which, like the seat, is of leather fixed to the wood with thick bronze nails and is therefore foldable; the most important area of production was in Tuscany throughout the 15th century.*

(36) *These reliefs are sometimes completed with others, almost at the centre of the feet. These pieces survived well into the Renaissance.*

(37) *According to Pérez Bueno in his work* El Mueble, *in the 15th century the Cathedral of Toledo commissioned the Granada carvers to make three «sillas de cadera» or hip-chairs, which are now in the chapel behind the high altar of the cathedral.*

(38) *P. Domenech and L. Pérez Bueno,* Muebles antiguos españoles, *page 16; a 16th-century Mudejar type, in cedar.*

(39) *Gómez Moreno, in his* Catálogo Monumental de León *(1925), on pages 167-168, describes it as a «remarkable example of 13th-century Moorish furniture».*

(40) *It was donated by the abbot Martín Ponce de León and is dated 1390; it is possibly Aragonese work with details from the Serra workshop.*

(41) *Hauser, op. cit., concept of the Renaissance; page 373 ff.*

(42) *S. Albornoz, op. cit.; vol. I, page 186.*

(43) *Many Majorcan Renaissance tables are in holm oak wood of fine quality and hardness, very suitable for the turning of the feet.*

(44) *The Italian «intarsiatori» have left many examples of their art in the works in what is called «certosina», which is a kind of geometric marquetry somewhat similar to Mudejar work, and in others of a realistic type reproducing perspectives in interiors and exteriors, architectural and floral motifs, etc.; possibly the most beautiful example is the choir of Monteoliveto (Sienna) by Fra Giovanni of Verona, which was finished in 1505.*

(45) *Cordobán is the name given to the leather worked in Spain, while the term guadamecí refers to that coming from the town of Gadames, between Algeria and Trípoli, noted for its leather industry (Cordobanes y guadamecíes, by José Ferrandis. Sociedad Española de Amigos del Arte. Madrid, 1955).*

(25) Le nouvel élément et le plus original du style gothique est l'arc-boutant qui absorbe les poussées des arcs et voûtes. Il naît et disparaît avec ce style.

(26) Cette technique de la subdivision des portes en panneaux avait déjà été utilisée par les romains, mais elle avait disparu à l'époque des invasions.

(27) V. Lampérez; *Historia de la Arquitectura cristiana española.* Madrid 1930, p. 43-51 et suivantes; chapitre consacré aux ouvriers et aux corporations.

(28) Hauser; *Historia Social de la Literatura y el Arte;* tome I, p. 348; chapitre sur l'organisation corporative.

(29) L'étude de la forme et du tracé de la décoration à parchemin aide à déterminer la nationalité du meuble.

(30) Pour beaucoup de meubles la sculpture géométrique est surajoutée. On l'exécute alors sur une planche peu épaisse qui devient ajourée comme de la dentelle et que l'on fixe sur un fond généralement peint. Elle est très fréquente en Europe Centrale.

(31) On appelle «doublés de cuir» les gros coffres et les meubles recouverts de cuir et «recouverts d'étoffe» les meubles tapissés et doublés de toiles de qualités variées.

(32) *Historia del Mueble.* Ouvrage cité, fig. 213.

(33) Lors de la Renaissance nous reparlerons de ces coffres de fiancée.

(34) «Psautier» conservé à la Bibliothèque de l'Escurial; xv.ᵉ siècle; 12 miniatures d'art français influencé par Fouquet. A peut-être appartenu à Charles V?

(35) Le fauteuil à la «dantesque» ou «Savonarole» est dérivé de la chaise pliante mais avec un petit dossier, qui, comme le siège, est en cuir, fixé au bois par de gros clous de bronze et est par conséquent pliable. Le centre de production le plus important a été la Toscane durant tout le quattrocento.

(36) Quelquefois, ces reliefs sont complétés par d'autres, presque au centre des pieds. Ces spécimens subsistent souvent en pleine Renaissance.

(37) D'après Pérez Bueno, dans son livre *El Mueble,* au xv.ᵉ siècle la Cathédrale de Tolède commanda aux sculpteurs grenadins trois stalles de Chœur qui figurent aujourd'hui dans la chapelle principale de ce grandiose sanctuaire.

(38) P. Domenech et L. Pérez Bueno; *Muebles antiguos españoles,* p. xvi; en cèdre, de type mudéjare du xvi.ᵉ siècle.

(39) Gómez Moreno, dans son *Catálogo Monumental de León* (1925); p. 167-168, le décrit comme «un modèle remarquable de mobilier maure du xiii.ᵉ siècle.

(40) Elle a été donnée par l'Abbé Martín Ponce de León; elle porte la date de 1390. Il est possible que ce soit une œuvre aragonaise comportant des détails dus à l'atelier des Serra.

(41) Hauser: ouvrage cité, conception de la Renaissance; p. 373 et suivantes.

(42) S. Albornoz; ouvrage cité; tome I. p. 186.

(43) Beaucoup de tables Renaissance de Majorque sont en chêne-vert de belle qualité et d'une dureté excellente pour le tournage des pieds.

(44) Les fabricants de «Tarsias» italiennes ont laissé beaucoup de spécimens de leur art dans les œuvres appelées à la «certosina» qui est une marqueterie géométrique semblable à un certain point à la mudéjare, et d'autres de type réaliste qui reproduisent des perspectives incrustées ou en relief, des motifs architecturaux, des motifs floraux, etc. Le plus bel exemple en est-peut-être le Chœur de Monteoliveto (Sienne), œuvre de Fra Giovanni de Vérone terminée en 1505.

(25) *Das neueste und originellste Element des gotischen Stils ist der Strebebogen, der den Schwung der Bögen und Gewölbe absorbiert; er ensteht und vergeht mit dem Stil.*

(26) *Schon die Römer wendeten die Technik der Türaufteilungen in Paneele an, doch sie verlor sich in der Zeit der Invasionen.*

(27) *V. Lampérez.* Historia de la Arquitectura cristiana española. *Madrid 1930, Seiten 43-51 und ff. Dies Kapitel befasst sich mit den Handwerkern und den Innungen.*

(28) *Hauser:* Historia Social de la Literatura y del Arte, *Band I, Seite 348. Kapitel über die Innungsverfassung.*

(29) *Das Studium der Form und Gestaltung der «Pergament»-Füllungen, hilft den Ursprung der Möbel zu bestimmen.*

(30) *An vielen Möbeln ist das geometrische Schnitzwerk aufgesetzt. Dieses wird auf einem dünnen Brett angefertigt, das wie eine durchbrochene Spitze wirkt und auf einen meistens bemalten Untergrund aufgesetzt wird. Es findet sich sehr oft in Mitteleuropa.*

(31) *Die Truhen und Möbel, die mit Leder bedeckt waren nannte man «encorados» (verledert) und die tapezierten oder mit anderen Stoffen verschiedener Güte, abgefütterten, nannte man «ensayalados».*

(32) *Historia del Mueble. Schon erwähntes Buch, Abb. 213.*

(33) *Unter der Renaissance kommen wir nochmal auf diese Brauttruhen zurück.*

(34) *«Psalterio», aufbewahrt in der Bibliothek von El Escorial; 15. Jh.; 12 Miniaturen der von Fouquet beeinflussten französischen Kunst. Ob es wohl Karl V. gehörte?*

(35) *Der «Dantesche» oder Savonarola-Sessel, wurde von dem Klappstuhl abgeleitet, aber mit einer kleinen Rückenlehne versehen, die, wie der Sitz, aus Leder ist und mit grossen Bronzenägeln an das Holz festgemacht wurden, wodurch der Stuhl zugeklappt werden konnte. Das Hauptproduktionszentrum dieses Sessels oder Stuhles war die Toscana während des ganzen 15. Jahrhunderts.*

(36) *Diese Reliefs werden manchmal mit anderen vervollständigt, die fast in der Mitte des Fusses angebracht werden. Sie werden fast bis zur Hochrenaissance beibehalten.*

(37) *Laut Pérez Bueno in seinem Buch* El Mueble, *bestellte die Kathedrale von Toledo im 15. Jahrhundert bei den granadiner Bildschnitzern drei Stühle mit hüfthoher Lehne, die heute noch in der Hauptkapelle dieses grossen Tempels stehen.*

(38) *P. Doménech und L. Pérez Bueno:* Muebles antiguos españoles, *Seite XVI; aus Zedernholz im Mudéjarstil des 16. Jahrhunderts.*

(39) *Gómez Moreno in seinem* Catálogo Monumental de León *(1925); Seite 167-168, beschreibt es als «vortreffliches Muster des maurischen Mobiliars des 13. Jahrhunderts».*

(40) *Gestiftet vom Abt Martín Ponce de León; trägt das Datum des Jahres 1390; wahrschein lich ein aragonesisches Werk mit Details aus der Werkstatt der Serra.*

(41) *Hauser; erwähntes Buch, Begriff der Renaissance; Seite 373 und ff.*

(42) *Sánchez Albornoz; erwähntes Buch, Band I, Seite 186.*

(43) *Viele der mallorkiner Renaissancetische sind aus schönem Eichenholz, das von geeigneter Härte für die Drechslerarbeit der Füsse ist.*

(44) *Die italienischen «Intarsiatori» hinterliessen viele Muster ihrer Kunst in den Werken «certosina» genannt. Das ist eine geometrische Einlegearbeit, die der Mudéjar ähnelt, sowie anderer die Realistischer wirken und Perspektiven von Innen-und Aussenräumen, architektonische Motive, Blüten-*

282

(46) Los modelos italianos son mucho más altos de respaldo con grandes remates en los extremos.

(47) En un artículo de J. Cavestany en la B.S.E.E. se citan algunos ejemplares de sillones plegables. Año 1930, pág. 131.

(48) En la obra *Le passetemp* de J. Lhermite, ayuda de cámara de Felipe II, figura un dibujo con estos mecanismos y que sin duda sirvió de modelo para el actual. Citado por J. Florit en el Boletín de la Sociedad de Excursiones. Madrid.

(49) Las del retrato de Felipe II por Ticiano y las de S. Ildefonso del Greco son dos buenos ejemplos.

(50) Sin razón ninguna se hace derivar el bargueño del nombre Vargas de un ebanista o entallador o de Bargas pueblecito de la provincia de Toledo que hubiese sido centro de fabricación.

(51) Todo este interior tiene sin duda una clara ascendencia árabe en cuanto al colorido y composición.

(52) Ducerceau J. (1510-84). Arquitecto y proyectista francés de muebles. Son características sus mesas sobre cuatro patas en forma de columna y una arquería central entre ellas, como chambrana.

(53) Sobre el nombre de bargueño. *Arte y Hogar*, 1943, n.º 9. Artículo del Marqués de Lozoya.

(54) *L'Arte di riconoscere gli Stili*, por G. Boulanger y ampliación italiana por Mina Gregorí, 1964.

(55) P. F. Montaña *Los Arquitectos escurialenses J. de Toledo y J. de Herrera y el obrero mayor de Villacastín*. Madrid 1924.

(56) *Descripciones del Monasterio de San Lorenzo de El Escorial*, por el Reverendo D. Fray Andrés Ximénez, 1764, pág. 187.

(57) *Restauración del Palacio de Felipe II de El Escorial*, por J. Florit. Boletín de la Sociedad Española de Excursiones, 1920.

(58) El Quijote. 2.ª parte. Cap. XXXI.

(59) Arnold Hauser, *Historia Social de la Literatura y el Arte*. Tomo II. El Barroco.

(60) Churrigueresco. Otto Schubert, *Historia del Barroco en España*, pág. 200.

(61) *El día de fiesta*, por Juan Zabaleta (1626-1667).

(62) En la obra de Champeaux *Le meuble* y en *Les ébénistes du XVIII siècle Français*, con prólogo de P. Verlet, se dan numerosos datos y fechas de estampillados.

(63) Este sillón que no se había podido localizar en España, está en poder del señor F. J. del Valle de la Habana, el cual lo adquirió hace 25 años a un anticuario; él a su vez lo compró al Museo de Salamanca que necesitaba fondos para reparaciones y puso a la venta estas obras de arte. (Según carta del Sr. Valle a la revista *Mundo Hispánico*. XII-1956.

(64) *O Nosso Mobiliario*, por Nogueira de Britó, pág. 26.

(65) En 1744 se crea la Primera Academia de Bellas Artes y en 1752 se inaugura la Real Academia de San Fernando.

(66) J. L. David, 1748-1825; pintor francés (primer pintor de Napoleón) de la época de la Revolución y el Imperio. Cuadros de Historia, representación de la época con interpretación muy personal del mobiliario pompeyano.

(67) Ventura Rodríguez nace en 1717 en Ciempozuelos (Madrid). Se conservan numerosos dibujos de muebles que para nosotros tienen un interés especial. Muere en Madrid en 1785, colmado de honores. (Otto Schubert).

(46) The Italian models have much higher backs, with large finials at the extremities.

(47) In an article by J. Cavestany in the B.S.E.E., some examples of folding armchairs are mentioned. Published in 1930, page 131.

(48) In Le passetemp *by J. Lhermite, who was valet de chambre to Philip II, there is a design showing these mechanisms, which doubtless served as a model for the present one. Quoted by J. Florit in the «Boletín de la Sociedad de Excursiones». Madrid.*

(49) Those of Titian's portrait of Philip II and those of El Greco's «San Ildefonso» are two good examples.

(50) Without any reason the word bargueño *has been said to be derived from Vargas, the name of a cabinetmaker or carver, or from Bargas, a little village in the province of Toledo, which is supposed to have been a centre for the production of these pieces.*

(51) This whole interior is quite evidently of Arabic origin, as far as the colouring and composition are concerned.

(52) Ducerceau, J. (1510-84). French architect and furniture designer. Characteristic of his work are his tables on four legs in the shape of columns, with arcading in the centre acting as a chambrana or stretcher.

(53) Regarding the term bargueño. Arte y Hogar, *1943, N.º 9. Article by the Marqués de Lozoya.*

(54) L'Arte di riconoscere gli Stili, by G. Boulanger. Amplified Italian edition by Mina Gregorí, 1964.

(55) P. F. Montaña, Los Arquitectos escurialenses J. de Toledo y J. de Herrera y el obrero mayor de Villacastín. *Madrid, 1924.*

(56) Descripciones del Monasterio de San Lorenzo de El Escorial, by the Reverend Don Fray Andrés Ximénez, 1764, page 187.

(57) J. Florit, Restauración del Palacio de Felipe II de El Escorial. *«Boletín de la Sociedad Española de Excursiones», 1920.*

(58) Don Quixote, 2nd part. Chapter XXXI.

(59) Arnold Hauser, Historia Social de la Literatura y el Arte. *Vol. II. Baroque.*

(60) Churrigueresque. Otto Schubert, Historia del Barroco en España, *page 200.*

(61) El día de fiesta, by Juan de Zabaleta (1626-1667).

(62) In Le meuble, *by Champeaux, and in* Les ébénistes du XVIII siècle Français, *with a prologue by P. Verlet, numerous dates and data of such stamping are given.*

(63) This chair, which it had been impossible to find in Spain, is in the possession of Señor F. J. del Valle of Havana, who bought it about 25 years ago from an antique dealer; the latter, in turn, had acquired it from the Museum of Salamanca, which needed funds for repairs and put these works of art up for sale. (According to a letter from Señor del Valle to the review Mundo Hispánico, XII-1956).

(64) Nogueira de Britó, O Nosso Mobiliario, *page 26.*

(65) In 1744 the first Academy of Fine Arts was founded and in 1752 the «Real Academia de San Fernando» was established.

(66) J. L. David, 1748-1825; French painter (the first painter of Napoleon) of the period of the Revolution and the Empire. Historical paintings, representation of the period with a very personal interpretation of Pompeian furniture.

(67) Ventura Rodríguez was born in Ciempozuelos (Madrid) in 1717. Many of his designs for furniture are still preserved and are of special interest for us. He died in Madrid in 1785, at the height of his fame. (Otto Schubert).

(45) On appelle cordoban le cuir travaillé en Espagne et maroquin celui provenant de la ville de Gadamès, entre Alger et Tripoli, où l'on travaillait le cuir («Cordobanes et guadamecíes» par José Ferrandis. Société espagnole des Amis de l'Art. Madrid 1955).

(46) Les modèles italiens ont un dossier beaucoup plus haut avec de grandes terminaisons aux extrémités.

(47) Dans un article de J. Cavestany dans la B.S.E.E. on cite quelques modèles de fauteuils pliants. Année 1930, p. 131.

(48) Dans l'ouvrage le Passe temps de J. Lhermite, valet de chambre de Philippe II, figure un dessin de ces mécanismes qui a sans aucun doute servi de modèle à l'actuel fauteuil de moine. Il est cité par J. Florit dans le Bulletin de la Société d'Excursions. Madrid.

(49) Celles du portrait de Philippe II par Titien et celles du S. Ildefonse du Gréco en sont de bons exemples.

(50) Sans aucune raison on fait venir le «bargueño» de Vargas, nom d'un ébéniste ou sculpteur, ou de Bargas, village de la province de Tolède, qui en aurait été le centre de fabrication.

(51) Tout cet intérieur a certainement une nette ascendance arabe quant au coloris et à la composition.

(52) Ducerceau J. (1510-84). Architecte et dessinateur français de meubles. Sont caractéristiques ses tables à quatre pieds en forme de colonne reliés par une arcature centrale en guise de traverse.

(53) Sur le nom de «Bargueño». Voir Arte y Hogar, 1943, n.º 9. Article du Marquis de Lozoya.

(54) L'Arte di riconoscere gli Stili, par G. Boulanger et supplément italien par Mina Gregori, 1964.

(55) P. F. Montaña Los Arquitectos escurialenses J. de Toledo y J. de Herrera y el obrero mayor de Villacastín. Madrid 1924.

(56) Descripciones del Monasterio de San Lorenzo de El Escorial, par le Révérend Père D. Fray Andrés Ximénez, 1764 p. 187.

(57) Restauración del Palacio de Felipe II de El Escorial, par J. Florit. Bulletin de la Société espagnole d'Excursions, 1920.

(58) Don Quichotte, 2. partie. Chap. XXXI.

(59) Arnold Hauser, Historia Social de la Literatura y el Arte. Tome II. Le Baroque.

(60) Churrigueresque. Otto Schubert. Historia del Barroco en España, p. 200.

(61) El día de fiesta, par Juan Zabaleta (1626-1667).

(62) Dans l'œuvre de Champeaux Le meuble et dans Les ébénistes français du XVIII.ᵉ siécle, avec un prologue de P. Verlet, on donne beaucoup de renseignements et de dates de signatures.

(63) Ce fauteuil que l'on n'avait pu localiser en Espagne appartient à M. F. J. del Valle, de la Havane, qui l'a acheté voici 25 ans à un antiquaire qui l'avait lui même acheté au Musée de Salamanque qui avait besoin de fonds pour faire des réparations et qui avait mis en vente ces œuvres d'art (d'après une lettre de M. Valle à la revue Mundo Hispánico. XII. 1956).

(64) O Nosso Mobiliario, par Nogueira de Britó, p. 26.

(65) En 1744 a été créée la première Académie des Beaux Arts et en 1752 a été inaugurée la Royale Académie de San Fernando.

(66) J. L. David 1748-1825; peintre français (premier peintre de Napoléon) de l'époque de la Révolution et de l'Empire. Tableaux d'Histoire, représentation de l'époque avec une interprétation très personnelle du mobilier pompéïen.

motive usw. reproduzieren. Das schönste Beispiel hierfür ist vielleich) der Altarchor von Monteoliveto (Siena) der von Fra Giovanni de Verona im Jahre 1504 fertiggestellt wurde.

(45) Korduan nennt man das Leder das in Spanien bearbeitet wird und «guadamecí» heisst das Leder, das in Gadames, zwischen Algier und Tripolis, hergestellt wird. (Cordobanes y guadamecíes, von José Ferrandis, Sociedad Española de Amigos del Arte. Madrid 1955).

(46) Die italienischen Modelle sind viel höher in der Rückenlehne, mit grossen Abschlüssen an den Enden.

(47) In einem Artikel von J. Cavestany in der B.S.E.E. nennt man einige Klappsessel. 1930, Seite 131.

(48) In dem Buch Le passetemp von J. Lhermite, Kammerdiener Philipps II., ist eine Zeichnung dieser Mechanismen, die sicherlich als Muster für das heutige Modell gedient hat. Von J. Florit im Boletin de la Sociedad de Excursiones, Madrid, erwähnt.

(49) Zwei gute Beispiele bilden die des Bildes Philipps II. von Tizian und von S. Ildefonso des Greco.

(50) Ohne eigentlichen Grund, leitet man den Begriff «bargueño» von dem Namen Vargas, eines Möbeltischlers oder Bildschnitzers ab oder von dem Dorf Bargas in der Provinz Toledo, als Produktionszentrum.

(51) Zweifellos erkennt man an diesem Innenraum den arabischen Ursprung was Kolorit und Komposition betrifft.

(52) Ducerceau, J. (1510-1584). Architekt und französischer Möbelentwerfer. Kennzeichnend sind seine Tische auf vier säulenförmigen Beinen und einem Bogenwerk als Umrahmung zwischen ihnen.

(53) Über den Namen «bargueño» siehe Arte y Hogar, 1943, Nr. 9. Artikel des Marqués de Lozoya.

(54) L'Arte di riconoscere gli Stili, von G. Boulanger und italienische Erweiterung von Mina Gregori, 1964.

(55) Buch von P. F. Montaña über Los Arquitectos escurialenses J. de Toledo y J. de Herrera y el obrero mayor de Villacastín. Madrid 1924.

(56) Descripciones del Monasterio de San Lorenzo de El Escorial vom hochwürdigen Fray Andrés Ximénez, 1764, Seite 187.

(57) Restauración del Palacio de Felipe II de El Escorial, von J. Florit. Boletín de la Sociedad Española de Excursiones. 1920.

(58) El Quijote. 2. Teil, Kap. XXXI.

(59) Arnold Hauser, Historia Social de la Literatura y el Arte, Band II. Das Barock.

(60) Churriguereskerstil. Otto Schubert, Historia del Barroco en España, Seite 200.

(61) El día de fiesta, von Juan Zabaleta (1626-1667).

(62) In dem Werk von Champeaux Le Meuble und in Les ebanistes du XVIII siècle Français, mit einem Vorwort von P. Verlet, werden viele Abstempelungsdaten genannt.

(63) Dieser Sessel, der in Spanien nicht gefunden werden konnte, befindet sich im Besitz von Herrn F. J. del Valle aus Havanna, der ihn vor 25 Jahren bei einem Antiquar erstand. Dieser kaufte ihn dem Museum von Salamanca ab, das gerade Geld für Restaurationsarbeiten benötigte und aus diesem Grunde verschiedene Kunstwerke zum Verkauf anbot. (Laut einem Brief von Herrn Valle an die Zeitschrift Mundo Hispánico. XII-1956).

(64) O Nosso Mobiliario, von Nogueira de Britó, Seite 26.

(65) Im Jahre 1744 wird die Primera Academia de Bellas Artes und 1752 die Real Academia de San Fernando gegründet.

(68) La continuidad de los trabajos se aprecia claramente con la siguiente lista de algunos ebanistas de los Talleres Reales desde 1634 a 1860.

1630	G. Campo
1645	P. Hernández
1652	J. Wimberg
1690	J. Borobey
1725	D. Arias
1767	J. López
1769	J. Canops
1789	Arellano
1793	J. Quintana
1797	P. Palencia
1803	A. Maeso
1861	M. Duque

En este año se suprimen los talleres.

(69) El Palacio lo proyectó Ventura Rodríguez para el Infante D. Luis en 1776.

(70) Percier y Fontaine-Arquitectos del Emperador; publican numerosas obras y artículos siendo quizá la más interesante *Recueil des décorations intérieures*, publicada en 1812.

(71) Cuatro de los años correlativos de la Historia de España, Francia e Inglaterra.

INGLATERRA	FRANCIA		ESPAÑA
	Luis XV †1774	1723	
Jorge II †1760		1727	
		1746..	Fernando VI †1759
		1759..	Carlos III †1788
Jorge III †1820...........................		1760	
	Luis XVI †1792	1774	
		1788..	Carlos IV †1819
	Rev. Francesa	1789	
	Napoleón †1821.......	1804	
		1808..	Abdicación Carlos IV
Jorge IV †1830...........................		1810	
	Abd. Napoleón........	1814	
	Luis XVIII †1824		
		1815..	Fernando VII †1833
	Carlos X †1830........	1824	
Guillermo III †1837	Luis Felipe †1848......	1830	
		1833..	Cristina R. Gober †1878
Reina Victoria †1901.....................		1837	
		1840..	Isabel II †1904
	Napoleón III †1873....	1852	
	Rep. Francesa........	1870..	Amadeo de Saboya †1890
		1873..	República Española
		1874..	Alfonso XII †1885
		1885..	Regencia M.ª Cristina †1929

(72) Uno de los ejemplos mejor conservados, recientemente restaurado y abierto al público, es el Palacio de Riofrío (Segovia).

(73) *A. Gaudí*, por José F. Ráfols. Barcelona, 1929.
A. Gaudí, por James Johnson y Josep Lluís Sert. Ediciones Infinito, Buenos Aires, 1961.
A. Gaudí, por Roberto Pane. Edizioni di Comunitá. Milano, 1964.

(74) *Art Nouveau.* S. Tschudi Madsen. Ediciones Guadarrama, S.A. Madrid, 1967, pág. 104-105 y siguientes.

---

(68) The continuity of the works produced can be clearly seen in the following list of some cabinetmakers of the royal workshops between 1634 and 1860.

1630	G. Campo
1645	P. Hernández
1652	J. Wimberg
1690	J. Borobey
1725	D. Arias
1767	J. López
1769	J. Canops
1789	Arellano
1793	J. Quintana
1797	P. Palencia
1803	A. Maeso
1861	M. Duque

In this year the workshops were closed.

(69) The palace was designed by Ventura Rodríguez for the Infante Don Luis in 1776.

(70) Percier and Fontaine: Architects to the Emperor; they published many works and articles, of which the most interesting is perhaps Recueil des décorations intérieures, *published in 1812.*

(71) Table of the correlative years of the history of Spain, France and England.

ENGLAND	FRANCE		SPAIN
	Louis XV, d. 1774	*1723*	
George II, d. 1760		*1727*	
		1746..	*Fernando VI, d. 1759*
		1759..	*Carlos III, d. 1788*
George III, d. 1820........................		*1760*	
	Louis XVI, d. 1792 ..	*1774*	
		1788..	*Carlos IV, d. 1819*
	French Revolution	*1789*	
	Napoleon, d. 1821	*1804*	
		1808..	*Carlos IV abdicates*
George IV, d. 1830........................		*1810*	
	Napoleon abdicates....	*1814*	
	Louis XVIII, d. 1824 .		
		1815..	*Fernando VII, d. 1833*
	Charles X, d. 1830	*1824*	
William III, d. 1837	*Louis-Philippe, d. 1848*	*1830*	
		1833..	*Regency of Cristina, d. 1878*
Victoria, d. 1901........................		*1837*	
		1840..	*Isabel II, d. 1904*
	Napoleon III, d. 1873.	*1852*	
	French Republic......	*1870..*	*Amadeo of Savoy, d. 1890*
		1873..	*Spanish Republic*
		1784..	*Alfonso XII, d. 1885*
		1885..	*Regency of María Cristina, d. 1929*

(72) One of the best examples, recently restored and opened to the public, is the Palace of Riofrío (Segovia).

(73) *José F. Ráfols, A. Gaudí. Barcelona, 1929.*
James Johnson Sweeney and Josep Lluis Sert, A. Gaudí. Ediciones Infinito, Buenos Aires, 1961.
Roberto Pane, A. Gaudí. Edizioni di Comunità. Milan, 1964.

(74) *S. Tschudi, Art. Nouveau. Ediciones Guadarrama, S. A., Madrid, 1957. Pages 104-105 ff.*

(67) Ventura Rodríguez est né en 1717 en Ciempozuelos (Madrid). On conserve de lui de nombreux dessins de meubles qui ont pour nous un intérêt particulier. Il est mort à Madrid en 1785, couvert d'honneurs. (Otto Schubert).

(68) La continuité de l'œuvre apparaît clairement d'après la liste suivante de quelques ébénistes des Ateliers royaux de 1634 à 1860.

1630	G. Campo	1769	J. Canops
1645	P. Hernández	1789	Arellano
1652	J. Wimberg	1793	J. Quintana
1690	J. Borobey	1797	P. Palencia
1725	D. Arias	1803	A. Maeso
1767	J. López	1861	M. Duque

Cette année là les ateliers sout supprimés.

(69) Ventura Rodríguez a conçu ce palais pour l'Infant D. Luis en 1776.

(70) Percier et Fontaine-Architectes de l'Empereur; ils ont publié de nombreux ouvrages et articles, dont le plus intéressant est peut-être le *Recueil des décorations intérieures*, publié en 1812.

(71) Tableau des années corrélatives de l'Histoire d'Espagne, de France et d'Angleterre.

ANGLETERRE	FRANCE		ESPAGNE
	Louis XV † 1774	1723	
Georges II † 1760		1727	
		1746 ..	Ferdinand VI † 1759
		1759 ..	Charles III † 1788
Georges III † 1820		1760	
	Louis XVI † 1792	1774	
		1788 ..	Charles IV † 1819
	Rév. française	1789	
	Napoléon † 1821	1804	
		1808 ..	Abdication Charles IV
Georges IV † 1830		1810	
	Abd. Napoleén	1814	
	Louis XVIII † 1824		
		1815 ..	Ferdinand VII † 1833
	Charles X † 1830	1824	
Guillaume III † 1837	Louis-Philippe † 1848 ...	1830	
		1833 ..	Christine R. Régente † 1878
Reine Victoire † 1901		1837	
		1840 ..	Isabelle II † 1904
	Napoléon III † 1873	1852	
	Rép. française	1870 ..	Amédée de Savoie † 1890
		1873 ..	Rép. espagnole
		1874 ..	Alphonse XII † 1885
		1885 ..	Régence Marie Christine † 1929

(72) Un des exemples mieux conservés, récemment restauré et ouvert au public, est le Palais de Riofrío (Segovia).

(73) A. Gaudí, par José F. Ráfols. Barcelone, 1929.
A. Gaudí, par James Johnson et Josep Lluis Sert. Editions Infinito. Buenos Aires, 1961.
A. Gaudí, par Roberto Pane. Edizioni di Comunité. Milán, 1964.

(74) Art Nouveau. S. Tschudi Madsen. Editions Guadarrama, S.A., Madrid, 1967, pages 104-105 et suivantes.

(66) *J. L. David, 1748-1825: französischer Maler (erster Maler Napoleons) aus der Revolutionszeit und dem Empire. Historische Bilder, jene Zeit darstellend und einer persönlichen Interpretierung des pompejanischen Mobiliars.*

(67) *Ventura Rodríguez wird im Jahr 1717 in Ciempozuelos (Madrid) geboren. Es sind noch zahlreiche Möbelzeichnungen vorhanden, die für uns von besonderem Interesse sind. Mit Ehren überschüttet, stirbt er in Madrid im Jahre 1785. (Otto Schubert.)*

(68) *Der Zusammenhang der Arbeiten geht deutlich aus der nachfolgenden Liste einiger Möbeltischler der Talleres Reales (königliche Werkstätten) von 1634 bis 1860 hervor.*

1630	G. Campo	1725	D. Arias	1793	J. Quintana
1645	P. Hernández	1767	J. López	1797	P. Palencia
1652	J. Wimberg	1769	J. Canops	1803	A. Maeso
1690	J. Borobey	1789	Arellano	1861	M. Duque

In diesem Jahr werden die Werkstätten eingestellt.

(69) *Der Palast wurde von Ventura Rodríguez für den Infanten D. Luis im Jahr 1776 entworfen.*

(70) *Percier und Fontaine. Architekten des Kaisers; sie veröffentlichen zahlreiche Werke und Artikel, darunter wohl als interessantestes Werk das Recueil des décorations intérieurs ist, das 1812 herausgegeben wurde.*

(71) *Tabelle der sich aufeinander beziehenden Jahre der Spanischen, Französischen und Englischen Geschichte.*

ENGLAND	FRANKREICH		SPANIEN
	Ludwig XV. † *1774* ..	*1723*	
Georg II. † *1760*		*1727*	
		1746 ..	*Ferdinand VI.* † *1759*
		1759 ..	*Karl III.* † *1788*
Georg III. † *1820*		*1760*	
	Ludwig XVI. † *1792*.	*1774*	
		1788 ..	*Karl IV.* † *1819*
	Französische Rev.	*1789*	
	Napoléon † *1821*	*1804*	
		1808 ..	*Abdankung Karls IV.*
Georg IV. † *1830*		*1810*	
	Abdkg. Napoleons ...	*1814*	
	Ludwig XVIII. † *1824*	*1815* ..	*Ferdinand VII.* † *1833*
	Karl X. † *1830*	*1824*	
Wilhelm III. † *1837*			
	Louis Philipp † *1848*.	*1830*	
		1833 ..	*Christina Regentin* † *1878*
Königin Viktoria † *1901*		*1837*	
		1840 ..	*Isabella II* † *1904*
	Napoléon III. † *1873*	*1852*	
	Französische Rep.	*1870* ..	*Amadeus v. Saboyen* † *1890*
		1873 ..	*Spanische Rep.*
		1874 ..	*Alphons XII.* † *1885*
		1885 ..	*Regentschaft M.ª Christinas* † *1929*

(72) *Eines der besterhaltensten Beispiele, die kürzlich restauriert und dem Publikum eröffnet wurden, ist der Palast von Riofrío (Segovia).*

(73) A. Gaudí, *von José F. Ráfols. Barcelona 1929.*
A. Gaudí, *von James Johnson und Josep Lluís Sert. Ediciones Infinito, Buenos Aires, 1961.*
A. Gaudí, *von Roberto Pane. Edizioni di Comunitá. Mailand, 1964.*

(74) *Art Nouveau, S. Tschudi Madsen. Ediciones Guadarrama, S. A. Madrid, 1967, Seiten 104-105 und ff.*

ÍNDICE DE ILUSTRACIONES

INDEX OF ILLUSTRATIONS

INDEX DES ILLUSTRATIONS

BILDERVERZEICHNIS

26. Arcón enyesado y pintado con ornamentación gótica. Museo de Vich. (Barcelona).

27. Arca de roble y nogal con tracerías flamígeras en el frente y costados. Museo Lázaro Galdiano. Madrid.

28. Arca con ornamentación flamígera y montantes laterales con tallas de animales fabulosos. Procede del Patrimonio Real de Mallorca. Museo «Cau Ferrat» de Sitges (Barcelona).

29. Arca forrada con terciopelo rojo y herrajes calados. Museo Lázaro Galdiano. Madrid.

30. Sitial gótico con ornamentación de tracería en el respaldo y pergamino en el frente del asiento; de madera de roble. Palacio de Perelada (Gerona).

31. Arqueta de madera tallada y decorada con tracerías góticas doradas en los cajones. Museo Episcopal de Vich (Barcelona).

32. Frente de cajonería con ornamentación de tracerías y figuras en el frente de los cajones. Museo Lázaro Galdiano. Madrid.

33. Detalle de arca de roble con tracerías góticas. Museo Arqueológico Nacional. Madrid.

34. Arca de roble y nogal. Museo Lázaro Galdiano. Madrid.

35. Cama y colgaduras representadas en una tabla pintada por Pedro García Benabarre, del siglo XV, representando a San Sebastián y San Policarpo destruyendo los ídolos. Museo del Prado. Madrid.

36. Arca de roble con estructura muy tosca y tableros con tallas de pergaminos. Palacio de Perelada (Gerona).

37. Arca de estructura muy tosca, tableros decorados con tracerías góticas, restos de policromía. Museo Arqueológico Nacional. Madrid.

38. Arca con puertas en su frente y cajonería interior. Toda ella pintada y decorada. Tapa levantada pintada interiormente. Época de Transición. Museo Episcopal de Vich (Barcelona).

39. Dressoir de roble de origen francés con tallas de tracerías flamígeras. Palacio de Perelada (Gerona).

40. Armario con armadura de roble muy robusta. Tableros con tallas de pergamino y herrajes calados con tracerías. Museo de Artes Decorativas. Madrid.

41. Arca de roble con tapa curvada; refuerzos de hierro y dos cerraduras con aldabillas de ornamentación gótica. Museo Arqueológico Nacional. Madrid.

42. Arca-credencia con puertas. Palacio de Perelada (Gerona).

43. Sillón de cadera con taraceas y cuero repujado en el asiento y respaldo. Instituto Valencia de Don Juan. Madrid.

44. Silla de cadera de la catedral de Toledo con taraceas de tipo granadino. Museo de Santa Cruz. Toledo.

45. Restos de la sillería de Santa María de Gradefes. Tres sitiales con ornamentación arábiga en las columnas, basamentos, capiteles y brazales, con residuos de policromía. Museo Arqueológico Nacional. Madrid.

46. Arqueta con taraceas granadinas. Museo de Artes Decorativas. Madrid.

47. Arqueta hispano-morisca taraceada. Museo Arqueológico Nacional. Madrid.

48. Cuatro sitiales con dosel, con residuos de policromía, del convento de Santa Clara de Astudillo (Palencia). Museo Arqueológico Nacional. Madrid.

26. Chest plastered and painted with Gothic ornamentation. Museum of Vich (Barcelona).

27. Chest in oak and walnut, with flamboyant traceries on the front and sides. Lázaro Galdiano Museum. Madrid.

28. Chest with flamboyant ornamentation and lateral uprights with carvings of fabulous animals. From the Royal Patrimony of Majorca. «Cau Ferrat» Museum. Sitges (Barcelona).

29. Chest with pierced ironwork, lined with red velvet. Lázaro Galdiano Museum. Madrid.

30. Gothic seat, ornamented with traceries on the back and linenfold work on the front of the seat; in oak. Palace of Perelada (Gerona).

31. Small chest in carved wood, decorated with gilded Gothic traceries on the drawers. Episcopal Museum of Vich (Barcelona).

32. Front of a set of drawers, ornamented with traceries and figures on the fronts of the drawers. Lázaro Galdiano Museum. Madrid.

33. Detail of oak chest with Gothic traceries. National Archaeological Museum. Madrid.

34. Chest in oak and walnut. Lázaro Galdiano Museum. Madrid.

35. Bed and hangings represented on a panel painted by Pedro García Benabarre, 15th century, representing St. Sebastian and St. Polycarp destroying the idols. The Prado. Madrid.

36. Oak chest of very crude construction, panels decorated with linenfold carving. Palace of Perelada (Gerona).

37. Chest of very crude construction, panels decorated with Gothic traceries, polychrome remains. National Archaeological Museum. Madrid.

38. Chest with doors on its front and set of drawers inside. The whole painted and decorated. Lifted lid painted on the inside. Transition period. Episcopal Museum of Vich (Barcelona).

39. Oak dresser of French origin with carvings of flamboyant traceries. Palace of Perelada (Gerona).

40. Cupboard with very sturdy oak framework. Panels with linenfold carving and ironwork pierced with traceries. Museum of Decorative Arts. Madrid.

41. Oak chest with curved lid; iron clasps and two locks with Gothic decoration on the catches. National Archaeological Museum. Madrid.

43. «Hip» armchair, with marquetry and repoussé leather on the seat and back. Institute of Valencia de Don Juan. Madrid.

42. Credence-chest with doors. Palace of Perelada (Gerona).

44. «Hip» chair from the Cathedral of Toledo, with marquetry of the Granada type. Santa Cruz Museum. Toledo.

45. Remains of the choir stalls of Santa María, Gradefes. Three seats with Arabic ornamentation on the columns, bases, capitals and arms; polychrome remains. National Archaeological Museum. Madrid.

46. Small chest with Granada-type marquetry. Museum of Decorative Arts. Madrid.

47. Small chests with Hispano-Mauresque marquetry. National Archaeological Museum. Madrid.

48. Four seats with canopy, polychrome remains, from the Convent of Santa Clara de Astudillo (Valencia). National Archaeological Museum. Madrid.

26. Coffre plâtré et peint avec ornementation gothique. Musée de Vich (Barcelone).

27. Coffre de chêne et de noyer avec figures géométriques flamboyantes sur la face et les côtés. Musée Lázaro Galdiano. Madrid.

28. Coffre avec ornementation flamboyante et montants taillés d'animaux fabuleux. Provient du Patrimoine Royal de Majorque. Musée «Cau Ferrat» de Sitges (Barcelone).

29. Coffre doublé de velours rouge et à ferrures ajourées. Musée Lázaro Galdiano. Madrid.

30. Fauteuil de cérémonie avec ornementation de figures géométriques sur le dossier et de parchemin sur la face du siège; en chêne. Palais de Perelada (Gérone).

31. Coffret de bois taillé et décoré de figures géométriques gothiques dorées sur les tiroirs. Musée Episcopal de Vich (Barcelone).

32. Face de tiroirs avec ornementation de figures géométriques et de figures. Musée Lázaro Galdiano. Madrid.

33. Détail de coffre de chêne avec figures géométriques gothiques. Musée Archéologique National. Madrid.

34. Coffre de chêne et de noyer. Musée Lázaro Galdiano. Madrid.

35. Lit et tentures représentés sur un panneau peint par Pedro García Benabarre, du xvᵉ siècle, montrant Saint Sébastien et Saint Policarpe détruisant les idoles. Musée du Prado. Madrid.

36. Coffre de chêne avec structure très grossière et panneaux à tailles de parchemins. Palais de Perelada (Gérone).

37. Coffre de structure très grossière, panneaux décorés de figures géométriques gothiques, traces de polychromie. Musée Archéologique National. Madrid.

38. Coffre avec portes sur le devant et tiroirs intérieurs. Le tout peint et décoré. Couvercle levé peint intérieurement. Époque de Transition. Musée Épiscopal de Vich (Barcelone).

39. Dressoir de chêne d'origine française, avec tailles de figures géométriques flamboyantes. Palais de Perelada (Gérone).

40. Armoire à charpente de chêne très robuste. Panneaux à tailles de parchemin et ferrures ajourées à figures géométriques. Musée d'Arts Décoratifs. Madrid.

41. Coffre de chêne à couvercle incurvé; renforts de fer et deux serrures à gâches d'ornementation gothique. Musée Archéologique National. Madrid.

42. Coffre-crédence avec portes. Palais Perelada (Gérone).

43. Fauteuil avec marqueterie et cuir repoussé sur le siège et le dossier. Institut Valencia de Don Juan. Madrid.

44. Chaise de la cathédrale de Tolède avec marqueterie du type grenadin. Musée de Santa Cruz. Tolède.

45. Restes des stalles de Santa María de Gradefes. Trois fauteuils de cérémonie avec ornementation arabe sur les colonnes, les soubassements, les chapiteaux et les bras, avec résidus de polychromie. Musée Archéologique National. Madrid.

46. Coffret avec marqueterie grenadine. Musée des Arts Décoratifs. Madrid.

47. Coffret hispano-mauresque marqueté. Musée Archéologique National. Madrid.

48. Quatre fauteuils de cérémonie à dais, avec résidus de polychromie, du couvent de Santa Clara de Astudillo (Palencia). Musée Archéologique National. Madrid.

26. *Grosse Truhe mit Stuckarbeit und gotischer Verzierung bemalt. Museo de Vich (Barcelona).*

27. *Truhe aus Eiche und Nussbaum mit flammenförmigen geometrischen Verzierungen an Front und Seitenteilen. Museo Lázaro Galdiano. Madrid.*

28. *Truhe mit flammenförmigen Verzierungen und seitlichen Trägern an denen Fabelwesen eingeschnitzt sind. Stammt aus dem Patrimonio Real von Mallorca. Museum «Cau Ferrat» in Sitges (Barcelona).*

29. *Mit rotem Samt bezogene Truhe und mit durchbrochenen Eisenbeschlägen verziert. Museo Lázaro Galdiano. Madrid.*

30. *Gotischer Chorstuhl mit geometrischer Verzierung an der Rückenlehne und Pergament an der Frontseite des Sitzes. Aus Einchenholz. Schloss Perelada (Gerona).*

31. *Geschnitzte kleine Holztruhe mit vergoldeten gotischen Verzierungen an den Schubfächern. Museo Episcopal in Vich (Barcelona).*

32. *Front eines Kastenregals mit geometrischen Verzierungen und Figuren an den Kastenfronten. Museo Lázaro Galdiano. Madrid.*

33. *Detail einer Eichenholztruhe mit gotischer Verzierung. Museo Arqueológico Nacional. Madrid.*

34. *Truhe aus Eiche und Nussbaum. Museo Lázaro Galdiano. Madrid.*

35. *Bett und von der Decke herabhängende Vorhänge, dargestellt auf einem Tafelgemälde von Pedro García Benabarre. XV. Jahrhundert. Es stellt die Heiligen Sebastian und Polykarp dar Götzenbilder zerstörend. Prado-Museum. Madrid.*

36. *Eichentruhe in grober Struktur und Platten mit Pergamentschnitzereien. Schloss Perelada (Gerona).*

37. *Truhe in grober Ausführung, Platten mit gotischer geometrischer Verzierung und Resten von Buntmalerei. Museo Arqueológico Nacional. Madrid.*

38. *Truhe mit Türen an der Frontseite und Fächern an der Innenseite. Sie ist vollständig bemalt und verziert. Auch die Innenseite des Deckels ist bemalt. Übergangs-Epoche. Museo Épiscopal in Vich (Barcelona).*

39. *Anrichte aus Eichenholz, französischen Ursprungs mit flammenförmigen Verzierungen. Schloss Perelada (Gerona).*

40. *Schrank aus kräftigem Eichenholzgerüst. Die Füllungen sind mit Pergamentschnitzerei verziert und mit geometrisch durchbrochenen Eisenbeschlägen versehen. Museo de Artes Decorativas. Madrid.*

41. *Eichentruhe mit gebogenem Deckel. Eisenverstärkungen und zwei Schliesshaken in gotischer Verzierung. Museo Arqueológico Nacional. Madrid.*

42. *Kredenz-Truhe mit Türen. Schloss Perelada (Gerona).*

43. *Hüfthoher Sessel mit Einlegearbeit verziert. Sitz und Rückenlehne aus gepunztem Leder. Instituto Valencia de Don Juan. Madrid.*

44. *Hüfthoher Stuhl aus der Kathedrale von Toledo mit Einlegearbeit im granadiner Stil. Museo de Santa Cruz. Toledo.*

45. *Reste des Chorgestühls aus Santa María de Gradefes. Drei Sitze mit arabischen Ornamenten an den Säulen, Sockeln, Kapitellen und Armlehnen, sowie Resten von Buntmalerei. Museo Arqueológico Nacional. Madrid.*

46. *Kleine Truhe mit granadiner Einlegearbeit. Museo de Artes Decorativas. Madrid.*

47. *Hispanomoreske kleine Truhe mit Einlegearbeit. Museo Arqueológico Nacional. Madrid.*

48. *Vier Chorstühle mit Thronhimmel und Resten von Buntmalerei, aus dem Kloster von Santa Clara de Astudillo (Palencia). Museo Arqueológico Nacional. Madrid.*

49. Arqueta con taraceas de tipo granadino de hueso y boj. Instituto Valencia de Don Juan. Madrid.

50. Arcón de composición renacentista con una profusa ornamentación de taraceas de carácter granadino. Museo de Artes Decorativas. Madrid.

51. Detalle de los lazos de la misma arqueta.

52. Arqueta con tallas a bisel geométricas. Interesante los lazos de las colas de milano de los ángulos diédricos. Museo de Artes Decorativas. Madrid.

53. Detalle de los capiteles y brazales de la sillería del convento de Santa Clara. Moguer (Huelva).

54. Ángulo de la sillería de coro del convento de Santa Clara con residuos de policromía. Moguer (Huelva).

55. Costado del armario mudéjar de la catedral de León.

56. Armario mudéjar de la catedral de León. Pieza de extraordinario valor por su trabajo de lacerías superpuestas y por sus grandes dimensiones, siglo XIII.

57. Detalle de la arqueta de la figura 58. Propiedad particular.

58. Arqueta en madera de cedro, ornamentación renacentista, herrajes góticos. Propiedad particular.

59. Armario del convento de Santa Úrsula de Toledo. Puertas y montantes decorados con lacerías de tipo mudéjar. Restos de policromía. Museo Arqueológico Nacional. Madrid.

60. Armario relicario procedente del Monasterio de Piedra, regalado por el abad Ponce de León en 1390. Academia de la Historia. Madrid.

61. Frailero del arzobispo Sandoval con tallas en hueco decoradas con cristales pintados imitando piedras duras; rica tapicería bordada. Convento de las Bernardas. Alcalá de Henares (Madrid).

62. Faldistorio de Carlos V o silla de tijera con tallas renacentistas de probable origen borgoñón. Almohadón de terciopelo de seda bordado con el emblema de los Reyes Católicos. Palacio de Felipe II. El Escorial. Madrid.

63. Frailero taraceado con marfil y ébano sobre nogal tapizado con terciopelo bordado. Influencia italiana. Instituto Valencia de Don Juan. Madrid.

64. Sillón de viaje de Felipe II con asas para el transporte y toldo. El respaldo puede inclinarse; cuero acolchado en el asiento y respaldo.

65. Dibujo de la «silla para la gota» de Felipe II, proyectado por su mayordomo J. Lhermite, con diversos movimientos para hacerla más cómoda. del libro Le passetemps, por Lhermite.

66. Sillón de madera de nogal con guardamecíes en el asiento y respaldo. Museo Lázaro Galdiano. Madrid.

67. Prototipo de frailero con brazos ligeramente curvados. Bella tapicería con bordados, flecos y clavos de bronce. Palacio de Peralada. Gerona.

68. Silla derivada del frailero con tapicería de cuero fijada con clavos de disco, de bronce. Hospital de Afuera. Toledo.

69. Frailero con estrías en las patas delanteras; cuero repujado y gofrado. Museo de Artes Decorativas. Madrid.

70. Variación de frailero con zapatas laterales uniendo las patas. Museo de Artes Decorativas. Madrid.

71. Otra variación de frailero con estrías y acanaladuras en las patas delanteras con chambranas laterales. Museo de Artes Decorativas. Madrid.

72. Sillón frailero plegable. Las chambranas delantera y posterior tienen charnelas y una barra de hierro para dar rigidez al respaldo.

49. *Small chest with marquetry of the Granada type in bone and boxwood. Institute of Valencia de Don Juan. Madrid.*

50. *Chest of Renaissance composition, profusely ornamented with inlays of the Granada type. Museum of Decorative Arts. Madrid.*

51. *Detail of the bows on the same chest.*

52. *Small chest with geometrical bevel carvings. Interesting bows on the dovetailing of the dihedral angles. Museum of Decorative Arts. Madrid.*

53. *Detail of the capitals and arms of the choir stalls in the convent of Santa Clara. Moguer (Huelva).*

54. *Angle of the choir stalls in the convent of Santa Clara, with polychrome remains. Moguer (Huelva).*

55. *Side of the Mudéjar cupboard in the cathedral of Leon.*

56. *Mudéjar cupboard in the cathedral of Leon. A piece of extraordinary value on account of its work in superimposed interlacings and its great size. 13th century.*

57. *Detail of the chest in fig. 58. Private collection.*

58. *Small chest in cedar wood, with Renaissance decoration and Gothic ironwork. Private collection.*

59. *Cupboard from the convent of Santa Ursula in Toledo. Doors and uprights decorated with interlacery of Mudéjar type. Polychrome remains. National Archaeological Museum. Madrid.*

60. *Cupboard for holding relics, from the monastery of Stone, presented by Abbot Ponce de León in 1390. Academy of History. Madrid.*

61. *Friar's chair of archbishop Sandoval, with hollow-work carvings decorated with crystals painted in imitation of precious stones; richly embroidered upholstery. Convent of the Bernardas. Alcalá de Henares (Madrid).*

62. *Faldstool of Charles V or folding chair with Renaissance carvings, probably of Burgundian origin. Cushion in silk velvet embroidered with the emblem of Ferdinand and Isabella. Palace of Philip II. The Escorial. Madrid.*

63. *Friar's chair inlaid with ivory and ebony on walnut and upholstered in embroidered velvet. Italian influence. Institute of Valencia de Don Juan. Madrid.*

64. *Travelling armchair of Philip II, with carrying handles and canopy. The back can be inclined; padded leather on the seat and back.*

65. *Drawing of the «chair for gout» of Philip II, designed by his valet de chambre J. Lhermite, with various movements for making it more comfortable, from the book «Le passetemps», by Lhermite.*

66. *Walnut armchair with embossed leather on the seat and back. Lázaro Galdiano Museum. Madrid.*

67. *Prototype of a friar's chair with slightly curved arms. Beautiful upholstery with embroidery, fringes and bronze nails. Palace of Perelada (Gerona).*

68. *Chair deriving from the friar's chair, with leather upholstery fixed with disk nails in bronze. Hospital de Afuera. Toledo.*

69. *Friar's chair with fluting on the front legs; repoussé and figured leather. Museum of Decorative Arts. Madrid.*

70. *Variation of a friar's chair, with side bases joining the legs. Museum of Decorative Arts. Madrid.*

71. *Another variation of the friar's chair, with fluting and grooves on the front legs and side crosspieces. Museum of Decorative Arts. Madrid.*

72. *Folding friar's armchair. The front and rear crosspieces are hinged and there is an iron bar to give rigidity to the back.*

49. Coffret avec marqueterie de type grenadin d'os et de buis. Institut de Valencia de Don Juan. Madrid.

50. Coffret de composition Renaissance avec abondante ornementation de marqueterie de caractère grenadin. Musée des Arts Décoratifs. Madrid.

51. Détail des entrelacs du même coffret.

52. Coffret avec tailles géométriques à biseau. Les entrelacs des queues-d'aronde des angles dièdres sont intéressants. Musée des Arts Décoratifs. Madrid.

53. Détail des chapiteaux et des bras des stalles du Couvent de Santa Clara. Moguer (Huelva).

54. Angle des stalles de chœur du couvent de Santa Clara, avec résidus de polychromie. Moguer (Huelva).

55. Côté de l'armoire mudéjare de la cathédrale de León.

56. Armoire mudéjare de la cathédrale de León. Pièce d'une valeur extraordinaire par son travail d'entrelacs superposés et ses grandes dimensions, XIIIe siècle.

57. Détail du coffret de la figure 58. Propriété privée.

58. Coffret de bois de cèdre, ornementation Renaissance, ferrures gothiques. Propriété privée.

59. Armoire du couvent de Santa Ursula de Tolède. Portes et montants décorés d'entrelacs de type mudéjare. Restes de polychromie. Musée Archéologique National. Madrid.

60. Armoire reliquaire provenant du Monastère de Pierre, donné par l'Abbé Ponce de León en 1390. Académie de l'Histoire. Madrid.

61. «Frailero» de l'Archevêque Sandoval, avec tailles en creux décorées de morceaux de verre peints imitant des pierres dures; riche tapisserie brodée. Couvent des Bernardas. Alcala de Henares (Madrid).

62. «Faldistorio» de Charles-Quint ou chaise pliante à tailles Renaissance d'origine probablement bourguignonne. Coussin de velours de soie brodé de l'emblème des Rois Catholiques. Palais de Philippe II. Escurial. Madrid.

63. «Frailero» marqueté avec de l'ivoire et de l'ébène sur noyer, tapissé de velours brodé. Influence italienne. Institut Valencia de Don Juan. Madrid.

64. Fauteuil de voyage de Philippe II avec poignées pour le transport et bâche. Le dossier peut être incliné; cuir rembourré sur le siège et le dossier.

65. Dessin de la «chaise pour la goutte» de Philippe II, projetée par son majordome J. Lhermite, avec divers mouvements pour la rendre plus commode, du livre Le passetemps, par Lhermite.

66. Fauteuil de noyer avec «guardamecíes» sur le siège et le dossier. Musée Lázaro Galdiano. Madrid.

67. Prototype de «frailero» avec bras légèrement incurvés. Belle tapisserie à broderies, franges et clous de bronze. Palais de Perelada (Gérone).

68. Chaise dérivée du «frailero» avec tapisserie de cuir fixée à l'aide de clous de disque en bronze Hôpital d'Afuera. Tolède.

69. «Frailero» à stries aux pieds antérieurs; cuir repoussé et gaufré. Musée des Arts Décoratifs. Madrid.

70. Variation de «frailero» avec supports latéraux joignant les pieds. Musée des Arts Décoratifs. Madrid.

71. Autre variation de «frailero» avec stries et cannelures aux pieds de devant et avec chambranles latéraux. Musée des Arts Décoratifs. Madrid.

72. Fauteuil «frailero» pliant. Les chambranles antérieur et postérieur ont des charnières et une barre de fer pour donner de la rigidité au dossier.

49. *Kleine Truhe mit Einlegearbeit aus Bein und Buchsbaum im granadiner Stil. Instituto Valencia de Don Juan. Madrid.*

50. *Renaissance-Truhe mit reicher Einlegearbeit im granadiner Stil. Museo de Artes Decorativas. Madrid.*

51. *Detail der Schleifen an der gleichen Truhe Fig. 52.*

52. *Kleine Truhe mit geometrischer Schrägschnitzerei. Interessant die Schleifen der Schwalbenschwänze in den von den Flächen gebildeten Winkeln. Museo de Artes Decorativas. Madrid.*

53. *Detail der Kapitelle und Armlehnen des Chorgestühls aus dem Kloster von Santa Clara. Moguer (Huelva).*

54. *Kante des Chorgestühls aus dem Kloster von Santa Clara mit Resten von Buntmalerei. Moguer (Huelva).*

55. *Seitenansicht des Mudéjar-Schranks aus der Kathedrale von León.*

56. *Mudéjar-Schrank aus der Kathedrale von León. Ein ausserordentlich wertvolles Stück wegen der aufgesetzten Schleifenarbeit und seiner Grösse. XIII. Jahrhundert.*

57. *Detail der kleinen Truhe aus Zedernholz der Fig. 58. Privatbesitz.*

58. *Kleine Truhe aus Zedernholz mit Renaissanceornamenten und gotischen Eisenbeschlägen. Privatbesitz.*

59. *Schrank aus dem Kloster von Santa Úrsula in Toledo. Türen und Träger sind mit Schleifen im Mudéjar-Stil verziert. Reste von Buntmalerei. Museo Arqueológico Nacional. Madrid.*

60. *Reliquienschrank aus dem Monasterio de Piedra. Ein Geschenk des Abtes Ponce de León im Jahr 1390. Academia de la Historia. Madrid.*

61. *Armsessel des Erzbischofs Sandóval mit Hohlschnitzerei und Buntglasverzierungen, harte Steine imitierend. Herrlich gestickte Tapisserie. Kloster der Bernardas. Alcalá de Henares (Madrid).*

62. *Klappstuhl Karls V. mit Schnitzereien im Renaissancestil, wahrscheinlich burgundischen Ursprungs. Gesticktes Seidensamtkissen mit dem Emblem der Katholischen Könige. Schloss Philipps II. El Escorial. Madrid.*

63. *Armsessel mit Einlegearbeit aus Elfenbein und Ebenholz auf Nussbaum und mit gesticktem Samt bezogen. Italienischer Einfluss. Instituto Valencia de Don Juan. Madrid.*

64. *Reisesänfte Philipps II. mit Traggriffen und Baldachin. Die Lehne kann zurückgelegt werden. Sitz und Lehne aus gepolstertem Leder.*

65. *Skizze des «Gichtstuhles» Philipps II., von seinem Haushofmeister J. Lhermite entworfen. Der Stuhl hat verschiedene Bewegungsmöglichkeiten um ihn bequemer zu machen. Aus dem Buch «Le passetenps» von Lhermite.*

66. *Sessel aus Nussbaum mit Sitz und Lehne aus gegerbtem und gepunztem Leder. Museo Lázaro Galdiano. Madrid.*

67. *Prototyp eines Armsessels mit leicht gebogenen Armlehnen. Herrlich gestickte Tapisserie mit Fransen und Nägeln aus Bronze. Schloss Perelada (Gerona).*

68. *Vom Armsessel abgeleiteter Sitz mit Lederbezug, der mit scheibenförmigen Nägeln aus Bronze festgemacht ist. Hospital de Afuera. Toledo.*

69. *Armsessel mit Riefen an den vorderen Beinen; gepunztes und geprägtes Leder. Museo de Artes Decorativas. Madrid.*

70. *Abwandlung eines Armsessels mit seitlichen Kragleisten, welche die Beine miteinander verbinden. Museo de Artes Decorativas. Madrid.*

71. *Eine andere Abwandlung des Armsessels mit Riefen und Hohlrippen an den Vorderbeinen und seitlichen geschnitzten Zierbrettern. Museo de Artes Decorativas. Madrid.*

72. *Klappbarer Armsessel. Die vordere und rückwärtige Umrahmung ist mit Scharnieren und einer Eisenstange versehen um die Lehne zu versteifen.*

73. El mismo sillón frailero. Tapicería y flecos de seda; clavos calados de bronce dorado. Museo de Artes Decorativas. Madrid.

74. Frailero típico con chambrana delantera de línea mudéjar. Museo Lázaro Galdiano. Madrid.

75. Banco de nogal, fiadores de hierro entre las patas inclinadas con silueta contraserrada. Escudo de bronce y bisagras de hierro para plegar el respaldo. Hospital de Afuera. Toledo.

76. Banco tapizado con cuero bullonado sobre patas de silueta recortada de nogal y fiadores de hierro. Museo Arqueológico Nacional. Madrid.

77. Otro tipo de banco semejante al anterior. Museo Arqueológico Nacional. Madrid.

78. Tipo de mesa de un renacimiento tardío muy tallada. Museo Lázaro Galdiano. Madrid.

79. Mesa de nogal con patas contraserradas estriadas y fiadores.

80. Mesa de nogal, llamada de patas de lira, con fiadores de hierro y elemento torneado en el centro de cada pata; de origen mallorquín. Palacio de Perelada (Gerona).

81. Mesa de madera tallada con patas contraserradas y tallas de casetones. Época de Felipe II. Colección particular. Madrid.

82. Mesa de nogal; patas torneadas inclinadas armadas con una caja a cola de milano en la tapa y fiadores de hierro.

83. Mesa española de nogal con patas salomónicas y fiadores de hierro. Principios del siglo XVIII. «The Art Institute». Chicago.

84. Mesa llamada de refectorio de ancho faldón y tapa de nogal con mucho vuelo lateral, patas torneadas. Palacio de Benamejí. Santillana del Mar (Santander).

85. Mesa en roble con ancho faldón con cajones tallados; patas contraserradas. Convento de los jesuitas de Villagarcía de Campos (Valladolid).

86. Mesa de nogal de tipo refectorio con fiadores de hierro de tipo de horquilla con patas en forma de lira. Convento de Villagarcía de Campos (Valladolid).

87. Mesa de refectorio en nogal. Palacio de Perelada (Gerona).

88. Mesa de nogal con tapa lateral, muy volada, ancho faldón con cajones tallados; patas torneadas. Palacio de Liria. Duques de Alba. Madrid.

89. Pequeña mesa de campaña, de nogal con ancho galón; grandes asas de hierro en los cajones y laterales para el transporte. Patas plegables. Magníficas tallas de cabeza de león entre columnas abalaustradas. Colección Díaz del Corral. Madrid.

90. Mesa de refectorio popular. Marqués de Santo Domingo. Madrid.

91. Mesa vestida, librería y frailero en el despacho reconstruido de la Casa de Lope de Vega. Ambiente de la época. Madrid.

92. Mesa de refectorio con ancho faldón y cajones tallados. Marqués de Santo Domingo. Madrid.

93. Arca encorada con refuerzos de hierro en clavos y chapas y tapa curvada. Palacio de Felipe II. Monasterio de El Escorial. Madrid.

94. Arcón-armario de nogal renacentista con tallas castellanas del siglo XVI. Capilla del Condestable. Catedral de Burgos.

73. The same friar's armchair. Silk upholstery and fringes; pierced nails of gilded bronze. Museum of Decorative Arts. Madrid.

74. Typical friar's chair with the front crosspiece in the Mudejar line. Lázaro Galdiano Museum. Madrid.

75. Walnut bench, iron fasteners between the sloping legs with countersawn outline. Bronze shield and iron hinges for folding the back. Hospital de Afuera. Toledo.

76. Bench upholstered in studded leather, on walnut legs with a cut-away outline and iron fasteners. National Archaeological Museum. Madrid.

77. Another type of bench, similar to the preceding one. National Archaeological Museum. Madrid.

78. Lavishly carved table of a late Renaissance type. Lázaro Galdiano Museum. Madrid.

79. Walnut table with fasteners and fluted, countersawn legs.

80. Walnut table, of the lyre-foot type, with iron fasteners and a lathe-turned element in the centre of each foot; of Majorcan origin. Palace of Perelada (Gerona).

81. Table in carved wood, with countersawn legs and carvings of coffers. Period of Philip II. Private collection. Madrid.

82. Walnut table; sloping lathe-turned legs, armed with a dovetailed case at the top and iron fasteners.

83. Spanish walnut table with Solomonic legs and iron fasteners. Early 18th century. The Art Institute. Chicago.

84. Table of the refectory type, deep underskirt and walnut top projecting considerably at the sides; lathe-turned legs. Palace of Benamejí. Santillana del Mar (Santander).

85. Oak table, deep underside with carved drawers; countersawn legs. Jesuit monastery of Villagarcía de Campos (Valladolid).

86. Walnut refectory table, with hairpin-shaped iron fasteners and lyre-shaped legs. Monastery of Villagarcía de Campos (Valladolid).

87. Refectory table in walnut. Palace of Perelada (Gerona).

88. Walnut table with top projecting widely at the sides, deep underside with carved drawers; lathe-turned legs. Palace of Liria. Duke and Duchess of Alba. Madrid.

89. Small «campaign» table, in walnut with broad chevron; large iron handles on the drawers and on the sides for carrying. Folding legs. Magnificent lion's-head carvings between balustered columns. Díaz del Corral Collection. Madrid.

90. Refectory table of a popular type. Marquis of Santo Domingo. Madrid.

91. Draped table, bookcase and friar's chair, in the reconstructed study in the house of Lope de Vega. Period setting. Madrid.

92. Refectory table with deep underside and carved drawers. Marquis of Santo Domingo. Madrid.

93. Leather-covered chest, with iron reinforcing in nails and plates, and with a curved lid. Palace of Philip II. Monastery of the Escorial. Madrid.

94. Renaissance walnut chest-cupboard with Castilian carvings. 16th century. Chapel of the High Constable. Cathedral of Burgos.

73. Le même fauteuil «frailero». Tapisserie et franges de soie; clous ajourés de bronze doré. Musée des Arts Décoratifs. Madrid.

74. «Frailero» typique avec chambranle antérieur de ligne mudéjare. Musée Lázaro Galdiano. Madrid.

75. Banc de noyer, verrous de fer entre les pieds inclinés à silhouette en dents de scie. Ecusson de bronze et charnières de fer pour plier le dossier. Hôpital d'Afuera. Tolède.

76. Banc tapissé de cuir fleuronné sur pieds à silhouette découpée, en noyer et verrous de fer. Musée Archéologique National. Madrid.

77. Autre type de banc semblable au précédent. Musée Archéologique National. Madrid.

78. Type de table d'un genre Renaissance tardif, très taillée. Musée Lázaro Galdiano. Madrid.

79. Table de noyer avec pieds en dents de scie striées et verrous.

80. Table de noyer, appelée à pieds en forme de lyre, avec verrous de fer et élément tourné au centre de chaque pied; d'origine majorquine. Palais de Perelada (Gérone).

81. Table de bois taillé avec pieds en dents de scie et tailles à caissons. Époque de Philippe II. Collection privée. Madrid.

82. Table de noyer; pieds tournés inclinés montés avec caisse en queue-d'aronde sur le couvercle et verrous de fer.

83. Table espagnole de noyer avec pieds tors et verrous de fer. Début du XVIIIᵉ siècle. «The Art Institute». Chicago.

84. Table appelée de réfectoire, à large bord et panneau de noyer avec grande saillie latérale, pieds tournés. Palais de Benamejí. Santillana del Mar (Santander).

85. Table de chêne à large bord et tiroirs taillés; pieds en dents de scie. Couvent des jésuites de Villagarcía de Campos (Valladolid).

86. Table de noyer du type réfectoire, avec verrous de fer du type à fourchette et panneau en forme de lyre. Couvent de Villagarcía de Campos (Valladolid).

87. Table de réfectoire en noyer. Palais de Perelada (Gérone).

88. Table de noyer avec panneau latéral très saillant, large bord avec tiroirs taillés, pieds tournés. Palais de Liria. Ducs d'Albe. Madrid.

89. Petite table de campagne, en noyer, à large galon; grandes poignées de fer aux tiroirs et sur les côtés pour le transport. Pieds pliables. Magnifiques tailles de têtes de lion entre des colonnes à balustres. Collection Díaz del Corral. Madrid.

90. Table de réfectoire populaire. Marquis de Santo Domingo. Madrid.

91. Table habillée, bibliothèque et «frailero» du bureau reconstitué de la Maison de Lope de Vega. Ambiance de l'époque. Madrid.

92. Table de réfectoire à large bord et tiroirs taillés. Marquis de Santo Domingo. Madrid.

93. Coffre couvert de cuir avec renforts de fer sur les clous et les plaques et couvercle incurvé. Palais de Philippe II. Monastère de l'Escurial. Madrid.

94. Coffre-armoire de noyer Renaissance avec tailles castillanes du XVIᵉ siècle. Chapelle du Connétable. Cathédrale de Burgos.

---

73. Der gleiche Armsessel. Bezug und Fransen aus Seide; durchbrochene Nägel aus vergoldeter Bronze. Museo de Artes Decorativas. Madrid.

74. Typischer Armsessel mit vorderer Umrahmung in Mudéjarlinie. Museo Lázaro Galdiano. Madrid.

75. Bank aus Nussbaum mit Eisenverstrebung zwischen den schräggestellten ausgezackten Beinen. Wappen aus Bronze. Eisenscharniere an der Rückenlehne, um diese herunterklappen zu können. Hospital de Afuera. Toledo.

76. Bank mit knopfförmig verziertem Lederbezug auf ausgezackten Beinen aus Nussbaum und Eisenverstrebungen. Museo Arqueológico Nacional. Madrid.

77. Eine andere Bankform, der vorhergehenden ähnlich. Museo Arqueológico Nacional. Madrid.

78. Reichgeschnitzter Tisch im Spätrenaissancestil. Museo Lázaro Galdiano. Madrid.

79. Tisch aus Nussbaum mit gerieften ausgesägten Tischbeinen und Verstrebungen.

80. Nussbaumtisch mit lyraförmigen Beinen, Eisenverstrebungen und gedrechselter Verzierungen in der Mitte von jedem Tischbein. Mallorkiner Ursprung. Schloss Perelada (Gerona).

81. Geschnitzter Holztisch mit ausgesägten Tischbeinen und Rosettenschnitzerei. Epoche Philipp II. Privatsammlung. Madrid.

82. Tisch aus Nussbaum; schräggestellte Tischbeine mit kastenförmiger Schwalbenschwanzplatte und Eisenverstrebungen.

83. Spanischer Tisch aus Nussbaum mit säulenförmigen Tischbeinen und Eisenverstrebungen. Anfang des XVIII. Jahrhunderts. «The Art Institute». Chicago.

84. Sogenannter Refektoriumstisch mit breiter Umrandung. Nussbaumplatte seitlich weit ausladend. Gedrechselte Tischbeine. Schloss Benamejí. Santillana del Mar (Santander).

85. Eichentisch mit breiter Umrandung in der geschnitzte Schubfächer eingelassen sind. Ausgesägte Tischbeine. Jesuitenkloster in Villagarcía de Campos (Valladolid).

86. Tisch aus Nussbaum im Refektoriumstil mit Eisenverstrebungen in Haarnadelform und lyraförmigen Beinen. Kloster von Villagarcía de Campos (Valladolid).

87. Refektoriumstisch aus Nussbaum. Schloss Perelada (Gerona).

88. Nussbaumtisch mit seitlich weit ausladender Tischplatte, breiter Umrandung mit geschnitzten Schubfächern. Gedrechselte Tischbeine. Schloss Liria. Herzog Alba. Madrid.

89. Kleiner Feldtisch aus Nussbaum mit breiter Borte; grosse Eisengriffe an den Kästen und seitlich zum Tragen. Klappbare Tischbeine. Herrliche Schnitzereien von Löwenköpfen zwischen balaustradenförmigen Säulen. Sammlung Díaz del Corral. Madrid.

90. Volkstümlicher Refektoriumstisch. Marqués de Santo Domingo. Madrid.

91. Bezogener Tisch, Bücherregal und Armsessel im rekonstruirten Arbeitszimmer im Haus Lope de Végas. Zeitgemässes Milie. Madrid.

92. Refektoriumstisch mit breiter Umrandung und geschnitzten Schubfächern. Marqués de Santo Domingo. Madrid.

93. Mit Leder bezogene Truhe und Verstärkungen aus eisernen Nägeln und Beschlägen. Bogenförmiger Deckel. Schloss Philipps II. Kloster von El Escorial. Madrid.

94. Schranktruhe im Renaissancestil aus Nussbaum, mit kastilianischen Schnitzereien aus dem XVI. Jahrhundert. Kapelle des Condestable. Kathedrale von Burgos.

95. Arcón con talla de alto relieve en nichos, separados por semibalaustres. Obra de influencia francesa. Museo de Santa Cruz. Toledo.

96. Arcón de la región catalana de transición gótica con ornamentación renacentista totalmente policromado y dorado. Museo Episcopal de Vich (Barcelona).

97. Arcón-armario de nogal. Detalle de los casetones centrales con los tiradores de hierro. Capilla del Condestable. Catedral de Burgos.

98. Arcón de nogal llamado de «novia», con tallas renacentistas. El casetón de la derecha se abre, además de elevarse la tapa y deja ver tres cajoncitos para joyas y la dote de la novia.

99. Típico arcón renacentista con subdivisiones en caretonas y tallas de carácter popular.

100. Bargueño de nogal con talla plateresca. Ha perdido la tapa del frente y de la parte superior. Museo Lázaro Galdiano. Madrid.

101. Parte superior de un bargueño con la tapa abatida. Decoración en hueso italofrancesa, sobre nogal.

102. Bella tapa de bargueño de seda claveteada. Museo de Santa Cruz. Toledo.

103. Frente de bargueño o papelera, proyectada sin tapa. Los cajones con tallas completamente doradas. Museo de Artes Decorativas. Madrid.

104. Parte superior de bargueño sin tapa, con tallas en los frentes de la cajonería. Museo de Artes Decorativas. Madrid.

105. Interior de bargueño de la fotografía superior. Cajonería con tracerías góticas caladas sobre seda amarilla. Museo de Santa Cruz. Toledo.

106. Tipo de bargueño de taquillón o frailero. La parte superior (sin tapa) permite ver las subdivisiones en gavetillas y puertecillas. La parte inferior con cuatro grandes cajones. Todo el frente con tallas populares aplicaciones y embutidos de hueso, policromado y dorado. Museo Arqueológico Nacional. Madrid.

107. Bargueño con tapa taraceada, cerrado, tipo granadino y mesa de pie de puente.

108. Ejemplar prototipo de bargueño. Caja superior con tapa exterior con taraceas e interior con tallas, todas ellas platerescas, en nogal. Sobre mesa llamada «de pie de puente» con arquería central con cuatro patas abalaustradas.

109. Armario de cuatro puertas con tallas planas de dobles arquerías. Composición italiana y germánica, muy arquitectónico. Hospital de Afuera. Toledo.

110. Credencia o taquillón de nogal con los cajones entre ménsulas finamente taraceadas con estrellas mudéjares. Bellos tiradores en forma de concha. Museo Lázaro Galdiano. Madrid.

111. Cajonería de nogal con el frente absolutamente cubierto de tallas platerescas.

112. Credencia con cajones entre modillones y patas torneadas, de proporciones muy fuertes. Ligero filete de boj en la decoración taraceada. Hospital de Afuera. Toledo.

113. Bargueño con taraceas de hueso, tipo italiano, sobre mesa de pie de puente; en ésta se ven las conchas en el frente de alargaderas para apoyar la tapa superior. Instituto Valencia de Don Juan. Madrid.

95. *Chest with high-relief carving in niches separated by semi-balusters. A work of French influence. Santa Cruz Museum. Toledo.*

96. *Chest from Catalonia, in the Gothic transitional style with Renaissance ornamentation, totally polychromed and gilded. Episcopal Museum of Vich (Barcelona).*

97. *Chest-cupboard in walnut. Detail of the central coffers with the iron handles. Chapel of the High Constable. Cathedral of Burgos.*

98. *«Bride's» chest in walnut with Renaissance carving. The coffer on the right opens when the lid has been raised, revealing three little drawers for the bride's jewels and dowry.*

99. *Typical Renaissance chest, with subdivisions into masks and carvings of a popular type.*

100. *Walnut bargueño with plateresque carving. The front and top flaps have been lost. Lázaro Galdiano Museum. Madrid.*

101. *Upper part of a bargueño with the flap let down. Franco-Italian decoration in bone on walnut.*

102. *Beautiful bargueño flap in studded silk. Santa Cruz Museum. Toledo.*

103. *Front of a bargueño or writing desk, designed without a flap. The drawers with completely gilded carvings. Museum of Decorative Arts. Madrid.*

104. *Upper part of a bargueño without a flap, with carvings on the front of the set of drawers. Museum of Decorative Arts. Madrid.*

105. *Interior of bargueño in the upper photograph. Set of drawers with pierced Gothic traceries on yellow silk. Santa Cruz Museum. Toledo.*

106. *Bargueño of the writing-desk or friar's type. The upper part (without flap) reveals the subdivisions into little drawers and doors. The lower part with four large drawers. The whole front with popular carvings, appliqués and inlays in bone; polychromed and gilded. National Archaeological Museum. Madrid.*

107. *Closed bargueño of the Granada type with inlaid flap, on a bridge-foot table.*

108. *Prototype specimen of bargueño. Upper case in walnut, with marquetry on the outside of the flap and carvings on the inside, all plateresque. On what is called a «bridge-foot» table, which has central arcading with four balustered legs.*

109. *Four-door cupboard with flat carvings in double arcadings. Italian and Germanic composition, very architectural in style. Hospital de Afuera. Toledo.*

110. *Credence or desk in walnut, with the drawers between corbels finely inlaid with Mudejar stars. Beautiful shell-shaped handles. Lázaro Galdiano Museum. Madrid.*

111. *Walnut set of drawers with the front entirely covered with plateresque carvings.*

112. *Credence with drawers between modillions and lathe-turned legs, of very strong proportions. Light boxwood filleting in the inlaid decoration. Hospital de Afuera. Toledo.*

113. *Bargueño with bone inlays, of the Italian type, on a bridge-foot table; on the latter can be seen the shells on the front masking the pull-outs for supporting the upper flap. Institute of Valencia de Don Juan. Madrid.*

95. Coffre avec taille de haut relief en niches séparées par des semi-balustres. Ouvrage d'influence française. Musée de Santa Cruz. Tolède.

96. Coffre de la région catalane, de transition gothique, avec ornementation Renaissance totalement polychrome et dorée. Musée Episcopal de Vich (Barcelone).

97. Coffre-armoire de noyer. Détail des caissons du centre avec leurs poignées de fer. Chapelle du Connétable. Cathédrale de Burgos.

98. Coffre de noyer appelé de «fiancée», avec tailles Renaissance. Le caisson de droite s'ouvre, outre le couvercle, et laisse voir trois petits tiroirs pour les bijoux et la dot de la mariée.

99. Typique coffre Renaissance avec subdivisions facettes et tailles de caractère populaire.

100. «Bargueño» de noyer à taille plateresque. La couverture de la face et celle de la partie supérieure ont disparu. Musée Lázaro Galdiano. Madrid.

101. Partie supérieure d'un «bargueño» à couvercle rabattu. Décoration en os franco-italienne, sur noyer.

102. Beau couvercle de «bargueño» de soie cloutée. Musée de Santa Cruz. Tolède.

103. Partie frontale de «bargueño» ou cartonnier, projeté sans couvercle. Les tiroirs sont à tailles complètement dorées. Musée des Arts Décoratifs. Madrid.

104. Partie supérieure de «bargueño» sans couverture, avec tailles sur les faces de l'ensemble de tiroirs. Musée des Arts Décoratifs. Madrid.

105. Intérieur du «bargueño» de la photographie précédente. Tiroirs à figures géométriques gothiques ajourées sur soie jaune. Musée de Santa Cruz. Tolède.

106. Type de «bargueño» à casiers ou «frailero». La partie supérieure (sans couvercle) permet de voir les subdivisions en tiroirs et petites portes. La partie inférieure comprend quatre grands tiroirs. Toute la partie frontale montre des tailles populaires, des applications et une marqueterie en os, polychrome et dorée. Musée Archéologique National. Madrid.

107. «Bargueño» avec couvercle marqueté, fermé, type grenadin, et table à pied-pont.

108. Exemplaire prototype de «bargueño». Caisson supérieur avec panneau extérieur à marqueterie, et intérieur taillé, le tout du genre plateresque, en noyer. Sur table appelée «à pied-pont» avec arcature centrale et quatre pieds à balustres.

109. Armoire à quatre portes, tailles planes à doubles arcatures. Composition italienne et germanique, très architecturale. Hôpital d'Afuera. Tolède.

110. Crédence de noyer, à tiroirs entre consoles finement marquetées d'étoiles mudéjares. Belles poignées en forme de coquille. Musée Lázaro Galdiano. Madrid.

111. Ensemble de tiroirs de noyer, avec partie frontale entièrement couverte de tailles plateresques.

112. Crédence avec tiroirs entre modillons et pieds tournés, de grandes proportions. Etroit filet de buis dans la décoration marquetée. Hôpital d'Afuera. Tolède.

113. «Bargueño» avec marqueterie d'os, type italien, sur table à pied en forme de pont; on voit sur celle-ci les coquilles de la partie frontale de rallonges servant d'appui au couvercle supérieur. Institut Valencia de Don Juan. Madrid.

95. *Grosse Truhe mit nischenförmiger Hochreliefschnitzerei, durch Halbsäulengeländer unterteilt. Französisch beeinflusstes Kunstwerk. Museo de Santa Cruz. Toledo.*

96. *Grosse Truhe aus der katalanischen Gegend, gotische Übergangszeit mit Renaissanceornamenten, vollständig bunt bemalt und vergoldet. Museo Episcopal in Vich (Barcelona).*

97. *Schranktruhe aus Nussbaum. Detail der Mittelrosetten mit den eisernen Griffen. Kapelle des Condestable. Kathedrale von Burgos.*

98. *Truhe aus Nussbaum, als «Brauttruhe» bekannt, mit Schnitzereien im Renaissancestil. Die rechte Rosette öffnet sich, ausser dem Hochheben des Deckels und gibt drei Kästchen frei, in denen der Schmuck und die Mitgift der Braut aufbewahrt werden.*

99. *Typische Renaissancetruhe mit Unterteilungen in Rosetten und Schnitzereien in volkstümlichen Stil.*

100. *«Bargueño» aus Nussbaum mit plateresken Schnitzereien. Der Frontdeckel und der Deckel des Oberteiles sind verlorengegangen. Museo Lázaro Galdiano. Madrid.*

101. *Oberteil eines «Bargueño» mit aufgeklapptem Deckel. Beindekoration auf Nussbaum in italo-französischem Stil.*

102. *Schöner Deckel eines «Bargueño» mit aufgenageltem Seidenbezug. Museo de Santa Cruz. Toledo.*

103. *Frontansicht eines «Bargueño» oder Schreibtisches, ohne Deckel entworfen. Die Kästen sind vollständig mit vergoldeten Schnitzereien versehen. Museo de Artes Decorativas. Madrid.*

104. *Oberteil eines «Bargueño» ohne Deckel, mit Schnitzereien an der Kastenfront. Museo de Artes Decorativas. Madrid.*

105. *Inneres eines «Bargueño», des oberen Bildes. Schubfächer mit Durchbrucharbeit im gotischen Stil auf gelber Seide. Museo de Santa Cruz. Toledo.*

106. *Schrankförmiger «Bargueño». Am Oberteil (ohne Deckel) kann man die Aufteilung in Fächer und Türchen sehen. Das Unterteil hat vier grosse Schubläden. Die ganze Front ist mit volkstümlichen Schnitzereien und Einlagen aus Bein versehen, buntbemalt und vergoldet. Museo Arqueológico Nacional. Madrid.*

107. *«Bargueño» mit geschlossenem Deckel in Einlegearbeit, granadiner Stil, auf Brückenfuss-Tisch.*

108. *Urmodell eines «Bargueño». Oberteil mit Aussendeckel in Einlegearbeit verziert. Inneres mit plateresken Schnitzereien, aus Nussbaum. Auf einem Tisch mit sogenanntem «Brückenfuss», mit Bogenwerk zwischen den vier säulenförmigen Beinen.*

109. *Schrank mit vier Türen, die mit flacher Schnitzerei im Doppelbogenwerk verziert sind. Italienische und germanische, sehr architektonische Komposition. Hospital de Afuera. Toledo.*

110. *Kredenze aus Nussbaum mit Schubläden zwischen Kragträgern, die fein mit Mudéjarsternen ausgelegt sind. Schöne muschelförmige Griffe. Museo Lázaro Galdiano. Madrid.*

111. *Regal aus Nussbaum. Die Frontseite vollständig mit plateresken Schnitzereien bedeckt.*

112. *Kredenze mit Fächern zwischen Sparrenköpfen und starken, gedrechselten Beinen. Feiner Zierstreifen aus Buchsbaum in der Mosaikverzierung. Hospital de Afuera. Toledo.*

113. *«Bargueño» mit italienischer Einlegearbeit aus Bein, auf einem Tisch mit Brückenfuss. An diesem sieht man Muschelverzierungen an der Front der Stützverlängerungen für die obere Klappe. Instituto Valencia de Don Juan. Madrid.*

114. Armario de tipo popular de una puerta, con tallas planas entre dos amplios montantes estriados, bisagras de hierro de silueta gótica. Palacio de Perelada (Gerona).

115. Armario bajo o taquillón de madera de pino, con el frente de puertas y cajones subdivididos en cuarterones de influencia mudéjar. Museo Lázaro Galdiano. Madrid.

116. Bargueño de taquillón, de nogal tallado y dorado; tapa con la típica guarnición de herrajes calados sobre fondo de terciopelo rojo, y cerrojillos, aldabillas en los esquinales, gran cerradura y escuadras de refuerzos.

117. Interior del palacio de Benamejí con bargueño, del siglo XVI y papelera del siglo XVII, sobre mesa con pies torneados y fiadores. Santillana del Mar (Santander).

118. Cama con columnas salomónicas y colgaduras dosel con cristería; totalmente tallada, dorada y policromada. Museo de Artes Decorativas. Madrid.

119. Parte interior del bargueño tallado y dorado en todas las gavetas y puertecillas. Instituto Valencia de Don Juan. Madrid.

120. Taquillón con grandes herrajes calados en la cajonería. Pie de época posterior. Palacio de Monterrey. Salamanca.

121. Cama de nogal con dosel, soportes con columnas salomónicas y cabecera con arquería y frontón curvo. Casa Solá, Olot (Gerona).

122. Cama con dosel y colgadura de un dormitorio de la casa de Lope de Vega. Ambiente reconstruido de la época. Madrid.

123. Armario de nogal con dos puertas de lacerías de influencia mudéjar. Hospital de Afuera. Toledo.

124. Reconstrucción de la cama de Isabel Clara Eugenia en las habitaciones de Felipe II. Monasterio de El Escorial. Madrid.

125 y 126. Dos elementos o librerías de la Biblioteca de San Lorenzo de El Escorial. Cada elemento forma como una librería suelta; realizado en maderas finas y exóticas como la caoba, el nogal, el naranjo, la acana, etcétera. Biblioteca de El Escorial. Madrid.

127. Sillón de transición derivado del frailero con elementos torneados y salomónicos. Siglo XVIII. Museo de Artes Decorativas. Madrid.

128. Sillón completamente dorado con copete y faldón en el asiento tallado derivado del frailero. Museo de Santa Cruz. Toledo.

129. Sillón con todos los elementos torneados; brazo curvado y alto respaldo con caída. Hospital de Afuera. Toledo.

130. Sillón de fray Antonio de Sotomayor, interpretación nacional de Luis XIV. Respaldo con orejas y patas y chambranas con tallas muy exageradas. (Este ejemplar estuvo en el Museo de Salamanca, hoy en La Habana.)

131. Evolución de otro tipo de frailero con tallas doradas. Iglesia de San Juan. Écija (Sevilla).

132. Sillón de nogal de silueta muy abarrocada y tallada con patas cabriolé, brazos y ménsulas curvos. Palacio de Benamejí. Santillana del Mar (Santander).

133. Silla derivada de las inglesas Reina Ana con respaldo de lira y patas cabriolé, pintada en color verde y oro. Colección Muntadas. Barcelona.

---

114. *Cupboard with one door, of a popular type, with flat carvings between two wide fluted uprights and iron hinges with a Gothic outline. Palace of Perelada (Gerona).*

115. *Low cupboard or desk in pine, the front composed of doors and drawers subdivided into panels of Mudejar influence. Lázaro Galdiano Museum. Madrid.*

116. *Desk-type bargueño in carved and gilded walnut; flap with the typical ornamentation of pierced ironwork on a background of red velvet; hooks on the angle irons, large lock and reinforcing angle braces.*

117. *Interior in the Palace of Benamejí, with 16th-century bargueño and 17th-century writing desk on a table with lathe-turned legs and fasteners. Santillana del Mar (Santander).*

118. *Bed with Solomonic columns and canopy with openwork cornice; entirely carved, gilded and polychromed. Museum of Decorative Arts. Madrid.*

119. *Interior of the bargueño, with carving and gilding on all the drawers and little doors. Institute of Valencia de Don Juan. Madrid.*

120. *Desk with large-scale pierced ironwork on the set of drawers. The foot is of a later period. Palace of Monterrey. Salamanca.*

121. *Walnut bed with canopy, supports with Solomonic columns and bedhead with arcading and curved pediment. Casa Solá, Olot (Gerona).*

122. *Bed, with canopy and hangings, of a bedroom in the house of Lope de Vega. Reconstructed period setting. Madrid.*

123. *Walnut cupboard; two doors, with interlacings of Mudejar influence. Hospital de Afuera. Toledo.*

124. *Reconstruction of the bed of Isabel Clara Eugenia in the rooms of Philip II. Monastery of the Escorial. Madrid.*

125 and 126. *Two elements or bookcases from the Library of San Lorenzo in the Escorial. Each element forms, as it were, a separate bookcase; carried out in fine, exotic woods such as mahogany, walnut, orange, acana, etc. Library of the Escorial. Madrid.*

127. *Transition armchair deriving from the friar's chair, with lathe-turned and Solomonic details. 18th century. Museum of Decorative Arts. Madrid.*

128. *Entirely gilded armchair with finial and flap on the carved seat deriving from the friar's chair. Santa Cruz Museum. Toledo.*

129. *Armchair with all the parts lathe-turned; curved arm and high, dipping back. Hospital de Afuera. Toledo.*

130. *The armchair of Fray Antonio de Sotomayor, a Spanish interpretation of Louis XIV. Winged back; legs and crosspieces with very exaggerated carvings. (This specimen was formerly in the Museum of Salamanca and is now in Havana.)*

131. *Development of another type of friar's chair, with gilded carvings. Church of San Juan. Ecija (Seville).*

132. *Walnut armchair, very baroque in outline and much carved, with cabriole legs, curved arms and corbels. Palace of Benamejí. Santillana del Mar (Santander).*

133. *Chair deriving from the English Queen Anne style, with lyre back and cabriole legs, painted in green and gold. Muntadas Collection. Barcelona.*

114. Armoire de type populaire à une porte, avec tailles planes entre deux grands montants striés; charnières de fer d'une silhouette gothique. Palais de Perelada (Gérone).

115. Armoire basse en bois de pin, partie frontale à portes et tiroirs subdivisés en panneaux d'influence mudéjare. Musée Lázaro Galdiano. Madrid.

116. «Bargueño» en noyer taillé et doré; couvercle avec la typique garniture de ferrures ajourées sur fond de velours rouge, et petites serrures, gâches aux angles, grande serrure et équerres de renfort.

117. Intérieur du palais de Benamejí avec «bargueño», du XVIe siècle, et cartonnier du XVIIe siècle, sur table à pieds tournés et verrous. Santillana del Mar (Santander).

118. Lit avec colonnes torses et tentures dais avec crêtes; entièrement taillé, doré et polychrome. Musée des Arts Décoratifs. Madrid.

119. Partie inférieure du «bargueño» taillé et doré sur tous les tiroirs et les petites portes. Institut Valencia de Don Juan. Madrid.

120. «Taquillón» avec grandes ferrures ajourées sur les tiroirs. Pied d'une époque postérieure. Palais de Monterrey. Salamanque.

121. Lit de noyer avec dais, supports avec colonnes torses et chevet à arcatures et fronton incurvé. Maison Solá. Olot (Gérone).

122. Lit avec dais et tentures d'une chambre à coucher de la maison de Lope de Vega. Ambiance reconstruite de l'époque. Madrid.

123. Armoire de noyer avec deux portes à entrelacs d'influence mudéjare. Hôpital d'Afuera. Tolède.

124. Reconstruction du lit d'Isabelle Claire Eugénie, des chambres de Philippe II. Monastère de l'Escurial. Madrid.

125 et 126. Deux éléments ou bibliothèques de la Bibliothèque de San Lorenzo de El Escorial. Chaque élément forme une sorte de bibliothèque; réalisé en bois fins et exotiques tels que l'acajou, le noyer, l'oranger, l'acane, etc. Bibliothèque de l'Escurial. Madrid.

127. Fauteuil de transition dérivé du «frailero», avec éléments tournés et tors. XVIIIe siècle. Musée des Arts Décoratifs. Madrid.

128. Fauteuil complètement doré, avec corniche et jupe sur le siège, dérivé du «frailero». Musée de Santa Cruz. Tolède.

129. Fauteuil dont tous les éléments sont tournés; bras incurvé et haut dossier avec retombée. Hôpital d'Afuera. Tolède.

130. Fauteuil de Fra Antonio de Sotomayor, interprétation nationale du style Louis XIV. Dossier à oreilles, pieds et montants à tailles très exagérées. (Cet exemplaire, qui se trouvait au Musée de Salamanque, est maintenant à la Havane.)

131. Evolution d'un autre type de «frailero» avec tailles dorées. Eglise de San Juan. Ecija (Séville).

132. Fauteuil de noyer à silhouette très baroque et taillée, pieds cabriolé, bras et supports incurvés. Palais de Benamejí. Santillana del Mar (Santander).

133. Chaise dérivée des chaises anglaises Reine Anne, avec dossier en lyre et pieds cabriolé, peinte en vert et or. Collection Muntadas. Barcelone.

114. *Volkstümlicher Schrank mit einer Tür. Flache Schnitzereien zwischen zwei breiten gerieften Pfosten und eisernen Scharnieren im gotischen Stil. Schloss Perelada (Gerona).*

115. *Niedriger Schrank aus Fichtenholz. Die Frontseite mit Türen und Fächern ist in Paneele im Mudéjarstil aufgeteilt. Museo Lázaro Galdiano. Madrid.*

116. *Schrankförmiger «Bargueño» aus geschnitztem und vergoldetem Nussbaum. Am Deckel die üblichen durchbrochenen Eisenbeschläge auf rotem Samtgrund, mit Riegeln und Griffen an den Kanten, einem grossen Schloss und Winkeleisen als Verstärkung.*

117. *Innenraum in Schloss Benamejí mit «Bargueño» aus dem XVI. Jahrhundert und Aktenschrank aus dem XVII. Jahrhundert, auf einem Tisch mit gedrechselten Beinen und Verstrebungen. Santillana del Mar (Santander).*

118. *Bett mit gerafften Vorhängen und Betthimmel auf gedrechselten Säulen; vollständig geschnitzt, vergoldet und buntbemalt. Museo de Artes Decorativas. Madrid.*

119. *Innenteil des «Bargueño» dessen Schubläden und Türchen geschnitzt und vergoldet sind. Instituto Valencia de Don Juan. Madrid.*

120. *Aktenschrank mit grossen durchbrochenen Eisenbeschlägen an den Schubladen. Der Fuss gehört einer späteren Epoche an. Schloss Monterrey. Salamanca.*

121. *Bett aus Nussbaum mit Betthimmel der von gewundenen Säulen getragen wird. Kopfende mit Bogenwerk und Rundgiebel. Casa Solá, Olot (Gerona).*

122. *Bett mit Himmel und Vorhängen in einem Schlafzimmer des Hauses Lope de Vega. Zeitgemäss rekonstruirtes Milieu. Madrid.*

123. *Nussbaumschrank mit zwei Türen. Schleifenverzierung im Mudéjarstil. Hospital de Afuera. Toledo.*

124. *Rekonstruktion des Bettes Isabel Clara Eugenias in den Gemachern Philipps II. Kloster El Escorial. Madrid.*

125. u. 126. *Zwei Elemente oder Buchregale aus der Bibliothek von San Lorenzo de El Escorial. Jedes einzelne Element bildet ein Buchregal für sich; hergestellt aus feinem exotischen Holz wie Mahagoni, Nussbaum, Apfelsinenbaum, usw. Bibliothek von El Escorial. Madrid.*

127. *Übergangssessel, Ableitung vom Armsessel, mit gedrechselten und gewundenen Zierelementen. XVIII. Jahrhundert. Museo de Artes Decorativas. Madrid.*

128. *Vollständig vergoldeter Sessel mit Giebel und breiter Umrandung am geschnitzten Sitz, ebenfalls abgeleitet vom Armsessel. Museo de Santa Cruz. Toledo.*

129. *Sessel in gewundener Struktur; gewundene Armlehne und abfallender Rückenlehne. Hospital de Afuera. Toledo.*

130. *Sessel von Fray Antonio de Sotomayor, nationale Interpretierung des Ludwig XIV. Stils. Rücklehne mit Öhrenklappen; an den Sesselbeinen und an der Umrahmung übertriebene Schnitzereiverzierungen. (Dieser Sessel war im Museum von Salamanca und befindet sich heute in Havanna.)*

131. *Entwicklung eines anderen Armsessels mit vergoldeten Schnitzereien. Kirche von San Juan. Écija (Sevilla).*

132. *Nussbaumsessel in sehr barocker Form, geschnitzt, mit geschwungenen Beinen, Armlehnen und Kragträgern. Schloss Benamejí. Santillana del Mar (Santander).*

133. *Stuhl, abgeleitet von dem englischen Königin Anna-Stil, mit lyraförmiger Rückenlehne und geschweiften Beinen, grün und gold bemalt. Sammlung Muntadas. Barcelona.*

134. Silla de nogal con el respaldo calado, patas cabriolé con chambranas cruzadas sin continuidad. Museo Lázaro Galdiano. Madrid.

135. Sillón de nogal con tallas rococó doradas en el copete; respaldo calado. Museo Lázaro Galdiano. Madrid.

136. Evolución del típico frailero; ancho brazal con mensulillas laterales; chambrana con recorte abarrocado y copete tallado y dorado superpuesto sobre el recto respaldo del sillón. Iglesia de Cabra (Córdoba).

137. Sillón barroco policromado (inspirado en los ingleses del siglo XVIII). Pazo de Fefiñanes. Pontevedra.

138. Interpretación muy final de una silla Luis XV en madera pintada. Duques de Sueca. Madrid.

139. Silloncito Carlos III de respaldo muy bajo interpretación del Luis XV. Palacio Nacional de Madrid.

140. Silla con patas cabriolé con doble curvatura y copete de silueta muy quebrada y rica tapicería bordada. Proviene del palacio de Dos Aguas de Valencia. Palacio de Perelada (Gerona).

141. Sitial completamente tallado y dorado que sirve de peana a una imagen. Curiosa interpretación andaluza del barroco. Iglesia de la Encarnación. Fuentes de Andalucía. Sevilla.

142. Banco de carácter religioso con elementos franceses rococó pintados y dorados sobre un fondo rojo en el respaldo, brazos y patas. Museo Romántico. Madrid.

143. Tresillo estilo Regencia de línea muy fina, tallado y dorado, con finas patas cabriolé. Palacio de Liria. Duques de Alba. Madrid.

144. Sofá, interpretación española del Luis XV con patas cabriolé sobre pie de cabra, brazos curvos sobre ménsulas cabriolé y respaldo tapizado con silueta quebrada. Palacio de Perelada (Gerona).

145. Banco de nogal con tallas policromadas, pintado y dorado. Iglesia de la Asunción. Huevar (Sevilla).

146. Sofá Chippendale. Interpretación muy exagerada. Respaldo de palas caladas y patas cabriolé en caoba. Museo Municipal. Madrid.

147. Consola tallada y dorada de origen italiano. Sillas del siglo XVIII. Palacio de Monterrey. Salamanca.

148. Consola con tapa de mármol, patas con volutas y chambranas cruzadas muy voluminosas y exageradas. Museo Municipal. Madrid.

149. Gran mesa con tablero de nogal, patas salomónicas y fiadores de hierro. Hospital de Afuera. Toledo.

150. Mesa de nogal en la sacristía de la catedral de Sigüenza, con fiadores de hierro, plenamente barroca. Guadalajara.

151. Consola tallada y dorada con gran faldón y patas cabriolé. Paredes de Nava (Palencia).

152. Consola tallada y dorada. Interpretación del Luis XV. Palacio de Perelada (Gerona).

153. Consola tallada y dorada con la talla del faldón muy asimétrica dentro de una interpretación nacional del Luis XV. Iglesia del Carmen. Estepa (Sevilla).

154. Mesita de nogal con tallas rococó doradas y siluetas quebrada en la tapa. Palacio de Perelada (Gerona).

155. Salón según proyecto de Gasparini ejecutado por J. Canops para el Salón de Vestir de Carlos III. Palacio Real. Madrid.

134. *Walnut chair with pierced back; cabriole legs with discontinuously crossed crosspieces. Lázaro Galdiano Museum. Madrid.*

135. *Walnut armchair with gilded rococo carvings on the finial; pierced back. Lázaro Galdiano Museum. Madrid.*

136. *Development of the typical friar's chair; wide arm with little side corbels; crosspiece baroque in outline and carved and gilded finial superimposed on the straight back of the chair. Church of Cabra (Cordova).*

137. *Polychrome baroque armchair (inspired in English models of the 18th century). Pazo de Fefiñanes (Pontevedra).*

138. *Very fine interpretation of a Louis XV chair in painted wood. Duke and Duchess of Sueca. Madrid.*

139. *Little armchair of the period of Carlos III with a very low back; an interpretation of the Louis XV style. National Palace of Madrid.*

140. *Chair with double-curving cabriole legs, finial with very uneven outline and richly embroidered upholstery. Originally from the Palace of Dos Aguas in Valencia. Palace of Perelada (Gerona).*

141. *Completely carved and gilded seat which serves as a stand for an image. A curious Andalusian interpretation of baroque. Church of the Incarnation. Fuentes de Andalucía (Seville).*

142. *Bench of a religious character, with painted and gilded French rococo elements on a red background in the back, arms and legs. Romantic Museum. Madrid.*

143. *Three-piece suite of very fine lines in the Regency style, carved and gilded, with fine cabriole legs. Palace of Liria. Duke and Duchess of Alba. Madrid.*

144. *Sofa, a Spanish interpretation of Louis XV, with cabriole legs on goat's feet, curved arms on cabriole corbels and upholstered back with broken silhouette. Palace of Perelada (Gerona).*

145. *Painted and gilded walnut bench with polychrome carvings. Church of the Assumption. Huevar (Seville).*

146. *Chippendale-type sofa. Very exaggerated interpretation. In mahogany, with pierced blades in the back and cabriole legs. Municipal Museum. Madrid.*

147. *Carved and gilded console of Italian origin. Chairs of the 18th century. Palace of Monterrey. Salamanca.*

148. *Console with marble top, scrolled legs and very voluminous and exaggerated intersecting crosspieces. Municipal Museum. Madrid.*

149. *Large table with walnut top, Solomonic legs and iron fasteners. Hospital de Afuera. Toledo.*

150. *Walnut table with iron fasteners in the Sacristy of the Cathedral of Sigüenza, from the heyday of Baroque. Guadalajara.*

151. *Carved and gilded console, with deep underkirt and cabriole legs. Paredes de Nava (Palencia).*

152. *Carved and gilded console. Interpretation of Louis XV. Palace of Perelada (Gerona).*

153. *Carved and gilded console, with the carving of the underskirt very asymmetrical, within its Spanish interpretation of Louis XV. Church of El Carmen. Estepa (Seville).*

154. *Little walnut table with gilded rococo carvings and wavy outline in the top. Palace of Perelada (Gerona).*

155. *Room designed by Gasparini and carried out by J. Canops as the Dressing Room for Carlos III. Royal Palace. Madrid.*

134. Chaise de noyer à dossier ajouré, pieds cabriolé et encadrements croisés sans continuité. Musée Lázaro Galdiano. Madrid.

135. Fauteuil de noyer avec tailles rococo dorées au sommet; dossier ajouré. Musée Lázaro Galdiano. Madrid.

136. Evolution du typique «frailero»; larges bras avec supports latéraux; chambranle avec découpure baroque et sommet taillé et doré superposé au dossier droit du fauteuil. Eglise de Cabra (Cordoue).

137. Fauteuil baroque polychrome (inspiré des fauteuils anglais du XVIIIe siècle). Pazo de Fefiñanes (Pontevedra).

138. Très fine interprétation d'une chaise Louis XV en bois peint. Ducs de Sueca. Madrid.

139. Petit fauteuil Charles III à dossier très bas, interprétation du fauteuil Louis XV. Palais National de Madrid.

140. Chaise à pieds cabriolé avec double courbe et sommet à silhouette très brisée, avec riche tapisserie brodée. Provient du palais de Dos Aguas de Valence. Palais de Perelada (Gérone).

141. Fauteuil de cérémonie complètement taillé et doré, servant de socle pour une image. Curieuse interprétation andalouse du baroque. Église de l'Incarnation. Fuentes de Andalucía. Séville.

142. Banc de caractère religieux avec éléments français rococo peints et dorés sur un fond rouge au dossier, sur les bras et les pieds. Musée Romantique. Madrid.

143. Canapé et fauteuils style Régence, d'une ligne très fine, taillés et dorés, avec pieds cabriolé. Palais de Liria. Ducs d'Alba. Madrid.

144. Canapé, interprétation espagnole du Louis XV, avec pieds cabriolé sur pied de chèvre, bras incurvés sur supports cabriolé et dossier tapissé à silhouette brisée. Palais de Perelada (Gérone).

145. Banc de noyer avec tailles polychromes, peint et doré. Eglise de l'Assomption. Huevar (Séville).

146. Canapé Chippendale. Interprétation très exagérée. Dossier ajouré et pieds cabriolé en acajou. Musée Municipal. Madrid.

147. Console taillée et dorée d'origine italienne. Chaises du XVIIIe siècle. Palais de Monterrey. Salamanque.

148. Console avec dessus de marbre, pieds à volutes et supports croisés très volumineux et exagérés. Musée Municipal. Madrid.

149. Grande table avec dessus de noyer, pattes torses et verrous de fer. Hôpital d'Afuera. Tolède.

150. Table de noyer de la sacristie de la cathédrale de Sigüenza, avec verrous de fer, absolument baroque. Guadalajara.

151. Console taillée et dorée à grande chute et pieds cabriolé. Paredes de Nava (Palencia).

152. Console taillée et dorée. Interprétation du Louis XV. Palais de Perelada (Gérone).

153. Console taillé et dorée, taille de la retombée très asymétrique dans une interprétation nationale du Louis XV. Eglise du Carmen. Estepa (Séville).

154. Petite table de noyer à tailles rococo dorées et silhouette brisée sur le dessus. Palais de Perelada (Gérone).

155. Salon d'après un projet de Gasparini, exécuté par J. Canops pour le Salon Garde-robe de Charles III. Palais Royal. Madrid.

134. *Stuhl aus Nussbaum mit durchbrochener Rückenlehne, ausschwingenden Beinen mit unterbrochener, sich kreuzender Umrahmung. Museo Lázaro Galdiano. Madrid.*

135. *Sessel aus Nussbaum mit vergoldeter Rokokoschnitzerei am Giebelaufsatz der durchbrochenen Rückenlehne. Museo Lázaro Galdiano. Madrid.*

136. *Entwicklung des typischen Armsessels. Breite Armlehne mit kleinen seitlichen Kragträgern. Barockmässig ausgeschnittene Umrandung und aufgesetzter, geschnitzter und vergoldeter Giebel an der geraden Rückenlehne des Sessels. Kirche in Cabra (Córdoba).*

137. *Buntbemalter Barocksessel (den englischen des XVIII. Jahrhunderts nachgebildet). Pazo de Fefiñanes (Pontevedra).*

138. *Sehr feine Interpretierung eines Stuhls im Ludwig XV.-Stil aus bemalten Holz. Herzog von Sueca. Madrid.*

139. *Kleiner Sessel Karls III. mit niedriger Rückenlehne als Interpretierung des Ludwig XV.-Stils. Palacio Nacional. Madrid.*

140. *Stuhl mit doppelt gewundenen, ausschwingenden Beinen. Giebelaufsatz in sehr gebrochener Form. Reichgestickte Tapisserie. Stammt aus dem Schloss Dos Aguas in Valencia. Schloss Perelada (Gerona).*

141. *Vollständig geschnitzter und vergoldeter Prachtsitz, der einem Heiligenbild als Fussgestell dient. Eigenartige andalusische Interpretierung des Barockstils. Kirche der Encarnación. Fuentes de Andalucía. Sevilla.*

142. *Bemalte Kirchenbank mit französischen, vergoldeten Rokokomotiven auf rotem Grund an der Rücken- und Armlehne sowie an den Beinen. Museo Romántico. Madrid.*

143. *Dreiteilige Garnitur im Regentschaftsstil mit sehr feiner Linienführung, geschnitzte und vergoldete Verzierungen, schlanke ausschwingende Beine. Schloss Liria. Herzog Alba. Madrid.*

144. *Sofa, spanische Interpretierung des Ludwig XV.-Stils mit ausschwingenden Beinen auf Eisenstreben, gebogene Armlehnen auf gewundenen Kragträgern, gepolsterte Rückenlehne in gebrochener Form. Schloss Perelada (Gerona).*

145. *Bank aus Nussbaum mit buntbemalter und vergoldeter Schnitzerei. Kirche der Asunción. Huevar (Sevilla).*

146. *Chippendale-Sofa in sehr übertriebener Nachbildung. Rückenlehne mit durchbrochenem Blatt und ausschwingenden Beinen aus Mahagoni. Museo Municipal. Madrid.*

147. *Geschnitzte und vergoldete Konsole italienischen Ursprungs. Stühle aus dem XVIII. Jahrhundert. Schloss Monterrey. Salamanca.*

148. *Konsole mit Marmorplatte, Beine mit Voluten und sich kreuzenden, sehr wuchtigen und überladenen Umrahmungen. Museo Municipal. Madrid.*

149. *Grosser Tisch mit Nussbaumtischplatte, gewundene Säulenbeine und Eisenverstrebungen. Hospital von Afuera. Toledo.*

150. *Nussbaumtisch in der Sakristei der Kathedrale von Sigüenza, vollkommen Barock mit Eisenverstrebungen. Guadalajara.*

151. *Geschnitzte und vergoldete Konsole mit breiter Umrandung und ausschwingenden Beinen. Paredes de Nava (Palencia).*

152. *Geschnitzte und vergoldete Konsole; Interpretierung des Ludwig XV. Stils. Schloss Perelada (Gerona).*

153. *Geschnitzte und vergoldete Konsole. Die Schnitzerei an der Umrandung ist asymetrisch innerhalb einer nationalen Interpretierung des Ludwig XV.-Stils. Carmen-Kirche. Estepa (Sevilla).*

154. *Kleiner Tisch aus Nussbaum mit vergoldeter Rokokoschnitzerei und unterbrochener Linie an der Tischplatte. Schloss Perelada (Gerona).*

155. *Saal nach einem Entwurf von Gasparini, ausgeführt von J. Canops für den Ankleideraum Karls III. Königliches Schloss. Madrid.*

156. Mesa tallada y dorada, interpretación del Luis XV. Comendadoras de Santiago. Sacristía. Madrid.

157. Sofá con rica tapicería y silueta barroca en el respaldo y los brazos. Palacio de Perelada (Gerona).

158. Gran cómoda de sacristía con cajones profusamente tallados. Écija (Sevilla).

159. Papelera de fines del siglo XV con una puerta central entre columnas; cajonería con chapas de concha y planchas de cobre engruesada de ébano. Palacio de Liria. Duques de Alba. Madrid.

160. Mueble papelera, de carácter barroco, tallado y dorado en ébano y bronces. Palma de Mallorca.

161. Papelera decorada y pintada del palacio de Son Veri. Mallorca.

162. Mueble español de nogal compuesto de tres cuerpos; se advierte su derivación del bargueño. Colección particular. Madrid.

163. Armario de dos hojas con una composición ebanística estrellada de ascendencia mudéjar. Pintado y dorado. Hospital de Afuera. Toledo.

164. Papelera policromada, siglo XVIII. Museo de Pontevedra.

165. Biblioteca del palacio de Benamejí. Mesa central con dobles fiadores. Sillas interpretación del Chippendale, con tallas doradas, Santillana del Mar (Santander).

166. Armario de composición barroca de ascendencia mudéjar; tallado, dorado y policromado. Écija (Sevilla).

167. Armario de líneas muy simples, pintado. El copete y los muebles representados en los recuadros son plenamente barrocos. Casa-Museo Papiol. Villanueva y Geltrú (Barcelona).

168. Cómoda con el frente panzudo; como los ejemplares levantinos, tiene otro pequeño cuerpo retrasado sobre la tapa de la cómoda; aquí el primer cajón es una tapa de escritorio. Palacio de Perelada (Gerona).

169. Mueble-buró, de nogal, con cuerpo superior. Inspirado en los muebles ingleses del siglo XVIII, composición muy barroca y original. Museo Municipal. Madrid.

170. Cómoda. «Canterano» de tapa inclinada, frente con cajones abombados. Colección particular. Barcelona.

171. Cómoda alta con el frente de línea quebrada, chaflanes y remates de tipo rococó. Colección particular. Barcelona.

172. Cómoda-tocador con el frente abombado y pequeño cuerpo superior con un espejo tipo cornucopia tallado y dorado.

173. Gran armario de nogal con cuatro puertas, zócalo y cornisa. Frontis partido con volutas, totalmente tallada. Hospital de Afuera. Toledo.

174. Tocador pintado y dorado inspirado en el estilo Luis XV. Palacio de Vivó. Palma de Mallorca.

175. Cama de estilo levantino con cabecera de silueta recortada muy quebrada y patas cabriolé pintada y dorada. Colección particular.

176. Cuna pintada y dorada con lados de balaustres y cabecero con tallas barrocas. Casa Trinxeira. Olot (Gerona).

177. Buró de tapa inclinada o «canterano» de nogal con marquetería. Palacio de Perelada (Gerona).

178. Cornucopia muy típica por el carácter de sus tallas abultadas y voluminosas. Duques de Sueca. Madrid.

179. Cama mallorquina vestida con gruesas y ricas colgaduras. La cabecera y pies son salomónicos de palosanto. Palacio de Son Veri. Palma de Mallorca.

156. *Carved and gilded table, interpretation of Louis XV. Sacristy of the Comendadoras de Santiago. Madrid.*

157. *Richly upholstered sofa with Baroque outline in the back and the arms. Palace of Perelada (Gerona).*

158. *Great Sacristy cupboard with profusely carved drawers. Ecija (Seville).*

159. *Late 18th-century writing desk with a central door between columns; set of drawers with shell veneers and plates of copper, filled in with ebony. Palace of Liria. Duke and Duchess of Alba. Madrid.*

160. *Writing desk of Baroque character, carved and gilded in ebony and bronzes. Palma.*

161. *Painted and decorated writing desk from the Palace of Son Veri. Majorca.*

162. *Spanish walnut furniture formed of three volumes; it derives noticeably from the bargueño. Private collection. Madrid.*

163. *Two-door cupboard, with a composition of stars of Mudejar origin; painted and gilded. Hospital de Afuera. Toledo.*

164. *Polychrome writing desk, 18th century. Museum of Pontevedra.*

165. *Library of the Palace of Benamejí. Central table with double fasteners. Chairs in the Chippendale idiom, with gilded carvings. Santillana del Mar (Santander).*

166. *Cupboard which is Baroque in composition but of Mudejar origin; carved, gilded and polychromed. Ecija (Seville).*

167. *Painted cupboard with very simple lines. The finial and the furniture represented on the panels are completely Baroque. Casa Papiol Museum. Villanueva y Geltrú (Barcelona).*

168. *Commode with curved front; as in the examples from the east coast, it has a small upper part set back on the top of the commode proper; in this one the first drawer provides a writing surface. Palace of Perelada (Gerona).*

169. *Walnut bureau with an upper part. It Bakes its inspiration from English 18th-century furniture. A very Baroque and original composition. Municipal Museum. Madrid.*

170. *«Canterano» writing desk with sloping flap, the front with outward-swelling drawers. Private collection. Barcelona.*

171. *High commode with broken lines in the front, chamfers and finials in the rococo style. Private collection. Barcelona.*

172. *Commode cum dressing table, with outward-curving front and a small upper part with a looking glass of the cornucopia type, carved and gilded.*

173. *Great walnut cupboard, with four doors, socle and cornice. Divided front with scrolls, carved all over. Hospital de Afuera. Toledo.*

174. *Painted and gilded dressing-table inspired in the Louis XV style. Palace of Vivó. Palma.*

175. *Bed in the east coast style; headboard with a winding outline and cabriole legs; painted and gilded. Private collection.*

176. *Painted and gilded cradle with baluster sides and headboard with Baroque carvings. Casa Trinxeira. Olot (Gerona).*

177. *«Canterano» or sloping-flap bureau, in walnut with marquetry. Palace of Perelada (Gerona).*

178. *Cornucopia; a very typical specimen on account of its bulging, voluminous carvings. Duke and Duchess of Sueca. Madrid.*

179. *Majorcan bed hung with rich, thick hangings. The headboard and the feet are Solomonic and made of lignum vitae. Palace of Son Verí. Palma.*

156. Table taillée et dorée, interprétation du Louis XV. Comendadoras de Santiago. Sacristie. Madrid.

157. Canapé avec riche tapisserie et silhouette baroque au dossier et aux bras. Palais de Perelada (Gérone).

158. Grande commode de Sacristie avec tiroirs abondamment taillés. Écija (Séville).

159. Cartonnier de la fin du XVIIe siècle, avec porte centrale entre colonnes; tiroirs avec plaques d'écaille et planches de cuivre épaissies d'ébène. Palais de Liria. Ducs d'Albe. Madrid.

160. Meuble cartonnier, de caractère baroque, taillé et doré en ébène et bronzes. Palma de Majorque.

161. Cartonnier décoré et peint du palais de Son Veri. Majorque.

162. Meuble espagnol de noyer, composé de trois corps; sa dérivation du «bargueño» est visible. Collection privée. Madrid.

163. Armoire à deux battants avec composition étoilée d'ascendance mudéjare. Peinte et dorée. Hôpital d'Afuera. Tolède.

164. Cartonnier polychrome, XVIIIe siècle. Musée de Pontevedra.

165. Bibliothèque du palais de Benamejí. Table centrale avec doubles verrous. Chaises interprétation du Chippendale, avec tailles dorées. Santillana del Mar (Santander).

166. Armoire d'une composition baroque, d'ascendance mudéjare, taillée, dorée et polychrome. Ecija (Séville).

167. Armoire de lignes très simples, peinte. Le sommet et les meubles représentés sur les panneaux sont absolument baroques. Maison-Musée Papiol. Villanueva y Geltrú (Barcelone).

168. Commode à face ventrue; comme les exemplaires levantins, elle a un autre corps en retrait sur le dessus de la commode; ici, le primier compartiment est un couvercle de bureau. Palais de Perelada (Gérone).

169. Meuble-bureau en noyer, avec corps supérieur. Inspiré des meubles anglais du XVIIIe siècle, composition très baroque et originale. Musée Municipal. Madrid.

170. Commode «Canterano» à couvercle incliné, face avec tiroirs bombés. Collection privée. Barcelone.

171. Haute commode à partie frontale d'une ligne brisée, pans coupés et couronnements rococo. Collection privée. Barcelone.

172. Commode-coiffeuse à partie frontale bombée et petit corps supérieur avec miroir du genre «cornucopia» taillé et doré.

173. Grande armoire de noyer à quatre portes, avec socle et corniche. Frontispice divisé avec volutes, entièrement taillé. Hôpital d'Afuera. Tolède.

174. Coiffeuse peinte et dorée, inspirée du style Louis XV. Palais de Vivó. Palma de Majorque.

175. Lit de style levantin, avec chevet d'une silhouette découpée très brisée et pieds cabriolé, peint et doré. Collection privée.

176. Berceau peint et doré, côtés à balustres et chevet à tailles baroques. Maison Trinxeira. Olot (Gérone).

177. Bureau à couvercle incliné ou «canterano» de noyer avec marqueterie. Palais de Perelada (Gérone).

178. «Cornucopia» très typique en raison du caractère de ses tailles volumineuses. Ducs de Sueca. Madrid.

179. Lit majorquin habillé de grosses et riches tentures. Le chevet et les pieds sont tors et en gaïac. Palais de Son Veri. Palma de Majorque.

156. Geschnitzter und vergoldeter Tisch, Interpretierung des Ludwig XV.-Stils. Comendadoras de Santiago. Sakristei. Madrid.

157. Sofa mit reicher tapisserie, Rücken und Armlehnen im Barokstil. Schloss Perelada (Gerona).

158. Grosse Sakristeikommode mit reichgeschnitzten Schubläden. Écija (Sevilla).

159. Aktenschrank, Ausgang des XVII. Jahrhunderts, mit einer zwischen Säulen angebrachten Mitteltür; Schubfächer mit Schildpattplatten und Kupfer auf Ebenholzplatten. Schloss Liria des Herzog Alba. Madrid.

160. Barocker Aktenschrank aus Ebenholz, geschnitzt und vergoldet sowie Bronzeverziert. Palma de Mallorca.

161. Dekorierter und bemalter Aktenschrank im Schloss Son Veri. Mallorca.

162. Spanisches Stilmöbel aus drei Teilen bestehend. Man bemerkt die Ableitung vom «Bargueño». Privatsammlung.

163. Schrank mit zwei Türen und gesternter Holzarbeit im Mudéjarstil. Bemalt und vergoldet. Hospital de Afuera. Toledo.

164. Buntbemalter Aktenschrank aus dem XVIII. Jahrhundert. Museum von Pontevedra.

165. Bibliothek in Schloss Benamejí. Mitteltisch mit doppelter Eisenverstrebung. Nachgebildete Chippendale-Stühle mit vergoldeter Schnitzerei. Santillana del Mar (Santander).

166. Barock-Schrank vom Mudéjar-Stil abgeleitet; geschnitzt, vergoldet und buntbemalt. Ecija (Sevilla).

167. Bemalter Schrank in einfacher Linienführung. Der Giebel und die in den Quadraten dargestellten Möbel sind Barock. Casa-Museo Papiol. Villanueva y Geltrú (Barcelona).

168. Kommode mit bauchigem Frontteil. Wie alle levantinischen Exemplare hat auch sie einen kleinen zurückgesetzten Aufsatz auf der Platte. Der Oberste Kommodenkasten ist eine Schreibplatte. Schloss Perelada (Gerona).

169. Schreibschrank aus Nussbaum, mit Oberteil. Den englischen Möbeln des XVIII. Jahrhunderts nachgebildet in origineller und stark barocker Komposition. Museo Municipal. Madrid.

170. Kommode. «Canterano» mit schrägem Deckel, am Frontteil bauchige Kästen. Privatsammlung. Barcelona.

171. Hohe Kommode mit unterbrochener Frontlinie, abgeschrägten Ecken und Verzierungen im Rokokostil. Privatsammlung. Barcelona.

172. Frisierkommode mit bauchiger Front und kleiner Aufsatz mit einem Spiegel in vergoldetem und geschnitzten Rahmen im Füllhornstil.

173. Grosser Schrank aus Nussbaum mit vier Türen, Sockel und Sims. Die Front ist vollständig geschnitzt und von Voluten unterbrochen. Hospital de Afuera. Toledo.

174. Bemalter und vergoldeter Toilettentisch dem Ludwig XV.-Stil nachgebildet. Schloss Vivó. Palma de Mallorca.

175. Bett im levantiner Stil. Kopfteil in sehr ausgezackter Linienführung und ausschwingenden Beinen. Bemalt und vergoldet. Privatsammlung.

176. Bemalte und vergoldete Wiege mit seitlichen Geländersäulen und Kopfende mit Barockschnitzerei. Haus Trinxeira. Olot (Gerona).

177. Schreibtisch oder «canterano» mit schrägem Deckel, aus Nussbaum mit Laubsägearbeit. Schloss Perelada (Gerona).

178. Sehr typisches Füllhorn, wegen der auftragenden und wuchtigen Schnitzereien. Herzog Sueca. Madrid.

179. Mallorkiner Bett mit reichen und dicken Vorhängen bekleidet. Kopf-und Fussende sind von gewundenen Säulen aus Palisanderholz gebildet. Schloss Son Veri. Palma de Mallorca.

180. Cama «Olotina» con cabecera de silueta curva, pintada y dorada, patas cabriolé. Casa Ventós. Olot (Gerona).

181. Cama levantina de cabecera con silueta curva y pinturas centrales religiosas. Patas del piecero cabriolé. Toda ella pintada y dorada. Museo de Artes Decorativas. Madrid.

182. Cama de la casa Solá. Olot (Gerona).

183. Cama de tipo mallorquín con dosel. Todos los elementos de la cabecera y pies son salomónicos de palosanto. Palacio de Perelada (Gerona).

184. Cama con alto dosel y colgaduras. Cabecera de silueta curva muy barroca, pintado y dorado. Casa Samaniego. Laguardia (Álava).

185. Papelera con el frente compuesto por una portada y la cajonería toda ella cubierta con reengruesos de ébano y cristales pintados con escenas mitológicas; sobremesa pintada de negro y oro con patas salomónicas y faldón con grandes tallas barrocas y escudo central. Palacio de Perelada (Gerona).

186. Arca tipo mallorquín, con tapa cilíndrica cubierta de terciopelo rojo y claveteado, sobre patas de garras doradas. Palacio de Perelada (Gerona).

187. Arca cofre forrado de cuero con clavos dorados. Museo Artes Decorativas. Madrid.

188. Sillón de líneas neoclásicas; interpretación Carlos IV del Luis XVI; tapicería de seda. Colección Marqués de Santo Domingo. Madrid.

189. Sillón de proporciones muy exageradas. Interpretación Carlos IV del Luis XVI. Colección Marqués de Santo Domingo. Madrid.

190. Silla muy tosca del Luis XVI; patas torneadas en estípite, asiento de rejilla, pintada y dorada. Duques de Sueca. Madrid.

191. Silla de Carlos IV de tallas pintadas y doradas; una ejecución muy cuidada de los Talleres Reales. Casita del Labrador. Aranjuez (Madrid).

192. Silla Carlos IV interpretación neoclásica muy original de los Talleres Reales; pintada y dorada. Casita del Labrador. Aranjuez (Madrid).

193. Silla de estilo Adam inglés. Patas rectas con chambrana corrida. Museo de Pontevedra.

194. Sofá de línea Luis XVI; brazos muy abiertos a la misma altura que el respaldo; pintado y dorado. Palacio de Liria. Duques de Alba. Madrid.

195. Dibujo de una silla Carlos IV por el arquitecto Ventura Rodríguez. Colección Duques de Sueca. Madrid.

196. Mesita Carlos IV pintada y dorada. Palacio de Liria. Duques de Alba. Madrid.

197. Proyecto de tresillo Carlos IV, dibujado por Ventura Rodríguez. Colección Duques de Sueca. Madrid.

198. Consola proyectada y dibujada por Ventura Rodríguez. Colección Duques de Sueca. Madrid.

199. Saleta con tremó, consola y silla de estilo Carlos IV; interpretación de la región olotina. Casa Solé. Olot (Gerona).

200. Consola. Magnífico ejemplar Carlos IV de bellas y cuidadas proporciones; ornamentación en la que sobresale la cabeza y concha central característica de los muebles Luis IV.

201. Tresillo de línea Luis XVI, pintado y dorado. Palacio de Liria. Madrid.

180. «Olot» bed with curving headboard; painted and gilded, with cabriole legs. Casa Ventós. Olot (Gerona).

181. Bed from the east coast; the headboard has a curving silhouette and religious motifs painted in the centre. Cabriole feet at the end. The whole painted and gilded. Museum of Decorative Arts. Madrid.

182. Bed in Casa Solà. Olot (Gerona).

183. Bed of the Majorcan type with canopy. All the elements of the headboard and feet are Solomonic and made of lignum vitae. Palace of Perelada (Gerona).

184. Bed with high canopy and hangings. Painted and gilded headboard, with a very Baroque curving outline. Casa Samaniego. Laguardia (Alava).

185. Writing desk with the front composed of a portal and the set of drawers, the whole covered with fillings of ebony and panes of glass painted with mythological scenes; it stands on a table painted black and gold with Solomonic legs and an underskirt with great Baroque carvings and a coat of arms in the centre. Palace of Perelada (Gerona).

186. Chest of the Majorcan type, with cylindrical lid covered with studded red velvet, standing on gilded claw feet. Palace of Perelada (Gerona).

187. Chest lined in leather with gilded nails. Museum of Decorative Arts. Madrid.

188. Armchair of Neoclassic lines; Spanish interpretation of Louis XVI; silk upholstery. Collection of the Marquis of Santo Domingo. Madrid.

189. Armchair of very exaggerated proportions. Spanish interpretation of Louis XVI. Collection of the Marquis of Santo Domingo. Madrid.

190. Very crudely fashioned Louis XVI chair; lathe-turned legs in the form of an inverted pyramid; cane seat; painted and gilded. Duke and Duchess of Sueca. Madrid.

191. Chair of the period of Carlos IV; painted and gilded carvings; a very well-finished piece from the Royal Workshops. The Labourer's Cottage. Aranjuez (Madrid).

192. Chair of the period of Carlos IV; a very original Neoclassic piece from the Royal Workshops; painted and gilded. The Labourer's Cottage. Aranjuez (Madrid).

193. Chair in the English Adam style. Straight legs with flowing crosspiece. Museum of Pontevedra.

194. Sofa with Louis XVI lines; very open arms at the same height as the back; painted and gilded. Palace of Liria. Duke and Duchess of Alba. Madrid.

195. Design for a chair done in the period of Carlos IV by the architect Ventura Rodríguez. Collection of the Duke and Duchess of Sueca. Madrid.

196. Little table of the period of Carlos IV, painted and gilded. Palace of Liria. Duke and Duchess of Alba. Madrid.

197. Design for a three-piece suite done in the period of Carlos IV by Ventura Rodríguez. Collection of the Duke and Duchess of Sueca. Madrid.

198. Console designed by Ventura Rodríguez. Collection of the Duke and Duchess of Sueca. Madrid.

199. Sitting room with pier glass, console and chair in the Carlos IV style; local (Olot) interpretation of the style. Casa Solà. Olot (Gerona).

200. Console. Magnificent piece from the period of Carlos IV, finely proportioned; outstanding features of the ornamentation are the central head and shell characteristic of Louis XVI furniture.

201. Three-piece suite of Louis XVI lines, painted and gilded. Palace of Liria. Madrid.

180. Lit «Olotin» avec chevet d'une silhouette courbe, peint et doré, pieds cabriolé. Maison Ventós. Olot (Gérone).

181. Lit levantin à chevet d'une silhouette courbe et peintures centrales religieuses. Pied cabriolé. Le tout peint et doré. Musée des Arts Décoratifs. Madrid.

182. Lit de la Maison Solá. Olot (Gérone).

183. Lit de type majorquin avec dais. Tous les éléments du chevet et des pieds sont tors et en gaïac. Palais de Perelada (Gérone).

184. Lit avec haut dais et tentures. Chevet d'une silhouette courbe très baroque, peint et doré. Maison Samaniego. Laguardia (Álava).

185. Cartonnier à partie frontale composée d'un panneau et d'un ensemble de tiroirs, le tout couvert d'ébène et de verre peints de scènes mythologiques; dessus peint en noir et or, avec pieds tors et chute à grandes tailles baroques et écusson central. Palais de Perelada (Gérone).

186. Coffre type majorquin, avec couvercle cylindrique couvert de velours rouge et clouté, sur pieds en forme de griffes dorées. Palais de Perelada (Gérone).

187. Coffre doublé de cuir, avec clous dorés. Musée des Arts Décoratifs. Madrid.

188. Fauteuil d'une ligne néo-classique; interprétation Charles IV du Louis XVI; tapisserie de soie. Collection du Marquis de Santo Domingo. Madrid.

189. Fauteuil de proportions très exagérées. Interprétation Charles IV du Louis XVI. Collection Marquis de Santo Domingo. Madrid.

190. Chaise très grossière Louis XVI; pieds tournés en colonne diminuée, siège canné, peinte et dorée. Ducs de Sueca. Madrid.

191. Chaise Charles IV à tailles peintes et dorées; exécution très soignée des Ateliers Royaux. Petite Maison du Laboureur. Aranjuez (Madrid).

192. Chaise Charles IV, interprétation néo-classique très originale des Ateliers Royaux; peinte et dorée. Petite Maison du Laboureur. Aranjuez (Madrid).

193. Chaise de style Adam anglais. Pieds droits avec long support. Musée de Pontevedra.

194. Canapé ligne Louis XVI; bras très ouverts à la même hauteur que le dossier; peint et doré. Palais de Liria. Ducs d'Albe. Madrid.

195. Dessin d'une chaise Charles IV, par l'architecte Ventura Rodríguez. Collection Ducs de Sueca. Madrid.

196. Petite table de Charles IV, peinte et dorée. Palais de Liria. Ducs d'Albe. Madrid.

197. Projet de canapé et fauteuils Charles IV, dessiné par Ventura Rodríguez. Collection Ducs de Sueca. Madrid.

198. Console projetée et dessinée par Ventura Rodríguez. Collection Ducs de Sueca. Madrid.

199. Petite salle avec trumeau, console et chaise style Charles IV; interprétation de la région olotine. Maison Solá. Olot (Gérone).

200. Console. Magnifique exemplaire Charles IV de belles proportions; ornementation dont se détache le sommet et la partie centrale, caractéristique des meubles Louis IV.

201. Canapé et fauteuils de ligne Louis XVI, peints et dorés. Palais de Liria. Madrid.

180. «Olotina»- Bett mit rundem Kopfende, bemalt und vergoldet. Fussende mit ausschwingenden Beinen. Haus Ventós. Olot (Gerona).

181. Levantinisches Bett mit rundem Kopfende und religiöser Malerei in der Mitte. Die Füsse des Fussendes schwingen aus. Das Bett ist vollständig bemalt und vergoldet. Museo de Artes Decorativas. Madrid.

182. Bett im Haus Solá. Olot (Gerona).

183. Mallorkiner Bett mit Himmel. Sämtliche Verzierungen an dem Kopfende und den Füssen sind gewundene Säulen aus Palisanderholz. Schloss Perelada (Gerona).

184. Bett mit hohem Himmel und Vorhängen. Kopfteil in sehr barocker Rundform, bemalt und vergoldet. Haus Samaniego. Laguardia (Álava).

185. Aktenschrank mit portalförmiger Tür. Der Fächerteil ist ganz mit Ebenholz und bemaltem Glas mit mythologischen Motiven verstärkt. Der Tischaufsatz mit gewundenen Säulenbeinen, ist in schwarz und gold bemalt und an der Umrandung ist eine barocke Schnitzerei mit Wappen als Mittelstück, angebracht. Schloss Perelada (Gerona).

186. Mallorkiner Truhe mit Runddeckel; dieser ist mit rotem Samt bezogen und genagelt. Die Truhe steht auf Beinen mit vergoldeten Klauen. Schloss Perelada (Gerona).

187. Koffertruhe mit Lederbezug und vergoldeten Nägeln. Museo de Artes Decorativas. Madrid.

188. Sessel in klassizistischer Linienführung. Interpretierung Karls IV.-des Ludwig XVI.-Stils. Seidenbezug. Sammlung des Marqués de Santo Domingo. Madrid.

189. Sessel in übertriebener Proportion. Interpretierung Karls IV. des Luwig XVI.-Stils. Sammlung des Marqués de Santo Domingo. Madrid.

190. Sehr plumper Stuhl im Ludwig XVI.-Stil; gedrechselte Pilasterbeine die sich nach unten verjüngen, gitterförmiger Sitz, bemalt und vergoldet. Herzog Sueca. Madrid.

191. Stuhl im Karl IV.-Stil mit bemalten und vergoldeten Schnitzereien. Eine sehr sorgfältige Anfertigung der Königlichen Werkstätten. Casita del Labrador. Aranjuez (Madrid).

192. Stuhl im Karl IV.-Stil; sehr originelle, klassizistische Interpretierung der Königlichen Werkstätten. Bemalt und vergoldet. Casita del Labrador. Aranjuez (Madrid).

193. Stuhl im englischen Adam-Stil. Gerade Beine mit durchgehender Umrahmung. Museum von Pontevedra.

194. Sofa im Ludwig XVI.-Stil; sehr offene Armlehnen in gleicher Höhe wie die Rückenlehne. Bemalt und Vergoldet. Schloss Liria. Herzog Alba. Madrid.

195. Skizze eines Stuhls im Karl IV.-Stil, gezeichnet von Architekt Ventura Rodríguez. Sammlung des Herzogs Sueca. Madrid.

196. Tischchen im Karl IV.-Stil, bemalt und vergoldet. Schloss Liria des Herzogs Alba. Madrid.

197. Entwurf einer dreiteiligen Garnitur im Karl IV.-Stil, gezeichnet von Ventura Rodríguez. Sammlung des Herzogs Sueca. Madrid.

198. Konsole, entworfen und gezeichnet von Ventura Rodríguez. Sammlung des Herzogs Sueca. Madrid.

199. Kleiner Saal mit Tremeaux, Konsole und Stuhl im Karl IV.-Stil. Interpretierung der Olot-Gegend. Haus Solá. Olot (Gerona).

200. Konsole. Herrliches Exemplar im Karl IV.-Stil, wohlproportioniert und schwungvoll. An der Verzierung hebt sich der Kopf und die Mittelmuschel hervor, die kennzeichnend für den Ludwig IV.- Stil sind.

201. Dreiteilige Garnitur im Ludwig XVI.-Stil, bemalt und vergoldet. Schloss Liria. Madrid.

202. Cómoda neoclásica de la época de Carlos IV, con marquetería. Palacio de Perelada (Gerona).

203. Cómoda-tocador pintada, tallada y dorada. Interpretación muy ingenua y popular del Carlos IV. Olot (Gerona).

204. Cama neoclásica, característica de la región olotina. Colección particular. Olot (Gerona).

205. Cama de estilo Carlos IV; elementos tallados y aplicaciones de metal neoclásicos. Marqués de la Vega Inclán. Museo Romántico. Madrid.

206. Buró de tapa cilíndrica y patas ligeramente curvadas, marquetería de rombos, influencia de los grandes ebanistas franceses de finales de siglo XVIII; época de Luis XVI. Palacio de Liria. Duques de Alba. Madrid.

207. Cama de estilo Carlos IV en líneas neoclásicas, características de la región catalana; óvalo con el anagrama de María, tallado, pintado y dorado.

208. Consola del oratorio de las Habitaciones de Maderas Finas. Palacio de El Escorial. Madrid.

209. Consola tallada y dorada tipo Carlos IV. Palacio de Liria. Duques de Alba. Madrid.

210. Cómoda neoclásica. Marqués de Santo Domingo. Madrid.

211. Cómoda de la casa Trinxeira. Olot (Gerona).

212. Sillón de influencia francesa. Palacio de Truyols. Palma de Mallorca.

213. Ambiente de Salón de los Duques de Sueca. Madrid.

214. Cama neoclásica olotina. Colección particular. Olot (Gerona).

215. Cama proyectada por Ventura Rodríguez. Duques de Sueca. Madrid.

216. Cama neoclásica marqueteada. Marqués de Santo Domingo. Madrid.

217. Cama Carlos IV. Casa Barreda. Santillana del Mar (Santander).

218. Sillón fernandino de caoba, en forma de góndola; todas las patas talladas, esfinges, hojas, flechas, etc., son de madera dorada. Palacio de Aranjuez. Madrid.

219. Silla fernandina de caoba, con respaldo en forma de lira en ébano y metal. Palacio de los Borbones de El Escorial. Madrid.

220. Espejo o «psiche» en madera de caoba. Museo Romántico. Madrid.

221. Banqueta de forma de tijera o patas cruzadas talladas y doradas. Colección Muntadas. Barcelona.

222. Silloncito fernandino de caoba, respaldo de lira calada, Palacio de los Barreda. Marquesa de Benamejí. Santillana del Mar (Santander).

223. Tresillo de madera tallada y dorada época de transición de las formas neoclásicas al Imperio. Duques de Sueca. Madrid.

224. Consola Imperio con patas de lira, aplicaciones de bronce dorado y cincelado sobre caoba. Colección Duques de Sueca. Madrid.

225. Sofá o canapé fernandino, chapeado con hojas de raíces y caoba. Colección Marqués de Santo Domingo. Madrid.

226. Mesita-tocador o costurero de caoba, patas de lira, interpretación fernandina. Palacio de Perelada (Gerona).

227. Tocador con tallas doradas y bronces cincelados. Palacio de Perelada (Gerona).

---

202. *Neoclassic commode of the period of Carlos IV, with marquetry. Palace of Perelada (Gerona).*

203. *Commode cum dressing table, painted, carved and gilded. Very ingenuous and popular interpretation of the Carlos IV style. Olot (Gerona).*

204. *Neoclassic bed, characteristic of the Olot district. Private collection. Olot (Gerona).*

205. *Bed in the Carlos IV style; carved elements and Neoclassic metal appliqués. Marquis de la Vega Inclán. Romantic Museum. Madrid.*

206. *Bureau with cylindrical top and slightly curving legs; inlaid with rhomboids showing the influence of the great French cabinetmakers of the late 18th century; period of Louis XVI. Palace of Liria. Duke and Duchess of Alba. Madrid.*

207. *Bed in the Carlos IV style, with the Neoclassic lines characteristic of Catalonia; oval with an anagram of María, carved, painted and gilded.*

208. *Console of the oratory in the Room of Fine Woods. Palace of the Escorial.*

209. *Carved and gilded console of the Carlos IV type. Palace of Liria. Duke and Duchess of Alba. Madrid.*

210. *Neoclassic commode. Marquis of Santo Domingo. Madrid.*

211. *Commode in Casa Trinxeira. Olot (Gerona).*

212. *Armchair of French influence. Palace of Truyols. Palma.*

213. *Drawing room setting, property of the Duke and Duchess of Sueca. Madrid.*

214. *Neoclassic bed of the «Olot» type. Private collection. Olot (Gerona).*

215. *Bed according to a design by Ventura Rodríguez. Duke and Duchess of Sueca. Madrid.*

216. *Neoclassic bed in marquetry. Marquis of Santo Domingo. Madrid.*

217. *Bed in the Carlos IV style. Casa Barreda. Santillana del Mar (Santander).*

218. *Mahogany fernandino armchair in the shape of a gondola; all the carved legs, sphinxes, leaves, arrows, etc. are of gilded wood. Palace of Aranjuez. Madrid.*

219. *Fernandino chair in mahogany, with lyre-shaped back in ebony and metal. Palace of the Bourbons in the Escorial. Madrid.*

220. *Cheval glass in mahogany. Romantic Museum. Madrid.*

221. *Stool with scissors-fashion crossed legs, carved and painted. Muntadas Collection. Barcelona.*

222. *Small fernandino armchair in mahogany, pierced lyre-back, ungilded wooden carvings and appliqués in gilded bronze. Palace of Barreda. Marquesa de Benamejí. Santillana del Mar (Santander).*

223. *Three-piece suite in carved and gilded wood, from the transition period between Neoclassic and Empire. Duke and Duchess of Sueca. Madrid.*

224. *Empire console with lyre-shaped legs, appliqués in gilded and chiselled bronze on mahogany. Collection of the Duke and Duchess of Sueca. Madrid.*

225. *Fernandino sofa or day bed, with veneers of roots and mahogany. Collection of the Marquis of Santo Domingo. Madrid.*

226. *Dressing table or work table in mahogany, lyre-shaped legs, an interpretation of the Fernandino style. Palace of Perelada (Gerona).*

227. *Dressing table with gilded carvings and chiselled bronzes. Palace of Perelada (Gerona).*

202. Commode néo-classique de l'époque de Charles IV, avec marqueterie. Palais de Perelada (Gérone).

203. Commode-coiffeuse peinte, taillée et dorée. Interprétation très ingénue et populaire du Charles IV. Olot (Gérone).

204. Lit néo-classique, caractéristique de la région olotine. Collection privée. Olot (Gérone).

205. Lit style Charles IV; éléments taillés et applications en métal néo-classiques. Marquis de la Vega Inclán. Musée Romantique. Madrid.

206. Bureau à couvercle cylindrique et pieds légèrement courbes, marqueterie en losanges, influence des grands ébénistes français de la fin du XVIIIe siècle; époque de Louis XVI. Palais de Liria. Ducs d'Albe. Madrid.

207. Lit style Charles IV en lignes néo-classiques, caractéristiques de la région catalane; ovale avec l'anagramme de Marie, taillé, peint et doré.

208. Console de l'oratoire des Pièces de Bois Fins. Palais de l'Escurial. Madrid.

209. Console taillée et dorée type Charles IV. Palais de Liria. Ducs d'Albe. Madrid.

210. Commode néo-classique. Marquis de Santo Domingo. Madrid.

211. Commode de la Maison Trinxeira. Olot (Gérone).

212. Fauteuil d'influence française. Palais de Truyols. Palma de Majorque.

213. Ambiance de Salon des Ducs de Sueca. Madrid.

214. Lit néo-classique olotin. Collection privée. Olot (Gérone).

215. Lit projeté par Ventura Rodríguez. Ducs de Sueca. Madrid.

216. Lit néo-classique marqueté. Marquis de Santo Domingo. Madrid.

217. Lit Charles IV. Maison Barreda. Santillana del Mar (Santander).

218. Fauteuil Ferdinand en acajou, en forme de gondole; les pieds taillés, les sphynx, feuilles, flèches, etc. sont en bois doré. Palais d'Aranjuez. Madrid.

219. Chaise Ferdinand en acajou, avec dossier en forme de lyre, en ébène et métal. Palais des Bourbons de l'Escurial. Madrid.

220. Miroir ou psyché en bois d'acajou. Musée Romantique. Madrid.

221. Banquette pliable ou à pieds croisés taillés et dorés. Collection Muntadas. Barcelone.

222. Petit fauteuil Ferdinand en acajou, dossier ajouré. Palais des Barreda. Marquise de Benamejí. Santillana del Mar (Santander).

223. Canapé et fauteuils de bois taillé et doré, époque de transition des formes néo-classiques à Empire. Ducs de Sueca. Madrid.

224. Console Empire avec pieds de lyre, applications de bronze doré et ciselé sur acajou. Collection Ducs de Sueca. Madrid.

225. Sofa ou canapé Ferdinand, plaqué de feuilles de racines et d'acajou. Collection Marquis de Santo Domingo. Madrid.

226. Petite table coiffeuse ou table à ouvrage d'acajou, pieds de lyre, interpretation Ferdinand. Palais de Perelada (Gérone).

227. Coiffeuse avec tailles dorées et bronzes ciselés. Palais de Perelada (Gérone).

202. *Klassizistische Kommode aus der Zeit Karls IV. mit Laubsägearbeiten. Schloss Perelada (Gerona).*

203. *Geschnitzte und vergoldete Frisierkommode. Schlichte und volkstümliche Interpretierung des Karl IV.-Stils. Olot (Gerona).*

204. *Klassizistisches Bett, kennzeichnend für die Gegend um Olot. Privatsammlung. Olot (Gerona).*

205. *Bett im Stil Karls IV. mit geschnitzten Motiven und klassizistischen Metallverzierungen. Marqués de la Vega Inclán. Museo Romántico. Madrid.*

206. *Schreibtisch mit zylindrischem Deckel und leicht gebogenen Beinen. Rhombenförmige Laubsägearbeit von den grossen französischen Kunsttischlern Ausgangs des XVIII Jahrhunderts beeinflusst. Ludwig XVI.-Epoche. Schloss Liria des Herzogs Alba. Madrid.*

207. *Bett im Stil Karls IV. in klassizistischer Linienführung, eine Eigenart der katalanischen Gegend. Oval mit dem Anagramm der Maria, geschnitzt, bemalt und vergoldet.*

208. *Konsole der Hauskapelle, in den Edelholzräumen. Schloss El Escorial. Madrid.*

209. *Vergoldete und geschnitzte Konsole im Karl IV.-Stil. Schloss Liria des Herzogs Alba. Madrid.*

210. *Klassizistische Kommode. Marqués de Santo Domingo. Madrid.*

211. *Kommode im Haus Trinxeira. Olot (Gerona).*

212. *Sessel mit französischen Einfluss. Schloss Truyols. Palma de Mallorca.*

213. *Milieu eines Salons der Herzöge von Sueca. Madrid.*

214. *Klassizistisches Bet im «Olotiner» Stil. Privatsammlung. Olot (Gerona).*

215. *Bett nach einem Entwurf von Ventura Rodríguez. Herzog Sueca. Madrid.*

216. *Klassizistisches Bett mit eingelegter Holzarbeit. Marqués de Santo Domingo. Madrid.*

217. *Klassizistisches Bett im Stil Karls IV. Haus Barreda. Santillana del Mar (Santander).*

218. *Gondelförmiger Sessel aus Mahagoni im Fernandiner-Stil. An den Beinen Schnitzereien in Formen von Sphynxen, Blättern, Pfeilen usw. aus vergoldetem Holz. Schloss Aranjuez.*

219. *Mahagoni-Stuhl im Fernandiner-Stil, mit lyraförmiger Rückenlehne aus Ebenholz und Metall. Schloss der Bourbonen. El Escorial. Madrid.*

220. *Spiegel oder «Psyche» in Mahagonirahmen. Museo Romántico. Madrid.*

221. *Scherenförmige Sitzbank, geschnitzt und vergoldet. Sammlung Muntadas. Barcelona.*

222. *Kleiner Mahagoni-Sessel im Fernandiner-Stil mit durchbrochener Rückenlehne in Lyraform. Schloss Barreda. Marquesa de Benamejí. Santillana del Mar (Santander).*

223. *Dreiteilige Garnitur aus geschnitztem und vergoldetem Holz, aus der Übergangszeit der klassizistischen Formen zum Empire. Herzog Sueca. Madrid.*

224. *Konsole im Empire-Stil mit lyraförmigen Beinen, vergoldeten und ziselierten Bronzebeschlägen auf Mahagoniholz. Sammlung des Herzogs Sueca. Madrid.*

225. *Kanapee im Fernandiner-Stil mit Wurzelblättern und Mahagoni furniert. Sammlung des Marqués de Santo Domingo. Madrid.*

226. *Frisier-oder Nähtischchen aus Mahagoni, lyraförmige Beine, Interpretierung des Fernandiner-Stils. Schloss Perelada (Gerona).*

227. *Toilettentisch mit vergoldeter Schnitzerei und ziselierten Bronzen. Schloss Perelada (Gerona).*

228. Mesa de despacho Imperio de caoba con aplicaciones de bronce dorado y cincelado. Palacio de Liria. Duques de Alba. Madrid.

229. Mesa de despacho Imperio; caoba con aplicaciones de bronce cincelado y dorado. Palacio de Liria. Duques de Alba. Madrid.

230. Consola-tocador de caoba cubierto con palmas y talla de madera dorada. Colección E. Toda. Escornalbou (Tarragona).

231. Cómoda con tallas doradas y aplicaciones de bronce dorado. Palacio de Truyols. Palma de Mallorca.

232. Tocador con espejo y patas doradas con cuello de cisne y patas de león con alas. Santillana del Mar (Santander).

233. Tocador postimperio.

234. Tocador fernandino con elementos Imperio, aplicaciones de bronce y cincelado y chapeado de latón. Museo Romántico. Madrid.

235. Consola tallada y dorada. Duques de Alba. Madrid.

236. Sillón transición del Carlos IV. Duques de Sueca. Madrid.

237. Goya en su lecho de muerte. Dibujo de F. de la Torre, 1828. Detalle de cama Imperio. Museo Municipal. Madrid.

238. Cama fernandina, tallas doradas. Colección Vidal y Ribas. Barcelona.

239. Cuna fernandina de caoba, tallas Imperio. Palacio de Perelada (Gerona).

240. Grabado de un cuadro de F. Madrazo representando la enfermedad de Fernando VII, en 1832. Museo Municipal. Madrid.

241. Cama de caoba maciza tipo «góndola». Palacio Real de Madrid.

242. Silla romántica de caoba, con tallas muy ligeras. Primera mitad del siglo XIX, derivada del Imperio, Palacio de Barreda. Marquesa de Benamejí. Santillana del Mar (Santander).

243. Sillón isabelino línea Luis XV; la estructura es de madera cubierta con hojas de palo rosa y aplicaciones de bronce; tapicería de seda. Palacio de Monterrey. Duques de Alba. Salamanca.

244. Silla isabelina de la segunda mitad del siglo XIX con típicas tallas en el copete, aldaba y faldón de caoba. Pazo de Fefiñanes (Pontevedra).

245. Consola isabelina. Estilo Luis XV, de talla dorada. Casa Museo Papiol. Villanueva y Geltrú (Barcelona).

246. Buró con tapa abatible de caoba. Casa Museo Papiol. Villanueva y Geltrú (Barcelona).

247. Consola isabelina de línea derivada del Imperio, chapeada con palmas de caoba. Museo Romántico. Madrid.

248. Sofá isabelino con decoración inspirada en temas de Arquitectura Naval de los siglos XVIII y XIX; caoba tallada y palma de caoba. Museo de Pontevedra.

249. Lavabo-tocador isabelino, 2.ª mitad del siglo XIX; utilizado por la emperatriz Eugenia, palosanto tallado y chapeado. Palacio de Monterrey. Duques de Alba. Salamanca.

250. Ambiente isabelino sobre temas de Luis XV muy degenerados, tallas doradas y pintadas a mano. Casa Solá. Olot (Gerona).

251. Cama de la emperatriz Eugenia. Palacio de Monterrey. Salamanca.

252. Chiffonnier Segundo Imperio; interpretación de los muebles «Boulle» de marquetería de cobre y concha. Palacio de Monterrey. Salamanca.

228. *Empire writing table; mahogany, with appliqués in gilded and chiselled bronze. Palace of Liria. Duke and Duchess of Alba. Madrid.*

229. *Empire writing table; mahogany, with appliqués in gilded and chiselled bronze. Palace of Liria. Duke and Duchess of Alba. Madrid.*

230. *Console cum dressing table in mahogany, covered with palms and carvings in gilded wood. E. Toda Collection. Escornalbou (Tarragona).*

231. *Commode with gilded carvings and appliqués in gilded bronze. Palace of Truyols. Palma.*

232. *Dressing table with looking glass, gilded swan's-neck legs and feet in the shape of winged lions. Santillana del Mar (Santander).*

233. *Post-Empire dressing table.*

234. *Fernandino dressing table, with features in the Empire style, bronze appliqués and brass chiselling and plating. Romantic Museum. Madrid.*

235. *Carved and gilded console. Duke and Duchess of Alba. Madrid.*

236. *«Transitional» armchair of the period of Carlos IV. Duke and Duchess of Sueca. Madrid.*

237. *Goya on his deathbed. Drawing by F. de la Torre, 1828. Detail of an Empire bed. Municipal Museum. Madrid.*

238. *Fernandino bed with gilded carvings. Vidal y Ribas Collection. Barcelona.*

239. *Fernandino cradle in mahogany, Empire carvings. Palace of Perelada (Gerona).*

240. *Engraving of a picture by F. Madrazo, representing the illness of Fernando VII in 1832. Municipal Museum. Madrid.*

241. *Bed of the «gondola» type in solid mahogany. Royal Palace of Madrid.*

242. *Romantic chair in mahogany, with very light carving. First half of the 19th century, deriving from the Empire style. Palace of Barreda. Marquesa de Benamejí. Santillana del Mar (Santander).*

243. *Isabelline armchair with Louis XV lines; wooden structure veneered in tulipwood and with bronze appliqués; upholstered in silk. Palace of Monterrey. Duke and Duchess of Alba. Salamanca.*

244. *Isabelline chair, second half of the 19th century; finial, crossbar and underskirt in mahogany, with typical carving. Pazo de Fefiñanes (Pontevedra).*

245. *Isabelline console. Louis XV style, with gilded carving. Casa Papiol Museum. Villanueva y Geltrú (Barcelona).*

246. *Mahogany bureau with fold-down top. Casa Papiol Museum. Villanueva y Geltrú (Barcelona).*

247. *Isabelline console, with lines deriving from Empire, veneered with mahogany palm. Romantic Museum. Madrid.*

248. *Isabelline sofa with decoration inspired in themes of naval architecture of the 18th and 19th centuries; carved mahogany and mahogany palm. Museum of Pontevedra.*

249. *Washstand cum dressing table, second half of the 19th century, in carved and veneered lignum vitae; used by the Empress Eugénie. Palace of Monterrey. Duke and Duchess of Alba. Salamanca.*

250. *Isabelline setting with late and decadent Louis XV motifs, the carvings gilded and painted by hand. Casa Solà. Olot (Gerona).*

251. *Bed of the Empress Eugénie. Palace of Monterrey (Salamanca).*

252. *Second Empire chiffonnier; interpretation of «Boulle» furniture with marquetry in copper and shell. Palace of Monterrey (Salamanca).*

228. Table de bureau Empire en acajou, avec applications de bronze doré et ciselé. Palais de Liria. Ducs d'Albe. Madrid.

229. Table de bureau Empire; acajou avec applications de bronze ciselé et doré. Palais de Liria. Ducs d'Albe. Madrid.

230. Console-coiffeuse d'acajou couverte de palmes et taille de bois doré. Collection E. Toda. Escornalbou (Tarragone).

231. Commode avec tailles dorées et applications de bronze doré. Palais de Truyols. Palma de Majorque.

232. Coiffeuse avec miroir et pieds dorés avec col de cygne et pieds de lion ailé. Santillana del Mar (Santander).

233. Coiffeuse post-Empire.

234. Coiffeuse Ferdinand avec éléments Empire, applications de bronze et ciselé et plaqué en laiton. Musée Romantique. Madrid.

235. Console taillée et dorée. Ducs d'Albe. Madrid.

236. Fauteuil transition du Charles IV. Ducs de Sueca. Madrid.

237. Goya sur son lit de mort. Dessin de F. de la Torre. 1828. Détail de lit Empire. Musée Municipal. Madrid.

238. Lit Ferdinand, tailles dorées. Collection Vidal y Ribas. Barcelone.

239. Berceau Ferdinand, en acajou, tailles Empire. Palais de Perelada (Gérone).

240. Gravure d'un tableau de F. Madrazo représentant la maladie de Ferdinand VII, en 1832. Musée Municipal. Madrid.

241. Lit d'acajou massif, type «gondole». Palais Royal de Madrid.

242. Chaise romantique en acajou, à tailles très légères. Première moitié du XIXe siècle, dérivée de l'Empire. Palais de Barreda. Marquise de Benamejí. Santillana del Mar (Santander).

243. Fauteuil Isabelle, ligne Louis XV; la structure est en bois couvert de plaques de bois de rose et d'applications de bronze; tapisserie de soie. Palais de Monterrey. Ducs d'Albe. Salamanque.

244. Chaise Isabelle de la seconde moitié du XIXe siècle, avec tailles typiques au sommet, appuis et chute d'acajou. Pazo de Fefiñanes (Pontevedra).

245. Console Isabelle. Style Louis XV, taille dorée. Maison Musée Papiol. Villanueva y Geltrú (Barcelone).

246. Bureau avec couvercle abattable d'acajou. Maison Musée Papiol. Villanueva y Geltrú (Barcelone).

247. Console Isabelle dérivée du style Empire, plaquée avec palmes d'acajou. Musée Romantique. Madrid.

248. Canapé Isabelle avec décoration inspirée de thèmes de l'Architecture Navale des XVIIIe et XIXe siècles; acajou taillé et palme d'acajou. Musée de Pontevedra.

249. Table de toilette-coiffeuse Isabelle, seconde moitié du XIXe siècle; utilisée par l'Impératrice Eugénie, gaïac taillé et plaqué. Palais de Monterrey. Ducs d'Albe. Salamanque.

250. Ambiance Isabelle sur thèmes Louis XV très dégénérés, tailles dorées et peintes à la main. Casa Solá. Olot (Gérone).

251. Lit de l'impératrice Eugénie. Palais de Monterrey. Salamanque.

252. Chiffonnier Second Empire; interprétation des meubles «Boulle» de marqueterie de cuivre et d'écaille. Palais de Monterrey. Salamanque.

228. Schreibtisch im Empire-Stil aus Mahagoni mit vergoldeten und ziselierten Bronzebeschlägen. Schloss Liria des Herzogs Alba. Madrid.

229. Empire-Schreibtisch aus Mahagoni mit vergoldeten und ziselierten Bronzebeschlägen. Schloss Liria des Herzogs Alba. Madrid.

230. Toilette-Konsole aus Mahagoni, mit Palmen bedeckt und vergoldeter Holzschnitzerei. Sammlung E. Toda. Escornalbou (Tarragona).

231. Kommode mit vergoldeter Schnitzerei und vergoldeten Bronzeverzierungen. Schloss Truyols. Palma de Mallorca.

232. Toilettentisch mit Spiegel, vergoldeten Schwanenhals- und geflügelten Löwenbeinen. Santillana del Mar (Santander).

233. Post-Empire Toilettentisch.

234. Toilettentisch im Fernandiner-Stil mit Empire-Motiven. Vergoldete und ziselierte Bronzebeschläge und Messingplattiert. Museo Romántico. Madrid.

235. Geschnitzte und vergoldete Konsole. Herzog Alba. Madrid.

236. Sessel im Übergangsstil des Karl IV.-Stils. Herzog von Sueca. Madrid.

237. Goya auf seinem Sterbebett. Zeichnung von F. de la Torre, 1828. Detail des Empire-Betts. Museo Municipal. Madrid.

238. Bett im Fernandiner-Stil mit vergoldeten Schnitzereien. Sammlung Vidal y Ribas. Barcelona.

239. Wiege im Fernandiner-Stil mit Empireschnitzereien, aus Mahagoniholz. Schloss Perelada (Gerona).

240. Radierung eines Gemäldes von F. Madrazo, Ferdinand VII. auf dem Krankenlager im Jahr 1832 darstellend. Museo Municipal. Madrid.

241. Bett in «Gondelform» aus massivem Mahagoniholz. Königliches Schloss. Madrid.

242. Biedermeier-Stuhl aus Mahagoni mit leichter Schnitzerei. Erste Hälfte des XIX. Jahrhunderts, vom Empire-Stil abgeleitet. Schloss Barreda der Marquesa de Benamejí. Santillana del Mar (Santander).

243. Isabeliner Sessel im Ludwig XV.-Stil. Das Gerüst ist aus Holz mit Rosenholzverschalung und bronzenen Verzierungen. Seidenbezug. Schloss Monterrey der Herzöge von Alba. Salamanca.

244. Isabeliner Stuhl aus der zweiten Hälfte des XIX. Jahrhunderts mit typischen Schnitzereien am Lehnengiebel; Griff und Sitzumrandung aus Mahagoni. Pazo de Fefiñanes (Pontevedra).

245. Isabeliner Konsole. Ludwig XV.-Stil mit vergoldeter Schnitzerei. Casa Museo Papiol. Villanueva y Geltrú (Barcelona).

246. Schreibtisch mit Mahagonideckel. Casa Museo Papiol. Villanueva y Geltrú (Barcelona).

247. Isabeliner Konsole vom Empire-Stil abgeleitet, mit Mahagoniblatt verschalt. Museo Romántico. Madrid.

248. Isabeliner Sofa, beeinflusst von den Schiffsbaumotiven des XVIII. und XIX. Jahrhunderts. Mahagonischnitzerei und Mahagoniblattverschalung. Museo de Pontevedra.

249. Isabeliner Waschtisch, zweite Hälfte des XIX. Jahrhunderts, aus geschnitztem und verschalten Palisanderholz. Von Kaiserin Eugenia benutzt. Schloss Monterrey des Herzogs Alba in Salamanca.

250. Isabeliner Milieu über sehr degenerierte Motive des Ludwig XV.-Stils, mit vergoldeten und handgemalten Schnitzereien. Casa Solá. Olot (Gerona).

251. Bett der Kaiserin Eugenia. Schloss Monterrey. Salamanca. Innenraummilieu Museo Romántico. Madrid.

252. Chiffonnier Zweites Empire; Interpretation der «Boulle»-Möbel mit Einlegearbeit aus Kupfer und Schildpatt. Palast Monterrey. Salamanca.

ALOI, R.: *L'Arrendamento Moderno.* Italia, 1934.

ALOI, R.: *Esempi di Arrendamento Moderno di tutto il mondo.* Milano, 1950.

ASÚA, M.: *El mueble en la historia.* Editorial Voluntad. Madrid, 1930.

CANDAMO, L. G. DE.: *El Mueble.* «Temas Españoles», n.º 258. 1958.

CLARET RUBIRA, J. Marqués de Lozoya. *Muebles de Estilo Español, desde el gótico hasta el siglo XIX con el mueble popular.* Barcelona, 1962.

CHAMPEAUX, A. *Le Meuble.* París, 1885.

DOMENECH, R. y PÉREZ BUENO, L.: *Muebles antiguos españoles.* Barcelona.

EBERLEIN, H. D.: *Spanish interiors, Furniture and details.* New York, 1925.

EBERLEIN, H. D. and RAMSDELL, R. W.: *The practical book of Italian. Spanish and Portuguese Furniture,* 1915.

ENRÍQUEZ, M.ª DOLORES: *El Mueble Español en los siglos XV, XVI y XVII.* Afrodisio Aguado, S. A. Madrid.

FAYET, M. DE. *Meubles et Ensembles. Renaissance Espagnole.* París, 1961.

FEDUCHI, LUIS M.: *El Hospital de Afuera. Fundación Tavera-Lerma.* Afrodisio Aguado, S. A. Madrid.

FEDUCHI, Luis M.: *El Palacio Nacional.* 2 tomos. Afrodisio Aguado, S. A. Madrid.

FEDUCHI, Luis M.: *Antología de la silla española.* Afrodisio Aguado, S. A. Madrid, 1957.

FEDUCHI, Luis M.: *Colecciones Reales de España. El Mueble.* Editorial Patrimonio Nacional. Madrid, 1965.

GUERRERO LOVILLO, JOSÉ: *Las Cántigas.* Consejo Superior de Investigaciones Científicas. Madrid, 1949.

JARRY, MADELEINE: *La siège en France.* París, 1948.

NOAIN, LUIS: *Croquis y Medidas.* Editorial Dossat, S. A. Madrid, 1967.

PARDO REINOSA, FRANCISCO. PRÓLOGO DE: *El Mueble en América del Sur.* Ediciones Centurión. Buenos Aires.

RODRÍGUEZ DE RIVAS, MARIANO: *El Museo Romántico.* Afrodisio Aguado, S. A. Madrid.

SCHMITZ, HERMANN: *Historia del mueble.* Editorial Gustavo Gili, S. A. Barcelona, 1963.

WILLIAM, L.: *The Arts and Crafts of Older Spain.* London, 1907.

Ars Hispaniae. Historia Universal del Arte Hispánico. Editorial Plus-Ultra. Madrid. 1966.

Arte y Decoración en España. 10 tomos. Editorial Casellas Moncanut. Barcelona, 1917-28.

Boletín de la Sociedad Española de Excursionistas. Tomo XXIX. Año 1921.

Catálogo de la Exposición de Anticuarios El Casón. Madrid, 1966.

Catálogo de la Exposición de Muebles Españoles por la Sociedad de Amigos del Arte. 1912.

Catálogos de los Museos de Sta. Cruz de Toledo, Burgos, Barcelona, Lérida y otros.

El Escorial, 1563-1963. IV Centenario de la fundación del Monasterio de San Lorenzo El Real. Editorial Patrimonio Nacional. Madrid, 1963.

Folletos del Museo Arqueológico de Madrid, 1932.

ALOI, R.: *L'Arrendamento Moderno.* Italy, 1934.

ALOI, R.: *Esempi di Arrendamento Moderno di tutto il mondo.* Milan, 1950.

ASÚA, M.: *El mueble en la historia.* Editorial Voluntad. Madrid, 1930.

CANDAMO, L. G. DE: *El Mueble.* «Temas Españoles», N.º 258. 1958.

CLARET RUBIRA, J.: Marqués de Lozoya. *Muebles de Estilo Español, desde el gótico hasta el siglo XIX con el mueble popular.* Barcelona, 1962.

CHAMPEAUX, A.: *Le Meuble.* Paris, 1885.

DOMENECH, R. and PÉREZ BUENO, L.: *Muebles antiguos españoles.* Barcelona.

EBERLEIN, H. D.: *Spanish interiors. Furniture and details.* New York, 1925.

EBERLEIN, H. D., and RAMSDELL, R. W.: *The practical book of Italian, Spanish and Portuguese Furniture,* 1915.

ENRÍQUEZ, M.ª DOLORES: *El Mueble Español en los siglos XV, XVI y XVII.* Afrodisio Aguado, S.A. Madrid.

FAYET, M. DE: *Meubles et Ensembles. Renaissance Espagnole.* París, 1961.

FEDUCHI, LUIS M.: *El Hospital de Afuera. Fundación Tavera-Lerma.* Afrodisio Aguado, S.A. Madrid.

FEDUCHI, LUIS M.: *El Palacio Nacional.* 2 vols. Afrodisio Aguado, S. A. Madrid.

FEDUCHI, LUIS M.: *Antología de la silla española.* Afrodisio Aguado, S.A. Madrid, 1957.

FEDUCHI, LUIS M.: *Colecciones Reales de España. El Mueble.* Editorial Patrimonio Nacional. Madrid, 1965.

GUERRERO LOVILLO, JOSÉ: *Las Cantigas.* Consejo Superior de Investigaciones Científicas. Madrid, 1949.

JARRY, MADELEINE: *La siège en France.* Paris, 1948.

NOAIN, LUIS: *Croquis y Medidas.* Editorial Dossat, S.A. Madrid, 1967.

PARDO REINOSA, FRANCISCO, PROLOGUE BY: *El Mueble en América del Sur.* Ediciones Centurión, Buenos Aires.

RODRÍGUEZ DE RIVAS, MARIANO: *El Museo Romántico.* Afrodisio Aguado, S.A. Madrid.

SCHMITZ, HERMANN: *Historia del mueble.* Editorial Gustavo Gili, S.A. Barcelona, 1963.

WILLIAM, L.: *The Arts and Crafts of Older Spain.* London, 1907.

Ars Hispaniae. Historia Universal del Arte Hispánico. Editorial Plus-Ultra. Madrid, 1966.

Arte y Decoración en España. 10 vols. Editorial Casellas Moncanut. Barcelona, 1917-28.

Bulletin of the «Sociedad Española de Excursionistas». Vol. XXIX. Year 1921.

Catalogue of the Antiquaries' Exhibition in El Casón. Madrid, 1966.

Catalogue of the Exhibition of Spanish Furniture held by the «Sociedad de Amigos del Arte», 1912.

Catalogues of the Museums of: Santa Cruz (Toledo), Burgos, Barcelona, Lérida and others.

El Escorial, 1563-1963. IV Centenario de la fundación del Monasterio de San Lorenzo el Real. Editorial Patrimonio Nacional. Madrid, 1963.

Handbooks of the Archaeological Museum of Madrid, 1932.

ALOI, R.: *L'Arrendamento moderno.* Italie, 1934.

ALOI, R.: *Esempi di Arrendamento Moderno di tutto il mondo.* Milan, 1950.

ASÚA, M.: *Le meuble dans l'histoire.* Editions Voluntad. Madrid, 1930.

CANDAMO, L. G. DE: *Le Meuble.* «Thèmes espagnols». n.º 258, 1958.

CLARET RUBIRA, J., Marquis de Lozoya: *Meubles de Style Espagnol, du gothique au XIXe siècle avec le meuble populaire.* Barcelone, 1962.

CHAMPEAUX, A.: *Le Meuble.* Paris, 1885.

DOMENECH, R, et PÉREZ BUENO, L.: *Meubles espagnols anciens.* Barcelone.

EBERLEIN, H. D. *Spanish interiors. Furniture and details.* New York, 1925.

EBERLEIN, H. D. et RAMSDELL, R. W. *The practical book of Italian, Spanish and Portuguese Furniture,* 1915.

ENRIQUEZ, M.ª DOLORES: *Le Meuble Español aux XVe, XVIe et XVIIe siècles.* Afrodisio Aguado, S. A. Madrid.

FAYET, M. DE: *Meubles et Ensembles. Renaissance Espagnole,* Paris, 1961.

FEDUCHI, LUIS M.: *L'Hôpital d'Afuera. Fondation Tavera-Lerma.* Afrodisio Aguado, S. A. Madrid.

FEDUCHI, LUIS M.: *Le Palais National,* 2 tomes. Afrodisio Aguado, S. A. Madrid.

FEDUCHI, LUIS M.: *Anthologie de la chaise espagnole.* Afrodisio Aguado, S. A. Madrid, 1957.

FEDUCHI, LUIS M.: *Collections Royales d'Espagne. Le Meuble.* Editions Patrimonio Nacional. Madrid, 1965.

GUERRERO LOVILLO, JOSÉ: *Les Chansons.* Conseil Supérieur d'Investigations Scientifiques. Madrid, 1949.

JARRY, MADELEINE: *La siège en France.* Paris, 1948.

NOAIN, LUIS: *Croquis et Mesures.* Editions Dossat, S. A. Madrid, 1967.

PARDO REINOSA, FRANCISCO. PROLOGIE DE: *Le Meuble en Amérique du Sud.* Editions Centurión. Buenos Aires.

RODRÍGUEZ DE RIVAS, MARIANO: *Le Musée Romantique.* Afrodisio Aguado, S. A. Madrid.

SCHMITZ, HERMANN: *Histoire du Meuble.* Editions Gustavo Gili, S. A. Barcelone, 1963.

WILLIAM, L.: *The Arts and Crafts of Older Spain.* Londres, 1907.

Ars Hispaniae. Histoire Universelle de l'Art Hispanique. Editions Plus-Ultra. Madrid, 1966.

Art et Décoration en Espagne. 10 tomes. Editions Casellas Moncanut. Barcelone, 1917-28.

Bulletin de la Société Espagnole d'Excursions. Tome XXIX. Année 1921.

Catalogue de l'Exposition d'Antiquaires El Casón. Madrid, 1966.

Catalogue de l'Exposition de Meubles Espagnols, par la Société d'Amis de l'Art, 1912.

Catalogues des Musées de Santa Cruz de Tolède, Burgos, Barcelone, Lérida et autres.

L'Escurial, 1563-1963. IVe Centenaire de la fondation du Monastère de San Lorenzo El Real. Editions Patrimonio Nacional. Madrid, 1963.

Brochures du Musée Archéologique de Madrid, 1932.

ALOI, R.: *L'Arrendamento Moderno,* Italien, 1934.

ALOI, R.: *Esempi di Arrendamento Moderno di tutto il mondo.* Mailand, 1930.

ASÚA, M.: *El mueble en la historia.* Ediciones Voluntad. Madrid, 1930.

CANDAMO, L. G. DE: *El Mueble.* «Temas Españoles», Nr. 258, 1958.

CLARET RUBIRA, J.: Marqués de Lozoya. *Muebles de Estilo Español, desde el gótico hasta el siglo XIX con el mueble popular.* Barcelona, 1962.

CHAMPEAUX, A.: *Le Meuble.* París, 1885.

DOMENECH, R. und PEREZ BUENO, L.: *Muebles antiguos españoles.* Barcelona.

EBERLEIN, H. D.: *Spanish interiors. Furniture and details.* New York, 1925.

EBERLEIN, H. D. und RAMSDELL, R. W.: *The practical book of Italian, Spanish and Portuguese Furniture,* 1915.

ENRIQUEZ, M.ª DOLORES: *El Mueble Español en los siglos XV, XVI y XVII.* Afrodisio Aguado, S. A. Madrid.

FAYET, M. DE: *Meubles et Ensembles; Renaissance Espagnole.* París, 1961.

FEDUCHI, LUIS M.: *El Hospital de Afuera. Fundación Tavera-Lerma.* Afrodisio Aguado S.A., Madrid.

FEDUCHI, LUIS M.: *El Palacio Nacional,* 2 Bände. Afrodisio Aguado, S.A., Madrid.

FEDUCHI, LUIS M.: *Antología de la silla española.* Afrodisio Aguado S.A., Madrid.

FEDUCHI, LUIS M.: *Colecciones Reales de España. El Mueble.* Editorial Patrimonio Nacional. Madrid, 1965.

GUERRERO LOVILLO, JOSE: *Las Cantigas.* Consejo Superior de Investigaciones Científicas. Madrid, 1949.

JARRY, MADELEINE: *La siège en France.* París, 1948.

NOAIN, LUIS: *Croquis y Medidas.* Editorial Dossat, S.A. Madrid, 1967.

PARDO REINOSA, FRANCISCO, PRÓLOGO DE: *El Mueble en América del Sur.* Ediciones Centurión. Buenos Aires.

RODRÍGUEZ DE RIVAS, MARIANO: *El Museo Romántico.* Afrodisio Aguado, S. A. Madrid.

SCHMITZ, HERMANN: *Historia del Mueble.* Editorial Gustavo Gili, S.A. Barcelona, 1963.

WILLIAM, L.: *The Arts and Crafts of Older Spain.* London, 1907.

Ars Hispaniae. Historia Universal der Arte Hispánico. Editorial Plus-Ultra. Madrid, 1966.

Arte y Decoración en España. 10 Bände. Editorial Casellas Moncanut. Barcelona, 1927-28.

Boletín de la Sociedad Española de Excursionistas. Band XXIX. Jahrgang, 1921.

Katalog der Antiquariat-Ausstellung El Casón. Madrid, 1966.

Katalog der Ausstellung Spanischer Stil-Möbel durch die Sociedad de Amigos de Arte, 1912.

Kataloge der Museen von Sta. Cruz de Toledo, Burgos, Barcelona, Lérida und anderer.

El Escorial, 1563-1963. 400 jähriger Gründungstag des Klosters von San Lorenzo El Real. Editorial Patrimonio Nacional. Madrid, 1963.

Prospekte des Archäologischen Museums. Madrid, 1932.

Handbook, Museum and Library Collections. 1938.

Hispanic Furniture with examples in the Collection of the Hispanic Society of América, 1941.

Historia del Arte. Editorial Labor. Barcelona, 1931-67.

Revista Arte y Hogar. 1940-1945.

The Hispanic Society of América, New York. Publicaciones de Grace Hardedorff Burr.

Handbook, Museum and Library Collections. 1938.

Hispanic Furniture with examples in the Collection of the Hispanic Society of America. 1941.

Historia del Arte. Editorial Labor. Barcelona, 1931-67.

The Review «Arte y Hogar», 1940-1945.

The Hispanic Society of America, New York. Publications by Grace Hardedorff Burr:

Handbook, Museum and Library Collections, 1938.

Hispanic Furniture with examples in the Collection of the Hispanic Society of America, 1941.

Histoire de l'Art, Editions Labor, Barcelone, 1931-67.

Revue Arte y Hogar, 1940-1945.

The Hispanic Society of América, New York, Publications de Grace Hardedorff Burr.

Handbook, Museum and Library Collections. 1938.

Hispanic Furniture with examples in the Collection of the Hispanic Society of America, 1941.

Historia del Arte. Editorial Labor. Barcelona, 1931-1967.

Zeitschrift Arte y Hogar. 1940-1945.

The Hispanic Society of America, New York. Veröffentlichungen von Grace Hardedorff Burr.